TALVEZ VOCÊ DEVA CONVERSAR COM ALGUÉM

LORI GOTTLIEB

TALVEZ VOCÊ DEVA CONVERSAR COM ALGUÉM

Uma terapeuta, o terapeuta *dela*
e a vida de todos nós

Tradução de
Elisa Nazarian

20ª reimpressão

VESTÍGIO

Copyright © 2019 Lori Gottlieb
Copyright das ilustrações © 2019 Arthur Mount
Publicado através de acordo especial com a Houghton Mifflin Harcourt Publishing Company.

Título original: *Maybe You Should Talk to Someone: A Therapist, Her Therapist, and Our Lives Revealed*

Todos os direitos reservados pela Editora Vestígio. Nenhuma parte desta publicação poderá ser reproduzida, seja por meios mecânicos, eletrônicos, seja via cópia xerográfica, sem a autorização prévia da Editora.

EDITOR RESPONSÁVEL
Arnaud Vin

EDIÇÃO E PREPARAÇÃO DE TEXTO
Eduardo Soares

REVISÃO
Bruni Emanuele Fernandes
Julia Sousa

CAPA
Diogo Droschi
(sobre imagem de Sommai Damrongpanich/Shutterstock)

DIAGRAMAÇÃO
Larissa Carvalho Mazzoni

Dados Internacionais de Catalogação na Publicação (CIP)
Câmara Brasileira do Livro, SP, Brasil

Gottlieb, Lori
  Talvez você deva conversar com alguém : uma terapeuta, o terapeuta dela e a vida de todos nós / Lori Gottlieb ; tradução Elisa Nazarian. -- 1. ed.; 20. reimp. -- São Paulo : Vestígio, 2024.

  Título original: Maybe You Should Talk to Someone: A Therapist, Her Therapist, and Our Lives Revealed

  ISBN: 978-65-990398-1-2

  1. Gottlieb, Lori 2. Biografia 3. Desenvolvimento pessoal 4. Psicoterapeutas 5. Terapeuta e paciente - Biografia I. Título.

20-33657   CDD-616.8914

Índices para catálogo sistemático:
  1. Biografia : Memórias : Desenvolvimento pessoal :
     Psicoterapeutas e pacientes 616.8914

Cibele Maria Dias - Bibliotecária - CRB-8/9427

A **VESTÍGIO** É UMA EDITORA DO **GRUPO AUTÊNTICA**

São Paulo
Av. Paulista, 2.073 . Conjunto Nacional
Horsa I . Salas 404-406 . Bela Vista
01311-940 . São Paulo . SP
Tel.: (55 11) 3034 4468

Belo Horizonte
Rua Carlos Turner, 420
Silveira . 31140-520
Belo Horizonte . MG
Tel.: (55 31) 3465 4500

www.editoravestigio.com.br
SAC: atendimentoleitor@grupoautentica.com.br

Sugere-se que a felicidade seja classificada como um transtorno psiquiátrico e incluída em futuras edições dos principais manuais de diagnóstico sob o novo nome: transtorno afetivo maior, tipo agradável. Verificando-se a literatura relevante, vê-se que a felicidade é apresentada como estatisticamente anormal, consistindo em um conjunto discreto de sintomas, associada a uma série de anormalidades cognitivas e, provavelmente, refletindo o funcionamento anormal do sistema nervoso central. Permanece uma possível objeção a essa proposta: a de que a felicidade não possui um valor negativo. No entanto, essa objeção é refutada como sendo cientificamente irrelevante.

Richard Bentall,
Journal of Medical Ethics, 1992

O respeitado psiquiatra suíço Carl Jung disse:
*As pessoas farão qualquer coisa, por mais absurda que seja,
para evitar encarar suas próprias almas.*

Mas ele também disse:
Aquele que olha para dentro, desperta.

Nota da autora

O que este livro pergunta é: "Como mudamos?", e o que ele responde é: "Ao nos relacionarmos com os outros". As relações que descrevo aqui, entre terapeutas e pacientes, exigem uma confiança sagrada para que possa ocorrer qualquer mudança. Além de obter autorizações por escrito, esforcei-me, enormemente, para omitir identidades e quaisquer detalhes reconhecíveis, e, em alguns casos, fatos e circunstâncias da vida de alguns pacientes foram atribuídos a apenas um deles. Todas as mudanças foram pensadas com cuidado e escolhidas meticulosamente para que permanecessem fiéis ao espírito de cada história e, ao mesmo tempo, também servissem ao objetivo principal: revelar nossa humanidade comum para que possamos nos enxergar com mais clareza. O que equivale a dizer: se você se vir nestas páginas, é tanto coincidente quanto intencional.

Uma observação sobre a terminologia: aqueles que recorrem à terapia são chamados de várias maneiras, sendo as mais frequentes "pacientes" ou "clientes". Não acredito que alguma dessas palavras reflita o relacionamento que tenho com as pessoas com as quais trabalho. Mas "as pessoas com as quais trabalho" soa estranho, e "clientes" pode parecer confuso, considerando as várias conotações do termo. Sendo assim, em nome da simplicidade e da clareza, uso "pacientes" ao longo deste livro.

PARTE UM

1. Idiotas — 13
2. Se a rainha tivesse culhões — 21
3. A distância de um passo — 28
4. A inteligente ou a gostosa — 33
5. Namastê na cama — 38
6. Descobrindo Wendell — 44
7. O começo do entendimento — 51
8. Rosie — 60
9. Retratos de nós mesmos — 67
10. O futuro é também o presente — 70
11. Adeus, Hollywood — 79
12. Bem-vindo à Holanda — 85
13. Como as crianças lidam com o luto — 93
14. Harold e Maude — 96
15. Sem maionese — 102
16. Tudo de bom — 113
17. Sem lembrança nem desejo — 124

PARTE DOIS

18. Sextas-feiras às 4 da tarde — 135
19. O que sonhamos — 143
20. A primeira confissão — 147
21. Terapia com camisinha — 153

22. Prisão	166
23. Trader Joe's	173
24. Oi, família	178
25. O sujeito da transportadora	191
26. Encontros públicos constrangedores	195
27. A mãe de Wendell	202
28. Viciada	209
29. O estuprador	217
30. Pontualmente	228

PARTE TRÊS

31. Meu útero vagante	237
32. Atendimento de emergência	246
33. Carma	253
34. Apenas seja	261
35. Você preferiria?	264
36. A velocidade do querer	279
37. Preocupações supremas	287
38. Legoland	294
39. Como os humanos mudam	307
40. Pais	314
41. Integridade *versus* desespero	321
42. Meu *neshama*	332
43. O que não dizer a uma pessoa à beira da morte	336
44. E-mail do Namorado	341
45. A barba de Wendell	345

PARTE QUATRO

46. As abelhas	355
47. Quênia	363
48. Sistema imunológico psicológico	365
49. Aconselhamento *versus* terapia	375
50. Mortezilla	382
51. Caro Myron	388

52. Mães	396
53. O abraço	402
54. Não estrague tudo	408
55. A festa é minha e pode chorar se quiser	419
56. Felicidade é às vezes	426
57. Wendell	434
58. Uma pausa na conversa	439
Agradecimentos	444

Parte um

*Nada é mais desejável do que
se livrar de uma aflição, mas
nada é mais assustador do que
ser privado de uma muleta.*

James Baldwin

1

Idiotas

ANOTAÇÃO NO PRONTUÁRIO, JOHN:

O paciente relata estar se sentindo "estressado", com dificuldade para dormir e se entender com a esposa. Expressa irritação com outras pessoas e busca ajuda para "lidar com os idiotas".

Tenha compaixão.
Respiro fundo.
Tenha compaixão, tenha compaixão, tenha compaixão...
Repito essa frase na minha cabeça como um mantra, enquanto o homem de 40 anos sentado à minha frente me conta sobre todos os "idiotas" que existem em sua vida. Por que, ele quer saber, o mundo está tão cheio de idiotas? Eles já nascem assim? Ficam assim? Talvez, ele divaga, tenha algo a ver com todos os produtos químicos artificiais adicionados aos alimentos que comemos hoje em dia.

"É por isso que tento comer produtos orgânicos", ele diz. "Assim, não me torno um idiota como todo mundo."

Não estou conseguindo acompanhar de qual idiota ele está falando: o técnico de higiene dental, que faz perguntas demais ("Nenhuma delas retórica"), o colega de trabalho, que *só* faz perguntas ("Ele nunca *afirma* nada, porque isso significaria que teria alguma coisa a dizer"), o motorista à sua frente, que parou num semáforo amarelo ("Sem noção de *urgência*"), o técnico da Apple, no Genius Bar, que não conseguiu consertar seu notebook ("Baita gênio!").

"John", começo, mas ele está entrando em uma história desconexa sobre sua esposa. Não consigo ter a palavra, ainda que ele tenha me procurado para obter ajuda.

A propósito, sou a nova terapeuta dele. Sua terapeuta anterior, que só durou três consultas, era "simpática, mas idiota".

"E aí, Margô fica brava – dá pra acreditar?", ele diz. "Mas ela não me *diz* que está brava, só se *comporta* como se estivesse. E eu tenho que *perguntar* qual é o problema. Mas eu sei que, se perguntar, ela vai dizer 'Nada', nas três primeiras vezes, e então é possível que na quarta ou quinta vez ela diga: 'Você *sabe* qual é o problema', e eu direi: 'Não, não sei, senão não estaria *perguntando!*'."

Ele sorri. É um sorriso imenso. Tento explorar o sorriso – qualquer coisa que faça seu monólogo se transformar em um diálogo, para estabelecer um contato com ele.

"Esse seu sorriso me deixou curiosa", digo. "Porque você está contando sobre a sua frustração com muitas pessoas, inclusive Margô, e mesmo assim está sorrindo."

O sorriso cresce ainda mais. Ele tem os dentes mais brancos que já vi. Brilham feito diamantes. "Estou sorrindo, Sherlock, porque sei *exatamente* o que está incomodando a minha esposa!"

"Ah!", respondo. "Então..."

"Espera, espera. Estou chegando na melhor parte", ele interrompe. "Então, como eu disse, eu sei *mesmo* qual é o problema, mas não estou interessado em escutar mais uma reclamação. Então, dessa vez, em vez de perguntar, resolvo que vou..."

Ele para e olha para o relógio na estante atrás de mim.

Quero usar essa oportunidade para ajudar John a desacelerar. Poderia comentar sua olhada para o relógio (será que ele se sente apressado aqui dentro?), ou o fato de ele ter acabado de me chamar de Sherlock (estaria irritado comigo?), ou poderia permanecer mais na superfície daquilo que chamamos de "conteúdo" – o que ele está narrando – e tentar entender melhor o motivo de ele igualar os sentimentos de Margô a uma reclamação. Mas, se eu permanecer no conteúdo, não criaremos qualquer vínculo nesta sessão, e estou percebendo que John tem dificuldade de estabelecer conexões com as pessoas com quem convive.

"John", tento novamente. "Estou pensando se poderíamos voltar para o que acabou de acontecer..."

"Ah, ótimo", ele diz, interrompendo-me. "Ainda tenho vinte minutos." E retoma sua história.

Sinto um bocejo chegando, dos fortes, e preciso de uma força quase sobre-humana para manter meu maxilar travado. Sinto meus músculos resistindo, contorcendo meu rosto em expressões esquisitas, mas felizmente o bocejo é contido. Para meu azar, o que sai em seu lugar é um arroto. Bem alto. Como se eu estivesse bêbada. (Não estou. Sou um poço de coisas desagradáveis neste momento, mas bêbada não é uma delas.)

Por causa do arroto, minha boca ameaça se abrir novamente. Aperto os lábios com tanta força que meus olhos começam a lacrimejar.

É claro que John não parece notar. Continua falando *sobre* Margô. *Margô fez isso, Margô fez aquilo. Eu disse isso, ela disse aquilo. Então eu disse...*

Uma vez, durante meu estágio, uma supervisora me disse: "Todo mundo tem um lado simpático", e, para minha grande surpresa, descobri que ela tinha razão. É impossível conhecer as pessoas profundamente e não acabar gostando delas. Deveríamos pegar adversários mundiais, colocá-los em uma sala para compartilharem suas histórias e as experiências que os formaram, seus medos e suas lutas, e eles acabariam, subitamente, se dando bem. Descobri algo simpático em literalmente todos que conheci enquanto terapeuta, inclusive o sujeito da tentativa de assassinato. (Por trás da sua raiva, ele se revelou muito querido.)

Nem mesmo me importei, na semana anterior, em nossa primeira consulta, quando John explicou que tinha me procurado porque eu não era "ninguém" aqui em Los Angeles, o que significava que, quando viesse se tratar, ele não daria de cara com nenhum dos seus colegas da indústria televisiva. (Ele imaginava que esses colegas frequentassem "terapeutas famosos, *experientes*".) Simplesmente deixei aquilo de lado para uso futuro, quando ele estivesse mais aberto para interagir comigo. Também não titubeei quando, no final daquela sessão, ele me entregou um bolo de dinheiro vivo, explicando que preferia pagar daquele jeito por não querer que a esposa soubesse que estava fazendo terapia.

"Você será como minha amante", sugeriu. "Ou, na verdade, mais como minha puta. Sem querer ofender, mas você não é o tipo de mulher que eu escolheria como amante... Se é que me entende."

Não entendi (alguém mais loira? Mais jovem? Com dentes mais brancos e mais brilhantes?), mas percebi que aquele comentário era só uma das suas defesas contra a proximidade de qualquer pessoa, ou para não assumir sua necessidade de outro ser humano.

"Hah, hah, minha puta!", ele disse, parando à porta. "Vou vir aqui toda semana, soltar toda a minha frustração reprimida, e ninguém precisa saber! Não é engraçado?"

Ah, é, tive vontade de dizer, *engraçadíssimo*.

Mesmo assim, enquanto o ouvia rindo ao seguir pelo corredor, eu estava segura de que acabaria gostando de John. Por trás da maneira repulsiva como ele se apresenta, com certeza surgiria alguém agradável, até belo.

Mas isso foi na semana passada.

Hoje, ele parece só um babaca mesmo. Um babaca com dentes espetaculares.

Tenha compaixão, tenha compaixão, tenha compaixão. Repito meu mantra silencioso, depois volto a me focar em John. Ele está falando sobre um erro cometido em seu programa por um dos membros da equipe (um homem cujo nome, na narrativa de John, é simplesmente "O Idiota"). E exatamente aí algo me ocorre: a falação de John soa assustadoramente familiar; não as situações que descreve, mas os sentimentos que elas evocam nele – e em *mim*. Sei o quanto parece conveniente culpar o mundo por minhas frustrações, negar meu protagonismo em qualquer papel que eu possa ter na peça existencial chamada *Minha vida incrivelmente importante*. Sei como é banhar-se numa indignação hipócrita, na certeza de que eu estou completamente certa e de que sofri uma injustiça terrível, porque foi *exatamente* assim que me senti o dia todo.

O que John não sabe é que estou me recuperando da noite passada, quando o homem com quem pensei que ia me casar inesperadamente rompeu comigo. Hoje, tento me focar em meus pacientes (permitindo-me chorar apenas nos dez minutos de intervalo entre as consultas, enxugando com cuidado o rímel escorrido, antes que a próxima pessoa chegue). Em outras palavras, estou lidando com a minha dor da maneira como imagino que John anda lidando com a dele: encobrindo-a.

Como terapeuta, sei muito sobre dor, sobre as maneiras como a dor está ligada à perda. Mas também sei algo menos entendido normalmente:

que a mudança e a perda andam juntas. Não podemos ter mudança sem perda, motivo pelo qual é tão frequente as pessoas dizerem que querem mudar, mas mesmo assim continuarem exatamente iguais. Para ajudar John, terei que descobrir qual é sua perda, mas antes terei que entender a minha. Porque, neste exato momento, só consigo pensar no que meu namorado fez na noite passada.

O idiota!

Relembro John e penso: *Eu te entendo, irmão.*

Espere um pouco, você pode estar pensando. *Por que está me contando tudo isso? Os terapeutas não deveriam manter suas vidas pessoais privadas? Não deveriam ser como quadros em branco, que nunca revelam nada sobre si mesmos, observadores objetivos que evitam xingar seus pacientes, mesmo em pensamento? Além disso, entre todas as pessoas, os terapeutas não são os que deveriam manter uma vida equilibrada?*

Por um lado, sim. O que acontece na sala de terapia deveria ser feito em prol do paciente, e se os terapeutas não conseguem separar suas dificuldades daquelas de quem os procuram, então deveriam, sem dúvida, escolher outro tipo de trabalho.

Por outro lado, isto aqui, neste momento, entre mim e você, não é terapia, mas uma história sobre terapia: como nos curamos e aonde ela nos leva. Assim como naqueles programas no canal National Geographic, que capturam o desenvolvimento embrionário e o nascimento de crocodilos raros, quero capturar o processo no qual os seres humanos, lutando para evoluir, pressionam contra suas cascas até que elas rachem em silêncio (mas, às vezes, ruidosamente) e de forma lenta (mas, às vezes, subitamente).

Sendo assim, embora minha imagem com o rímel escorrendo pelo rosto riscado de lágrimas, entre uma consulta e outra, possa ser desconfortável de se imaginar, é aí que começa esta história sobre a complexidade de um punhado de seres humanos em dificuldade, que você está prestes a conhecer: com minha própria humanidade.

Obviamente, os terapeutas lidam com os desafios diários existenciais, como qualquer pessoa. Essa familiaridade, de fato, está na raiz da conexão forjada por nós com estranhos que nos confiam suas mais delicadas histórias e segredos. Nossa formação nos ensinou teorias, ferramentas e técnicas, mas pulsando sob nossa competência adquirida a duras penas está o fato de sabermos o quanto é difícil ser um indivíduo. O que equivale a dizer: continuamos indo trabalhar diariamente sendo nós mesmos, com nosso próprio conjunto de vulnerabilidades, nossos próprios anseios e inseguranças, bem como nossas próprias histórias. De todas as minhas credenciais como terapeuta, a mais significativa é eu ser membro de carteirinha da raça humana.

Mas revelar essa humanidade são outros quinhentos. Uma colega contou-me que, quando seu médico telefonou-lhe com a notícia de que sua gravidez não era viável, estava de pé dentro de uma Starbucks, e caiu no choro. Uma paciente a viu, cancelou a próxima consulta e nunca mais voltou.

Lembro-me de escutar o escritor Andrew Solomon contar uma história sobre um casal que conheceu em uma conferência. No decorrer do dia, ele disse, cada cônjuge confessou-lhe, em separado, que tomava antidepressivos, mas não queria que o outro soubesse. Acontece que *os dois escondiam o mesmo remédio na mesma casa*. Por mais que hoje, como sociedade, sejamos abertos em relação a assuntos antes privados, o estigma que envolve nossas dificuldades emocionais permanece espantoso. Falamos com praticamente qualquer pessoa sobre nossa saúde física (alguém consegue imaginar um casal escondendo um do outro seu remédio para refluxo?), até sobre nossas vidas sexuais, mas fale sobre ansiedade ou depressão, ou sobre uma sensação persistente de pesar, e a expressão no rosto de quem olha para você provavelmente dirá: *Tire-me desta conversa, já.*

Mas do que temos tanto medo? Não é como se fôssemos espiar naqueles cantos escuros, acender a luz e descobrir um bando de baratas. Os vaga-lumes também adoram a escuridão. Existe beleza nesses lugares. Mas é preciso olhar ali dentro para vê-la.

Minha função, a função da terapia, tem a ver com *olhar*.

E não apenas em relação a meus pacientes.

Fato pouco discutido: terapeutas fazem terapia. Na verdade, somos compelidos a ir, durante nossa formação, como parte da carga horária exigida para o licenciamento, de modo a sabermos, por experiência própria, o que nossos futuros pacientes vivenciarão. Aprendemos como aceitar feedback, tolerar o desconforto, ficar alertas a pontos cegos e descobrir o impacto de nossas histórias e comportamentos em nós mesmos e nos outros.

Mas depois nos formamos, as pessoas vêm buscar *nosso* aconselhamento e... continuamos fazendo terapia. Não de forma contínua, necessariamente, mas a maioria de nós senta-se no sofá de alguém, em diversas fases de nossas carreiras, em parte para ter um lugar onde discutir o impacto emocional do tipo de trabalho que realizamos, mas em parte porque a vida segue e a terapia ajuda-nos a confrontar nossos demônios quando eles surgem.

E eles certamente surgirão, porque todo mundo tem demônios, grandes, pequenos, antigos, novos, silenciosos, barulhentos, sejam de que tipo forem. Esses demônios comuns são testemunhos do fato de que, afinal de contas, não somos um ponto fora da curva. E é com essa descoberta que podemos criar um relacionamento diferente com nossos demônios, no qual já não tentamos encontrar justificativas para ignorar uma voz interior inconveniente, ou entorpecer nossos sentimentos com distrações, como vinho ou comida em excesso, ou horas navegando na internet (atividade que um colega chama de "o analgésico sem receita mais eficiente a curto prazo").

Um dos passos mais importantes da terapia é ajudar as pessoas a assumir responsabilidade por suas crises em andamento, porque uma vez que elas descobrem que podem, e devem, construir suas próprias vidas, veem-se livres para gerar mudanças. Contudo, frequentemente, as pessoas sustentam a crença de que a maioria dos seus problemas é circunstancial ou situacional, ou seja, têm causas externas. E se os problemas são causados por todos e por tudo, por algo alheio a elas, por que deveriam se dar ao trabalho de mudar a si mesmas? Mesmo que decidam agir de maneira diferente, o resto do mundo não continuará o mesmo?

Trata-se de um argumento razoável, mas, de maneira geral, não é assim que a vida funciona.

Você se lembra da famosa frase de Sartre: "O inferno são os outros"? É verdade, o mundo está cheio de pessoas difíceis (ou, como diria John, "idiotas"). Aposto que você poderia citar, de cara, neste exato momento, cinco pessoas realmente difíceis; algumas que você evita persistentemente, e outras que você evitaria com a mesma constância se não tivessem o seu sobrenome. Mas, às vezes, com mais frequência do que percebemos, essas pessoas difíceis somos nós.

É isso mesmo, às vezes o inferno somos nós.

Às vezes *nós* somos o motivo das nossas dificuldades. E se conseguirmos deixar de lado nossa maneira de ser, algo surpreendente acontece.

Um terapeuta erguerá um espelho para os pacientes, mas os pacientes também erguerão um espelho para seus terapeutas. A terapia está longe de ser unilateral; ocorre em um processo paralelo. Diariamente, nossos pacientes expõem questões que precisamos refletir para nós mesmos. Se eles podem se ver com mais clareza através das nossas reflexões, podemos nos ver com mais clareza através das reflexões deles. Isso acontece com os terapeutas quando estamos atendendo, e também acontece com nossos próprios terapeutas. Somos espelhos refletindo espelhos refletindo espelhos, mostrando uns aos outros o que ainda não conseguimos ver.

O que me traz de volta a John. Hoje, não estou pensando sobre nada disso. No que me diz respeito, tem sido um dia difícil com um paciente difícil, e, para piorar as coisas, estou atendendo John logo em seguida a uma jovem recém-casada que está morrendo de câncer – o que nunca é uma hora ideal para atender ninguém, mas principalmente quando você não dormiu o suficiente, seus planos de casamento acabaram de ser cancelados, e você sabe que sua dor é banal se comparada à de uma mulher em estágio terminal; e também sente (mas ainda não se dá conta) que não é nada banal, porque algo cataclísmico está acontecendo dentro de você.

Enquanto isso, a menos de dois quilômetros, em um prédio pitoresco de tijolinhos, numa rua estreita de mão única, um terapeuta chamado Wendell também está em seu consultório atendendo pacientes. Um após outro, eles se sentam em seu sofá, ao lado de um delicioso pátio ajardinado, falando sobre o mesmo tipo de coisas que meus pacientes falam para mim, em um andar mais alto de um alto prédio envidraçado de consultórios. Os pacientes de Wendell consultam-se com ele há semanas, meses, ou talvez até anos, mas eu ainda preciso conhecê-lo. Na verdade, ainda nem ouvi falar nele. Mas isso vai mudar. Estou prestes a me tornar a mais nova paciente de Wendell.

2

Se a rainha tivesse culhões

ANOTAÇÃO NO PRONTUÁRIO, LORI:
Paciente na casa dos 40 comparece para tratamento logo após um rompimento. Relata que busca "apenas algumas sessões para passar por isso".

Tudo começa com um problema atual.

Por definição, o *problema atual* é o motivo que leva uma pessoa a procurar terapia. Pode ser um ataque de pânico, a perda de um emprego, uma morte, um nascimento, uma dificuldade de relacionamento, uma inabilidade para tomar uma decisão importante, ou um estado de depressão. Às vezes, o problema atual é menos específico, uma sensação de "estagnação" ou a sensação vaga, mas persistente, de que exista algo de errado.

Seja qual for o problema, ele geralmente "acontece" porque a pessoa chegou a um ponto de inflexão em sua vida. *Viro pra esquerda ou pra direita? Tento conservar o status quo, ou entro em território inexplorado?* (Já vou avisando: a terapia sempre levará você a um território inexplorado, mesmo que escolha preservar o status quo.)

Mas as pessoas não se preocupam com seus pontos de inflexão quando chegam para a primeira sessão de terapia. Na maioria das vezes, só querem um alívio. Querem contar suas histórias, começando com seu problema atual.

Sendo assim, deixe-me contar-lhe o Incidente do Namorado.

***

A primeira coisa que quero dizer sobre o Namorado é que ele é um ser humano extraordinariamente decente. É gentil, generoso, engraçado, inteligente, e quando não está te fazendo rir, dirigirá até a farmácia às 2 da madrugada, para te trazer o antibiótico que você não aguenta esperar até de manhã para comprar. Se acontecer de ele estar no supermercado, mandará uma mensagem de texto perguntando se você precisa de alguma coisa, e, quando você responder que só precisa de sabão em pó, trará para casa suas almôndegas preferidas e vinte frascos de *maple syrup*, para os waffles que ele prepara para você a partir do zero. Carregará esses vinte frascos da garagem até a sua cozinha, arrumará perfeitamente dezenove deles no armário alto que você não alcança, e deixará um no balcão, disponível para a manhã.

Também deixará bilhetes de amor na sua escrivaninha, segurará sua mão e abrirá portas, e jamais vai reclamar por ser arrastado para eventos familiares, porque realmente gosta de estar na companhia dos seus parentes, mesmo os barulhentos ou idosos. Sem que haja qualquer motivo, ele lhe mandará pacotes da Amazon cheios de livros (sendo livros o equivalente a flores para você), e à noite vocês dois ficarão de conchinha e lerão trechos desses livros em voz alta, um para o outro, parando apenas para transar. Enquanto você estiver numa maratona da Netflix, ele massageará aquele ponto nas suas costas onde você tem uma leve escoliose, e, quando ele parar e você lhe der uma cutucada, continuará por mais deliciosos sessenta segundos, antes de tentar sair de fininho, sem você notar (e você vai fingir que não nota). Deixará você terminar os sanduíches, as frases e o protetor solar dele, e escutará com tanta atenção os detalhes do seu dia que, como seu biógrafo pessoal, se lembrará mais da sua vida do que você mesma.

Se esse retrato lhe parece distorcido, ele está. Existem muitas maneiras de se contar uma história, e se aprendi uma coisa como terapeuta é que a maioria das pessoas se enquadra no que os terapeutas chamam de "narradores não confiáveis". Isso não quer dizer que elas enganem propositalmente. O que acontece é que cada história tem múltiplos fios, e elas tendem a deixar de fora aqueles que não se enquadram em suas perspectivas. A maior parte do que os pacientes me contam é totalmente verdade, do ponto de vista deles no momento. Pergunte sobre o cônjuge de alguém enquanto os dois ainda estão apaixonados; depois faça a mesma pergunta após o divórcio, e a cada vez você terá apenas metade da história.

O que você acabou de ouvir sobre o Namorado? Foi apenas a metade boa.

E agora, a ruim. São 10 da noite em um dia de semana. Estamos na cama, conversando, e acabamos de decidir quais entradas de cinema reservar para o final de semana, quando o Namorado fica estranhamente quieto.

"Está cansado?", pergunto. Somos dois pais solteiros que trabalham, na faixa dos 40, portanto, normalmente, um silêncio de exaustão não significaria nada. Mesmo quando não estamos exaustos, ficarmos sentados juntos, em silêncio, traz uma sensação tranquila e relaxante. Mas se é que o silêncio possa ser escutado, o desta noite soa diferente. Se você já esteve apaixonada, conhece o tipo de silêncio ao qual me refiro; numa frequência que apenas seu companheiro pode perceber.

"Não", ele responde. É uma sílaba, mas a voz dele vacila sutilmente, seguida por um silêncio ainda mais desconfortável. Olho para ele. Ele olha de volta. Sorri, eu sorrio, e um silêncio ensurdecedor se abate novamente, quebrado apenas pelo roçar do seu pé crispado debaixo das cobertas. Agora estou alarmada. No meu consultório, posso aguentar maratonas de silêncios, mas no meu quarto não aguento mais de três segundos.

"Ei, está acontecendo alguma coisa?", pergunto, tentando soar relaxada, mas é uma pergunta retórica, se é que existe uma. A resposta é obviamente sim, porque, na história do mundo, essa pergunta nunca foi seguida por uma resposta tranquilizadora. Quando atendo casais em terapia, mesmo que a resposta inicial seja *não*, com o tempo a verdadeira resposta revela ser alguma variante de: *Estou te traindo, estourei os cartões de crédito, minha mãe idosa vem morar com a gente*, ou *não te amo mais*.

A resposta do Namorado não é exceção.

Ele diz: "Decidi que não posso viver com uma criança debaixo do mesmo teto pelos próximos dez anos".

Decidi que não posso viver com uma criança debaixo do mesmo teto pelos próximos dez anos?

Caio na risada. Sei que não tem nada de engraçado no que o Namorado disse, mas uma vez que estamos planejando viver juntos, e tenho um filho de 8 anos, parece tão ridículo que decido que tem que ser uma brincadeira.

O Namorado não diz nada, então paro de rir. Olho para ele. Ele desvia o olhar.

"Que raios você está dizendo? O que quer dizer com não pode viver com uma criança pelos próximos dez anos?"

"Sinto muito", ele diz.

"Sente muito pelo quê?", pergunto, ainda tentando entender. "Está falando sério? Não quer ficar junto?"

Ele explica que *quer* ficar junto, mas agora que suas filhas adolescentes logo irão para a faculdade, percebeu que não quer esperar mais dez anos para o ninho ficar vazio.

Fico de queixo caído. Literalmente. Sinto minha boca se abrir e ficar assim por um tempo. É a primeira vez que escuto isso, e levo um minuto para que meu queixo consiga voltar à posição original e eu possa falar. Minha cabeça está dizendo: *O quêêêêêê?*, mas minha boca diz: "Há quanto tempo você se sente assim? Se eu não tivesse perguntado se havia algum problema, quando é que você iria me contar?". Penso em como é impossível que isso esteja acontecendo, porque, há apenas cinco minutos, escolhemos nosso filme para o final de semana. É para estarmos *juntos* neste final de semana. *Num cinema!*

"Não sei", ele diz, constrangido. Dá de ombros, sem se mexer. Todo o seu corpo é um dar de ombros. "Nunca achava que fosse a hora certa pra tocar no assunto." (Quando meus amigos terapeutas escutam esta parte da história, imediatamente diagnosticam o sujeito como "evasivo". Quando quem escuta são meus amigos não terapeutas, imediatamente rotulam-no como "um babaca".)

Mais silêncio.

Sinto-me como se estivesse vendo essa cena de fora, observando uma versão confusa de mim mesma movendo-se numa velocidade incrível pelos famosos estágios do luto: negação, raiva, barganha, depressão e aceitação. Se minha risada era a negação, e meu "quando é que você iria me contar?" era a raiva, agora estou indo para a barganha. Quero saber como podemos fazer isso funcionar. Posso dispor de mais ajuda com o meu filho? Ter mais uma noite a sós?

O Namorado sacode a cabeça. Suas filhas adolescentes não acordam às 7 da manhã para brincar de Lego, ele diz. Está ansioso para, finalmente, ter sua liberdade, e quer relaxar nas manhãs dos finais de semana. Não importa que meu filho brinque sozinho com seus Legos, pela manhã. Aparentemente, o problema é que meu filho diz, ocasionalmente: "Olhe o meu Lego! Veja o que eu fiz!".

"Acontece que não quero ter que olhar para os Legos. Só quero ler o jornal", explica o Namorado.

Considero a possibilidade de que um alien tenha invadido o corpo do Namorado, ou que ele tenha um tumor cerebral germinando, e essa mudança de personalidade seja o primeiro sintoma. Especulo o que ele pensaria de mim se eu rompesse com ele porque suas filhas adolescentes queriam que eu visse suas novas leggings da Forever 21, enquanto eu estava tentando relaxar e ler um livro. *Não quero olhar para as leggings. Só quero ler meu livro.* Que tipo de pessoa dá o fora simplesmente pelo fato de não querer olhar?

"Pensei que você quisesse se casar comigo", digo, patética.

"Eu *quero* me casar com você", ele diz. "Só não quero morar com uma criança."

Penso nisso por um segundo, como se fosse um enigma que eu estivesse tentando resolver. Parece o Enigma da Esfinge.

"Mas eu *venho com uma criança*", digo, falando mais alto. Estou furiosa que ele esteja trazendo isso à tona agora, que esteja trazendo isso à tona, ponto. "Você não pode me encomendar *à la carte*, como um hambúrguer sem as fritas, como um... um..." Penso nos pacientes que descrevem cenários ideais, insistindo que só podem ser felizes naquela situação específica. *Se ele não largasse a faculdade de administração para virar escritor, seria o homem dos meus sonhos (então, vou terminar com ele e namorar gestores de fundos de investimento, que me dão tédio). Se o trabalho não fosse do outro lado da ponte, seria a oportunidade perfeita (então, vou continuar no meu emprego meia-boca, e continuar comentando o quanto invejo a carreira dos meus amigos). Se ela não tivesse um filho, eu me casaria com ela.*

Com certeza, todos nós temos nosso fator impeditivo. Mas quando os pacientes recorrem, repetidamente, a esse tipo de análise, às vezes digo: "Se a rainha tivesse culhões, ela seria o rei". Se você passa pela vida cheio de exigências, se não reconhece que "o perfeito é inimigo do bom", pode se privar da alegria. De início, os pacientes se assustam com a minha franqueza, mas isso acaba salvando-os de meses de tratamento.

"A verdade é que eu não queria namorar alguém com filho", o Namorado diz, "mas aí me apaixonei por você e não soube o que fazer."

"Você não se apaixonou por mim *antes* do nosso primeiro encontro, quando eu te disse que tinha um filho de 6 anos", digo. "Você sabia o que fazer então, não sabia?"

Mais silêncio sufocante.

Como você provavelmente percebeu, essa conversa não leva a lugar algum. Tento entender se tem a ver com outra coisa – como é que não poderia ser alguma outra coisa? Afinal de contas, o desejo dele por liberdade é o definitivo "Não é nada com você, sou eu" (sempre um código para *Não é nada comigo, é você*). Será que o Namorado está infeliz com alguma coisa no relacionamento e tem medo de me contar? Pergunto-lhe, calmamente, agora com a voz mais suave, porque tenho consciência de que pessoas muito zangadas não são muito acessíveis. Mas o Namorado insiste que se trata apenas de ele querer viver sem filhos, não sem mim.

Fico num estado de choque misturado com perplexidade. Não entendo como isso nunca veio à tona. Como é que você dorme profundamente ao lado de uma pessoa, planeja uma vida com ela, quando, em segredo, você está num impasse quanto a ir embora? (A resposta é simples, um mecanismo comum de defesa chamado "compartimentalização". Mas neste exato momento estou ocupada demais usando outro mecanismo de defesa, a negação, para enxergar isso.)

A propósito, o Namorado é advogado, e expõe tudo como se estivesse diante de um júri. Ele quer mesmo se casar comigo. Ele me ama de verdade. Apenas quer muito mais tempo comigo. Quer poder ter a espontaneidade de viajar comigo num final de semana, ou chegar em casa do trabalho e sair para comer, sem se preocupar com uma terceira pessoa. Quer a privacidade de um casal, não a sensação comunal de uma família. Quando soube que eu tinha um filho, disse a si mesmo que não era o ideal, mas não comentou nada comigo porque pensou que conseguiria se adaptar. Dois anos depois, no entanto, quando estamos prestes a unificar nossos lares, com a liberdade dele na mira, percebeu o quanto isso é importante. Sabia que as coisas teriam que terminar, mas não queria que terminassem, e mesmo quando pensou em me contar, não soube como tocar no assunto, porque já estávamos envolvidos demais, e o provável era que eu ficasse furiosa. Hesitou em me contar, disse, porque não queria ser um cretino.

A defesa encerra e diz que sente muito.

"Você sente muito?", replico, agressiva. "Bom, imagine só, ao tentar NÃO ser um cretino, você se transformou no MAIOR cretino do mundo!"

Ele torna a ficar quieto, e me dou conta de que seu silêncio esquisito, mais cedo, foi *seu* jeito de tocar no assunto. E embora fiquemos dando voltas e voltas nesse assunto, até o sol se infiltrar pelas venezianas, nós dois sabemos, sem sombra de dúvida, que não há mais nada a dizer.

Tenho um filho. Ele quer liberdade. Crianças e liberdade são mutuamente excludentes.

Se a rainha tivesse culhões, ela seria rei.

Voilà, eu tinha meu problema atual.

3

A distância de um passo

Quando você diz a alguém que é psicoterapeuta, geralmente provoca uma pausa de surpresa, seguida por perguntas inconvenientes: "Ah, uma terapeuta! É para eu te contar sobre a minha infância?". Ou "Será que você pode me ajudar com a minha sogra?". Ou "Você vai me analisar?" (A propósito, as respostas são: "Por favor, não"; "Possivelmente" e "Por que eu faria isso aqui?"). Se eu fosse ginecologista, você perguntaria se eu estava prestes a te fazer um exame pélvico?

Mas entendo de onde vêm essas reações. Elas se resumem a medo, de se ver exposto, de ser descoberto. *Você vai perceber as inseguranças que escondo com tanta habilidade? Você vai perceber minhas vulnerabilidades, minhas mentiras, meus motivos de vergonha?*

Você vai perceber o que há de humano *no meu ser?*

Fico chocada que as pessoas com quem converso em um churrasco, ou em um jantar, não pareçam especular se poderiam *me* perceber e notar as características que eu, também, tento esconder numa reunião formal. Assim que descobrem que sou terapeuta, me transformo em alguém que poderia espiar dentro das suas psiques se não tomarem o cuidado de desviar a conversa com piadas sobre terapeutas, ou se afastar, assim que possível, para reabastecer seus copos.

Contudo, algumas vezes as pessoas fazem mais perguntas, como: "Que tipo de pessoa você atende?". Conto que são pessoas exatamente como qualquer um de nós, o que equivale a dizer: exatamente como quem estiver perguntando. Certa vez, disse a um casal curioso, numa reunião de 4 de julho, que atendo um bom número de casais no meu consultório, e eles partiram para uma discussão bem na minha frente. Ele quis saber por que ela parecia tão interessada no que faz uma terapeuta de casais; afinal de contas, *eles* não estavam tendo problemas (risadinha desconfortável). Já ela quis saber por que ele não se interessava pela vida emocional dos casais; afinal de contas, talvez eles pudessem recorrer a uma ajuda (olhar penetrante). Mas eu estava pensando neles como um caso de terapia? De jeito nenhum. Dessa vez, fui eu quem deixou a conversa para "reabastecer o copo".

A terapia provoca reações estranhas porque, de certa maneira, é como pornografia; ambas implicam um tipo de nudez; ambas têm o potencial para excitar e ambas têm milhões de usuários, cuja maioria mantém seu uso privado. Embora os estatísticos tenham tentado quantificar o número de pessoas em terapia, seus resultados são considerados distorcidos, porque muitas pessoas que fazem terapia preferem não admiti-lo. Mas, ainda assim, os números subnotificados são altos.

Qualquer que seja o ano, cerca de trinta milhões de norte-americanos adultos sentam-se em sofás de especialistas, e os Estados Unidos nem são o líder mundial em terapia. (Fato curioso: os países com mais terapeutas *per capta* são, em ordem decrescente: Argentina, Áustria, Austrália, França, Canadá, Suíça, Islândia e Estados Unidos.)

Levando-se em conta que sou uma terapeuta, você poderia pensar que na manhã seguinte ao Incidente com o Namorado, poderia me ocorrer procurar, eu mesma, um terapeuta. Trabalho em um conjunto com dezenas de terapeutas, meu prédio está cheio de terapeutas, e tenho feito parte de vários grupos de aconselhamento, em que terapeutas discutem seus casos uns com os outros; portanto, sou bem versada no mundo terapêutico. Mas quando me vejo deitada, paralisada em posição fetal, não é a isso que recorro.

"Ele é um lixo!", diz minha amiga de longa data, Allison, depois que lhe conto a história ainda na cama, antes que meu filho acorde. "Já vai tarde! Que tipo de pessoa faz uma coisa dessas, não só com você, mas com seu filho?"

"É isso aí", concordo. "Quem faz uma coisa dessas?"

Passamos cerca de vinte minutos desancando o Namorado. No início de um surto de dor, as pessoas tendem a atacar outras pessoas ou a si mesmas, para projetar a raiva para fora ou para dentro. Allison e eu escolhemos para fora, baby! Ela está no centro-oeste, indo para o trabalho, duas horas à minha frente, aqui, na costa oeste, e vai direto ao assunto.

"Sabe o que você deveria fazer?", pergunta.

"O quê?". Sinto-me como se tivesse sido apunhalada no coração, e estou disposta a qualquer coisa para acabar com a dor.

"Deveria dormir com alguém! Vá pra cama com alguém e esqueça o *Hater* de Criança." Instantaneamente, adorei o novo nome do Namorado: *Hater* de Criança. "É óbvio que ele não é a pessoa que você pensava que fosse. Tire ele da cabeça."

Casada há vinte anos com seu namorado de faculdade, Allison não faz ideia de como aconselhar pessoas solteiras.

"Poderia ajudar numa recuperada rápida, como quando a gente cai de uma bicicleta e volta a pedalar na mesma hora", ela continua. "E não revire os olhos."

Allison me conhece. Estou revirando meus olhos vermelhos e inchados.

"Tudo bem. Vou dormir com alguém", consigo dizer, sabendo que ela está tentando me fazer rir. Mas logo volto a chorar. Sinto-me como uma adolescente de 16 anos vivendo seu primeiro fora, e não posso acreditar que esteja tendo essa reação aos 40 e tantos.

"Ah, querida", Allison diz, sua voz como se fosse um abraço. "Estou aqui, e você vai superar isso."

"Eu sei", digo, só que, de uma maneira estranha, não sei. Existe um dito popular, uma paráfrase de um poema de Robert Frost: *A única saída é atravessar.* A única maneira de se chegar ao outro lado do túnel é passando por dentro dele, e não o *rodeando.* Mas, neste momento, não consigo nem visualizar a entrada.

Depois que Allison estaciona o carro e promete me telefonar no primeiro intervalo, olho para o relógio: 6h30. Ligo para minha amiga Jen, uma terapeuta com consultório do outro lado da cidade. Ela atende ao primeiro toque, e escuto seu marido ao fundo, perguntando quem é. "*Acho* que é a Lori?" Ela deve ter visto o identificador de chamada, mas estou chorando tanto que ainda nem disse oi. Se não fosse pelo identificador, ela acharia que era algum desocupado passando trote.

Retomo o fôlego e conto a ela o que aconteceu. Ela escuta com atenção. Fica repetindo que não dá para acreditar. Também passamos vinte minutos acabando com o Namorado, e então escuto sua filha entrar no quarto, dizendo que precisa chegar cedo na escola para a aula de natação.

"Ligo para você na hora do almoço", Jen diz. "Mas, enquanto isso, não sei se essa história vai terminar assim. Tem alguma coisa que não bate. A não ser que ele seja um sociopata, não tem nada a ver com o que eu vi nos últimos dois anos."

"Justamente", digo. "O que significa que ele é um sociopata."

Escuto-a tomar um gole d'água e pousar o copo.

"Neste caso", ela diz, engolindo, "tenho um cara ótimo pra você, que não odeia crianças". Ela também gosta do novo nome do Namorado. "Daqui a algumas semanas, quando você estiver pronta, quero lhe apresentar."

Quase sorrio com o absurdo da coisa. O que eu preciso de verdade, nesse pouco tempo de rompimento, é que alguém me faça companhia na minha dor, mas também sei o quanto parece inútil observar o sofrimento de uma amiga e não fazer nada para resolvê-lo. *Fazer companhia na dor* é uma das raras experiências que as pessoas conseguem no espaço protegido de uma sala de terapia, mas é muito difícil dar ou recebê-la fora dali, mesmo para Jen, uma terapeuta.

Quando desligamos, penso em seu comentário: *daqui a algumas semanas*. Será que eu realmente poderia sair com alguém dali a poucas semanas? Imagino-me saindo com um sujeito bem intencionado, que faça o possível para engatar numa conversa de primeiro encontro; sem saber, ele fará uma referência a alguma coisa que me lembre o Namorado (estou convencida de que praticamente tudo me lembrará o Namorado), e não conseguirei controlar as lágrimas. Chorar num primeiro encontro é, sem dúvida, desanimador. Uma terapeuta chorando num primeiro encontro é tanto desanimador, quanto alarmante. Além disso, não tenho cabeça para focar em nada além do presente imediato.

Neste exato momento, trata-se apenas de um passo de cada vez.

Isso é algo que digo aos pacientes que estejam passando por uma depressão paralisante, do tipo que os leva a pensar: *Lá está o banheiro.*

A apenas um metro e meio de distância. Eu sei disso, mas não consigo chegar lá. Um passo após o outro. Não olhe toda a distância de uma vez. Dê só um passo. E depois de dar esse passo, dê mais um. Você vai acabar chegando no chuveiro. E também chegará ao dia seguinte e ao próximo ano. *Um passo.* Pode ser que eles não consigam imaginar o término da depressão num curto espaço de tempo, mas não é preciso. Fazer algo induz a pessoa a fazer algo mais, substituindo um círculo vicioso por um eficiente. A maioria das grandes transformações resulta de centenas de pequenos passos, quase imperceptíveis, que damos ao longo do caminho.

Muita coisa pode acontecer no espaço de um passo.

Dou um jeito de acordar meu filho, preparar o café da manhã, preparar sua lancheira com o almoço, conversar, deixá-lo na escola, e dirigir para o trabalho, tudo sem derramar uma lágrima. *Consigo fazer isso,* penso, enquanto pego o elevador até o meu consultório. *Um passo depois do outro.* Uma sessão de cinquenta minutos de cada vez.

Entro no meu andar, cumprimento meus colegas no corredor, destranco a porta da minha sala e começo minha rotina: guardo minhas coisas, desligo o celular, abro os arquivos e afofo as almofadas do sofá. Depois, de maneira atípica, sento-me nele. Olho para a minha cadeira vazia e considero a visão deste lado da sala. É estranhamente confortante. Fico ali até que a luzinha verde junto à porta acende, avisando-me que meu primeiro paciente chegou.

Estou pronta, penso. Um passo depois do outro. *Vou ficar bem.*

Só que não.

4

A inteligente ou a gostosa

Sempre me senti atraída por histórias, não apenas pelos fatos, mas pela maneira como são contadas. Quando as pessoas vêm à terapia, escuto suas narrativas, mas também a *flexibilidade* que essas pessoas têm com elas. Será que consideram o que estão dizendo a única versão da história – a versão "precisa" –, ou sabem que a delas é apenas uma das diversas maneiras de contá-la? Estão cientes do que estão escolhendo ocultar ou revelar, ou de como sua motivação em compartilhar essa história afeta a maneira como o interlocutor a escuta?

Pensei muito nessas questões quando tinha meus 20 anos, não em relação aos pacientes terapêuticos, mas aos personagens dos filmes e da TV. Foi por isso que, assim que me formei na faculdade, fui trabalhar na área de entretenimento, ou no que todos chamam, simplesmente, de "Hollywood".

Esse emprego era numa grande agência de talentos, e trabalhei como assistente de um agente júnior de cinema que, como muitas pessoas em Hollywood, não era muito mais velho do que eu. Brad representava roteiristas e diretores, e tinha uma aparência tão juvenil, com suas faces macias e cabelo espesso e caído, que ele constantemente tirava dos olhos, que seus ternos elegantes e sapatos caros sempre pareciam adultos demais para ele, como se estivesse usando as roupas do pai.

Na prática, meu primeiro dia de trabalho foi um teste. Glória, dos recursos humanos, (nunca soube seu sobrenome; todos a chamavam de "Glória dos recursos humanos") me disse que Brad tinha reduzido seus candidatos a assistente a duas finalistas, e cada uma de nós trabalharia por um dia como teste. Na tarde do meu teste, voltando da sala de xerox, entreouvi meu possível futuro chefe e outro agente, seu mentor, conversando em sua sala.

"Glória, dos recursos humanos, quer uma resposta até esta noite", escutei Brad dizer. "Devo escolher a inteligente ou a gostosa?"

Fiquei paralisada, chocada.

"Escolha sempre a inteligente", o outro agente respondeu, e fiquei me perguntando em qual das duas Brad me enquadrava.

Uma hora depois, consegui o emprego. E apesar de ter ficado ultrajada com a impropriedade daquela pergunta, senti-me profundamente magoada.

Mesmo assim, não tinha certeza do motivo de Brad ter me rotulado como inteligente. Naquele dia, eu só tinha discado uma série de números telefônicos (desligando as chamadas repetidamente, ao apertar os botões errados no confuso sistema telefônico), feito café (devolvido duas vezes), xerocado um roteiro (pressionei *10*, em vez de *1* para o número de cópias, depois escondi os nove roteiros extras sob um sofá na sala de descanso), e tropeçado no fio de um abajur na sala de Brad, caindo de bunda.

A gostosa, concluí, devia ser particularmente estúpida.

Tecnicamente, meu cargo era "assistente literária de cinema", mas, na realidade, eu era uma secretária que percorria a lista de chamadas o dia todo, discando os números de executivos de estúdio e cineastas, dizendo ao assistente de cada pessoa que meu chefe estava na linha, depois passando a ligação para ele. Era de conhecimento geral na indústria que os assistentes deveriam escutar em silêncio essas chamadas, para sabermos quais scripts tinham de ser mandados para quem, sem a necessidade de instruções posteriores. Mas, às vezes, os participantes da chamada esqueciam-se de nós, e escutávamos todo tipo de fofocas quentes sobre os famosos amigos dos nossos chefes – quem tinha discutido com o cônjuge, ou qual executivo de estúdio estava "muito confidencialmente" prestes a ser mandado para o *producers pasture*", termo figurado para quem conseguisse um acordo de produção pessoal no complexo do estúdio. Se a pessoa que meu chefe estava tentando contatar não estivesse disponível, eu "deixava recado" e passava para o próximo nome na lista de cem pessoas a serem chamadas, às vezes sendo orientada a estrategicamente retornar ligações em horários inoportunos (antes das 9h30 da manhã, porque ninguém em Hollywood chegava ao trabalho antes das 10 horas, ou, com menos sutileza, durante o almoço), para não encontrar a pessoa de propósito.

Embora o mundo do cinema fosse glamoroso – o Rolodex de Brad estava cheio de números de telefones e endereços das casas de pessoas que eu admirava havia anos –, o trabalho de uma assistente era o oposto. Como assistente, você buscava café, marcava hora no barbeiro e na pedicure, pegava roupa no tintureiro, filtrava chamadas de pais ou ex-namorados, xerocava e enviava documentos, levava carros ao mecânico, fazia compras pessoais, e sempre, obrigatoriamente, trazia garrafas de água gelada em toda reunião (nunca dizendo uma palavra aos roteiristas ou diretores presentes, os quais você morria de vontade de conhecer).

Por fim, tarde da noite, você digitava dez páginas, com espaço simples, com observações sobre roteiros que vinham dos clientes da agência, para que seu chefe pudesse fazer comentários perspicazes nas reuniões do dia seguinte, sem precisar ler nada. Nós, assistentes, nos empenhávamos muito nessas observações de roteiro, para provar que éramos inteligentes e capazes, e poderíamos um dia (por favor, Deus!) parar de prestar serviço como assistente, com suas obrigações de entorpecer a mente, horário estendido, salário irrisório e nenhuma compensação pelas horas extras.

Depois de alguns meses de trabalho, ficou claro que enquanto as gostosas da minha agência recebiam toda a atenção – e havia muitas delas no grupo de assistentes –, as inteligentes ficavam incumbidas de todo o trabalho extra. Em meu primeiro ano ali, dormi muito pouco, porque ficava lendo e escrevendo comentários em uma dúzia de roteiros por semana, todos depois do expediente e nos finais de semana. Mas eu não me importava. Na verdade, aquela era minha parte preferida do trabalho. Aprendi como criar histórias e me apaixonei por personagens fascinantes com vivências interiores complicadas. Conforme se passavam os meses, passei a confiar um pouco mais nos meus instintos, ficando menos preocupada quanto a sugerir uma ideia boba para uma história.

Logo fui contratada como executiva iniciante de cinema, em uma produtora, sob o título de editora de roteiro; ali, participava de reuniões, enquanto outra assistente trazia a garrafa de água. Trabalhei junto a roteiristas e diretores, debruçando-me sobre o material em uma sala e analisando cena por cena, ajudando a fazer as mudanças que o estúdio queria e evitando que os roteiristas, que frequentemente se sentiam zelosos do seu material, ficassem furiosos ou ameaçassem abandonar o projeto. (Essas negociações se revelariam um ótimo treino para a terapia de casais.)

Às vezes, para evitar distrações no escritório, eu trabalhava com os cineastas de manhã cedo, no meu primeiro apartamento, minúsculo, escolhendo, na noite anterior, o que servir no café da manhã, enquanto pensava: *Amanhã, John Lithgow vai comer este bagel na minha sala de visitas de quinta, com o carpete medonho de parede a parede, e o teto com textura de pipoca! Tem coisa melhor?*

E então teve, ou, pelo menos, foi o que pensei. Fui promovida. Eu tinha batalhado muito por essa promoção e a queria muito. Até consegui-la de fato.

A ironia do meu trabalho era que grande parte da função criativa acontece quando não se tem muita experiência. Quando você está começando, você é a pessoa dos bastidores, aquela que faz todo o trabalho com o roteiro no escritório, enquanto as pessoas mais qualificadas estão fora, adulando talentos, almoçando com agentes, ou passando por sets de filmagem para dar uma olhada nas produções da empresa. Quando você se torna uma executiva de desenvolvimento, passa do que é conhecido como executiva interna para externa, e se você foi uma garota sociável no ensino médio, este trabalho é para você. Mas se era a garota grudada em livros, que ficava mais feliz trabalhando com uma dupla de amigas na biblioteca, preste atenção no que deseja.

Agora, eu tentava, desajeitadamente, o dia todo me socializar nos almoços e reuniões. Além disso, o ritmo do processo começou a parecer milenar. Poderia levar muito tempo – literalmente anos – para um filme ser feito, e tive a sensação desanimadora de estar no trabalho errado. Tinha me mudado para um duplex com uma amiga, e ela observou que eu estava assistindo à TV toda noite. Tipo, de um jeito patológico.

"Você parece deprimida", ela disse, preocupada. Eu disse que não estava deprimida; só estava entediada. Não tinha pensado que se a única coisa que te mantém ativa o dia todo é saber que vai ligar a TV depois do jantar, provavelmente você *está* deprimida.

Um dia, nessa época, eu estava almoçando em um restaurante muito agradável com uma agente muito simpática, que contava sobre uma negociação muito boa que tinha feito, quando notei que pela minha cabeça ficavam passando quatro palavras: *Não. Estou. Nem. Aí.* Não importava o que a agente dissesse, essas quatro palavras passavam circulando, e não pararam quando veio a conta, nem no caminho de volta ao escritório. No dia seguinte, elas também chacoalharam na minha cabeça, e também nas próximas semanas, até que, finalmente, tive que admitir, meses depois, que elas não iriam embora. *Não. Estou. Nem. Aí.*

E uma vez que a única coisa a que eu *realmente* parecia dar importância era assistir à TV, já que a única hora em que eu sentia alguma coisa (ou talvez, para ser mais precisa, a única hora em que eu sentia a ausência de algo desagradável que não conseguia identificar) era quando estava imersa naqueles mundos imaginários com novos episódios chegando semanalmente, como relógio, candidatei-me a um trabalho na televisão. Em poucos meses, comecei a trabalhar em desenvolvimento de séries na NBC.

Era como um sonho tornando-se realidade. Pensei: *Vou de novo ajudar a contar histórias. Melhor ainda, em vez de desenvolver filmes independentes, com finais perfeitamente elaborados, vou trabalhar em séries. Com o passar de vários episódios e temporadas, estarei ajudando a audiência a conhecer seus personagens favoritos, camada por camada, personagens tão falhos e contraditórios como todos nós, com histórias igualmente confusas.*

Parecia a solução perfeita para o meu tédio. Eu levaria anos para perceber que tinha resolvido o problema errado.

5

Namastê na cama

ANOTAÇÃO NO PRONTUÁRIO, JULIE:
*Professora universitária de 33 anos busca ajuda para lidar com
um diagnóstico de câncer ao voltar da sua lua de mel.*

"Isso é a parte de cima de um pijama?", Julie pergunta ao entrar na minha sala. É a tarde depois do Incidente com o Namorado, logo antes da minha sessão com John (e seus idiotas), e quase dei conta do dia.

Dirijo-lhe um olhar intrigado.

"Sua camiseta", ela diz, acomodando-se no sofá.

Relembro a manhã, o suéter cinza que pretendia usar, e então, com uma sensação de desconforto, a imagem dele estendido na minha cama ao lado da parte de cima do pijama cinza, que, em meu torpor pós-rompimento, tinha tirado antes de entrar no chuveiro.

Ai, Deus.

Em uma de suas idas ao supermercado, o Namorado tinha comprado para mim um pacote de pijamas, com trocadilhos infames estampados (não a mensagem que uma terapeuta deseja passar para seus pacientes). Tento me lembrar qual deles eu usei na noite passada.

Preparo-me e olho para baixo. Minha camiseta diz NAMASTÊ NA CAMA. Julie está olhando para mim, esperando uma resposta.

Sempre que fico sem saber o que dizer na sala de terapia – o que acontece aos terapeutas com mais frequência do que os pacientes imaginam –, tenho uma escolha: posso ficar calada até entender melhor o momento, ou posso tentar responder, mas seja lá o que eu faça, preciso dizer a verdade. Assim, embora esteja tentada a dizer que pratico ioga e que minha camiseta é apenas uma peça casual, seriam duas mentiras. Julie pratica ioga como parte do seu programa Câncer Consciente, e, se começar a falar sobre várias posições, terei que mentir mais ainda e fingir que estou familiarizada com elas, ou admitir que menti.

Lembro-me de quando, durante meu estágio, um colega contou a uma paciente que ficaria fora da clínica por três semanas, e ela perguntou para onde ele iria.

"Vou para o Havaí", ele respondeu com sinceridade.

"De férias?", a paciente perguntou.

"É", ele respondeu, embora, tecnicamente, estivesse indo para seu casamento, ao que se seguiriam quinze dias de lua de mel na ilha.

"São férias compridas", a paciente observou, e o estagiário, acreditando que contar sobre seu casamento seria pessoal demais, decidiu, em vez disso, focar no comentário da paciente. O que seria para ela perder três semanas de sessões? Que lembrança lhe traziam seus sentimentos sobre a ausência dele? As duas perguntas poderiam ser caminhos férteis a serem explorados, mas o mesmo se poderia dizer sobre a pergunta indireta da paciente: *Como não é verão, nem época de Natal, por que você está de fato tirando três semanas de férias?* E evidentemente, quando o estagiário voltou a trabalhar, a paciente notou sua aliança e se sentiu traída: "Por que você não me disse a verdade?".

Em retrospecto, o estagiário desejou tê-lo feito. Que importância tinha a paciente saber que ele iria se casar? Os terapeutas casam-se, e os pacientes reagem a essas novidades. Isso pode ser trabalhado. A perda de confiança é mais difícil de consertar.

Freud afirmava que "o médico deveria ser impenetrável para o paciente e, como um espelho, refletir nada além do que lhe é mostrado". No entanto, atualmente, a maioria dos terapeutas usa, em seu trabalho, alguma forma do que é conhecido como autoexposição, seja compartilhando algumas de suas próprias reações afloradas durante a sessão, ou reconhecendo assistir ao programa de TV ao qual o paciente costuma se referir. (É melhor admitir que você assiste ao *The Bachelor*, do que fingir ignorância e se trair ao citar um membro do elenco ainda não mencionado pelo paciente.)

No entanto, é inevitável que a questão quanto ao que compartilhar seja ardilosa. Uma terapeuta que conheço contou a uma paciente, cujo filho fora diagnosticado com a síndrome de Tourette, que ela também tinha um filho com Tourette, e isso aprofundou o relacionamento entre elas. Outra colega atendeu um homem cujo pai se suicidara, mas nunca revelou ao paciente que seu próprio pai também se suicidara. Cada caso exige ponderação, um fator decisivo subjetivo, usado para avaliar a importância da revelação: Essa informação será útil para o paciente?

Quando bem feita, a autoexposição pode transpor certa distância com pacientes que se sentem isolados em suas experiências e encorajar mais abertura. Mas se for percebida como imprópria ou autoindulgente, o paciente se sentirá desconfortável e começará a se fechar, ou simplesmente fugirá.

"É", digo a Julie. "É a parte de cima de um pijama. Acho que vesti isso por engano."

Espero, imaginando o que ela dirá. Se ela perguntar o motivo, direi a verdade, embora sem detalhes: Eu estava distraída hoje de manhã.

"Ah", ela diz. Então, sua boca se retorce, da maneira que acontece quando está prestes a chorar, mas em vez disso começa a rir. "Me desculpe, não estou rindo de você. *Namastê na Cama*... É exatamente assim que me sinto!"

Ela me conta sobre uma mulher em seu programa Câncer Consciente, que está convencida de que, se Julie não levar a ioga a sério, juntamente com os famosos laços rosa e o otimismo, seu câncer a matará. Pouco importa que seu oncologista já lhe tenha informado que seu câncer a matará. Essa mulher continua insistindo na ideia de que ele pode ser curado com ioga. Julie a despreza.

"Imagine se eu entrasse na aula de ioga usando essa camiseta e..."

Agora, ela ri descontroladamente, refreando-se e depois voltando a gargalhar. Não vi Julie rir nem uma vez, desde que soube que estava morrendo. Ela devia ser assim no que chama de "A.C." ou "Antes do Câncer", quando era feliz e saudável, e apaixonada por seu futuro marido. Sua risada é como uma música, e tão contagiosa que também começo a rir.

Ficamos as duas ali, rindo, ela da mulher hipócrita, eu do meu engano — das maneiras como nossas mentes nos traem tanto quanto nossos corpos.

* * *

Julie descobriu seu câncer enquanto transava com o marido, numa praia no Taiti. Mas não desconfiou que fosse câncer. Seu seio estava sensível, e mais tarde, no chuveiro, o local sensível pareceu estranho, mas frequentemente ela tinha pontos que pareciam estranhos, e sua ginecologista sempre achava que eram glândulas que mudavam de tamanho em certas épocas do mês. Seja como for, ela pensou, talvez estivesse grávida. Ela e seu novo marido, Matt, estavam juntos havia três anos, e os dois tinham vontade de começar uma família assim que se casassem. Nas semanas anteriores ao casamento, não tinham se preocupado em evitar filhos.

Também era uma boa fase para se ter um bebê. Julie tinha sido efetivada em sua universidade, e depois de anos de trabalho duro, podia, finalmente, fazer uma pausa. Agora, haveria mais tempo para suas paixões: correr maratonas, escalar montanhas e assar bolos engraçados para o sobrinho. Também haveria tempo para o casamento e a maternidade.

Ao voltar da lua de mel, Julie urinou em um teste de gravidez e mostrou-o a Matt, que a pegou no colo e dançou com ela pela sala. Os dois decidiram que a música que estava tocando no rádio, "Walking on Sunshine", seria a música-tema do bebê. Animados, foram ao obstetra para sua primeira consulta pré-natal, e quando o médico sentiu a "glândula" que Julie havia notado na lua de mel, seu sorriso murchou ligeiramente.

"Provavelmente não é nada", ele disse, "mas vamos dar uma verificada."

Não era "nada". Jovem, recém-casada e grávida, sem histórico familiar de câncer no seio, Julie tinha sido atingida pela aleatoriedade do universo. Então, enquanto se via às voltas com uma forma de lidar com o tratamento do câncer e a gravidez, sofreu um aborto. Foi quando ela aterrissou no meu consultório.

Foi uma indicação estranha, considerando que eu não era uma terapeuta especializada no tratamento de pessoas com câncer, mas minha falta de experiência era exatamente o motivo de Julie querer me ver. Tinha contado a seu médico que não queria uma terapeuta da "equipe de câncer". Queria se sentir normal, ser parte dos vivos, e como seus médicos pareciam confiantes de que ela ficaria bem depois da cirurgia e da químio, quis focar tanto em passar pelo tratamento, quanto em ser uma recém-casada. (O que deveria dizer em suas notas de agradecimento pelos presentes de casamento? *Muito obrigada pela linda vasilha... Está na minha cama para que eu possa vomitar nela?*)

O tratamento foi brutal, mas Julie melhorou. Um dia depois de o médico declará-la "livre do tumor", ela e Matt foram dar uma volta de balão com seus amigos e familiares mais próximos. Era a primeira semana de verão, e, ao se darem os braços e assistirem ao pôr do sol a trezentos metros de altura, Julie deixou de se sentir traída, como acontecera durante o tratamento, e sim sortuda. É, ela tinha atravessado o inferno, mas aquilo ficara para trás e seu futuro estava à frente. Em seis meses, faria uma última ressonância, um arremate para liberá-la para a gravidez. Naquela noite, sonhou que estava sexagenária, segurando sua primeira neta.

Julie estava animada. Nosso trabalho terminara.

Não vi Julie entre o passeio de balão e a ressonância, mas comecei a receber ligações de outros pacientes com câncer, indicados por seu oncologista. Não há nada como uma doença para acabar com a sensação de controle, mesmo que, frequentemente, tenhamos menos controle do que imaginamos. O que as pessoas não gostam de pensar é que podemos fazer tudo certo, na vida ou no protocolo de um tratamento, e mesmo assim dar com os burros n'água. E quando isso acontece, o único controle que você tem é a forma como lida com esses problemas – à *sua* maneira, não a que os outros lhe sugerem. Deixei Julie agir livremente, e pareceu ajudar. Eu era tão inexperiente que não tinha uma percepção segura de como deveria ser essa maneira.

"Seja lá o que você fez com ela", disse o oncologista de Julie, "ela pareceu satisfeita com o resultado."

Eu sabia que não tinha feito nada brilhante com Julie. Em grande parte, esforcei-me ao máximo para não me esquivar de sua crueza. Mas essa crueza só foi tão longe porque, então, não estávamos nem pensando em morte. Em vez disso, discutimos perucas *versus* lenços, sexo e imagem física pós-cirurgia. E eu a ajudei a refletir sobre como lidar com seu casamento, seus pais e seu trabalho, de uma maneira muito próxima ao que faria com qualquer paciente.

Então, um dia, cheguei minhas mensagens e ouvi a voz de Julie. Queria me ver imediatamente.

Veio na manhã seguinte, lívida. A ressonância, que se esperava não mostrar nada, havia descoberto uma forma rara de câncer, diferente da original. Com toda probabilidade, aquele câncer a mataria. Poderia levar um ano, cinco, ou, se as coisas corressem bem, dez. Obviamente eles explorariam tratamentos experimentais, mas eram apenas isso, experimentais.

"Você fica comigo até eu morrer?", Julie perguntou, e embora meu instinto fosse fazer o que as pessoas tendem a fazer sempre que alguém se refere à morte, que é negá-la completamente (*Ei, não é hora de pensar nisso, esses tratamentos experimentais podem funcionar*), tive que me lembrar de que estava ali para ajudar Julie, não para me confortar.

Mesmo assim, na hora em que ela me perguntou, eu estava atordoada, ainda absorvendo a notícia. Não tinha certeza de ser a melhor pessoa para aquilo. E se eu dissesse ou fizesse a coisa errada? Será que eu a magoaria se meus sentimentos – desconforto, medo, tristeza – aflorassem nas minhas expressões faciais ou na linguagem corporal? Ela só teria uma chance de fazer isso da maneira que queria. E se eu a decepcionasse?

Ela deve ter percebido minha hesitação.

"*Por favor*", disse. "Sei que não é moleza, mas não posso procurar essas pessoas ligadas ao câncer. É como um culto. Elas chamam todo mundo de 'corajoso', mas que escolha a gente tem? Além disso, estou apavorada e ainda me encolho quando vejo agulhas, igual ao que eu fazia quando criança e precisava tomar injeção. Não sou corajosa e não sou uma guerreira lutando em uma batalha. Não passo de uma professora comum de faculdade." Ela se inclinou para a frente no sofá. "Eles têm *frases de apoio* nas paredes. Então, por favor?"

Olhando para Julie, não consegui dizer não. Mais importante, agora eu não queria dizer não.

E naquele momento, a natureza do nosso trabalho conjunto mudou: eu iria ajudá-la a aceitar sua morte.

Dessa vez, minha inexperiência poderia ter importância.

43

6

Descobrindo Wendell

"Talvez você deva conversar com alguém", Jen sugere, duas semanas após o rompimento. Ela acabou de me ligar no trabalho, para ver como eu estava. "Você precisa descobrir um lugar onde não se comporte como uma terapeuta", acrescenta. "Precisa ir aonde você possa desmoronar totalmente."

Olho-me no espelho pendurado ao lado da porta da minha sala, que uso para ter certeza de não estar com batom nos dentes, quando estou prestes a buscar um paciente na sala de espera, depois de um rápido lanchinho entre as consultas. Pareço normal, mas me sinto confusa e desorientada. Não tenho problema com os pacientes, atendê-los é um alívio, cinquenta minutos inteirinhos de descanso da minha própria vida, mas fora das sessões, estou pirando. Na verdade, com o passar dos dias, sinto-me pior, não melhor.

Não consigo dormir, não consigo me concentrar. Desde o rompimento, esqueci meu cartão de crédito na loja de departamentos, saí do posto de gasolina com a tampa do tanque pendurada e caí de um degrau da minha garagem, machucando feio o joelho. Meu peito dói como se meu coração tivesse sido esmagado, apesar de eu saber que não foi, porque, quando muito, ele está trabalhando com mais força, batendo rapidamente o tempo todo, sinal de ansiedade. Estou obcecada com o estado mental do Namorado, que eu imagino que esteja calmo e sem conflitos, enquanto eu me deito no chão do meu quarto, à noite, e sinto sua falta. Depois, fico obcecada quanto a se, de fato, sinto falta dele. Será que o *conhecia* realmente? Sinto falta dele, ou sinto falta da ideia que construí dele?

Então, quando Jen diz que eu deveria procurar um terapeuta, sei que ela tem razão. Preciso de alguém que me ajude a atravessar essa crise.

Mas quem?

Encontrar um terapeuta é uma coisa complicada. Não é como procurar um bom clínico geral ou um dentista, porque, quase todo mundo precisa de um clínico geral ou de um dentista. Mas um terapeuta? Reflita:

1. Se você pedir a alguém a indicação de um terapeuta, e essa pessoa não estiver se consultando com um, ela pode se sentir ofendida por você ter deduzido isso. Da mesma maneira, se você pedir a indicação de um terapeuta a alguém, e essa pessoa estiver fazendo terapia, ela pode ficar incomodada de que isso fosse tão evidente para você. *Com tanta gente que ela conhece*, essa pessoa poderia pensar, *por que ela pensou em perguntar para mim?*

2. Quando você pergunta, corre o risco de essa pessoa questionar por que você quer ir a um terapeuta. "Qual é o problema?", ela pode dizer. "É o seu casamento? Você está deprimida?" Mesmo que as pessoas não perguntem isso em voz alta, todas as vezes que te virem, podem ficar especulando em silêncio: *Qual é o problema? É o seu casamento? Você está deprimida?*

3. Se sua amiga lhe passar o nome do terapeuta dela, poderia haver pesos e contrapesos para o que você diz na sala de terapia. Se, por exemplo, sua amiga conta para esse terapeuta um incidente não muito lisonjeiro que te envolva, e você der uma versão diferente desse mesmo incidente, ou omiti-lo totalmente, o terapeuta a verá de uma maneira que você não escolheu exibir. Mas você não saberá o que ele sabe a seu respeito, porque o terapeuta não pode mencionar nada do que é dito na sessão de outra pessoa.

Apesar dessas ressalvas, o boca a boca é, geralmente, uma maneira eficiente de encontrar um terapeuta. Seja como for, é possível que você tenha que conhecer alguns, antes de encontrar o que lhe seja adequado. Isso acontece porque ter uma boa empatia com seu terapeuta tem uma importância que não acontece com outros médicos (como disse um terapeuta: "Não é como escolher um bom cardiologista, que te vê, talvez, duas vezes por ano, e nunca terá conhecimento da sua imensa insegurança"). Vários estudos demonstram que o fator mais importante no sucesso do seu tratamento é seu relacionamento com o terapeuta, sua experiência de "se sentir percebida". Isso tem mais importância do que a formação do profissional, o tipo de terapia que ele faz, ou o tipo de problema que você tem.

Mas tenho limitações peculiares para descobrir um terapeuta. Para evitar uma transgressão ética conhecida como *relação dual*, não posso tratar ou receber tratamento de qualquer pessoa do meu círculo social: o pai de uma criança da classe do meu filho, a irmã de algum colega de trabalho, a mãe de uma amiga, ou um vizinho. A relação numa sala de terapia precisa se dar por si só, distinta e à parte. Essas regras não valem para outros profissionais de saúde. Você pode jogar tênis ou participar de um clube do livro com seu cirurgião, sua dermatologista ou seu quiroprático, mas não com seu terapeuta.

Isso limita drasticamente minhas opções. Simpatizo ou me relaciono com inúmeros terapeutas da cidade, encaminho pacientes para eles, vamos a conferências juntos. Além disso, meus amigos terapeutas, como Jen, conhecem vários dos mesmos terapeutas que eu. Mesmo se Jen me indicasse um colega que eu não conheça, haveria algo de constrangedor no fato de ela ter um relacionamento com ele – é muita proximidade. Quanto a perguntar aos meus colegas? Bom, eis a questão: não quero que eles saibam que tenho urgência em recorrer a uma terapia. Eles poderiam hesitar, conscientemente ou não, em me indicar?

Assim, embora eu esteja cercada por terapeutas, meu dilema invoca aquela frase de Coleridge: "Água, água por toda parte/ Nem uma gota para beber".

Mas, ao final do dia, tenho uma ideia.

Minha colega Caroline não está no meu conjunto, nem mesmo no meu prédio. Não é uma amiga, embora tenhamos um relacionamento profissional próximo. Às vezes compartilhamos casos, eu atendo um casal, e ela atende um dos membros desse casal individualmente, ou vice-versa. Eu confiaria em qualquer indicação que ela desse.

Ligo para seu celular às 10 em ponto, e ela atende.

"Ei, como você está?", ela pergunta.

Digo que estou ótima. "Formidável", respondo com entusiasmo. Não menciono o fato de mal conseguir dormir ou comer, e me sentir como se pudesse desmaiar. Pergunto como ela está, depois vou direto ao assunto.

"Preciso de uma indicação para um amigo", digo.

Explico rapidamente que esse "amigo" está procurando especificamente um terapeuta homem, para impedir que Caroline cisme com o fato de eu não o encaminhar para ela.

Pelo telefone, quase posso escutar as engrenagens girando em sua cabeça. Quase três quartos dos profissionais que praticam terapia (em vez de pesquisa, testes psicológicos, ou gerenciamento de medicamentos) são mulheres, então é preciso pensar um pouco para descobrir um homem. Acrescento que o único terapeuta no meu conjunto de salas, que acontece de ser um dos mais talentosos terapeutas que conheço, não dará certo para esse amigo, porque esse amigo não se sente confortável fazendo terapia no meu consultório, onde compartilhamos uma sala de espera.

"Huumm", diz Caroline. "Deixe-me pensar. Como é esse amigo que quer a indicação?"

"Ah, está na faixa dos 40", digo. "Altamente funcional."

Altamente funcional é um código terapêutico para "um bom paciente", o tipo com quem a maioria dos terapeutas gosta de trabalhar, geralmente para compensar aqueles com quem também queremos trabalhar, mas que não são tão altamente funcionais. Os pacientes altamente funcionais são aqueles que conseguem estabelecer relações, administram responsabilidades de adultos e têm capacidade para uma autorreflexão. São do tipo que não telefona diariamente, com emergências, entre as sessões. Estudos demonstram, e o senso comum reafirma, que a maioria dos terapeutas prefere trabalhar com pacientes verbais, motivados, abertos e responsáveis, que são os que progridem com mais rapidez. Incluo o detalhe "altamente funcional" para Caroline, porque isso amplia o escopo de terapeutas que poderiam se interessar pelo caso e, bem, considero-me, relativamente, de alto nível funcional. Pelo menos me considerava, até recentemente.

"Acho que ele se sentiria mais confortável com um terapeuta homem, que também fosse casado e com filhos", continuo.

Também acrescento isso por um motivo. Sei que essa não é uma suposição justa, mas temo que uma terapeuta poderia estar predisposta a sentir empatia por mim pós-rompimento, e que um terapeuta homem, que não fosse casado, nem fosse pai, não entenderia as nuances da variável *criança* da situação. Resumindo, quero ver se um *profissional homem, objetivo, com experiência própria em casamento e filhos*, um homem exatamente como o Namorado, ficará tão chocado com o comportamento dele quanto eu, porque, então, saberei que minha reação é normal, e não estou de jeito nenhum ficando louca.

É, estou buscando objetividade, mas só por estar convencida de que a objetividade julgará a meu favor.

Escuto Caroline digitando em seu teclado: *tap, tap, tap.*

"Que tal... Não, deixa pra lá, este é muito pretensioso", ela diz de algum terapeuta não denominado. Volta para seu teclado. *Tap, tap, tap.* "Tem um colega que costumava participar do meu grupo de estudos", ela começa, "mas não tenho certeza. Ele é ótimo, muito habilidoso, sempre tem coisas perspicazes a dizer, só que..."

Caroline hesita.

"Só que?"

"O tempo todo ele está *feliz* demais. Parece... *artificial*. Tipo, o que está deixando ele tão feliz? Mas alguns pacientes gostam disso. Você acha que seu amigo se daria bem com ele?"

"Com certeza não", digo. Eu também desconfio de pessoas cronicamente felizes.

Em seguida, Caroline cita um bom terapeuta, que eu também conheço relativamente bem. Digo que ele não dará certo para o meu amigo, porque existe um *conflito* – linguagem figurada de um terapeuta para "os mundos deles colidem, mas não posso revelar mais".

Ela volta a digitar, *tap, tap, tap*, depois para.

"Ah, existe um psicólogo chamado Wendell Bronson", Caroline diz. "Não falo com ele há anos, mas estudamos juntos, e ele é inteligente. Casado, com filhos. Saindo dos 40, ou coisa assim, na ativa há um bom tempo. Quer o contato dele?"

Digo que quero, ou seja, "meu amigo" quer. Trocamos amabilidades e desligamos.

A essa altura, tudo o que sei sobre Wendell é o que Caroline acabou de me contar, e que no terreno em frente ao seu consultório pode-se estacionar gratuitamente por duas horas. Sei sobre o estacionamento porque, quando Caroline me manda por mensagem de texto o número de telefone e o endereço dele, um minuto depois do nosso telefonema, percebo que o lugar em que depilo a virilha fica na mesma rua (*Não que eu vá precisar desses serviços num futuro próximo,* penso, o que me faz recomeçar a chorar).

Recomponho-me pelo tempo suficiente para ligar para o número de Wendell e, logicamente, caio na secretária eletrônica. Os terapeutas raramente atendem o telefone de seus consultórios, para que os pacientes não se sintam rejeitados se telefonarem em crise, e seus terapeutas só dispuserem de poucos minutos para conversar entre as sessões. As ligações entre colegas são feitas via celular ou pager.

Escuto uma gravação sociável e genérica ("Ei, você ligou para o consultório de Wendell Bronson. Retorno minhas ligações durante o horário comercial de segunda a sexta. Se for uma emergência, por favor, ligue para..."), e depois do bip deixo uma mensagem concisa com as informações precisas que um terapeuta quer: nome, uma explicação resumida do motivo da minha chamada, e um número de telefone. Estou indo bem até que, pensando que possa fazê-lo me atender mais rápido, acrescento ser também uma terapeuta, mas minha voz falha ao dizer a palavra *terapeuta*. Mortificada, disfarço com uma tosse e desligo rapidamente.

Quando Wendell me liga de volta uma hora depois, tento soar tão equilibrada quanto possível, enquanto explico que só preciso de um breve gerenciamento de crise, algumas semanas para "processar" um rompimento inesperado, e então ficarei bem para seguir em frente. Digo que já fiz terapia antes, portanto, vou "pré-analisada". Ele não ri da minha brincadeira, então fico certa de que não tem senso de humor, mas isso não importa, porque não preciso de senso de humor para gerenciar uma crise.

Trata-se, afinal de contas, da minha recuperação.

Wendell diz cerca de cinco palavras durante toda a ligação. Uso o termo *palavras* a esmo, porque é mais como uma porção de *aham*, antes de oferecer um horário às 9 da manhã no dia seguinte. Aceito e desligamos.

Embora ele não tenha dito grande coisa, nossa conversa me dá um alívio imediato. Sei que esse é um efeito placebo comum; frequentemente os pacientes sentem-se esperançosos depois de marcar essa primeira consulta, antes mesmo de pisarem na sala de terapia. Não sou diferente. *Amanhã*, penso, receberei ajuda. É, agora estou um caos porque tudo isso é um choque, mas logo vai fazer sentido (ou seja, Wendell vai confirmar que o Namorado é um sociopata). *Quando olhar para trás, esse rompimento será um ponto na tela de radar da minha vida. Será um engano com o qual terei aprendido, o tipo de engano que meu filho chama de "um belo ops".*

Naquela noite, antes de ir dormir, junto as coisas do Namorado: suas roupas, objetos de higiene pessoal, raquete de tênis, livros e eletrônicos, e as embalo em uma caixa que devolverei para ele. Tiro os pijamas do supermercado da minha gaveta e descubro um recado provocante em um post-it que ele pregou em um deles. Ao escrever aquilo, especulo, será que ele já sabia que iria embora?

Em um estudo de caso a que fui antes do rompimento, uma colega falou sobre uma paciente que descobriu que o marido andara levando uma vida dupla. Não apenas vinha tendo um caso havia anos, como engravidara a mulher e ela estava prestes a ter o bebê. Quando a esposa descobriu tudo isso (será que algum dia ele lhe contaria?), já não sabia o que pensar da vida dela com ele. Suas lembranças eram verdadeiras? Por exemplo, as férias românticas: a versão que ela tinha da viagem seria precisa, ou estava em alguma ficção, considerando que ele estava tendo um caso na época? Ela se sentiu roubada não só do seu casamento, mas também das suas lembranças.

Da mesma maneira, quando o Namorado colocou o post-it no meu pijama, quando os comprou para mim, antes de mais nada, também estava, secretamente, planejando sua vida livre de crianças? Faço uma careta para o bilhete. *Mentiroso*, penso.

Levo a caixa até o carro e coloco-a no banco da frente, para me lembrar de entregá-la. Talvez eu até faça isso pela manhã, a caminho da minha consulta com Wendell.

Mal posso esperar que ele me diga o quanto o Namorado é um sociopata.

7

O começo do entendimento

Estou parada à porta do consultório de Wendell, tentando entender onde devo me sentar. Na minha profissão, já conheci vários consultórios de terapia – dos meus supervisores, durante o treinamento, dos colegas que visito –, mas nunca vi um como o de Wendell.

Sim, existem os costumeiros diplomas nas paredes, e livros relacionados a terapia nas prateleiras, juntamente com uma ausência flagrante de qualquer coisa que possa revelar sua vida pessoal. Não há fotos de família na mesa, por exemplo; apenas um solitário notebook. Mas em vez da disposição padrão da cadeira do terapeuta no meio da sala, com assentos junto às paredes (durante o estágio, aprendemos a sentar perto da porta, para o caso de as "coisas se intensificarem" e precisarmos de uma rota de fuga). A sala de Wendell tem dois longos sofás nas paredes mais distantes, dispostos em formato de L, com uma mesa de canto entre eles, e nenhuma cadeira para o terapeuta.

Fico confusa.

Eis um diagrama da minha sala:

Eis um diagrama da sala de Wendell:

Wendell, que é muito alto e muito magro, careca e com a postura curvada típica da nossa profissão, está ali parado, esperando que eu me sente. Considero as possibilidades. Deduzo que não vamos nos sentar lado a lado no mesmo sofá, mas em qual deles ele costuma se sentar? No que fica junto à janela (assim ele pode escapar por ali, se as coisas *esquentarem*)? Ou no que fica perto da parede? Decido me sentar perto da janela, posição A, antes que ele feche a porta, atravesse a sala e relaxe na posição C.

Em geral, quando atendo um paciente novo, dou início à conversa com uma quebra de gelo como "Então, me diga o que te traz aqui hoje".

Wendell, no entanto, não diz nada, só olha para mim, sondando com seus olhos verdes. Usa um cardigá, calça cáqui e mocassins, como se tivesse vindo direto do casting da Central de Terapeutas.

"Oi", digo.

"Oi", ele responde. E espera.

Passa-se cerca de um minuto, que é mais longo do que parece, e tento ficar calma e me organizar, para poder expor com clareza o caso do Namorado. A verdade é que, desde o rompimento, cada dia tem sido pior do que a própria noite em que aconteceu, porque agora um vazio evidente abriu-se na minha vida. Nos últimos dois anos, o Namorado e eu estivemos em contato constante todos os dias, dissemos boa-noite sempre que íamos dormir. Agora, o que ele estava fazendo? Como tinha sido *seu* dia? Sua apresentação no trabalho tinha corrido bem? Ele estava pensando em mim? Ou estava satisfeito por ter tirado a verdade do seu peito, para poder procurar alguém que fosse livre de filhos? Sentia sua ausência em cada célula do meu corpo, então, ao chegar ao consultório de Wendell nesta manhã, estou um desastre, mas não quero que essa seja a primeira impressão que ele tenha de mim.

Ou, para ser sincera, sua segunda ou centésima.

Um paradoxo interessante do processo terapêutico: para realizar seu trabalho, os terapeutas tentam ver os pacientes como eles realmente são, o que significa perceber suas vulnerabilidades, seus padrões e dificuldades mais arraigados. É evidente que os pacientes querem ser ajudados, mas também querem ser estimados e admirados. Em outras palavras, querem esconder suas vulnerabilidades e seus padrões e dificuldades mais arraigados. Isso não quer dizer que os terapeutas não procurem pontos fortes em um paciente e tentem usá-los como apoio. Fazemos isso. Mas enquanto focamos em descobrir o que não está funcionando, os pacientes tentam sustentar a ilusão, para evitar a vergonha – parecer mais compostos do que realmente estão. Ambos os lados têm o bem-estar do paciente em mente, mas frequentemente trabalham com propósitos divergentes a serviço de um objetivo mútuo.

Com o máximo de calma possível, começo a contar a Wendell a história do Namorado, mas quase que imediatamente minha dignidade vai embora e estou aos soluços. Narro a história toda, cada detalhe, e quando termino, minhas mãos estão cobrindo meu rosto, meu corpo sacode, e penso no que Jen disse, ontem, ao telefone, ao ligar para ver como eu estava: "Você precisa descobrir um lugar onde não se comporte como uma terapeuta".

Com certeza não estou sendo uma terapeuta neste exato momento. Estou argumentando quanto à culpa do Namorado em tudo isto: se ele não tivesse sido tão esquivo (diagnóstico da Jen), eu não teria sido pega de surpresa. E, acrescento, ele deve ser um sociopata (novamente citando Jen; é exatamente por isso que os terapeutas não podem procurar seus amigos para fazer terapia), porque eu não fazia ideia de que ele se sentisse assim; ele foi um ator incrível! E mesmo que ele não seja um sociopata comprovado, com certeza faltam alguns parafusos, porque quem é que guarda consigo mesmo uma coisa tão importante por sabe Deus quanto tempo? Afinal de contas, sei qual é o aspecto de uma comunicação normal, especialmente porque atendo muitos casais em minha clínica, e além disso...

Ergo os olhos e acho que vejo Wendell reprimir um sorriso (imagino o balão do seu pensamento: *Essa maluca é uma terapeuta... que atende casais?*), mas é difícil ter certeza, porque não consigo ver muito bem. É como enxergar através do para-brisa de um carro, sem limpadores, durante uma tempestade. Curiosamente, estou aliviada por conseguir chorar tanto em frente a outra pessoa, mesmo que seja um estranho que não fale muito.

Depois de um monte de *huumm* solidários, Wendell faz uma pergunta: "Essa é uma reação típica sua perante um rompimento?". Seu tom é gentil, mas sei aonde ele quer chegar. Está tentando determinar o que é conhecido como meu *estilo de apego*. Os estilos de apego são formados logo na primeira infância, com base em nossas interações com nossos cuidadores. Esses estilos são significativos porque também acontecem nos relacionamentos das pessoas adultas, influenciando o tipo de parceiros que escolhem (estáveis ou menos estáveis), como elas se comportam no decorrer de um relacionamento (carentes, distantes ou voláteis) e o modo como seus relacionamentos tendem a terminar (melancolicamente, amigavelmente ou numa explosão enorme). A boa notícia é que estilos de apego desajustados podem ser modificados na fase adulta. Na verdade, isso é grande parte do trabalho da terapia.

"Não, não é típica", insisto, usando a manga para secar minhas lágrimas. Deixo claro para ele que tive relacionamentos duradouros e passei por rompimentos, mas não como este. E, reitero, o único motivo de estar tendo esta reação é que este rompimento em particular foi um grande choque, bastante inesperado, e o que o Namorado fez não foi a coisa mais confusa, bizarra e... ANTIÉTICA que se pode fazer com alguém?

Estou certa de que este profissional casado, com filhos, dirá algo solidário neste momento, sobre como é doloroso ser surpreendida, mas que, a longo prazo, ainda bem que isso aconteceu, porque me livrei de uma roubada, não apenas para mim, mas para meu filho. Recosto-me no sofá, respiro fundo, e espero que a validação aconteça.

Mas Wendell não oferece uma. É claro. Eu não esperava que ele chamasse o Namorado de lixo, como Allison fez; um terapeuta usaria uma linguagem mais neutra, tal como: "Parece que ele tinha vários sentimentos que não comunicava diretamente a você". Mesmo assim, Wendell não diz nada.

Minhas lágrimas estão voltando a cair na minha calça quando, com o canto dos olhos, vejo um objeto voando em minha direção. No início, parece uma bola de futebol, e me pergunto se estou alucinando (por causa da falta de horas de sono reparador que venho tendo desde o rompimento), mas então percebo que é uma caixa marrom de lenços de papel, aquela que estava na mesinha entre os sofás, ao lado do assento que não escolhi. Instintivamente, minhas mãos levantam-se para agarrá-la, mas erro. Ela aterrissa com um baque na almofada ao meu lado, e eu agarro um maço de lenços e assoo o nariz. O fato de a caixa estar lá parece diminuir o espaço entre mim e Wendell, como se ele acabasse de me jogar uma corda de resgate. Ao longo dos anos, estendi inúmeras vezes muitas caixas de lenços de papel para pacientes, mas tinha me esquecido do quanto aquele simples gesto pode fazer alguém se sentir cuidado.

Uma frase que ouvi pela primeira vez na graduação me vem à cabeça: "o ato terapêutico, não a palavra terapêutica".

Pego mais lenços e enxugo os olhos. Wendell observa, esperando.

Continuo falando sobre o Namorado e seus problemas de evitamento, construindo um caso com detalhes do seu passado, incluindo a maneira como seu casamento terminou, que não é muito diferente do término do nosso relacionamento, em termos de choque para sua esposa e seus filhos. Conto a Wendell tudo que eu sabia sobre a história de evitamento do Namorado, sem perceber que o que estou ilustrando, à revelia, é *meu* evitamento do evitamento dele, sobre o qual eu, aparentemente, conhecia um bocado.

Wendell inclina a cabeça ligeiramente, com um sorriso questionador no rosto: "Não é curioso que, considerando o que você sabia sobre a história dele, isso seja um choque pra você?".

"Mas é um choque", digo. "Ele nunca tinha dito nada a respeito de não querer criança em casa! Na verdade, tinha acabado de conversar com o RH da sua empresa, para ter certeza de que poderia incluir meu filho em seu programa de benefícios, depois que nos casássemos!" Repasso toda a cronologia mais uma vez, acrescentando mais provas para sustentar minha história, e então noto que o rosto de Wendell começa a se fechar.

"Sei que estou sendo repetitiva", digo. "Mas você tem que entender; eu esperava que a gente fosse passar o resto da vida juntos. Era assim que as coisas deveriam acontecer, e agora tudo foi jogado pro alto. Metade da minha vida *acabou*, e não faço ideia do que vai acontecer. E se o Namorado tiver sido a última pessoa pela qual me apaixonei? E se ele for o fim da linha?"

"O fim da linha?", Wendell anima-se.

"É, o fim da linha", digo.

Ele espera que eu continue, mas, em vez disso, minhas lágrimas voltam. Não os soluços violentos da semana anterior, mas algo ao mesmo tempo mais calmo e mais profundo.

Mais silencioso.

"Sei que você se sente pega de surpresa", Wendell diz, "mas também estou interessado em outra coisa que você disse. *Metade da sua vida acabou*. Talvez, o que você esteja lamentando não seja apenas o rompimento, embora eu saiba que essa experiência pareça devastadora". Ele faz uma pausa, e, quando volta a falar, sua voz é mais suave. "Eu me pergunto se você está lamentando algo mais importante do que a perda do Namorado."

Ele olha para mim significativamente, como se tivesse acabado de dizer algo incrivelmente importante e profundo, mas meio que tenho vontade de socá-lo.

Que monte de besteiras, penso. Quer dizer, jura? Eu estava *bem*, mais do que bem, estava *bem-e-meio*, antes dessa reviravolta toda. Tenho um filho que amo além da conta. Tenho uma carreira que me satisfaz imensamente. Tenho uma família solidária e amigos incríveis com os quais me preocupo e que se preocupam comigo. Sinto-me grata por esta vida... Tudo bem, às vezes me sinto grata. Com certeza, *tento* me sentir grata. E agora estou frustrada. Estou pagando a este terapeuta para me ajudar em um rompimento doloroso, e é isso que ele tem a oferecer?

Lamentando algo mais importante, o cacete.

Antes que eu possa dizer isso, noto que Wendell está olhando para mim de uma maneira que não estou acostumada a ser olhada. Seus olhos são como ímãs, e toda vez que desvio o olhar, eles parecem me encontrar. Tem a expressão intensa, mas gentil, uma combinação de ancião sábio com bichinho de pelúcia, e vem com uma mensagem: *Nesta sala, vou te ver e você tentará se esconder, mas mesmo assim te verei, e tudo bem que seja assim.*

Mas não estou aqui para isso. Como disse a Wendell quando telefonei para agendar um horário, só preciso de um gerenciamento de crise.

"Só estou mesmo aqui para superar o rompimento", digo. "Sinto-me como se tivesse sido jogada em um liquidificador e não conseguisse sair, e só estou aqui pra isso, descobrir uma saída."

"Tudo bem", Wendell diz, recuando graciosamente. "Ajude-me a entender melhor o relacionamento." Ele está tentando estabelecer o que é conhecido como uma *aliança terapêutica*, uma confiança que precisa se desenvolver antes que o trabalho possa ser iniciado. Nas primeiras sessões, é sempre mais importante que os pacientes sintam-se escutados e entendidos do que chegarem a qualquer *insight* ou fazer qualquer mudança.

Aliviada, volto a falar sobre o Namorado, retomando a coisa toda.

Mas ele sabe. Sabe o que todo terapeuta sabe. Que o problema atual, o assunto que alguém traz, é frequentemente apenas um aspecto de um problema maior, se não um engodo completo. Sabe que a maioria das pessoas é ótima em encontrar maneiras de filtrar as coisas que não quer enxergar, em usar distrações ou defesas para manter sentimentos ameaçadores à distância. Sabe que deixar emoções de lado apenas faz com que elas fiquem mais fortes, mas que antes de entrar e destruir a defesa de alguém – seja esta defesa uma obsessão por outra pessoa, ou fingir que não vê o que está bem diante de si –, precisa ajudar o paciente a substituir a defesa por alguma outra coisa, e assim não deixar a pessoa despreparada e exposta, sem qualquer tipo de proteção. Como o termo indica, as *defesas* servem a um propósito útil. Elas protegem as pessoas de traumas, até não serem mais necessárias.

É nessa elipse que os terapeutas trabalham.

Enquanto isso, de volta ao meu sofá, agarrada à caixa de lenços de papel, uma pequena parte minha também sabe alguma coisa. Por mais que eu queira validação, em algum lugar no meu íntimo sei que o monte de baboseiras de Wendell é *precisamente* aquilo pelo qual estou pagando, porque se só quero reclamar do Namorado, posso fazer isso de graça, com minha família e meus amigos (pelo menos até eles perderem a paciência). Sei que frequentemente as pessoas criam narrativas capengas para se sentirem melhor no momento, ainda que isso faça com que se sintam pior com o passar do tempo; e que, às vezes, elas precisam de alguém que leia as entrelinhas.

Mas também sei isto: o Namorado é *um porra de um egoísta sociopata filho da puta.*

Estou no limbo entre saber e não saber.

"Isso é tudo que podemos fazer em relação a isso, hoje", Wendell diz, e acompanhando seu olhar, noto, pela primeira vez, que seu relógio está colocado no peitoril da janela acima do meu ombro. Ele ergue os braços e dá dois tapas sonoros nas pernas, como que para assinalar o final da sessão, gesto que logo reconhecerei como sua deixa de despedida.

Então, ele se levanta e me acompanha até a porta. Diz para eu avisar se gostaria de voltar na quarta-feira seguinte. Penso na semana à frente, o vazio onde o Namorado costumava estar, e no conforto de, como Jen disse, ter um lugar para desmoronar completamente.

"Guarde o meu horário", digo.

Atravesso a rua até o estacionamento onde eu costumava deixar meu carro durante minhas depilações da virilha, e me sinto, ao mesmo tempo, mais leve, e como se estivesse prestes a vomitar. Certa vez um supervisor associou fazer psicoterapia a passar por uma fisioterapia. Pode ser difícil e provocar dor, sua condição pode piorar antes de melhorar, mas se você comparecer assiduamente e der duro quando estiver lá, resolverá as dificuldades e seu desempenho será muito melhor.

Verifico meu celular.

Uma mensagem de texto de Allison:

Lembre-se, ele é lixo. 🚮🗑️🗑️🚛

Um e-mail de uma paciente que precisa mudar sua sessão.

Uma mensagem de voz da minha mãe perguntando se estou bem.

Nenhuma mensagem do Namorado. Ainda espero que ele telefone. Não consigo entender como ele poderia estar bem, enquanto sofro tanto. Pelo menos, ele parecia bem hoje de manhã, quando organizamos minha devolução das coisas dele. Será que ele viveu sua tristeza meses atrás, sabendo que acabaria dando um fim a nossa história? Se for isso, como pôde ficar falando sobre nosso futuro juntos? Como pôde mandar e-mails com *Eu te amo*, horas antes do que acabaria sendo nossa última conversa, logo após termos feito planos para ir ao cinema no final de semana? (*Ele foi ao cinema?*, me pergunto.)

Ao me dirigir para o consultório, minha ansiedade volta. Quando estaciono na garagem do meu prédio, penso no fato de que não apenas o Namorado desperdiçou dois anos da minha vida, como agora terei que lidar com as consequências indo à terapia, e não tenho tempo para nada disso, porque agora estou nos meus 40, metade da minha vida acabou e... Ah, meu Deus, aí está de novo! *Metade da minha vida acabou*. Nunca disse isso para mim mesma, nem para ninguém. Por que isso fica vindo à tona?

Você está lamentando alguma coisa mais importante, Wendell disse.

Mas esqueço tudo isso assim que entro no elevador do trabalho.

8

Rosie

"Bom, é oficial", John diz, depois de tirar os sapatos e se sentar com as pernas cruzadas no sofá. "Estou cercado de idiotas."

Seu celular vibra. Quando ele vai pegá-lo, ergo as sobrancelhas. Por sua vez, John revira os olhos com exagero.

É nossa quarta sessão, e comecei a formar algumas impressões iniciais. Tenho a sensação de que, apesar de todas as pessoas que o cercam, John está num isolamento desesperador, e que isso acontece intencionalmente. Algo em sua vida fez com que a proximidade parecesse perigosa; tão perigosa que ele faz tudo em seu poder para impedi-la. Seu arsenal é eficiente: ele me insulta, segue por longas tangentes, muda de assunto e interrompe sempre que tento falar. Mas a menos que eu consiga encontrar uma maneira de ultrapassar suas defesas, não teremos chance de progresso.

Uma de suas defesas é o celular.

Na semana passada, depois que John começou a digitar durante a consulta, chamei sua atenção para o fato de me sentir dispensada quando ele digita. Isso é chamado de trabalhar no aqui-e-agora. Em vez de focar nas histórias do mundo externo do paciente, o aqui-e-agora trata do que ocorre na sala. Pode apostar que aquilo que um paciente faz com seu terapeuta ele também faz com outras pessoas, e eu queria que John começasse a ver o impacto que ele tinha sobre elas. Eu sabia que corria o risco de pressionar muito e cedo demais, mas me lembrei de um detalhe da sua terapia anterior: tinha durado apenas três sessões, exatamente o ponto em que estávamos. Eu não sabia por quanto tempo o teria.

Imaginava que John tivesse deixado sua terapeuta anterior por um ou dois motivos: ou ela não o confrontou em suas besteiras, o que deixa os pacientes inseguros, como crianças cujos pais não cobram suas responsabilidades; ou ela o *tinha* confrontado em suas besteiras, mas avançou com muita rapidez e cometeu o mesmo erro que eu estava, potencialmente, prestes a cometer. Mas estava disposta a correr o risco. Queria que John se sentisse confortável na terapia, mas não tanto que eu não o pudesse ajudar.

Acima de tudo, não queria cair na armadilha que os budistas chamam de *compaixão idiota*, expressão adequada, considerando a visão de mundo de John. Na compaixão idiota, você evita balançar o barco para poupar os sentimentos das pessoas, ainda que o barco precise ser balançado, e sua compaixão acabe sendo mais nociva do que sua honestidade. As pessoas fazem isso com adolescentes, cônjuges, viciados, até consigo mesmas. Seu oposto é a *compaixão sábia*, que significa importar-se com a pessoa, mas também lançar-lhe uma amorosa bomba de verdade, quando necessário.

"Sabe, John", eu tinha dito na semana anterior, enquanto ele digitava, "estou curiosa quanto a uma possível reação sua ao fato de eu me sentir dispensada, quando você faz isso."

Ele ergueu um dedo – *Espere* –, mas continuou a digitar. Quando terminou, olhou para mim. "Me desculpe, o que eu estava dizendo?"

Amei isso. Não "O que *você* estava dizendo?", mas "O que *eu* estava dizendo?".

"Bom", comecei, mas seu celular soou com uma notificação, e lá foi ele responder outra mensagem de texto.

"Viu? É isso que estou dizendo", ele resmungou. "Não posso delegar nada, se quero que algo seja feito direito. Só um segundo."

A julgar pelas notificações que chegavam, parecia que ele estava tendo várias conversas ao mesmo tempo. Passou pela minha cabeça que poderíamos estar revivendo uma cena que acontecia com sua esposa.

Margô: Preste atenção em mim.

John: Quem, você?

Era profundamente irritante. O que fazer com minha irritação? Eu poderia me sentar e esperar (e ficar mais irritada), ou poderia fazer alguma outra coisa.

Levantei-me, fui até a minha mesa, remexi em uma pasta, peguei meu celular, voltei para a minha cadeira, e comecei a digitar.

Sou eu, sua terapeuta. Estou aqui.

O celular de John apitou. Observei-o lendo minha mensagem, surpreso. "Jesus Cristo! Agora você me manda mensagem de texto?"
Sorri. "Queria conseguir sua atenção."
"Você tem a minha atenção", ele disse, mas continuou digitando.

Não sinto que esteja tendo a sua atenção.
Sinto-me ignorada, e um pouco insultada.

Plin.
John suspirou dramaticamente, depois retomou sua digitação.

E não acho que possa te ajudar a não ser que
consigamos nos concentrar totalmente um no outro.
Assim, se você quiser tentar trabalhar em conjunto,
vou pedir que não use o celular aqui.

Plin.
"*O quê?*", John disse, olhando para mim. "Está proibindo meu celular? Como se eu estivesse num avião? Você não pode fazer isso. É a *minha* sessão!"
Dei de ombros. "Não quero desperdiçar o seu tempo."
Não disse a John que nossas sessões não são, de fato, só dele. Cada sessão de terapia pertence tanto ao paciente quanto ao terapeuta; à interação entre eles. Foi o psicanalista Harry Stack Sullivan quem, no começo do século XX, desenvolveu uma teoria de psiquiatria baseada em relações interpessoais. Rompendo com a posição de Freud, segundo a qual os transtornos mentais tinham origem *intrapsíquica* (ou seja, "na mente de uma pessoa"), Sullivan acreditava que nossas dificuldades eram interacionais (ou seja, "relacionais"). Ele chegou a ponto de dizer:

"A meta de um clínico veterano é que ele, ou ela, seja a mesma pessoa na sua sala de estar e no consultório". Não podemos ensinar os pacientes a serem relacionais se não formos relacionais com eles.

O celular de John apitou novamente, mas dessa vez não era eu. Ele olhou do celular para mim, decidindo. Enquanto ocorria sua batalha interna, esperei. Estava meio preparada para vê-lo se levantar e sair, mas também sabia que se não quisesse estar lá, não teria ido. Tendo ou não entendido, ele estava ganhando alguma coisa com aquilo. Era provável que eu fosse a única pessoa em sua vida, naquele momento, que quisesse escutá-lo.

"Ah, pelo amor de Deus!", exclamou, jogando o celular na cadeira do outro lado da sala. "Tudo bem, vou largar o *maldito celular*." Depois, mudou de assunto.

Esperei por sua raiva, mas, por um segundo, pareceu que seus olhos estavam úmidos. Seria tristeza? Ou um reflexo do sol que entrava pela janela? Pensei em perguntar, mas só restava mais um minuto da sessão, tempo normalmente reservado para fazer as pessoas se recomporem, e não para se abrirem. Decidi arquivar aquilo para um momento mais oportuno.

Como um mineiro explorando um lampejo de ouro, suspeitei que tinha encontrado alguma coisa.

Hoje, com muita contenção, John para a meio gesto, deixando seu celular vibrar sozinho, e continua sua história sobre estar, oficialmente, cercado por idiotas.

"Até a Rosie está sendo idiota", ele diz. Fico surpresa ao escutá-lo falar desse jeito sobre a filha, que tem 4 anos. "Digo para ela não chegar perto do meu notebook, e o que ela faz? Pula na cama, o que é tranquilo, mas não é tranquilo pular *no notebook* que está na cama. Idiota! E aí, assim que grito '*Não!*', ela mija na cama. Estragou o colchão. Ela não mija em nada desde que era bebê."

Essa história me preocupa. Existe um mito de que os terapeutas são treinados para serem neutros, mas como é possível? Somos humanos, não robôs. Na verdade, em vez de sermos neutros, nós, terapeutas, esforçamo-nos para notar nossas sensações não neutras, tendências e opiniões (que chamamos de *contratransferência*), de modo a podermos nos afastar e decidir o que fazer com eles. Usamos nossos sentimentos, em vez de suprimi-los, como ajuda para orientar o tratamento. E essa história de Rosie me deixa furiosa. Muitos pais gritam com os filhos nos momentos menos gloriosos de sua paternidade, mas cismo com o relacionamento de John com a filha. Quando trabalho a empatia com casais, frequentemente digo: "Antes de falar, pergunte a si mesmo: *Como isso vai ressoar na pessoa com quem estou falando?*". Faço uma anotação mental para um dia compartilhar isso com John.

"Isso parece frustrante", digo. "Você acha que pode tê-la assustado? Uma voz alta pode ser assustadora."

"Não, eu grito com ela o tempo todo", ele diz. "Quanto mais alto, melhor. É a única maneira de ela escutar."

"A única maneira?", pergunto.

"Bom, quando ela era mais nova, eu saía e corria com ela para ela esfriar a cabeça. Às vezes, ela só precisava ficar ao ar livre. Mas ultimamente ela tem sido um verdadeiro pé no saco. Até tentou me morder."

"Por quê?"

"Ela queria brincar comigo, mas... Ah, você vai adorar isso."

Sei o que está por vir.

"Eu estava digitando, então ela tinha que esperar, mas aí ela enlouqueceu. Margô estava fora da cidade, e a Rosie estava passando os dias com a sua Danny,[1] e..."

"Refresque a minha memória, quem é Danny?"

"Não é um nome. É uma *danny*. Você sabe, uma babá de cachorros?

Olho de volta, sem fazer ideia.

"Uma cuidadora de cachorros. Uma babá de cachorro. Uma *danny*."

"Ah, então a Rosie é a sua cachorra", digo.

"Bom, de quem você *pensou* que eu estivesse falando?"

"Pensei que o nome da sua filha fosse..."

"Ruby", ele diz. "A pequenininha é a Ruby. Não era óbvio que eu estava falando de um cachorro aqui?" Ele suspira e sacode a cabeça, como se eu fosse a maior idiota em seu reino de idiotas.

---

[1] Danny é uma junção de *dog* (cachorro) e *nanny* (babá). [N.T.]

Ele nunca tinha mencionado o fato de ter um cachorro. Para mim, lembrar a primeira letra do nome da sua filha, citado só de passagem duas sessões atrás, parecia uma vitória. Mas mais do que a presunção de John, o que me impressiona aqui é o seguinte: ele está mostrando um lado mais suave, que eu ainda não tinha visto.

"Você a ama mesmo", digo.

"Claro que amo. É minha filha."

"Não, estou me referindo a Rosie. Você se preocupa muito com ela." Estou tentando tocá-lo de algum modo, para aproximá-lo de suas emoções, que sei que estão lá, atrofiadas, como um músculo esquecido.

Ele me dispensa com um gesto de mão. "É uma cadela."

"Qual é raça dela?"

Seu rosto ilumina-se. "Uma mistura. Uma cachorra de abrigo. Estava um caco quando a pegamos, por causa desses idiotas que *deveriam* estar tomando conta dela, mas agora ela está... Vou te mostrar uma foto, se você me deixar usar o maldito celular."

Concordo.

Ele percorre suas fotos, sorrindo consigo mesmo. "Estou procurando uma boa", diz. "Assim você pode ver como ela é uma gracinha." A cada foto, ele abre um pouco mais o sorriso, e tenho um novo vislumbre dos seus dentes perfeitos.

"Aqui está ela!", ele exclama, orgulhoso, estendendo-o para mim.

Olho a foto. Adoro cachorros, mas Rosie, Deus que me perdoe, é um dos cachorros mais feios que já vi. Tem bochechas caídas, olhos desiguais, vários pontos faltando pelo, e não tem rabo. John ainda sorri, apaixonado.

"Dá para ver o quanto você a ama", digo, devolvendo-lhe o celular.

"Não *amo*. É uma porra de um cachorro." Ele soa como um menino da quinta série, negando uma queda por uma colega.

"Ah", digo com delicadeza, "dá pra perceber muito amor no jeito como você fala dela."

"Dá para você parar de dizer isso?" Seu tom carrega irritação, mas vejo dor em seus olhos. Relembro nossa sessão anterior; algo a ver com amor e cuidado deve lhe ser doloroso. A outro paciente, eu poderia perguntar por que o que estou dizendo é tão perturbador, mas sei que

John ainda evita o assunto, discutindo comigo sobre amar ou não seu cachorro. Em vez disso, digo: "A maioria das pessoas que têm cachorros, possuem uma ligação muito profunda com eles". Abaixo a voz, de modo que ele quase precise se inclinar para me ouvir. Os neurocientistas descobriram que os seres humanos têm células cerebrais chamadas *neurônios-espelhos*, que os levam a imitar os outros, e quando as pessoas estão em um estado emocional exacerbado, uma voz relaxante pode acalmar seu sistema nervoso e ajudá-las a se manter presentes. "Se isso é chamado de amor ou de alguma outra coisa, na verdade não importa."

"Essa é uma conversa ridícula", John diz.

Ele está olhando para o chão, mas percebo que consegui sua total atenção. "Você citou a Rosie hoje por um motivo. Ela tem importância para você, e agora está agindo de uma maneira que te preocupa, porque você se importa."

"As pessoas têm importância para mim", John diz. "Minha esposa, meus filhos. *Pessoas*."

Ele olha na direção do celular, que mais uma vez está vibrando, mas não acompanho seu olhar. Olho para ele fixamente, tentando me manter firme, para que ele não acabe se afastando sempre que apareça um sentimento indesejado, e fique entorpecido. As pessoas frequentemente confundem entorpecimento com apatia, mas esse torpor não é a ausência de sentimentos, e sim uma reação a um excesso de emoções.

John volta o olhar do celular para mim.

"Sabe o que eu gosto na Rosie?", pergunta. "Ela é a única que não me pede coisas; a única que, de uma maneira ou de outra, não está decepcionada comigo. Ou, pelo menos, não estava, até me morder! Quem não gostaria disso?"

Ele ri alto, como se estivéssemos em um bar e acabasse de soltar uma animada frase de efeito. Tento conversar sobre a decepção – quem está decepcionado com ele e por quê? –, mas ele afirma que era só uma brincadeira, e será que eu não consigo entender uma brincadeira? E embora, hoje, não cheguemos a lugar nenhum desse jeito, ambos sabemos o que ele me disse: tem um coração debaixo daqueles espinhos e a capacidade para amar.

Para começar, ele adora aquela cachorra horrorosa.

9

Retratos de nós mesmos

As pessoas que vêm à terapia apresentam um retrato instantâneo de si mesmas, e a partir dessas imagens, uma terapeuta precisa extrapolar. Os pacientes chegam, se não no seu pior, com certeza não no seu melhor. Podem estar desesperados ou na defensiva, confusos ou caóticos. Em geral, estão num humor muito ruim.

Então, sentam-se no sofá do terapeuta e olham ansiosos, esperando encontrar algum entendimento e, por fim (mas de preferência imediatamente), a cura. Porém os terapeutas não dispõem de uma cura imediata, porque essas pessoas são totalmente desconhecidas para nós. Precisamos de tempo para nos familiarizar com suas esperanças e seus sonhos, com seus sentimentos e padrões de comportamento, às vezes até mais profundamente do que elas mesmas. Se o que quer que as esteja perturbando levou um tempo do nascimento até o dia em que chegam ao nosso consultório para se desenvolver, ou se um problema andou incubado por muitos meses, faz sentido que eles possam precisar mais do que umas duas sessões de cinquenta minutos para obter o alívio desejado.

Mas quando as pessoas estão no limite, querem que seus terapeutas, esses profissionais, *façam* alguma coisa. Os pacientes querem a nossa paciência, mas eles mesmos podem não ter muita paciência. Suas exigências podem ser explícitas ou tácitas e, especialmente no começo, elas podem pesar enormemente sobre nós.

Por que escolheríamos uma profissão que exige que conheçamos pessoas infelizes, angustiadas, cáusticas ou desatentas, e nos sentemos com elas, uma após a outra, sozinhas numa sala? A resposta é a seguinte: Porque os terapeutas sabem que, no início, cada paciente é simplesmente um retrato instantâneo, uma pessoa capturada em um momento específico. É como uma foto sua tirada de um ângulo infeliz, com uma expressão amarga no rosto. Também poderia haver uma foto em que você está deslumbrante, flagrada desembrulhando um presente, ou em meio a uma risada com um namorado. Ambas são você naquela fração de tempo, e nenhuma é você em sua plenitude.

Assim, os terapeutas escutam, sugerem, cutucam, orientam e ocasionalmente convencem seus pacientes a exibir outros retratos, mudar sua percepção do que está acontecendo dentro deles e à sua volta. Vasculhamos em meio aos instantâneos, e não demora muito para ficar evidente que todas aquelas imagens aparentemente discretas giram ao redor de um tema comum, tema este que poderia não estar no campo de visão do nosso paciente quando ele decidiu vir.

Alguns retratos são perturbadores, e vislumbrá-los lembra-me que todos nós temos um lado obscuro. Outros são desfocados. As pessoas nem sempre se lembram com clareza de acontecimentos ou conversas, mas se lembram com grande precisão de como se sentiram perante uma experiência. Os terapeutas devem ser intérpretes desses retratos desfocados, cientes de que os pacientes *precisam* estar confusos até certo ponto, porque essas primeiras fotos ajudam a escamotear sentimentos dolorosos que podem estar invadindo seu tranquilo território. Com o tempo, eles descobrem que, afinal de contas, não estão em guerra, que o caminho para a paz é declarar uma trégua consigo mesmos.

É por esse motivo que quando as pessoas vêm à primeira consulta, imaginamos como estarão no futuro. Fazemos isso não apenas naquele primeiro dia, mas em cada sessão, porque essa imagem permite que sustentemos para elas a esperança que elas mesmas ainda não conseguem demonstrar, e orienta a evolução do tratamento.

Certa vez ouvi a criatividade ser descrita como a habilidade para compreender a essência de uma coisa e a essência de outra coisa bem diferente, fundindo-as para criar algo totalmente novo. É isso que os terapeutas também fazem. Pegamos a essência do retrato inicial e a essência de um imaginário e fundimos os dois para criar uma imagem totalmente nova.

Tenho isso em mente toda vez que conheço um novo paciente.

Espero que Wendell também pense nisso, porque, naquelas primeiras sessões, meus retratos não eram nada lisonjeiros.

10

O futuro é também o presente

Hoje, cheguei antes do meu horário, então me sento na sala de espera de Wendell e dou uma olhada ao meu redor. Percebo que sua sala de espera é tão incomum quanto seu consultório. Em vez do mobiliário de aspecto profissional e os objetos de arte costumeiros (um pôster emoldurado de uma pintura abstrata, talvez uma máscara africana), a estética aqui são coisas herdadas da avó. Existe até um cheiro de mofo para acompanhar. Em um canto, há duas cadeiras usadas de sala de jantar, de encosto alto, com um antiquado tecido de brocado dourado, padrão caxemira; um tapete fora de moda igualmente usado, sobre o carpete bege que vai de um canto a outro; e um aparador coberto por uma toalha de renda manchada, tendo em cima toalhinhas de crochê – toalhinhas de crochê! – e um vaso de flores artificiais.

No chão, entre as cadeiras, há um aparelho de ruído branco, e em frente a elas, em vez de uma mesinha de centro, acha-se o que, provavelmente, costumava ser uma mesa de canto de uma sala de visitas, agora com marcas e lascada, e coberta por uma confusão de revistas. Um biombo dobrável de papel protegé essa área de espera do corredor que leva à sala de Wendell, de modo a conferir aos pacientes certa privacidade, mas ainda pode-se ver claramente pelas aberturas articuladas.

Sei que não estou aqui pela decoração, mas me pego imaginando: *Será que alguém com tanto mau gosto pode me ajudar? Será isso um reflexo da sua avaliação?* (Uma conhecida me contou que ficava profundamente distraída com as pinturas tortas penduradas na sala da sua terapeuta; por que ela simplesmente não endireitava aquelas malditas coisas?)

Por cerca de cinco minutos, dou uma olhada nas capas das revistas, *Time, Parents, Vanity Fair*, e então a porta da sala de terapia abre-se, e sai uma mulher. Ela passa zunindo por detrás do biombo, mas, na fração de segundo em que a vejo, sei que é bonita, está bem vestida e chorosa.

Então, Wendell aparece na sala de espera. "Me dê só um minuto", ele diz, e dirige-se para o corredor, provavelmente para usar o banheiro.

Enquanto espero, pergunto-me qual seria o motivo do choro da mulher bonita.

Quando Wendell volta, faz um gesto para que eu entre em sua sala. Agora, não há hesitação à porta. Vou direto para a posição A, junto à janela; ele na posição C, ao lado da mesa, e vou direto ao assunto.

"Blá, blá, bla, blá", começo. "E veja se dá para acreditar *nisso*, o Namorado disse 'blá, blá, blá, blá, blá', então eu disse 'bom, blá, blá, blá'."

Ou, pelo menos, tenho certeza de que foi assim que soou para Wendell. Isso prossegue por um tempo. Trouxe páginas de anotações para essa sessão, numeradas, comentadas e em ordem cronológica, exatamente como organizava as entrevistas que fazia como jornalista, antes de me tornar terapeuta.

Confesso a Wendell que cedi e telefonei para o Namorado, e que ele deixou cair na caixa postal. Humilhada, tive que esperar o dia todo para ele me ligar de volta, sabendo o tempo todo que a última coisa que alguém quer é conversar com a pessoa com quem acabou de romper, mas que ainda quer continuar a relação.

"Provavelmente, você vai perguntar o que eu queria que acontecesse ao ligar pra ele", digo, antecipando sua próxima pergunta.

Wendell ergue a sobrancelha direita (só essa, noto, e me pergunto como ele consegue fazer isso), mas antes que ele possa responder, sigo em frente. Explico que, em primeiro lugar, queria que o Namorado me dissesse que sentia minha falta e que tudo aquilo era um grande erro. Mas salvo essa "improvável possibilidade" (acrescentada para que Wendell saiba que tenho lucidez, ainda que tivesse acreditado que o Namorado *fosse* me dizer que reconsideraria), queria entender como tínhamos chegado a esse ponto. Se ao menos eu pudesse ter minhas perguntas respondidas, pararia de ficar exaustivamente analisando o rompimento, num ciclo infinito de confusão. Digo a Wendell que foi por isso que submeti o Namorado a várias horas de interrogatório – quero dizer, *conversa* –, nas quais procurei elucidar o mistério de Que Porra Levou ao Nosso Súbito Rompimento.

"E então ele disse: 'Conviver com uma criança limita e distrai'." Continuo, lendo citações literais. "'Nunca haveria tempo suficiente com você. E percebi que mesmo que seja um garoto incrível, nunca vou querer viver com qualquer criança que não seja minha.' Então eu disse: 'Por que você escondeu tudo isso de mim?', e ele disse: 'Porque eu precisava entender antes de dizer qualquer coisa.' E então eu disse: 'Mas você não acha que deveríamos ter *discutido* isso?', e ele disse: 'O que há para discutir? É binário. Ou eu poderia viver com uma criança, ou não, e só eu poderia decidir isso.' E justamente quando meu cérebro estava prestes a explodir, ele disse: 'Eu te amo de verdade, mas o amor não vence tudo'."

"É binário!", digo a Wendell, sacudindo meus papéis no ar. Eu tinha posto um asterisco ao lado dessa palavra, nas minhas notas. "*Binário!* Se é tão *binário*, por que entrar nessa situação binária pra começo de conversa?"

Estou insuportável, e sei disso, mas não consigo parar.

Nas semanas seguintes, vou ao consultório de Wendell e relato os detalhes da minha conversa circular com o Namorado (confesso que há muitos outros), enquanto Wendell tenta interpor algo útil (que não tem certeza de como isso esteja me ajudando; que está parecendo masoquismo; que fico contando a mesma história, esperando um resultado diferente). Ele diz que quero que o Namorado se explique para mim – e que ele *está* se explicando para mim –, mas que continuo insistindo, porque a explicação que ele me dá não é a que quero ouvir. Wendell diz que, se andei fazendo tantas anotações durante nossas conversas telefônicas, provavelmente não consegui escutar o Namorado, e se meu objetivo é estar aberta para entender o ponto de vista dele, isso fica difícil quando estou tentando provar um ponto, e não ter uma interação a sério. E, acrescenta, estou fazendo a mesma coisa com *ele* em nossas sessões.

Concordo, depois volto imediatamente a me queixar do Namorado.

Em uma sessão, explico, nos mínimos detalhes, as providências para devolver ao Namorado seus pertences. Em outra, pergunto repetidamente: "Estou louca, ou é ele?" (Wendell diz que nenhum de nós dois é louco, o que me enfurece). Outra consiste em uma análise de que tipo de pessoa diz: "Quero me casar com você, só que não com uma criança". Para essa sessão, criei um infográfico sobre desigualdade de gêneros. Um homem pode dizer: "Não quero ter que olhar para os Legos", e "Nunca vou amar uma criança que não seja minha", e se safar com isso. Uma mulher que dissesse isso seria crucificada.

Também incremento nossas sessões com relatórios do que descobri na minha espionagem diária pelo Google: as mulheres com quem o Namorado deve estar saindo (baseada em histórias elaboradas a partir de curtidas nas redes sociais); como sua vida está incrível sem mim (baseada em seus tweets sobre sua viagem a trabalho); como ele nem ao menos está triste com o rompimento (porque ele fotografa saladas em restaurantes. Como é que ele consegue *comer*?). Estou convencida de que o Namorado passou rapidamente para sua vida *pós-eu* completamente incólume. Trata-se de uma constante que reconheço de casais que atendo em fase de divórcio, em que uma pessoa pena enormemente, enquanto a outra parece ótima, até feliz, em estar tocando a vida.

Digo a Wendell que, como esses pacientes, quero que fique algum sinal da cicatrização. No fim, o que quero saber é que fiz diferença.

"Fiz diferença?", pergunto repetidas vezes.

Continuo assim, deixando correr solto, até que, finalmente, Wendell me dá um chute.

Certa manhã, enquanto tagarelo sobre o Namorado, Wendell escorrega para a ponta do sofá, levanta-se, vem até mim e, com sua perna bem comprida, chuta de leve o meu pé. Sorrindo, volta para o seu lugar.

"Ai!", digo, como reflexo, ainda que não tivesse doído. Estou perplexa. "O que foi isso?"

"Bom, você parece estar gostando de sofrer, então achei que te ajudaria nisso."

"O quê?"

"Existe uma diferença entre dor e sofrimento", Wendell diz. "Você vai ter que sentir dor, todo mundo sente dor de vez em quando, mas não é preciso sofrer tanto. Você não está escolhendo a dor, está escolhendo o sofrimento." Ele segue explicando que toda essa minha insistência, toda essa ruminação e especulação infindáveis sobre a vida do Namorado estão se somando à dor e levando-me a sofrer. Então, sugere, se estou me agarrando com tanta sofreguidão ao sofrimento, devo estar obtendo alguma coisa disso; isso deve estar me servindo algum propósito.

Está?

Penso por que eu poderia estar espionando obsessivamente o Namorado pelo Google apesar de saber o quanto isso me faz mal. Seria uma maneira de continuar ligada a ele e à sua rotina diária, ainda que seja apenas um caminho de mão única? Talvez. Seria uma maneira de me entorpecer, para não ter que pensar na realidade do que aconteceu? É possível. Seria uma maneira de evitar aquilo em que eu deveria prestar atenção na minha vida, mas não quero?

Antes, Wendell havia observado que eu mantivera distância do Namorado, ignorando pistas que teriam tornado sua revelação menos chocante, porque, se tivesse perguntado sobre elas, ele poderia ter dito algo que eu não queria escutar. Eu dizia a mim mesma que não significava nada ele parecer irritado com as crianças em espaços públicos; que ele ficasse feliz em fazer compras para nós, em vez de comparecer aos jogos de basquete do meu filho; ele ter dito que ter filhos era mais importante para sua ex-esposa do que para ele, quando eles estavam tendo problemas de fertilidade; e preferir que seu irmão e a cunhada ficassem em um hotel quando vinham de visita, porque o Namorado não queria a confusão de seus três filhos em sua casa. E, no entanto, nem ele, nem eu, havíamos discutido diretamente nossos sentimentos em relação a crianças. Eu deduzia: Ele é pai, portanto gosta de crianças.

Wendell e eu conversamos sobre o fato de eu ignorar certas partes da história do Namorado, comentários e linguagem corporal, para silenciar o alarme que poderia ter disparado se eu tivesse prestado atenção.

E agora, Wendell especula se também venho mantendo distância *dele*, obcecada com as minhas notas, e me sentando longe dele, para me proteger aqui também.

Olho para a configuração em formato de L do sofá. "A maioria das pessoas não se senta aqui?", pergunto do meu lugar sob a janela. Tenho certeza de que ninguém divide um sofá com ele, o que elimina a posição D. Quanto à posição B, diagonal a ele, quem se sentaria tão perto do terapeuta? Repito, ninguém.

"Algumas sim."

"Jura? Onde?"

"Em qualquer lugar por aqui." Wendell abrange com um gesto o lugar onde estou sentada até a posição B.

Repentinamente, a distância entre nós parece vasta, mas ainda não acredito que as pessoas se sentem tão perto de Wendell.

"Então, alguém entra na sua sala pela primeira vez, dá uma olhada no espaço, e depois se larga logo aí, ainda que você vá estar sentado a apenas centímetros de distância?"

"É", Wendell responde, simplesmente. Penso na caixa de lenços de papel que ele me jogou, e como ele a mantinha na mesa ao lado da posição B porque, me ocorre agora, a maioria das pessoas deve se sentar *ali*.

"Ah", digo. "Devo mudar de lugar?"

Wendell dá de ombros. "A escolha é sua."

Levanto-me e me sento perpendicular a ele. Tenho que endireitar as pernas para que elas não toquem nas dele. Noto um pouco de grisalho nas raízes do seu cabelo escuro; a aliança no dedo. Lembro-me de ter pedido a Caroline que me indicasse – ou indicasse a meu "amigo" – um terapeuta casado, mas agora que estou aqui, percebo que isso não tem, de fato, importância. Ele não tomou o meu partido, nem declarou o Namorado um sociopata.

Ajeito as almofadas e procuro ficar confortável. A sensação é estranha. Olho para as minhas anotações, mas não tenho interesse em lê-las neste momento. Sinto-me exposta, e me vem uma vontade de fugir.

"Não posso me sentar aqui", digo.

Wendell pergunta por que, e digo a ele que não sei.

"Não saber é um bom ponto de partida", ele diz, e isso me parece uma revelação. Passo tempo demais tentando resolver coisas, buscando a resposta, mas tudo bem *não saber*.

Ficamos os dois quietos por um tempo, então me levanto e me afasto, mais ou menos a meio caminho entre as posições A e B. Consigo voltar a respirar.

Penso na citação de Flannery O'Connor: "A verdade não muda segundo nossa capacidade de suportá-la". Do que estou me protegendo? O que não quero que Wendell veja?

O tempo todo, andei dizendo a ele que não desejo o mal para o Namorado – como querer que sua próxima namorada o traia –, só queria nossa relação de volta. Disse com a cara limpa que não queria vingança, não odiava o Namorado, não estava zangada, só confusa.

Wendell escutou, mas não estava indo na minha conversa. Era óbvio que eu queria vingança, odiava, sim, o Namorado, estava furiosa.

"Seus sentimentos não precisam bater com o que você pensa que deveriam ser", ele explicou. "Eles estarão lá de qualquer jeito, então você pode muito bem aceitá-los, porque eles contêm pistas importantes."

Quantas vezes eu tinha dito algo parecido a meus próprios pacientes? Mas aqui, sinto-me como se estivesse escutando isso pela primeira vez. *Não julgue seus sentimentos; observe-os. Use-os como seu mapa. Não tenha medo da verdade.*

Meus amigos e minha família, assim como eu, tiveram dificuldade em considerar a possibilidade de o Namorado ser um sujeito decente, que estivesse confuso e conflitado. Ou ele era egoísta, ou mentiroso. Eles também nunca pensaram que, ainda que o Namorado tivesse dito a si mesmo que não poderia morar com uma criança, talvez ele também não conseguisse morar *comigo*. Talvez, de maneiras que ele não percebesse, eu lhe lembrasse demais seus pais ou a ex-esposa, ou a mulher que uma vez ele mencionou tê-lo magoado profundamente na faculdade. "Decidi nunca mais passar por nada parecido com isso", ele disse, no começo do nosso relacionamento. Pedi-lhe que explicasse melhor, mas ele não quis tocar no assunto, e eu, compactuando com seu evitamento, não pressionei.

Wendell, no entanto, tem me pedido que repare na maneira como evitávamos um ao outro, escondendo-nos atrás de romance, gracejos e planos para nosso futuro. E agora, sinto dor e crio meu próprio sofrimento, e meu terapeuta está literalmente tentando enfiar alguma consciência dentro de mim.

Ele troca as pernas cruzadas, mudando da direita sobre a esquerda para a esquerda sobre a direita, algo que os terapeutas fazem quando suas pernas começam a formigar. Hoje, suas meias listradas combinam com seu cardigã listrado, como se formassem um conjunto. Ele aponta com o queixo os papéis na minha mão. "Não acho que, com essas notas, você vá conseguir as respostas que está procurando."

Você está lamentando algo mais importante estala na minha cabeça como uma letra de música da qual não consigo me livrar. "Mas se eu não falar sobre o rompimento, não terei nada para dizer", insisto.

Wendell inclina a cabeça. "Você terá as coisas importantes para dizer."

Ouço-o e não o escuto. Sempre que Wendell sugere que isso é maior do que o Namorado, recuo, então suspeito que ele esteja visando alguma coisa. As coisas sobre as quais mais reclamamos são, com frequência, exatamente aquelas em que precisamos dar uma olhada.

"Pode ser", digo. Mas estou inquieta. "Neste momento, sinto como se precisasse terminar de te contar o que o Namorado disse. Posso só te dizer uma última coisa?"

Ele respira fundo e depois para, hesitando, como se fosse falar alguma coisa, mas decidisse não dizer. "Claro", diz. Pressionou-me o suficiente e sabe disso. Tirou a minha droga – falar sobre o Namorado – por um minuto longo demais, e preciso de outra dose.

Começo a revirar as páginas, mas agora não consigo me lembrar de onde eu estava. Percorro as notas para ver qual é a maldita citação que deveria compartilhar a seguir, mas há um excesso de asteriscos e anotações, e sinto os olhos de Wendell em mim. Pergunto-me o que eu pensaria se alguém como eu estivesse sentado na minha sala de terapia exatamente agora. Na verdade, eu sei. Estaria pensando no cartazete plastificado que meu colega de consultório colocou dentro das nossas pastas, no trabalho: *Existe uma decisão constante a ser tomada quanto a fugir da dor ou a tolerá-la e, assim, modificá-la.*

Abaixo as notas.

"Tudo bem", digo a Wendell. "O que você queria dizer?"

Wendell explica que minha dor parece estar no presente, mas, na realidade, está tanto no passado quanto no futuro. Os terapeutas falam muito em como o *passado* orienta o presente, como nossas histórias afetam a maneira como pensamos, sentimos e nos comportamos, e como, a certa altura da vida, temos que abrir mão da fantasia de criar um passado melhor. Se não aceitarmos a noção de que não existe um *refazer*, por mais que tentemos levar nossos pais, irmãos ou companheiros a consertar o que aconteceu anos atrás, nosso passado nos manterá empacados. Mudar nosso relacionamento com o passado é básico na terapia. Mas falamos muito menos sobre como nosso relacionamento com o *futuro* nos orienta também sobre o presente. Nossa noção de futuro pode ser um entrave tão poderoso para uma mudança quanto nossa noção de passado.

Na verdade, Wendell continua, perdi mais do que meu relacionamento no presente. Perdi meu relacionamento no futuro. Tendemos a pensar que o futuro acontece mais tarde, mas ele está sendo criado em nossa mente todos os dias. Quando o presente desmorona, o mesmo acontece com o futuro que associamos a ele. E ter o futuro subtraído é a mãe de todas as reviravoltas na trama. Mas se passarmos o presente tentando consertar o passado ou controlar o futuro, ficaremos empacados no lugar, num lamento perpétuo. Ao espionar o Namorado via Google, andei observando o desenrolar do seu futuro, enquanto fico paralisada no passado. Mas se viver o presente, terei que aceitar a perda do meu futuro.

Posso suportar a dor ou eu quero sofrer?

"Então", digo a Wendell, "acho que deveria parar de questionar o Namorado e de espioná-lo pelo Google."

Ele sorri com indulgência, da maneira que alguém faria perante um fumante que avisa que vai largar o cigarro de vez, mas não percebe o quanto isso é excessivamente ambicioso.

"Ou pelo menos tentar", digo, voltando atrás. "Passar menos tempo no futuro dele, e mais no meu presente."

Wendell concorda com a cabeça, depois bate duas vezes na perna e se levanta. A sessão terminou, mas quero ficar.

Sinto como se tivéssemos acabado de dar a largada.

11

Adeus, Hollywood

Na minha primeira semana trabalhando na NBC, fui designada a duas séries que estavam prestes a estrear: *Plantão Médico*, um drama médico, e *Friends*, uma sitcom. Essas séries alavancariam a rede para o primeiro lugar e estabeleceriam seu predomínio nas noites de quinta-feira durante muitos anos.

As séries foram programadas para ir ao ar no outono, seguindo um ciclo muito mais rápido do que no mundo cinematográfico. Em meses, foram contratados elencos e equipes técnicas, construídos cenários, e a produção teve início. Eu estava na sala quando Jennifer Aniston e Courteney Cox fizeram o teste para seus papéis em *Friends*. Opinei quanto a se a personagem de Julianna Marguiles em *Plantão Médico* deveria ou não morrer no final do primeiro episódio, e estava no set com George Clooney antes que qualquer um soubesse o quanto a série o deixaria famoso.

Energizada pelo novo trabalho, passei a assistir a menos TV em casa. Havia histórias pelas quais eu era apaixonada, e colegas que eram igualmente apaixonados por essas histórias, e me senti novamente ligada ao meu trabalho.

Um dia, os roteiristas de *Plantão Médico* ligaram para um pronto-atendimento local com uma pergunta médica, e aconteceu de um médico chamado Joe atender a ligação. Parecia destino; além de ser formado em medicina, ele tinha mestrado em produção cinematográfica.

Quando os roteiristas se inteiraram da formação de Joe, começaram a consultá-lo regularmente. Em pouco tempo, ele foi contratado como consultor técnico para barrar as cenas extremamente coreografadas na sala de emergência, ensinar os atores a como pronunciar termos médicos e fazer os procedimentos parecerem tão precisos quanto possível (esvaziar a seringa; limpar a pele com álcool antes de começar uma intravenosa; segurar o pescoço do paciente em tal posição ao inserir um tubo endotraqueal). É claro que às vezes nós dispensávamos as máscaras cirúrgicas que os personagens deveriam usar, porque todo mundo queria ver o rosto de George Clooney.

No set, Joe era um modelo de competência e calma, as mesmas qualidades que apresentava num verdadeiro pronto-atendimento. Nos intervalos, ele comentava sobre pacientes que atendera recentemente, e eu queria escutar cada detalhe. *Que histórias!*, eu pensava. Um dia, perguntei a Joe se poderia visitá-lo em seu trabalho. "Pesquisa", eu disse, e ele me ofereceu acesso a seu pronto-atendimento, onde, com uniforme emprestado, acompanhei-o em seu plantão.

"Os motoristas bêbados e os baleados de gangues só começam a chegar depois que anoitece", ele explicou, quando cheguei em uma tarde de sábado, e não havia muita coisa acontecendo. Mas logo estávamos correndo de sala em sala, paciente a paciente, enquanto eu tentava guardar com clareza os nomes, fichas e diagnósticos. No intervalo de uma hora, vi Joe fazer uma punção lombar, examinar o útero de uma grávida e segurar a mão de uma mulher de 39 anos, mãe de gêmeos, ao receber a notícia de que sua enxaqueca era, na verdade, um tumor cerebral.

"Não, veja bem, nós só queríamos mais remédio para enxaqueca", foi sua única resposta; negação que logo daria lugar a um rio de lágrimas. Seu marido pediu licença para ir ao banheiro, mas vomitou no caminho. Por um segundo, visualizei esse drama na TV – um instinto arraigado quando seu trabalho é escrever histórias –, mas tive a sensação de que gerar conteúdo para a TV não era o único motivo de eu estar ali. E Joe também percebeu isso. Semana após semana, continuei voltando ao pronto-atendimento.

"Você parece mais interessada no que estamos fazendo aqui do que no seu trabalho diário", Joe disse numa noite, meses depois, enquanto olhávamos juntos um raio-X, e ele me mostrava onde estava a fratura. Então, como se não fosse nada de mais, ele acrescentou: "Você ainda poderia fazer medicina, sabe?".

"Medicina?", perguntei. Olhei para ele como se fosse maluco. Eu estava com 28 anos e tinha especialização em estudos da linguagem, na faculdade. É verdade que no ensino médio eu tinha participado de torneios de matemática e ciências, mas, fora dali, sempre me sentira atraída por palavras e histórias. E agora, eu tinha um ótimo emprego na NBC, que me fazia sentir extremamente sortuda.

Mesmo assim, continuei escapando de gravações para voltar ao pronto-atendimento, não apenas com Joe, mas com outros médicos que também me deixavam segui-los. Eu sabia que estar ali tinha deixado de ser pesquisa para se tornar um hobby, mas e daí? Todo mundo não tinha um hobby? E claro que, talvez, passar minhas noites no pronto-atendimento tivesse se tornado o novo equivalente a ficar assistindo obsessivamente à TV, todas as noites, quando estava inquieta no meu trabalho com cinema. Repetindo, e daí? Obviamente, eu não ia jogar tudo isso pro alto e recomeçar numa faculdade de medicina. Além disso, não estava entediada com o trabalho na NBC. Só sentia que algo de real, importante e significativo estava acontecendo no pronto-atendimento, mas que não poderia acontecer da mesma maneira na televisão. E meu hobby preencheria essas lacunas; era para isso que os hobbies serviam.

Mas, às vezes, eu estava parada no pronto-atendimento e, durante uma calmaria, percebia como me sentia em casa, e cada vez mais me perguntava se Joe teria descoberto alguma coisa.

Em pouco tempo, meu hobby levou-me do pronto-atendimento para uma unidade de neurocirurgia. O caso que eu tinha sido convidada a ver era de um homem de meia-idade, com um tumor pituitário, provavelmente benigno, mas que precisava ser removido para evitar que pressionasse os nervos cranianos. Vestida a caráter, com máscara e usando tênis confortáveis, fiquei acima do sr. Sanchez, olhando dentro do seu crânio. Depois de serrar o osso (usando uma ferramenta parecida com algo que se compraria na Leroy Merlin), o cirurgião e sua equipe meticulosamente afastaram camada por camada do tecido conectivo até exporem o cérebro.

Por fim, lá estava ele, com o mesmo aspecto das imagens que eu tinha visto num livro na noite anterior, mas enquanto eu estava ali parada, meu próprio cérebro a centímetros do cérebro do sr. Sanchez, tive uma sensação de deslumbramento. Tudo que fazia aquele homem ser ele mesmo, sua personalidade, suas lembranças, suas experiências, seus gostos e aversões, seus amores e perdas, seus conhecimentos e suas habilidades, estava contido naquele órgão de um quilo e meio. Você perde uma perna ou um rim, e continua sendo você; mas perde uma parte do cérebro – literalmente, *perde a cabeça* –, e quem passa a ser, então?

Tive um pensamento perverso: *Entrei na cabeça de uma pessoa!* Hollywood tentava entrar na cabeça das pessoas o tempo todo, com pesquisa de mercado e propaganda, mas eu estava realmente ali, nas profundezas do crânio daquele homem. Especulei se aqueles slogans com que a rede bombardeava os espectadores chegavam a atingir seu destino: *Você não pode perder!*

Ao fundo, tocava baixinho uma música clássica, e dois neurocirurgiões extraíram o tumor, depositando seus pedaços, com cuidado, em uma bandeja de metal. Pensei nos sets frenéticos em Hollywood, com toda sua confusão e comandos.

"Vamos lá, gente! Gravando!" Um ator sendo conduzido às pressas, por um corredor, em uma maca, líquido vermelho encharcando suas roupas, mas então alguém dobra a esquina rápido demais. "Merda!", o diretor exclama. "Cruzes, gente, desta vez vamos fazer direito!" Homens corpulentos, com câmeras e luzes, correm alucinados, rearrumando a cena. Vi um produtor tirar uma pílula – Tylenol, Frontal ou Prozac? – e engoli-la com água gasosa. "Vou ter um infarto se não fizermos essa tomada hoje." Ele suspirava. "Juro, vou morrer."

Na sala de cirurgia com o sr. Sanchez, não havia gritos, ninguém se sentindo à beira de um ataque cardíaco. Até o sr. Sanchez, com a cabeça aberta, parecia menos estressado do que as pessoas no set. Enquanto a equipe cirúrgica trabalhava, cada pedido era salpicado com um "Por favor" e "Obrigado", e se não fosse pelo fluxo constante de sangue gotejando da cabeça de um homem para dentro de uma bolsa próximo à minha perna, eu poderia ter confundido aquele lugar com uma fantasia. E, de certa maneira, era. Ao mesmo tempo em que era mais real do que qualquer coisa que eu já vira, também estava a galáxias de distância do que eu considerava ser minha verdadeira vida lá em Hollywood, lugar que não tinha intenção de deixar.

Mas meses depois, tudo mudou.

Estou acompanhando um médico do pronto-atendimento em um hospital municipal num domingo. Ao nos aproximarmos de uma cortina, ele diz: "Mulher de 45 anos com complicações por diabetes". Ele puxa a cortina e vejo uma mulher deitada na mesa, debaixo de um lençol. É então que o cheiro atinge as minhas narinas, um choque tão ruim que sinto medo de desmaiar. Não consigo identificar o odor porque nunca senti nada tão repugnante. Será que ela defecou? Vomitou?

Não vejo sinais de nada disso, mas o cheiro torna-se tão forte que sinto que o almoço que ingeri uma hora atrás sobe à minha garganta, e engulo com força para mantê-lo guardado. Espero que ela não possa ver o quanto devo estar pálida, nem perceba a náusea dominando minhas entranhas. Penso: *Talvez venha da cama ao lado. Talvez, se eu for para este lado do quarto, não sinta o cheiro com tanta intensidade.* Concentro-me no rosto da mulher: olhos lacrimosos, faces avermelhadas, franja sobre a testa suada. O médico faz perguntas, e não consigo entender como ele faz para respirar. Tento segurar a respiração o tempo todo, mas acabo precisando de ar.

Tudo bem, digo comigo mesma. *Vamos lá.*

Inspiro um pouco de ar, e o cheiro toma conta do meu corpo. Equilibrando-me contra a parede, olho enquanto o médico levanta o lençol que cobre as pernas da mulher. Só que a parte de baixo das pernas não existe. Sua diabetes provocou uma vasculite grave, e tudo o que resta são dois tocos acima dos joelhos. Um deles está gangrenado, e não consigo decidir se a visão do toco infectado, completamente preto e embolorado como uma fruta podre, é pior do que seu cheiro.

O espaço é pequeno, e me aproximo da cabeça da mulher, o mais longe possível do toco infectado, e é então que algo extraordinário acontece. Aquela mulher pega na minha mão e sorri para mim, como se dissesse: *Sei que é difícil ver isso, mas tudo bem.* Ainda que fosse *eu* quem devesse estar segurando a mão *dela*, ainda que seja ela quem não tenha os membros inferiores e esteja com uma infecção colossal, ela está me tranquilizando. E embora isso pudesse vir a ser uma grande trama no *Plantão Médico*, naquele milésimo de segundo sei que não vou continuar trabalhando naquela série por muito mais tempo.

Vou para a faculdade de medicina.

Talvez esse seja um motivo impulsivo para uma mudança de carreira, o fato de que essa amável estranha com um toco escurecido esteja segurando minha mão, enquanto tento não vomitar, mas há algo acontecendo dentro de mim que nunca senti em nenhum dos meus trabalhos em Hollywood. Ainda amo a TV, mas existe algo nas histórias reais, que estou vivenciando pessoalmente, que me seduz e faz com que as coisas imaginárias pareçam tênues. *Friends* aborda fraternidade, mas uma fraternidade falsa. *Plantão Médico* é sobre vida e morte, mas são ficcionais. Em vez de pegar essas histórias que presencio e recolhê-las para meu mundo na rede televisiva, quero que a vida real, pessoas reais, *sejam* o meu mundo.

Naquele dia, dirigindo de volta para casa depois do hospital, não sei como, nem quando isso pode acontecer, nem que tipo de empréstimos posso obter para a faculdade de medicina, nem mesmo se consigo entrar. Não sei a quantas aulas de ciências terei que assistir para cumprir as exigências e me preparar para o vestibular, nem onde ter essas aulas, já que me formei na faculdade seis anos atrás.

Mas decido que, de alguma maneira, farei essa graduação acontecer, e não posso fazer isso trabalhando sessenta horas semanais nas séries da NBC.

12

Bem-vindo à Holanda

Depois que Julie soube que estava morrendo, sua melhor amiga, Dara, querendo ser útil, enviou-lhe o conhecido ensaio "Bem-vindo à Holanda". Escrito por Emily Perl Kingsley, mãe de uma criança com síndrome de Down, esse texto trata da experiência de ter suas expectativas de vida viradas de cabeça para baixo.

Esperar um bebê é como planejar uma viagem fabulosa à Itália. Você compra um monte de guias e faz seus planos maravilhosos. O Coliseu, o *David* de Michelangelo, as gôndolas de Veneza. Pode ser que você aprenda algumas frases práticas em italiano. Tudo é muito excitante.

Depois de meses de expectativa e ansiedade, finalmente chega o dia. Você faz as malas e vai. Várias horas depois, o avião aterrissa. A aeromoça aparece e diz: "Bem-vindos à Holanda".

"Holanda?!?", você diz. "Como assim, Holanda?? Minha viagem era para a Itália! Eu deveria estar na Itália. Passei a vida toda sonhando em ir para a Itália."

Mas houve uma mudança no plano de voo. Eles aterrissaram na Holanda, e é lá que você tem que ficar.

O importante é que eles não te levaram para um lugar horroroso, desagradável, imundo, cheio de pestilência, fome e doenças. É apenas um lugar diferente.

Então, você precisa sair e comprar novos guias. Precisa aprender uma língua completamente nova. Você vai conhecer todo um novo grupo de pessoas que nunca viu.

Trata-se apenas de um lugar diferente. É mais tranquilo do que a Itália, menos chamativo do que a Itália, mas depois que você está lá por um tempo e consegue recuperar o fôlego, olha em volta... e começa a reparar que a Holanda tem moinhos de vento... e a Holanda tem tulipas. A Holanda tem até Rembrandt.

Mas todo mundo que você conhece está na agitação de ir e vir da Itália... Todos se vangloriam sobre a temporada maravilhosa que passaram lá. E pelo resto da sua vida, você dirá: "É, era para lá que eu deveria ter ido. Foi isso que planejei".

A dor disso nunca, jamais, jamais, jamais desaparecerá... porque a perda desse sonho é uma perda muito, muito significativa.

Mas... se você passar a vida toda lamentando o fato de não ter chegado à Itália, pode ser que nunca se sinta livre para aproveitar coisas muito especiais e encantadoras que existem na Holanda.

"Bem-vindo à Holanda" deixou Julie furiosa. Afinal de contas, não havia nada de especial ou encantador em seu câncer. Mas Dara, cujo filho tem um autismo grave, disse que Julie estava entendendo errado. Ela concordava que o prognóstico da amiga era devastador e injusto, um distanciamento completo de como sua vida deveria transcorrer, mas não queria que Julie passasse o tempo que lhe restava, talvez uns dez anos, perdendo o que ainda poderia ter enquanto viva: seu casamento, a família, o trabalho. Ela ainda poderia ter uma versão dessas coisas na Holanda.

Ao que Julie pensou: *Vá se foder.*

E também: *Você tem razão.*

Porque Dara sabia.

Eu já tinha ouvido falar de Dara através de Julie, da mesma maneira que sei sobre todos os amigos próximos dos meus pacientes. Soube, por Julie, que quando Dara estava no seu limite de preocupação e dor em relação às infindáveis pancadas e bater de cabeça do filho, suas birras, sua incapacidade de conversar ou de se alimentar sozinho aos 4 anos de idade, sua necessidade de múltiplas terapias semanais que tinham assumido o controle da sua vida, mas também não pareciam estar ajudando, ela telefonava para Julie, desanimada.

"Agora, estou constrangida com isso", Julie disse, depois de explicar sua raiva inicial em relação a Dara, "mas quando vi o que Dara estava passando com seu filho, meu maior medo foi terminar como ela. Amo-a demais, e também senti que qualquer esperança quanto à vida que ela queria acabou."

"Como você sente agora", eu disse.

Julie concordou com a cabeça.

Ela me contou que, por um bom tempo, Dara dizia: "Não pedi isso!", e listava todas as maneiras pelas quais sua vida tinha sido alterada irrevogavelmente. Ela e o marido jamais teriam aconchegos, caronas solidárias, jamais leriam histórias antes de dormir. Nunca teriam uma criança que se tornaria um adulto independente. Dara olhava para o marido, Julie disse, e pensava: *Ele é um pai incrível para nosso filho*, mas não conseguia deixar de pensar no pai incrível que ele teria sido para uma criança que pudesse interagir por completo com ele. Não conseguia evitar a tristeza que se abatia quando se permitia pensar nos tipos de vivências que eles jamais poderiam ter com o filho.

Dara sentia-se egoísta e culpada por sua tristeza, porque, acima de tudo, desejava que a vida do filho pudesse ser mais fácil para o bem *dele*, que ele pudesse levar uma vida plena, com amigos, amores e trabalho. Sentia-se tomada pela dor e pela inveja quando via outras mães brincando no parque com seus filhos de 4 anos, sabendo que, naquela situação, seu filho provavelmente perderia o controle e pediriam que se retirasse. Que ele continuaria a ser evitado conforme fosse crescendo, e ela também. Os olhares que recebia das outras mães, as que tinham crianças comuns com problemas comuns, somavam-se a sua sensação de isolamento.

Dara telefonava para Julie constantemente, naquele ano, cada ligação mais desanimada do que a anterior. Exauridos financeira, emocional e fisicamente, ela e o marido decidiram não acrescentar um irmão ao pacote. Como poderiam custear e dispor de tempo para mais um? E se a criança também tivesse autismo? Dara já tinha parado de trabalhar para cuidar do filho, enquanto o marido assumia um trabalho extra, mas ela não sabia como lidar com isso. Até que um dia deu com o "Bem-vindo à Holanda", e percebeu que não apenas teria que se virar naquela terra estranha, como descobrir alegria ali, onde quer que conseguisse. Ainda havia prazeres a serem desfrutados, caso conseguisse deixá-los entrar.

Na Holanda, Dara encontrou amigos que entendiam sua situação familiar. Descobriu maneiras de se conectar com o filho, de se divertir com ele e amá-lo pelo que ele era, e não focar em quem ele não poderia ser. Encontrou maneiras de parar de se obcecar pelo que sabia e não sabia em relação a atum, soja e produtos químicos em cosméticos durante a gravidez que poderiam ter prejudicado o desenvolvimento do seu bebê. Arrumou quem cuidasse do filho, para poder cuidar de si mesma e trabalhar meio período em algo significativo, além de ter um tempo ocioso também significativo. Ela e o marido se reencontraram em seu casamento, ao mesmo tempo em que lutavam com os desafios que não podiam mudar. Em vez de se sentarem em seu quarto de hotel a viagem toda, decidiram se arriscar a sair e conhecer o país.

Agora, Dara convidava Julie a fazer o mesmo, olhar as tulipas e os Rembrandts. E depois que a raiva de Julie em relação a "Bem-vindo à Holanda" diminuiu, ocorreu-lhe que sempre haveria alguém cuja vida parecesse mais – ou menos – invejável. Ela trocaria de lugar com Dara, agora? Seu primeiro instinto foi: sim, num pulo. O segundo: talvez não. Inventou vários cenários: se pudesse ter dez ótimos anos com uma criança saudável, preferiria isso a uma vida mais longa? É mais difícil a própria pessoa estar doente, ou ter uma criança que esteja? Sentiu-se horrível até por ter esses pensamentos, mas também não podia negá-los.

"Você acha que sou uma pessoa ruim?", perguntou, e garanti-lhe que todo mundo que faz terapia preocupa-se que o que pensa ou faz possa não ser "normal" ou "bom", e, contudo, é nossa honestidade com a gente mesmo que nos ajuda a dar sentido a nossas vidas, com todas as suas nuances e complexidades. Reprima esses pensamentos, e é provável que você se comporte "mal". Reconheça-os, e crescerá.

Sendo assim, Julie começou a ver que estamos todos na Holanda, porque a maioria das pessoas não tem a vida exatamente como planejou. Mesmo que você tenha sorte bastante para viajar para a Itália, poderia passar por cancelamento de voos e um tempo horroroso. Ou seu esposo poderia sofrer um infarto fulminante no chuveiro, minutos depois de vocês terem feito um sexo glorioso em um quarto de hotel luxuoso em Roma, durante uma viagem para celebrar seu aniversário de casamento, como aconteceu a uma conhecida minha.

Então, Julie está indo para a Holanda. Não sabia quanto tempo duraria a sua estadia, mas reservamos sua viagem para dez anos, mudando o itinerário, caso necessário.

Enquanto isso, trabalharíamos juntas para descobrir o que ela queria fazer lá.

Julie impôs apenas uma condição.

"Você promete me dizer se eu estiver fazendo alguma loucura? Quero dizer, agora que vou morrer mais cedo do que jamais imaginei, não preciso ser tão... *sensata*, certo? Então, se eu exagerar, e as coisas ultrapassarem um pouco os limites, você me diz?"

Prometi. Julie passou a vida toda sendo conscienciosa e responsável, fazendo tudo de acordo com as regras, e eu não conseguia imaginar como seria sua versão além dos limites. Deduzi que, quando muito, seria o equivalente ao estudante careta que fica um pouco louco ao exagerar na cerveja em uma festa.

Mas esqueci que, frequentemente, as pessoas assumem sua faceta mais interessante quando têm a famosa arma apontada para a cabeça.

"Lista de desejos antes de bater as botas", Julie disse em uma sessão, enquanto tentávamos imaginar sua Holanda. "É um termo engraçado, não é?" Tive que concordar. O que você quer fazer antes de bater as botas?

Geralmente, as pessoas pensam na lista de desejos quando alguém que lhes é próximo morre. Foi isso que aconteceu com Candy Chang, uma artista que, em 2009, criou um espaço em uma parede pública de New Orleans, com a deixa: *Antes de morrer, eu...* Em poucos dias, a parede estava totalmente cheia. As pessoas escreveram frases como *Antes de morrer, quero andar sobre a Linha Internacional de Data.*[2] *Antes de*

---

[2] A Linha Internacional de Data é o antimeridiano de Greenwich, linha imaginária que separa o extemo-oeste do planeta do extremo-leste, provocando uma grande

morrer, quero cantar para milhões de pessoas. Antes de morrer, quero ser totalmente eu mesmo. Logo a ideia propagou-se para milhares de paredes por todo o mundo: *Antes de morrer, gostaria de desenvolver uma relação com a minha irmã. Ser um ótimo pai. Pular de paraquedas. Fazer diferença na vida de uma pessoa.*

Não sei se as pessoas foram em frente, mas segundo o que vi no meu consultório, um bom número delas pode ter tido conscientizações momentâneas, feito um leve exame de consciência, acrescentado mais coisas à sua lista, e depois se esquecido de riscar coisas. As pessoas tendem a sonhar sem partir para a ação, fazendo com que a morte permaneça teórica.

Achamos que fazemos listas de desejos para afastar arrependimentos, mas na verdade elas nos ajudam a afastar a morte. Afinal de contas, quanto mais longas são essas listas, mais tempo imaginamos ter para realizar tudo que houver nela. Contudo, reduzir a lista produz uma leve reentrância em nossos sistemas de negação, forçando-nos a reconhecer uma verdade que nos traz de volta à realidade: a vida tem uma taxa de mortalidade de cem por cento. Todos nós morreremos, e a maioria de nós não tem ideia de como ou quando isso acontecerá. De fato, a cada segundo que passa, estamos todos no processo de nos aproximarmos de nossas mortes potenciais. Como diz o ditado, "nenhum de nós sairá daqui com vida".

Aposto que, neste exato momento, você está feliz por eu não ser sua terapeuta. Quem é que quer pensar nisso? Como é mais fácil nos tornarmos proteladores da morte! Muitos de nós não dão o devido valor às pessoas que amam e às coisas que acham significativas, para no fim perceber, quando nossa data-limite é anunciada, que andamos patinando no projeto: nossas vidas.

Mas agora Julie precisava lamentar todas as coisas que teria que deixar de fora da sua lista. Ao contrário dos mais velhos, que lamentam o que perderão e deixarão para trás, Julie chorava pelo que jamais teria,

---

diferença de horário entre regiões muito próximas, embora pareçam distantes no mapa-múndi. Ao cruzá-la, há uma mudança obrigatória de data, para mais ou para menos. [N.T.]

todas as etapas e inícios que as pessoas na faixa dos 30 simplesmente presumem que acontecerão. Julie tinha, segundo ela, "uma data limite concreta" ("sendo que a *morte* era a parte concreta desse limite", ela disse), um prazo final tão inclemente que a maioria das coisas que ela tinha esperado nunca se realizaria.

Um dia, ela me disse que tinha começado a notar a frequência com que as pessoas, em conversas casuais, falam sobre o futuro. *Vou emagrecer. Vou começar a fazer exercícios. Vamos tirar férias este ano. Daqui a três anos, conseguirei uma promoção. Estou economizando para comprar uma casa. Daqui a uns dois anos, queremos ter nosso segundo filho. Daqui a cinco anos, vou para minha próxima reunião.*

Elas planejam.

Para Julie, era difícil planejar um futuro, sem saber quanto tempo haveria. O que fazer quando a diferença entre um ano e dez anos é enorme?

Então, aconteceu um milagre. Parecia que o tratamento experimental de Julie estava encolhendo seus tumores. Em questão de semanas, eles quase haviam desaparecido. Seus médicos ficaram otimistas; talvez ela tivesse mais tempo do que eles pensavam. Talvez aquelas drogas funcionassem não apenas naquele momento, ou por alguns anos, mas a longo prazo. Havia uma porção de "talvez". Tantos, que quando os tumores desapareceram completamente, ela e Matt começaram, com muita hesitação, a se tornar o tipo de pessoas que planejam.

Quando Julie examinou sua lista de desejos, ela e Matt conversaram sobre ter um bebê. Deveriam ter seu próprio filho se Julie pudesse não estar por perto no ensino fundamental, ou, caso tudo desse muito errado, na pré-escola? Matt estaria disposto a isso? E quanto à criança? Seria justo Julie tornar-se mãe sob essas circunstâncias? Ou sua melhor atitude materna seria a decisão de não se tornar mãe, ainda que fosse seu maior sacrifício?

Julie e Matt decidiram que precisavam viver suas vidas, mesmo perante tanta incerteza. Se havia algo que tivessem aprendido era que a vida é a própria definição da incerteza. E, se Julie permanecesse cautelosa, e eles não tivessem um bebê por esperar a reincidência do câncer, mas ele nunca voltasse? Matt garantiu a Julie que seria um pai comprometido, independentemente do que acontecesse com a saúde da esposa. Sempre estaria presente para o filho deles.

Então, ficou decidido. Encarar a morte de frente os obrigaria a viver mais plenamente, não no futuro, com alguma longa lista de metas, mas no *presente*.

Julie manteve sua lista de desejos enxuta: eles dariam início à sua família.

Pouco importa se terminassem na Itália ou na Holanda, ou em algum lugar completamente diferente. Subiriam num avião e veriam onde aterrissariam.

13

Como as crianças lidam com o luto

Logo depois do rompimento, dei a notícia a Zach, meu filho de 8 anos. Estávamos jantando, e tentei simplificar: o Namorado e eu decidimos de comum acordo (licença poética) que não ficaríamos mais juntos.

Seu rosto caiu. Pareceu surpreso e confuso. (*Bem-vindo ao clube!*, pensei).

"Por quê?", ele perguntou. Disse a ele que antes de duas pessoas se casarem, precisam decidir se seriam bons parceiros, não apenas naquele momento, mas pelo resto da vida, e ainda que o Namorado e eu nos amássemos, ambos percebemos (novamente, licença poética) que não daríamos certo, e seria melhor para nós encontrarmos pessoas que fossem adequadas.

Essa era, basicamente, a verdade, exceto por alguns detalhes, além de algumas mudanças de pronomes.

"Por quê?", Zach voltou a perguntar. "Por que vocês não seriam bons parceiros?" Seu rosto estava contraído. Meu coração doeu por ele.

"Bom", eu disse, "sabe como você costumava conviver com Asher, e então ele se dedicou pra valer ao futebol, e você pra valer ao basquete?"

Ele assentiu.

"Vocês dois ainda gostam um do outro, mas agora você passa mais tempo com pessoas que têm interesses parecidos."

"Então, vocês gostam de coisas diferentes?"

"É", eu disse. *Gosto de crianças, e ele as odeia.*

"Que coisas?"

Respirei fundo. "Bom, coisas como eu quero ficar mais em casa, e ele quer viajar mais." *Crianças e liberdade são mutuamente excludentes. Se a rainha tivesse culhões...*

"Por que vocês dois não podem chegar a um acordo? Por que vocês não podem, às vezes, ficar em casa e, às vezes, viajar?"

Refleti a respeito. "Talvez pudéssemos, mas é como naquela época em que você teve que fazer dupla com a Sonja, naquele cartaz, e ela queria colocar borboletas rosa por toda parte, enquanto você queria que ele tivesse soldados clones, e, no fim, vocês acabaram com dragões amarelos, o que ficou bem legal, mas não era de fato o que nenhum de vocês dois queria. Então, no projeto seguinte, você trabalhou com o Theo, e mesmo vocês tendo ideias diferentes, elas eram bem parecidas, e vocês dois cederam, mas não tanto quanto você precisou fazer com a Sonja."

Ele estava olhando para a mesa.

"Em toda convivência, as pessoas precisam chegar a um acordo", eu disse, "mas se for preciso *ceder demais*, pode ser difícil ficar casado. Se um de nós quisesse viajar muito, e o outro quisesse muito ficar em casa, nós dois poderíamos ficar bem frustrados. Isso faz sentido?"

"Faz", ele disse. Ficamos sentados juntos por um minuto, e de repente ele levantou os olhos e soltou: "Se a gente comer uma banana, a gente vai estar matando ela?".

"O quê?", perguntei, confusa pela mudança brusca de assunto.

"Você sabe como a gente mata uma vaca para pegar a carne, e que é por isso que os vegetarianos não comem carne?"

"Aham."

"Bom", ele continuou, "se a gente arranca a banana da árvore, a gente também não está matando a banana?"

"Acho que é mais como acontece com o cabelo", eu disse. "O cabelo cai da nossa cabeça quando ele está pronto para morrer, e aí um novo cabelo nasce no seu lugar. Nascem bananas novas onde as velhas costumavam ficar."

Zach inclinou-se para a frente, em sua cadeira. "Mas a gente arranca as bananas *antes* de elas caírem, quando elas ainda estão vivas. E se alguém ARRANCASSE O SEU CABELO antes que ele estivesse pronto para cair? Então, isso não mata a banana? E não machuca a árvore, quando a gente arranca a banana?"

Ah, essa era a maneira de Zach lidar com a notícia. Aqui, ele era a árvore. Ou a banana. Em ambos os casos, ele estava sofrendo.

"Não sei", respondi. "Talvez a gente não tenha intenção de machucar a árvore ou a banana, mas é possível que, às vezes, mesmo assim a gente a machuque, mesmo que de verdade verdadeira a gente não queira fazer isso."

Ficamos em silêncio por um tempo. Então: "Eu vou ver ele de novo?". Eu respondi que achava que não.

"Então, a gente não vai mais jogar Goblet?" Goblet era um jogo de tabuleiro que pertencia aos filhos do Namorado quando eram pequenos, e Zach e ele, às vezes, jogavam esse jogo juntos.

Eu disse que não, não com o Namorado, mas se ele tivesse vontade, eu jogaria com ele.

"Pode ser", ele disse, baixinho. "Mas ele era muito bom nisso."

"Ele *era* muito bom nisso", concordei. "Eu sei que essa é uma grande mudança", acrescentei, e então parei de falar porque nada que eu dissesse o ajudaria naquele momento. Ele teria que se sentir triste. Eu sabia que nos próximos dias, semanas, e até meses, teríamos muitas conversas para ajudá-lo a enfrentar isso (a vantagem de ser filho de uma terapeuta é que nada vai para debaixo do tapete; a desvantagem é que, seja como for, você vai ficar totalmente ferrado). Nesse meio tempo, a notícia teria que marinar.

"Tudo bem", Zach resmungou. Depois, levantou-se da mesa, foi até a fruteira no balcão, pegou uma banana, descascou-a, e com uma propensão dramática cravou os dentes nela.

"Huuum", disse, com uma expressão estranhamente satisfeita no rosto. Estaria matando a banana? Devorou a coisa toda em três grandes mordidas, e foi para o quarto.

Cinco minutos depois, saiu trazendo o jogo Goblet.

"Vamos dar isso para a caridade", disse, colocando a caixa junto à porta. Depois foi até mim para um abraço. "Eu não gosto mais dele mesmo."

14

Harold e Maude

Na faculdade de medicina, o nome do meu cadáver era Harold. Ou melhor, foi assim que meus parceiros de laboratório e eu mesma o denominamos, depois que o grupo ao nosso lado nomeou o deles Maude.[3] Estávamos fazendo anatomia macroscópica, o tradicional curso de dissecação humana do primeiro ano, e cada equipe de estudantes em Stanford trabalhava no cadáver de alguém generoso que doara seu corpo para a ciência.

Nossos professores nos deram duas instruções, antes de colocarmos o pé no laboratório. Primeiro: Finja que os corpos pertenceram a suas avós e mostrem um respeito correspondente. ("Pessoas normais fatiam suas avós?", um estudante surtado retrucou.) Segundo: Preste atenção a qualquer emoção que surja durante o que nos disseram que seria um processo intenso.

Não nos deram qualquer informação sobre nossos cadáveres: nome, idade, histórico médico, causa da morte. Os nomes foram preservados pela privacidade, e o resto porque o objetivo era desvendar um mistério, não *quem*, mas *por quê*. Por que essa pessoa morreu? Era fumante? Amante de carne vermelha? Diabética?

Ao longo do semestre, descobri que Harold tinha feito uma prótese no quadril (pista: os pinos de metal em sua lateral); sua válvula mitral tinha regurgitado (pista: alargamento do lado esquerdo do coração); ele tinha ficado constipado, provavelmente por ficar deitado em uma

---

[3] Harold e Maude são os protagonistas do clássico filme *Ensina-me a viver*. [N.E.]

cama de hospital no final da vida (pista: fezes retidas em seu cólon). Ele tinha olhos azuis, dentes retos e amarelados, um círculo de cabelo branco, e os dedos musculosos de um pedreiro, pianista ou cirurgião. Mais tarde, eu soube que tinha morrido aos 92 anos, de pneumonia, o que surpreendeu a todos, inclusive nosso professor, que declarou: "Ele tinha os órgãos de um sexagenário".

Maude, no entanto, tinha os pulmões cheios de tumores, e suas unhas, lindamente pintadas de rosa, disfarçavam as manchas de nicotina em seus dedos, ocasionadas pelo hábito. Era o oposto de Harold. Seu corpo envelhecera prematuramente, fazendo seus órgãos parecerem os de uma pessoa muito mais velha. Um dia, o pelotão Maude, que era como chamávamos o grupo de laboratório de Maude, extraiu seu coração. Uma das estudantes ergueu-o com cuidado, segurando-o para os outros examinarem, mas ele escorregou da sua luva, caiu no chão com um baque e se abriu. Todos nós ficamos sem fôlego, um coração partido. *Como é fácil*, pensei, *partir o coração de alguém, mesmo quando você toma o maior cuidado para isso não acontecer.*

Prestem atenção às suas emoções, tínhamos sido aconselhados. Mas era muito mais conveniente mantê-las à distância, enquanto escalpelávamos nosso cadáver e serrávamos seu crânio para abri-lo como um melão. ("Hoje será mais um dia de Black and Decker", nosso professor disse, ao nos cumprimentar na segunda manhã daquela unidade). Uma semana depois, faríamos uma "delicada dissecação" do ouvido, o que significava formões e martelos, mas sem serrote.

Dávamos início a cada etapa do laboratório abrindo o zíper do saco que continha nosso cadáver e fazendo uma pausa, enquanto classe, para um minuto de silêncio em homenagem às pessoas que estavam nos permitindo desmontar seus corpos. Começávamos abaixo do pescoço, deixando as cabeças cobertas em sinal de respeito, e quando subíamos até o rosto, mantínhamos suas pálpebras fechadas, novamente por respeito, e também para torná-las menos humanas para nós, menos reais.

A dissecação mostrou-nos que viver é algo precário, e fazíamos o possível para nos distanciar do fato, aliviando o clima com mnemônicas obscenas passadas de classe para classe, como a dos nervos cranianos (olfativo, ótico, oculomotor, troclear, trigêmeo, abducente, facial, vestibulococlear, glossofaríngeo, vago, acessório e hipoglossal): Oh, Oh, Oh, Tocar e Tatear A Fofa Vagina Gostosa da Virgínia, AH. Enquanto dissecava a cabeça e o pescoço, a classe gritava isso em conjunto. Depois, a gente afundava a cara nos livros e se preparava para o laboratório do dia seguinte.

Nosso esforço compensou. Tiramos nota máxima em todas as unidades, mas não tenho certeza de que qualquer um de nós estivesse prestando atenção a nossas emoções.

Na época dos exames, fizemos nossa primeira exploração. Uma exploração é exatamente isto: você anda por um cômodo cheio de peles, ossos e vísceras, como se estivesse examinando os destroços de um desastre aéreo horroroso, só que sua função não é examinar as vítimas, mas as partes individuais. Em vez de "Acho que este é John Smith", você tenta descobrir se a coisa carnuda sozinha em uma mesa é parte de uma mão ou de um pé, e então diz: "Acho que este é o extensor *carpi radialis longus*". Mas até mesmo essa não foi a experiência mais tétrica que tivemos.

No dia em que dissecamos o pênis de Harold – frio, parecendo couro, sem vida – os estudantes da mesa de Maude, tendo um cadáver com órgãos femininos, juntaram-se a nós para observar. Kate, minha colega de laboratório, era meticulosa em suas dissecações (o professor gostava de dizer que seu foco era "tão aguçado quanto uma lâmina"), mas agora ela estava distraída com os gritos do pelotão Maude assistindo ao seu trabalho. Quando mais profundo ela fatiava, mais altos ficavam os gritos.

"Ai!"

"Ecaaa!"

"Acho que vou vomitar!"

Mais colegas vieram assistir, e um grupo dos estudantes homens começou a dançar em círculos, protegendo suas virilhas com seus cadernos encapados com plástico.

"Ai, que drama", Kate murmurou. Não tinha paciência com melindres, ia ser cirurgiã. Voltando a se concentrar, Kate usou uma sonda para localizar o cordão espermático, depois empunhou novamente o escalpo e fez uma incisão vertical ao longo de toda a base do pênis, de modo a abri-lo em duas metades perfeitas, como uma salsicha.

"Ok, pra mim chega. Estou fora!", avisou um dos meninos, e então, ele e vários de seus colegas saíram correndo da sala.

No último dia do curso, houve uma cerimônia na qual prestamos homenagens às pessoas que permitiram que aprendêssemos com seus corpos. Todos nós lemos notas pessoais de agradecimento a elas, tocamos música e os abençoamos, esperando que, mesmo que seus corpos tivessem sido desmontados, suas almas estivessem intactas e abertas para receber nossa gratidão. Falamos por um bom tempo sobre a vulnerabilidade dos nossos cadáveres, expostos à nossa vontade, cortados e esmiuçados, milímetro por milímetro, suas amostras literalmente colocadas sob um microscópio ao removermos seus tecidos. Mas os verdadeiros vulneráveis éramos nós, ainda mais por nossa resistência em admiti-lo; éramos alunos do primeiro ano questionando se poderíamos nos aventurar nesse campo; jovens vendo a morte de perto; estudantes que não sabiam o que fazer com as lágrimas que derramavam, às vezes, nos momentos mais inesperados.

Eles haviam nos dito para prestar atenção às nossas emoções, mas não estávamos certos de quais eram essas emoções ou de o que fazer com elas. Algumas pessoas faziam aulas de meditação oferecidas pela faculdade de medicina. Outras praticavam exercícios físicos. Outras mergulhavam nos estudos. Um estudante do pelotão da Maude começou a fumar, saindo furtivamente para uma rápida fumada e recusando-se a acreditar que terminaria cheio de tumores como seu cadáver. Inscrevi-me como voluntária em um programa de alfabetização e leitura para alunos da pré-escola. Como eles eram saudáveis! Que vivacidade! Como as partes dos seus corpos estavam intactas! E quando não estava fazendo isso, eu escrevia. Escrevia sobre as minhas experiências, e fiquei curiosa quanto às experiências de outras pessoas; depois comecei a escrever sobre essas experiências para revistas e jornais.

A certa altura, escrevi sobre uma aula chamada Doutor-paciente, que nos ensinava como interagir com as pessoas que um dia trataríamos.

Como parte do nosso exame final, cada estudante foi filmado anotando um histórico médico, e meu professor comentou que fui a única aluna a perguntar à paciente como ela estava se sentindo. "Essa deveria ser sua primeira pergunta", ele disse à classe.

Stanford enfatizava a necessidade de tratar os pacientes como pessoas, e não casos, mas ao mesmo tempo nossos professores diziam que estava ficando mais difícil fazer isso por causa da maneira como a medicina estava mudando. Já não existiam relacionamentos interpessoais a longo prazo e encontros significativos. Estes foram substituídos por um sistema modernoso chamado "gestão clínica", com suas consultas de quinze minutos, tratamento à moda industrial, e restrições ao que um médico poderia fazer com cada paciente. Quando concluí a anatomia macroscópica, pensei muito sobre que especialidade eu poderia escolher; haveria uma em que o antigo modelo de medicina familiar persistia? Ou eu não saberia o nome de muitos dos meus pacientes, muito menos conheceria alguma coisa das suas vidas?

Acompanhei médicos de várias especialidades, eliminando as que tinham menos interação com os pacientes. (Urgência e emergência: empolgante, mas raramente você volta a ver seus pacientes. Radiologia: você vê imagens, não pessoas. Anestesiologia: seus pacientes estão dormindo. Cirurgia: idem.) Gostei de clínica médica e pediatria, mas os médicos que acompanhei me alertaram que essas práticas estavam se tornando bem menos pessoais; para sobreviver, eles precisavam dar conta de trinta pessoas diariamente. Alguns chegaram a dizer que, se estivessem começando agora, pensariam em outra especialidade.

"Por que se tornar médica, se você pode escrever?", um médico perguntou-me, depois de ter lido alguma coisa que eu tinha escrito para uma revista.

Quando eu estava na NBC, trabalhava com histórias, mas queria a vida real. Agora que tinha a vida real, eu me perguntava se na prática diária da medicina moderna não haveria espaço para histórias de pessoas. O prazeroso, descobri, era me aprofundar na vida de outras pessoas, e quanto mais eu escrevia como jornalista, mais me via fazendo exatamente isso.

Um dia, conversei com uma professora sobre meu dilema, e ela sugeriu que eu fizesse as duas coisas: jornalismo e medicina. Se eu conseguisse uma renda extra como escritora, ela disse, poderia ter uma clínica menor e atender pacientes da maneira que os médicos costumavam fazer. Mas, acrescentou, eu ainda teria que me reportar às companhias de seguro, com uma papelada que tomava tempo, o que me afastaria dos cuidados com o paciente. *As coisas realmente chegaram a esse ponto?*, pensei. *Escrever é uma maneira de bancar a vida como médica? Não costumava ser o contrário?*

De todo modo, refleti sobre sua ideia. Àquela altura, no entanto, eu estava com 33 anos, ainda tinha mais dois anos de faculdade de medicina, no mínimo três anos de residência, talvez uma bolsa de estudos depois disso, e sabia que queria ter uma família. Quanto mais eu via de perto os efeitos da gestão clínica, menos conseguia me imaginar assumindo o risco de anos para terminar minha formação e depois tentar descobrir se seria possível planejar o tipo de prática que eu queria, sendo ao mesmo tempo uma escritora. Além disso, eu não tinha certeza de que conseguiria fazer as duas coisas – pelo menos, não bem –, e ainda ter espaço para uma vida pessoal. No final do semestre, sentia-me como se tivesse que escolher: jornalismo ou medicina.

Escolhi jornalismo, e nos anos que se seguiram publiquei livros e escrevi centenas de histórias para revistas e jornais. Por fim, pensei, havia encontrado minha vocação profissional.

Quanto ao restante da minha vida, a família, ela também se encaixaria. Quando deixei a faculdade de medicina, tinha certeza absoluta disso.

15

Sem maionese

"Falando sério? Vocês, psicólogos, só se importam com isso?"

John está novamente sentado no meu sofá, com as pernas cruzadas e descalço. Veio de havaianas, porque hoje a pedicure foi ao estúdio. Noto que suas unhas do pé são tão perfeitas quanto seus dentes.

Acabei de perguntar algo sobre sua infância, e ele não ficou satisfeito com isso.

"Quantas vezes preciso te dizer? Minha infância foi ótima!", ele continua. "Meus pais eram santos. Santos!"

Sempre que ouço falarem em pais santos, desconfio. Não que esteja procurando problemas; só que não existe pai ou mãe santos. A maioria de nós acaba sendo os pais "bons o suficiente" que Donald Winnicott, o influente pediatra inglês e psiquiatra infantil, acreditava bastar para criar uma criança bem ajustada.

Mesmo assim, o poeta Philip Larkin colocou isso da melhor forma: "Eles fodem com você, sua mãe e seu pai/ pode ser que não queiram, mas fodem".

Foi só depois que me tornei mãe que consegui entender, de fato, duas coisas cruciais em relação à terapia:

1. O propósito de se indagar sobre os pais das pessoas não é se unir a elas culpando, julgando ou criticando seus pais. Na verdade, não se trata absolutamente dos pais. É exclusivamente para entender como suas primeiras experiências indicam quem eles são enquanto adultos, de modo a poder separar o passado do presente (e não usar uma roupagem psicológica que já não cabe).

2. A maioria dos pais fez o melhor possível, quer esse "melhor" seja uma nota 9 ou 4. É raro o pai, ou mãe, que, por mais limitado que seja, não queira, lá no fundo, que seu filho ou filha tenha uma boa vida. Isso não significa que as pessoas não possam ter sentimentos em relação às limitações (ou problemas de saúde mental) dos pais. Eles só precisam decidir o que fazer com isso.

Eis o que sei sobre John até agora. Ele tem 40 anos, está casado há doze, tem duas filhas, de 10 e 4 anos, e um cachorro. Escreve e produz séries populares de televisão, e quando fico sabendo quais são, não me surpreendo. Ganhou o Emmy exatamente porque seus personagens são brilhantemente cruéis e insensíveis. Reclama que a esposa é depressiva (embora, como dizem: "Antes de diagnosticar pessoas com depressão, certifique-se de que não estejam rodeadas de babacas"), que as crianças não o respeitam, que seus colegas o fazem perder tempo e que todos exigem demais dele.

Seu pai e seus dois irmãos vivem no centro-oeste, onde John cresceu. Ele foi o único a se mudar de lá. A mãe morreu quando ele tinha 6 anos, e os irmãos, 12 e 14 anos. Ela era professora de teatro, e estava saindo da escola depois de um ensaio, quando viu um dos seus alunos no caminho de um carro em alta velocidade. Correu e empurrou o jovem da frente do carro, mas foi atropelada e morreu no local. John contou-me essa parte sem emoção, como se estivesse simplesmente narrando o enredo de um dos seus programas. Seu pai, um professor de inglês com aspirações a escritor, cuidou dos meninos sozinho até se casar, três anos depois, com uma vizinha viúva, sem filhos. John descreveu sua madrasta como "sem sal, mas não tenho nada contra ela".

Embora John tenha muito a dizer sobre os vários idiotas na sua vida, seus pais têm estado bastante ausentes das nossas conversas. Durante meu estágio, um supervisor sugeriu que, com pacientes muito defensivos, uma maneira de ter uma noção do passado deles é perguntar: "Sem pensar muito, quais são os três adjetivos que lhe vêm imediatamente à mente em relação à personalidade da sua mãe ou do seu pai?".

Essas respostas espontâneas sempre deram a mim, e a meus pacientes, *insights* úteis sobre seus relacionamentos parentais.

Mas com John, isso não resulta em nada. "Santo, santa e *santos*; essas três palavras para os dois", ele responde, usando nomes, e não adjetivos, apesar da sua facilidade com as palavras. (Mais tarde, venho a saber que o pai dele "poderia ter tido" um problema com bebida, depois da morte da esposa, e "provavelmente" ainda tem, e que o irmão mais velho contou-lhe uma vez que a mãe deles "poderia ter tido uma leve versão de transtorno bipolar", mas John disse que o irmão só estava "sendo dramático".)

Estou curiosa quanto à infância de John por causa do seu narcisismo. Seu egocentrismo, sua defensiva, sua depreciação dos outros, a necessidade de dominar a conversa, e o senso de direito, basicamente o fato de ser um babaca, tudo atende aos critérios de diagnóstico de um transtorno de personalidade narcísica. Notei esses traços em nossa primeira sessão, e embora alguns terapeutas pudessem indicá-lo para outro profissional (as personalidades narcísicas não são consideradas boas candidatas para uma terapia introspectiva, orientada para um autoconhecimento, face às dificuldades dos pacientes em se verem e verem os outros com clareza), mostrei-me disposta. Não queria perder o ser humano por detrás do diagnóstico.

Sim, John tinha me igualado a uma prostituta, agido como se fosse a única pessoa na sala, e sentia que era melhor do que todos os outros. Mas debaixo disso, o quanto ele era, de fato, diferente do restante de nós?

O termo *transtorno de personalidade* evoca todo tipo de associações, não apenas para terapeutas, que consideram esses pacientes difíceis, mas também na cultura popular. Existe até na Wikipedia um verbete que cataloga personagens cinematográficos e os transtornos de personalidade que eles exemplificam.

A versão mais recente do *Manual diagnóstico e estatístico dos transtornos mentais*, a bíblia clínica dos distúrbios psicológicos, lista dez tipos de transtornos de personalidade, divididos em três grupos:

Grupo A (estranho, bizarro, excêntrico):
  Paranoide, Esquizoide, Esquizotípico

Grupo B (dramático, errático):

Antissocial, *Borderline*, Histriônico, Narcísico

Grupo C (ansioso, apreensivo):

Esquivo, Dependente, Obsessivo-compulsivo

Na prática com pacientes externos, vemos pacientes, sobretudo, do grupo B. Pessoas desconfiadas (paranoides), solitárias (esquizoides), ou excêntricas (esquizotípicas) não tendem a buscar terapia, então lá se vai o grupo A. Pessoas que evitam conexão (esquivas), esforçam-se para agir como adultos (dependentes), ou são workaholics rígidas (obsessivo-compulsivas), em geral também não buscam ajuda, portanto, lá se vai o grupo C. O sujeito antissocial do grupo B frequentemente também não nos procura. Mas as pessoas que vivenciam dificuldades nos relacionamentos e são ou extremamente emocionais (histriônicas e *borderlines*), ou casadas com pessoas assim (narcisistas) vêm até nós. Os tipos *borderline* tendem a se juntar com narcisistas, e é comum vermos essas duplas nas terapias de casais.

Até muito recentemente, a maioria dos profissionais de saúde mental acreditava que os transtornos de personalidade fossem incuráveis porque, ao contrário dos transtornos de humor, tais como depressão e ansiedade, eles consistem em padrões prolongados e arraigados de comportamento, compondo grande parte da *personalidade* da pessoa. Em outras palavras, os transtornos de personalidade são egossintônicos, o que significa que os comportamentos estão em sincronia com o autoconceito do indivíduo. Como resultado, as pessoas que apresentam esses transtornos acreditam que os outros estão criando os problemas em sua vida. Por outro lado, os transtornos de humor são egodistônicos, ou seja, a pessoa que sofre desses transtornos acha-os angustiantes, não gosta de ser depressiva ou ansiosa, ou de precisar acender e apagar as luzes dez vezes antes de sair de casa. Sabe que algo não está funcionando com ela.

Mas os transtornos de personalidade apresentam-se em um espectro. As pessoas com transtorno de personalidade *borderline* têm pavor de abandono, mas para algumas isso pode significar sentirem-se ansiosas quando seus companheiros não respondem imediatamente suas mensagens; para outras, pode significar a escolha de relacionamentos voláteis e disfuncionais, em vez de ficarem sozinhas. Ou pense no narcisista. Quem não conhece alguém que se encaixe no perfil em graus variados: realizado, carismático, inteligente e espirituoso, mas assustadoramente egocêntrico?

Mais importante, apresentar traços de um transtorno de personalidade não significa, necessariamente, que uma pessoa atenda aos critérios de um diagnóstico oficial. De tempos em tempos, em um dia extraordinariamente difícil, ou quando pressionado até que se toque num ponto sensível, *qualquer um* apresenta um tanto desse ou daquele transtorno de personalidade, porque todos nós estamos arraigados ao desejo intrinsicamente humano de autopreservação, aceitação e segurança. Se você pensa que isso não se aplica a você, pergunte a seu companheiro ou a sua melhor amiga. Em outras palavras, assim como eu sempre tento ver a pessoa como um todo, e não apenas o retrato instantâneo, também tento ver as dificuldades subjacentes, e não apenas o código de diagnóstico de cinco dígitos que posso colocar numa guia do plano de saúde. Se confiar demais nesse código, começo a ver cada aspecto do tratamento por essa lente, o que interfere no estabelecimento de uma verdadeira relação com o indivíduo ímpar sentado à minha frente. John pode ser narcisista, mas ele também é... John. Que pode ser arrogante e, para usar uma descrição não clínica, irritante pra caramba.

E, no entanto...

O diagnóstico tem sua utilidade. Eu sei, por exemplo, que pessoas que requisitam demais, são críticas e zangadas, tendem a sofrer de intensa solidão. Sei que uma pessoa que age dessa maneira quer ser vista, e ao mesmo tempo tem pavor de ser vista. Acredito que, para John, a experiência de ser vulnerável pareça patética e vergonhosa; e desconfio que, de algum modo, ele recebeu a mensagem de não demonstrar "fraqueza" aos 6 anos de idade, quando sua mãe morreu. Se ele passar qualquer tempo que seja com suas emoções, é provável que elas o oprimam, então, ele as projeta em outras pessoas sob a forma de raiva, menosprezo ou crítica. É por isso que pacientes como John são um desafio especial; eles são mestres em nos tirar do sério, sempre a serviço do desvio.

Minha função é ajudar nós dois a entender de que sentimentos ele está se escondendo. Ele arrumou fortalezas e fossos para me manter à distância, mas sei que parte dele está no alto da torre, gritando socorro, esperando ser salvo. Do que, ainda não sei, e dedicarei todo o meu conhecimento de diagnóstico, sem me perder nisso, para ajudar John a enxergar que o jeito como ele se comporta no mundo pode estar lhe causando mais problemas do que os provocados por quem ele chama de "idiotas".

"Sua luz está acesa."

John e eu estamos discutindo sua irritação com as minhas perguntas sobre sua infância, quando ele avisa que a luz verde na parede perto da minha porta, conectada a um botão na sala de espera, está acesa. Dou uma olhada para a luz, depois para o relógio. A sessão começou há apenas cinco minutos, então deduzo que meu próximo paciente deva ter chegado anormalmente cedo.

"Está", digo, imaginando se John estaria tentando mudar de assunto, ou se poderia, até mesmo, ter alguns sentimentos quanto ao fato de não ser meu único paciente. Muitos desejam, secretamente, ser o único paciente de seu terapeuta. Ou, pelo menos, o favorito, o mais engraçado, o mais divertido e, acima de tudo, o mais amado.

"Dá para você atender?", John pergunta, indicando a luz com um gesto de cabeça. "É meu almoço."

Fico confusa. "Seu almoço?"

"O entregador de comida está aí fora. Você vetou os celulares, então eu disse para ele apertar o botão. Ainda não tive tempo de almoçar, e agora tenho uma hora livre, quero dizer, *cinquenta minutos*. Preciso comer."

Estou desconcertada. Normalmente as pessoas não comem durante a terapia, mas quando isso acontece, elas perguntam algo do tipo: "Tudo bem se eu comer aqui hoje?". E trazem sua própria comida. Até meu paciente hipoglicêmico trouxe comida para dentro dessa sala uma única vez, e foi para evitar entrar em choque.

"Não se preocupe", John diz, percebendo a expressão no meu rosto. "Você pode comer um pouco, se quiser." Então, ele se levanta, segue pelo corredor, e pega seu almoço com o entregador, na sala de espera.

Quando volta, abre o saco, coloca um guardanapo no colo, desembrulha o sanduíche, dá uma mordida e então desiste.

"Jesus Cristo! Eu disse sem maionese! Olhe pra isso!"

Ele abre o sanduíche para me mostrar a maionese, e com a mão livre alcança seu celular, presumivelmente para reclamar sobre seu pedido, mas dirijo-lhe um olhar, lembrando-o da política de sem-celular.

Ele fica vermelho, e me pergunto se poderia gritar comigo também, mas em vez disso, ele apenas explode com "*Idiota!*"

"Eu?", pergunto.

"Você o quê?"

"Eu me lembro de que uma vez você descreveu sua última terapeuta como simpática, mas uma idiota. Eu também sou simpática, mas uma idiota?"

"Não, de jeito nenhum", ele diz, e fico satisfeita que ele tenha conseguido reconhecer que alguém na sua vida não seja idiota.

"Obrigada", digo.

"Pelo quê?"

"Por dizer que não sou uma idiota."

"Não foi isso que eu quis dizer", ele responde. "Quis dizer que não, você não é *simpática*. Não me deixa usar o celular para ligar para o idiota que pôs maionese no meu sanduíche."

"Então sou má *e* idiota?"

Ele sorri, e quando o faz, seus olhos cintilam e as covinhas aparecem. Por um segundo, consigo ver por que algumas pessoas poderiam achá-lo charmoso.

"Bom, você é má, sem dúvida. Ainda não sei quanto ao quesito idiota." Ele está sendo brincalhão, e sorrio de volta.

"Ufa", digo. "Pelo menos você está me dando o benefício de me conhecer primeiro. Gosto disso."

Ele começa a se mexer, desconfortável com minha tentativa de interagir. Está tão desesperado para escapar desse momento de contato humano, que começa a mastigar seu sanduíche com maionese e desvia o olhar. Mas não está me enfrentando, o que já é alguma coisa. Percebo uma abertura microscópica.

"Sinto muito que você me ache uma pessoa má", digo. "Foi por isso que fez o comentário sobre os cinquenta minutos?" O insulto da amante – de que eu mais pareço sua prostituta – era mais complicado, mas imagino que ele tenha feito a brincadeira dos cinquenta minutos pelo mesmo motivo que a maioria das pessoas o fazem; elas gostariam de poder ficar mais tempo, mas não sabem como dizer isso diretamente. Reconhecer seu apego faz com que se sintam vulneráveis demais.

"Não, acho bom que sejam cinquenta minutos!", ele diz. "Vai saber, se eu ficasse uma hora, você poderia ficar perguntando sobre a minha infância."

"Só quero te conhecer melhor", digo.

"O que tem para conhecer? Sou ansioso e não consigo dormir. Estou tocando três séries, minha esposa reclama o tempo todo, minha filha de 10 anos está se comportando como uma adolescente, a de 4 sente falta da babá, que foi embora fazer faculdade, a porra do cachorro está se comportando mal, e estou cercado de idiotas que dificultam a minha vida além do necessário. E, francamente, a esta altura estou puto da vida!"

"É muita coisa", digo. "Você está lidando com muita coisa."

John não diz nada. Mastiga a comida e analisa um ponto no chão, perto das suas havaianas.

"É isso mesmo", ele diz, por fim. "O que há de tão difícil de entender em duas palavras? *Sem. Maionese.* Só isso!"

"Sabe, em relação a esses idiotas, eu tenho uma ideia a respeito. E se as pessoas que estão te deixando louco não estiverem tentando te deixar louco? E se essas pessoas não forem idiotas, mas razoavelmente inteligentes, e só estão fazendo o melhor que podem num determinado dia?"

John ergue ligeiramente os olhos, como se refletisse sobre isso.

"E se você também estiver?", acrescento baixinho, pensando que por mais que ele seja duro com os outros, provavelmente é três vezes mais duro consigo mesmo.

John começa a dizer alguma coisa e para. Olha de volta para suas havaianas, levanta um guardanapo, e finge limpar as migalhas na sua boca. Mas eu percebo o que acontece. Rapidamente, ele leva o guardanapo para cima, abaixo do olho.

"Droga de sanduíche!", ele diz, enfiando o guardanapo na sacola de comida, juntamente com o resto da refeição, antes de atirar tudo na lata de lixo sob a minha mesa. *Xuá*. Um arremesso perfeito.

Ele olha para o relógio. "É muito louco, entende? Estou morto de fome, é meu único intervalo para comer, e não posso nem usar o celular para pedir um almoço decente. Você chama isso de terapia?"

Tenho vontade de dizer: *Sim, isso é terapia*, cara a cara, sem celulares nem sanduíches, de modo a duas pessoas poderem se sentar juntas e estabelecerem uma conexão. Mas sei que John se limitará a uma réplica sarcástica. Penso no que Margô deve enfrentar, e me pergunto qual deverá ser seu próprio histórico psicológico para ter escolhido John.

"Vou fazer um trato com você", John diz. "Vou te contar uma coisa sobre a minha infância, se puder pedir um almoço do restaurante no fim da rua. Peço pra nós *dois*. Vamos ser civilizados e ter uma conversa, comendo uma bela salada chinesa de frango, ok?" Ele olha para mim, esperando.

Normalmente, eu não faria isso, mas a terapia não segue uma regra. Precisamos de limites profissionais, mas se eles forem abertos demais, como um oceano, ou muito constritivos, como um aquário, teremos problemas. Um tanque para peixes parece perfeito. Precisamos de espaço para espontaneidade, motivo pelo qual, quando Wendell me deu um chute, funcionou. E se John precisa de certa distância entre nós, sob a forma de comida, para se sentir confortável conversando comigo nesse momento, que seja.

Digo-lhe que podemos pedir o almoço, mas que ele não precisa falar sobre sua infância. Não é um toma lá, dá cá. Ele me ignora e liga para um restaurante para fazer o pedido, processo que, logicamente, o frustra.

"Certo, sem molho. Não, *molho!*" Ele está gritando no celular, que está no viva-voz. "*M-o-l-h-o*." Ele suspira alto, revira os olhos.

"Molho extra?", o sujeito do restaurante pergunta num inglês precário, e John fica furioso ao tentar explicar que o molho deveria vir separado. Tudo é um problema: eles têm Pepsi diet, e não Coca diet, podem chegar aqui em vinte minutos, e não em quinze. Observo, horrorizada e perplexa. *Deve ser muito difícil ser John*, penso. Enquanto eles encerram o pedido, John diz alguma coisa em chinês, e o sujeito não entende. John não sabe como o sujeito não compreende sua "própria língua", e o atendente diz que fala cantonês.

Eles desligam, e John olha para mim, incrédulo. "O quê? Eles não usam *mandarim*?"

"Se você sabe chinês, por que não usou isso para fazer o pedido?", pergunto.

John me lança um olhar intimidador. "Porque eu falo *inglês*."

Credo.

John resmunga até a chegada do almoço, mas depois que começamos nossas saladas, ele abaixa um pouco a guarda. Eu já tinha almoçado, mas como um pouco de salada mesmo assim, para acompanhá-lo. Existe uma cumplicidade inerente ao se compartilhar uma refeição. Ouço algumas histórias sobre seu pai e seus irmãos mais velhos, e como ele acha estranho que, embora não se lembre muito da mãe, tenha começado a sonhar com ela alguns anos atrás. Vem tendo versões do mesmo sonho, como no filme *Feitiço do tempo*, e não consegue fazê-los parar. Ele quer que parem. Mesmo durante o sono, diz, está sendo incomodado. Ele só quer paz.

Pergunto sobre o sonho, mas John diz que falar sobre isso o deixará nervoso demais, e ele não está me pagando para deixá-lo nervoso. Não acabou de me dizer que queria paz? Eles não ensinam "capacidade de escuta" aos terapeutas? Quero conversar sobre o que ele acabou de dizer para desafiar sua crença de que não deveria se sentir desconfortável na terapia, e que pode encontrar paz sem também passar por desconforto, mas para isso preciso de tempo, e só restam poucos minutos.

Pergunto quando ele tem paz.

"Passeando com o cachorro", ele diz. "Até Rosie começar a se comportar mal. Costumava ser tranquilo."

Penso no porquê de ele não querer trazer o sonho para esta sala. Seria porque aqui se tornou uma espécie de santuário para ele, longe do trabalho, da esposa, das crianças, do cachorro, dos idiotas do mundo, e do fantasma da mãe que lhe aparece no sono?

"Ei, John", tento. "Você está se sentindo em paz neste momento?"

Ele joga os hashis dentro da sacola onde acabou de descartar os restos da sua salada. "Claro que não", responde, acrescentando um revirar de olhos impaciente.

"Ah", digo, deixando passar. Mas John não deixa. Nosso horário acabou, e ele se levanta para ir embora.

"Está de brincadeira?", continua, ao se dirigir para a porta. "*Aqui* dentro? Paz?" Agora, seu revirar de olhos é substituído por um sorriso, não uma expressão condescendente, mas um segredo que está compartilhando comigo. É um sorriso agradável, luminoso, e não por causa daqueles dentes deslumbrantes.

"Eu bem que achei", digo.

16

Tudo de bom

Spoiler: Depois que saí da faculdade de medicina, o resto da minha vida não se encaixou, como planejado.

Três anos depois, quando eu estava com quase 37 anos, um relacionamento de dois anos terminou. Foi triste, mas amigável, e não uma surpresa, como seria mais tarde o rompimento com o Namorado. Mas mesmo assim, foi o pior momento imaginável para alguém que queria ter um filho.

Eu sempre soube, com toda certeza possível, que queria ser mãe. Passei minha fase adulta me prontificando a ficar com crianças, e deduzi que, um dia, eu teria a minha. No entanto, agora, à beira dos 40, estava *morrendo de vontade* de ter um bebê, mas não a ponto de me casar com o primeiro sujeito que aparecesse. Isso me deixou num dilema difícil: desesperada, mas exigente.

Foi então que uma amiga sugeriu que eu fizesse as coisas ao contrário: primeiro o bebê, depois um companheiro. Uma noite, ela me enviou, por e-mail, links de alguns sites de doadores de esperma. Eu nunca tinha ouvido falar nisso e, no início, não sabia muito bem como me sentia a respeito, mas depois de refletir sobre minhas opções, tomei a decisão de ir em frente.

Agora, só precisava encontrar um doador.

Claro que eu queria alguém com um ótimo histórico de saúde, mas nesses sites havia outras características a considerar, e não apenas itens como cor do cabelo, ou altura. Eu queria um jogador de lacrosse ou um acadêmico em literatura? Um fanático por Truffaut ou um trombonista? Um extrovertido ou um introvertido?

Surpreendi-me ao ver que em muitos aspectos os perfis desses doadores pareciam perfis para encontros, só que, em sua maioria, os candidatos eram estudantes de faculdade e forneciam suas notas no SAT (equivalente americano ao Enem). E havia algumas outras diferenças básicas, destacando-se entre elas os comentários das chamadas *moças do laboratório*. Elas eram as mulheres (parecia só haver mulheres) que trabalhavam nos bancos e conheciam os doadores quando eles vinham para dar uma "liberada". As moças do laboratório escreviam, então, o que denominavam *impressões da equipe*, e juntavam-nas aos perfis dos doadores, mas não havia um parâmetro aparente para que tipo de impressões elas compartilhariam. Seus comentários variavam loucamente de *Ele tem bíceps incríveis!* para *Ele tende a enrolar, mas acaba fazendo o serviço*. (Eu desconfiava de qualquer aluno de faculdade cuja protelação estendia-se à masturbação.)

Confiei enormemente nessas impressões da equipe, porque quanto mais eu lia os perfis, mais percebia querer alguma ligação intangível com o doador que teria uma ligação com o meu filho. Queria *gostar* dele, seja lá o que isso significasse; sentir que, se estivéssemos sentados à mesa de jantar da nossa família, eu gostaria da sua companhia. Mas ao ler as impressões da equipe e escutar o áudio das entrevistas que as meninas do laboratório realizavam com os doadores ("Qual foi a coisa mais divertida que já te aconteceu?", "Como você descreveria sua personalidade?", e, o que era estranho, "Qual é a sua ideia de um primeiro encontro romântico?"), aquilo continuava parecendo frio e impessoal.

Então, um dia, telefonei para o banco de esperma para perguntar sobre o histórico de saúde de um doador, e fui transferida para uma moça chamada Kathleen. Enquanto ela analisava o registro médico dele, comecei a conversar com ela, e soube que era ela a moça do laboratório que tinha atendido aquele doador específico. Não aguentei. "Ele é bonitinho?", perguntei, procurando soar casual. Não sabia se me era permitido perguntar.

"Bom...", Kathleen saiu pela tangente, prolongando a palavra com seu forte sotaque de Nova York, "ele não é feio, mas eu não olharia duas vezes para ele no metrô".

Depois disso, Kathleen passou a ser minha zeladora de esperma, sugerindo doadores e respondendo às minhas perguntas. Confiei nela, porque, enquanto algumas das moças do laboratório exageravam em suas avaliações – afinal de contas, estavam tentando vender esperma –, Kathleen era honesta até demais. Seus padrões eram muito altos, tais quais os meus, o que era um problema, porque ninguém passava pelos nossos filtros.

Para ser sincera, parecia razoável deduzir que meu futuro filho fosse querer que eu fosse exigente. E havia múltiplos fatores a pesar. Se eu encontrasse um doador que parecesse ter as minhas sensibilidades, haveria outros problemas, como o histórico de saúde da sua família não ser uma boa combinação com o da minha (câncer no seio antes dos 60, doença renal). Ou eu acharia um doador com um histórico de saúde imaculado, mas que seria um dinamarquês com quase dois metros de altura e feições nórdicas, aparência que destoaria e poderia fazer meu filho se sentir constrangido em minha família de judeus baixos e de cabelos castanhos. Outros doadores pareciam ter boa saúde, inteligência e características físicas semelhantes, mas alguma outra coisa acendia uma luz de alerta, como o que escreveu que sua cor preferida era o preto, o livro preferido *Lolita*, e o filme preferido *Laranja Mecânica*. Tentei imaginar meu filho lendo esse perfil um dia e me olhando de um jeito que dizia "E você escolheu *este?*". Eu tinha a mesma reação quando o doador tinha dificuldade com ortografia ou não usava a pontuação corretamente.

Esse processo continuou por três meses exaustivos, durante os quais comecei a perder a esperança de que fosse encontrar um doador saudável sobre o qual teria orgulho de contar ao meu filho.

E então, finalmente, eu o encontrei!

Uma noite, cheguei em casa tarde, e ouvi uma mensagem de Kathleen na minha secretária eletrônica. Ela me dizia para dar uma olhada em um doador que, segundo sua descrição, parecia um "George Clooney jovem". Acrescentou que gostava especialmente dele porque era sempre simpático e tinha um ótimo humor quando vinha fazer doação no banco. Revirei os olhos. Afinal de contas, se você for um rapaz na faixa dos 20, prestes a olhar pornografia e ter um orgasmo, e estiver sendo *pago* por isso, o que falta para não ficar num ótimo humor? Mas Kathleen estava muito entusiasmada com ele: tinha boa saúde, boa aparência, grande inteligência e uma personalidade envolvente.

"Ele é tudo de bom", ela disse, com segurança.

Kathleen nunca tinha parecido tão animada, então entrei no site para dar uma olhada. Cliquei no perfil dele, estudei seu histórico de saúde, li seus ensaios, escutei sua entrevista por áudio, e soube instantaneamente, da mesma maneira que as pessoas falam sobre amor à primeira vista, que tinha encontrado O Cara. Tudo a respeito dele, seus gostos e aversões, seu senso de humor, seus interesses e valores, parecia familiar. Eufórica, mas exausta, decidi dormir um pouco e lidar com os detalhes pela manhã. O dia seguinte calhava de ser meu aniversário, e durante a noite tive sonhos vívidos sobre o meu bebê pelo que pareceram oito horas seguidas. Pela primeira vez, imaginei um bebê de verdade, vindo de duas pessoas específicas, em vez de uma ideia nebulosa de uma criança com metade da sua ascendência em branco.

De manhã, pulei da cama com um surto de excitação, a música "Child of Mine" estava tocando na minha cabeça. *Feliz aniversário para mim!* Nos últimos anos, eu vinha querendo um bebê, e encontrar um doador com o qual eu me sentia tão confortável pareceu o melhor presente de aniversário possível. Indo até o computador, sorri com a minha boa sorte; eu ia de fato levar isso adiante. Digitei a URL do banco de esperma, encontrei o perfil do doador e li tudo de novo. Tive tanta certeza quanto tivera na noite anterior de que ele fosse O Cara, aquele que faria sentido para meu filho ou filha, quando perguntasse por que, entre todos os doadores possíveis, eu tinha escolhido ele.

Coloquei o doador no meu carrinho de compras on-line, exatamente como teria feito com um livro da Amazon, conferi o pedido novamente, depois cliquei em "confirmar compra". *Vou ter um bebê!*, pensei. O momento pareceu monumental.

Enquanto o pedido era processado, planejei o que tinha que fazer em seguida: marcar um horário para a inseminação, comprar vitaminas pré-natais, montar um registro do bebê e providenciar a montagem do quarto dele. Em meio aos pensamentos, notei que meu pedido estava demorando um tempo para ser finalizado. A ampulheta que girava na minha tela, conhecida como *a roda giratória da morte*, parecia estar rodando há um tempo extraordinariamente longo. Esperei, esperei mais um pouco, e finalmente tentei usar a tecla de desfazer, para o caso de o meu computador estar dando pau. Mas nada aconteceu. Por fim, a roda giratória da morte sumiu, e uma mensagem apareceu: *Em falta no estoque.*

Em falta no estoque? Deduzi que devia ser alguma falha do computador – talvez quando pressionei a tecla de desfazer? –, então, fiz uma ligação direta para o banco de esperma e pedi para falar com Kathleen, mas ela não estava, e fui transferida para uma funcionária do serviço de atendimento ao cliente chamada Barb.

Barb deu uma olhada no caso e afirmou que não era uma falha; eu tinha escolhido um doador muito popular, segundo ela. Explicou que os doadores populares saíam rápido e que, embora a empresa procurasse "refazer seu estoque" com frequência, havia um prazo de seis meses para isso, de modo a ele poder ficar em quarentena e ser examinado. Mesmo quando o estoque tornava-se disponível, ela disse, ainda poderia haver uma longa espera, porque algumas pessoas haviam-no colocado como pedido pendente. Enquanto Barb falava, pensei em como Kathleen tinha me ligado apenas um dia antes. Então, me ocorreu que talvez ela tivesse sugerido aquele doador para várias mulheres. Assim como eu, talvez fossem *muitas* as mulheres que tivessem criado um vínculo com ela, considerando suas avaliações sinceras de sêmen.

Barb colocou-me na fila de espera. ("Não seja boba de perder seu tempo esperando", ela tinha dito, de forma ameaçadora), então desliguei o telefone e me senti perdida. Após meses de uma busca inútil, tinha encontrado meu doador, e meu futuro bebê tinha, finalmente, parecido uma realidade, não apenas uma ideia na minha cabeça. Mas agora, no meu aniversário, tinha que abrir mão daquele bebê. Estava de volta ao ponto de partida.

Debrucei-me sobre meu notebook, contemplando o espaço. Fiquei ali por um tempo, até reparar, no canto da minha mesa, num cartão de visitas que tinha recebido na semana anterior, em um evento voltado para contatos profissionais. Era de um cineasta de 27 anos chamado Alex. Eu tinha conversado com ele só por uns cinco minutos, mas deu para ver que ele era educado, inteligente e parecia saudável, e pensei, com a impulsividade de alguém que esteja ficando sem opções, que talvez eu pudesse pular os bancos on-line e tentar achar um doador no mundo real. Alex encaixava-se no perfil do tipo de doador que eu procurava. Por que não perguntar se ele pensaria a respeito? Afinal de contas, o pior que ele poderia dizer era não.

Escolhi meu tópico de assunto com cuidado (*Uma pergunta incomum*), e escrevi um e-mail despretensioso (*Ei, você se lembra de mim, daquele evento de networking?*). Depois, convidei-o para um café, de modo a poder fazer minha "pergunta incomum". Alex respondeu, indagando se eu poderia mandar a pergunta por e-mail. Respondi que preferia discuti-la pessoalmente. Ele respondeu: *Claro*. E em seguida, tínhamos um encontro marcado para um café, domingo, ao meio-dia.

Eu estava nervosa quando cheguei ao Urth Caffé, para dizer o mínimo. Depois de mandar meu e-mail impulsivo, tive certeza de que Alex diria não, e depois contaria o que eu havia feito a dez dos seus amigos, deixando-me tão humilhada que eu jamais conseguiria ir de novo a um evento de networking. Pensei em desistir, mas queria tanto um bebê que senti que precisava fazer isso, só para conferir. *A resposta a uma pergunta não feita é sempre não*, repetia várias vezes comigo mesma.

Alex cumprimentou-me calorosamente, e a conversa correu bem, com tanta facilidade que, antes que eu percebesse, estávamos nos divertindo. Depois de cerca de uma hora, na verdade, eu quase tinha esquecido o que estávamos fazendo ali, quando Alex inclinou-se sobre a mesa, olhou nos meus olhos, e perguntou, de um jeito sedutor, como se tivesse concluído que aquele era um encontro amoroso: "E aí, qual era a 'pergunta incomum'?".

Na mesma hora meu rosto ficou quente, fiquei com as palmas das mãos suadas e fiz o que qualquer pessoa normal faria em tais circunstâncias: emudeci. A gravidade e a maluquice do que eu estava prestes a fazer deixaram-me sem fala.

Alex esperou até eu começar a articular as palavras, desconcertada, usando analogias incoerentes para explicar o meu pedido. Dizia coisas como: "Não tenho todos os ingredientes para a receita", e "É como doar um rim, mas sem remover o órgão". No momento em que eu disse a palavra órgão, fiquei ainda mais afobada e tentei mudar o rumo da conversa. "É como doar sangue", eu disse, "só que existe sexo em vez de agulhas!" Com isso, decidi calar a boca. Alex olhava-me com uma expressão estranha, e pensei: *A vida não fica mais humilhante do que isso.*

Mas ficou. Porque rapidamente ficou claro que Alex não fazia ideia do que eu estava tentando perguntar.

"Olhe", consegui dizer. "Tenho 37 anos e quero ter um bebê. Não estou tendo sorte com os bancos de esperma, e me pergunto se você consideraria..."

Dessa vez, Alex entendeu claramente, porque todo seu corpo ficou paralisado; até seu *mocha chai latte* ficou suspenso no ar. Além de um paciente catatônico na faculdade de medicina, eu nunca tinha visto alguém tão imóvel na minha vida. Por fim, os lábios dele moveram-se e saiu uma palavra: "Uau". Depois, lentamente, foram saindo mais palavras: "Eu não estava esperando *isso* de jeito nenhum".

"Eu sei", eu disse. Estava me sentindo péssima por tê-lo colocado em uma situação tão constrangedora, por ter tocado no assunto, e estava prestes a dizer isso quando, para minha surpresa, Alex acrescentou: "Mas estou disposto a conversar a respeito".

Agora era minha vez de ficar paralisada, antes de dizer, por fim: "Uau". As próximas horas voaram. Alex e eu conversamos sobre tudo, da nossa infância aos sonhos futuros. Parecia que conversar sobre esperma tinha derrubado todas as barreiras emocionais, do mesmo modo que fazer sexo com alguém, pela primeira vez, pode abrir as comportas emocionais. Quando finalmente nos levantamos para ir embora, Alex disse que precisava pensar um pouco e que me procuraria, e eu falei que tudo bem. Mas eu tinha certeza de que, depois que ele refletisse a respeito, eu nunca mais teria notícias dele.

Naquela noite, no entanto, o nome dele apareceu na minha caixa de entrada. Cliquei na sua mensagem, esperando uma rejeição simpática.

Em vez disso, ele escreveu: *Até agora estou tendendo para sim, mas com mais perguntas*. Então, marcamos um outro encontro.

Nos dois meses seguintes, encontramo-nos com tanta frequência no Urth, que comecei a chamar o café de meu *escritório de esperma*, e meus amigos começaram a chamá-lo, simplesmente, de Spurth [junção de *sperm*, no original em inglês, e Urth]. No Spurth, conversamos sobre tudo, de amostras de sêmen e históricos médicos a contratos e contato com a criança. Por fim, chegamos ao ponto onde falamos sobre como fazer a transferência, se deveríamos ter o médico fazendo a inseminação, ou fazer sexo para aumentar as chances de concepção.

Ele escolheu sexo.

Sinceramente, eu não fiz objeção. E mais sinceramente? Fiquei *empolgada* com essa evolução! Afinal de contas, imaginava que na minha vida futura como mãe, não haveria muitas oportunidades para fazer sexo com alguém lindo como Alex, 27 anos, músculos abdominais definidos e maçãs do rosto esculpidas.

Nesse meio tempo, comecei a monitorar obsessivamente meus ciclos menstruais. Um dia no Spurth, mencionei a Alex que estava prestes a ovular, portanto, se fosse para tentarmos naquele mês, ele tinha exatamente uma semana para tomar uma decisão. Em outras circunstâncias, isso poderia parecer muita pressão a colocar sobre alguém, mas àquela altura parecia um fato consumado, e eu não tinha tempo a perder. Já tínhamos examinado nosso plano de todos os ângulos possíveis: legal, emocional, ético, prático. Agora, também, tínhamos piadas internas e apelidos um para o outro, além de termos criado um vínculo quanto à bênção que seria aquela criança. Uma semana antes, Alex tinha até perguntado se, como qualquer outra oportunidade de negócio, eu tinha "recorrido a outros", ou se aquela era uma oferta exclusiva. Tive um rápido impulso de inventar uma disputa de lances para selar o acordo (*Pete está rodeando, e também existe interesse da parte de Gary, então é melhor você entrar em contato até sexta-feira. A coisa está fervendo sobre esse assunto*), mas quis que nosso relacionamento fosse baseado em total sinceridade e, de qualquer modo, tinha certeza de que Alex diria sim.

No dia seguinte ao que defini como data limite, decidimos caminhar na praia para discutir, pela última vez, os detalhes finais do contrato que tínhamos elaborado. Enquanto passeávamos pela orla, caiu uma garoa do nada. Olhamos um para o outro – era melhor voltar? –, mas então a garoa transformou-se em uma verdadeira tempestade. Nós dois estávamos de mangas curtas, e Alex tirou a jaqueta amarrada na cintura e colocou-a sobre os meus ombros. Enquanto estávamos de frente um para o outro, ensopando-nos na chuva na praia, ele me deu o sinal verde oficial. Depois de todas as negociações, todo o tempo para nos conhecermos, todas as perguntas sobre o que aquilo significaria para nós e a criança, estávamos prontos.

"Vamos fazer seu bebê!", ele disse, e lá estávamos nós, abraçando-nos e sorrindo, eu numa jaqueta enorme que chegava aos meus joelhos, abraçando aquele homem que me daria seu esperma, e pensei em como mal podia esperar para contar essa história ao meu filho, um dia.

Ao voltarmos para seu carro, Alex deu-me sua cópia do contrato assinada.

E então, sumiu.

Não tive notícias dele por três dias. Poderia não parecer muito tempo, mas se você está saindo dos 30, prestes a ovular, e sua única opção para um bebê está numa lista de espera indefinida, três dias são uma eternidade. Tentei não tirar conclusões precipitadas (o stress é ruim para a concepção), mas quando Alex, finalmente, ressurgiu, deixou-me uma mensagem dizendo: "Precisamos conversar". Eu desabei. Como qualquer adulto do planeta, sabia exatamente o que aquilo queria dizer: eu estava sendo dispensada.

Na manhã seguinte, ao nos sentarmos em nossa mesa costumeira no Spurth, Alex desviou o olhar e começou a soltar os costumeiros clichês de rompimento: "Não é você, sou eu"; "Estou com a vida tão atrapalhada no momento, que não sei se posso me comprometer, então, para o seu bem, não quero te prender". E a eterna favorita: "Espero que possamos continuar amigos".

"Tudo bem, tem outros peixes no mar", respondi, protegendo-me com um jogo de palavras ruim. Esperava aliviar o clima, fazer com que Alex soubesse que meu lado racional entendia o motivo de ele sentir que não poderia prosseguir com a doação. Mas, por dentro, eu estava destruída, porque agora era o segundo bebê que eu tinha imaginado com tanta clareza, e que jamais teria nos braços. Uma amiga, que teve seu segundo aborto mais ou menos nessa época, disse que se sentia exatamente igual. Fui para casa e decidi dar um tempo na procura de doador de esperma, porque estava difícil suportar a decepção. E como minha amiga que havia abortado, evitei bebês o máximo possível. Até propaganda de fraldas fazia com que eu voasse até o controle remoto para poder mudar de canal.

Depois de alguns meses, sabia que tinha que voltar à internet e retomar minha busca, mas justamente quando estava prestes a me inscrever de novo, recebi um telefonema inesperado. Era Kathleen, minha *moça do laboratório* do banco de esperma.

"Lori, boa notícia!", anunciou com seu forte sotaque do Brooklyn. "Alguém devolveu um frasco do garoto Clooney."

O garoto Clooney... o meu cara. Aquele que era "tudo de bom".

"Devolveu?", perguntei. Fiquei em dúvida quanto ao que pensar sobre um sêmen *devolvido*. Pensei em como, no Whole Foods, não se pode devolver nenhum item de higiene pessoal, mesmo com uma nota fiscal. Mas Kathleen garantiu-me que o frasco não tinha saído do seu tanque lacrado de nitrogênio, e que não havia nada de errado com o "produto". Alguém tinha, simplesmente, engravidado de algum outro jeito, e não precisava mais da reserva. Se eu a quisesse, teria que comprá-la agora.

"Clooney tem uma lista de espera, você sabe...", ela começou, mas antes de terminar a frase, eu já tinha dito sim.

No final daquele outono, eu estava jantando com um grupo de pessoas depois do meu chá de bebê, quando minha mãe reparou que o verdadeiro George Clooney estava sentado em uma mesa próxima. Todos na nossa mesa sabiam da descrição de Kathleen do "jovem George Clooney", e um a um, meus amigos e minha família, apontaram para minha enorme barriga e depois viraram a cabeça em direção ao ator.

Ele parecia muito mais adulto do que quando era um rapaz, atuando em *Plantão Médico*. Eu também me sentia muito mais adulta do que quando era uma jovem executiva trabalhando na NBC. Muitas coisas tinham acontecido em nossas vidas. Ele estava prestes a ganhar um Oscar. Eu, prestes a ter meu filho.

Uma semana depois, o "jovem Clooney" ganhou um novo nome: Zachary Julian. Z.J. Ele é amor, alegria, encanto e magia. Ele é, como Kathleen diria, "tudo de bom".

Pule oito anos para o futuro, uma espécie de *déjà vu*. Quando o Namorado diz: "Não posso viver com uma criança na minha casa pelos próximos dez anos", sou levada de volta para aquele dia no Urth, quando Alex me disse que, no fim das contas, não podia ser meu doador. Eu me lembrarei de como fiquei devastada, mas também de como Kathleen me telefonou logo depois, ressuscitando o que tinha parecido o fim de um sonho.

As situações parecerão similares o bastante – a reviravolta que me pegou de surpresa, os planos frustrados – para que, sob a dor resultante da declaração do Namorado, eu pudesse ter esperança de que as coisas se arranjariam de novo.

Mas, desta vez, algo parece muito diferente.

17

Sem lembrança nem desejo

Em meados do século XX, o psicanalista britânico Wilfred Bion postulou que os terapeutas deveriam abordar seus pacientes "sem lembrança ou desejo". Segundo ele, as lembranças dos terapeutas estavam propensas a interpretações subjetivas, mudando com o tempo, enquanto seus desejos poderiam ir contra o que seus pacientes queriam. Em conjunto, lembranças e desejos podem criar noções tendenciosas que os terapeutas sustentam durante o tratamento (conhecidas como *ideias formuladas*). Bion queria que os profissionais entrassem em cada sessão comprometidos a ouvir o paciente no momento presente (em vez de serem influenciados pela memória), permanecendo abertos a várias decorrências (em vez de serem influenciados pelo desejo).

No começo do meu estágio, fui orientada por um seguidor de Bion e desafiei-me a começar cada sessão "sem lembrança, nem desejo". Adorava a ideia de não ser desviada por noções preconcebidas. Também parecia haver um estilo *zen* nesse tipo de renúncia, parecido com a noção budista de se libertar do vínculo. No entanto, na prática, parecia mais uma tentativa de imitar H.M., o famoso paciente do neurologista Oliver Sacks, cujo dano cerebral confinava-o a viver apenas no momento presente, sem a capacidade de se lembrar do passado imediato ou conceber o futuro. Com meus lóbulos frontais intactos, não conseguia me forçar a esse tipo de amnésia.

É claro que sei que o conceito de Bion era mais matizado, e que há uma importância em rever os aspectos dispersivos da memória e do desejo à nossa porta. Mas cito Bion aqui porque, quando dirijo para minhas sessões com Wendell, penso em como, do lado da sala onde está o paciente – do *meu* lado – "nenhuma lembrança (do Namorado) e nenhum desejo (pelo Namorado)" se aproximariam da graça divina.

É quarta-feira de manhã, e estou no sofá de Wendell, sentada a meio caminho entre as posições A e B, tendo acabado de arrumar as almofadas às minhas costas.

Estou plenamente decidida a começar com o que aconteceu no trabalho no dia anterior, quando eu estava na cozinha comum e avistei um exemplar da revista *Divorce* sobre uma pilha de material de leitura que seria colocado na sala de espera. Imaginei as pessoas que assinavam essa revista chegando em casa no final do dia e encontrando, entre todas as contas e catálogos de lojas, esse periódico com a palavra DIVÓRCIO em letras amarelas, na capa. Então, imaginei essas pessoas entrando em suas casas vazias, cada uma delas acendendo as luzes, esquentando um jantar congelado, ou pedindo comida para um, sentando-se para comer e folheando as páginas da revista, perguntando-se: *Como é que isso virou a minha vida?* Eu pensava que as pessoas que seguiam em frente depois do divórcio estivessem fazendo outro tipo de coisa, e não lendo aquela revista, e que a maioria dos assinantes seria de pessoas como eu, recém-feridas, tentando dar um sentido a tudo aquilo.

Claro, eu não tinha me casado com o Namorado, então isso não era um divórcio, *mas era para nos casarmos*, o que, segundo meu pensamento, colocava-me numa categoria semelhante. Eu até sentia que, sob um determinado aspecto, aquele rompimento poderia ser pior do que um divórcio. Num divórcio, as coisas já ficaram ruins, levando, assim, à separação. Se é para lamentar uma perda, não é melhor ter um arsenal de lembranças desagradáveis – silêncios pétreos, gritaria, infidelidade, decepção pesada – para mitigar as boas? Não é mais difícil abrir mão de um relacionamento cheio de lembranças felizes?

Parecia-me que a resposta era sim.

Então, eu estava sentada à mesa, tomando um iogurte e dando uma olhada nas manchetes da revista ("Curando-se da rejeição", "Lidando com pensamentos negativos", "Criando a nova você!"), quando meu celular vibrou, indicando a chegada de um e-mail. Não era, como eu ainda tinha a ilusão de esperar, do Namorado. O assunto dizia: *Prepare-se para a melhor noite da sua vida!* Deduzi ser um spam, mas se não fosse, quem era eu para recusar a melhor noite da minha vida, considerando o quanto me sentia mal?

Cliquei nele e vi que o e-mail era uma confirmação dos ingressos do show que eu tinha comprado meses atrás, como uma surpresa para o próximo aniversário do Namorado. Nós dois amávamos aquela banda, e as músicas deles tinham sido como uma trilha sonora do nosso relacionamento. No nosso primeiro encontro, descobrimos que tínhamos a mesma música preferida de todos os tempos. Não podia me imaginar indo àquele show com alguém que não fosse o Namorado, especialmente em seu aniversário. Deveria ir? Com quem? Eu não ficaria pensando nele no seu aniversário? O que levantou a seguinte pergunta: Ele estaria pensando em mim? E se não estiver, eu não signifiquei nada para ele? Voltei a olhar a manchete da *Divorce*: "Lidando com pensamentos negativos".

Estava tendo dificuldade para lidar com meus pensamentos negativos, porque, fora da sala de Wendell, eles não tinham muita vazão. Os rompimentos tendem a cair na categoria de perdas silenciosas, menos tangíveis a outras pessoas. Você sofre um aborto, mas não perdeu um bebê. Você tem uma separação, mas não perdeu um marido, ou uma esposa. Então, os amigos deduzem que você se recuperará relativamente rápido, e coisas como os ingressos desse show tornam-se quase um gratificante reconhecimento externo da sua perda, não apenas da pessoa, mas do tempo e da companhia, das rotinas diárias, das brincadeiras e piadas internas, das lembranças compartilhadas que agora só caberão a você.

Tenho total intenção de dizer tudo isso a Wendell, enquanto me acomodo no sofá, mas em vez de falar, tudo o que sai é uma torrente de lágrimas.

Em meio à visão embaçada, vejo a caixa de lenços de papel planando em minha direção. Mais uma vez, não consigo agarrá-la. (Além de levar um pé na bunda, penso, fiquei desastrada.)

Estou ao mesmo tempo surpresa e envergonhada da minha crise de choro; nós ainda nem nos cumprimentamos, e toda vez que tento me recompor, solto um rápido "Me desculpe", antes de me descontrolar de novo. Por cerca de cinco minutos, minha sessão segue da seguinte maneira: Choro. Tento parar. Digo *Me desculpe*. Choro. Tento parar. Digo *Me desculpe*. Choro. Tento parar. Digo: *Deus do céu, me desculpe mesmo*.

Wendell quer saber pelo que estou pedindo desculpas.

Aponto para mim mesma. "Olhe pra mim!" Faço uns grasnados altos, enquanto assoo no lenço de papel.

Wendell dá de ombros, como se dissesse: *Bom, é... e daí?*

E então, nem mesmo paro para pedir desculpas, só choro. Tento parar. Choro. Tento parar. Choro. Tento parar.

Isso continua por mais alguns minutos.

Enquanto choro, penso na manhã seguinte ao rompimento, na qual, depois de uma noite insone, saí da cama e segui em frente com a minha rotina.

Lembro-me de como deixei Zach na escola e disse: "Te amo", enquanto ele pulava para fora do carro e olhava em volta para ter certeza de que ninguém pudesse ouvir, e então disse: "Te amo!", antes de sair correndo para se juntar aos amigos.

Penso em como, a caminho do trabalho, recapitulei, seguidas vezes, o comentário de Jen na minha mente: *Não sei se essa história vai terminar assim*.

Penso em como, subindo de elevador para o meu consultório, ri de verdade ao me lembrar do velho trocadilho *Denial is not a river in Egypt* [A negação não é um rio no Egito],[4] e mesmo assim parti direto para a negação: *Talvez ele mude de ideia*, pensei. *Talvez tudo isso seja um tremendo mal-entendido*.

É claro que tudo isso não era um tremendo mal-entendido, porque cá estou, chorando em frente a Wendell e repetindo como sou patética por estar fazendo isso, por ainda estar tão acabada.

"Vamos fazer um trato", Wendell diz. "Que tal concordarmos que você será generosa consigo mesma enquanto estiver aqui? Pode continuar se estapeando o quanto quiser assim que for embora, ok?"

Ser generosa comigo mesma. Isso não tinha me ocorrido.

---

[4] A frase é um trocadilho no qual *denial* (negação) e *The Nile* (o Nilo) são pronunciados do mesmo jeito. [N.T.]

"Mas é só um rompimento", eu digo, esquecendo-me de ser generosa comigo mesma.

"Ou eu poderia deixar um par de luvas de boxe na porta, assim você poderia se esbofetear com elas a sessão toda. Isso facilitaria?"

Wendell sorri, e eu me vejo inspirando um pouco de ar, soltando e relaxando rumo à generosidade. Tenho um lampejo de um pensamento que me vem com frequência quando vejo meus próprios pacientes se autoflagelando: *Você não é a melhor pessoa para conversar com você sobre você nesse momento*. Existe uma diferença, saliento a eles, entre se auto-culpar e se autorresponsabilizar, corolário de algo que Jack Kornfield disse: "Uma segunda característica da espiritualidade madura é a generosidade. Ela se baseia em uma noção fundamental de autoaceitação". Na terapia, visamos à autocompaixão (*Sou humano?*) *versus* a autoestima (um julgamento: *Sou bom ou ruim?*).

"Talvez não para as luvas de boxe", digo. "É que eu estava melhorando, e agora não consigo parar de chorar de novo. Sinto-me como se estivesse voltando para trás, no ponto em que estava na semana do rompimento."

Wendell inclina a cabeça. "Deixe-me lhe perguntar uma coisa", diz, e, deduzindo que será sobre o meu relacionamento, enxugo os olhos e espero, ansiosa. "No seu trabalho como terapeuta", ele começa, "alguma vez você já esteve com alguém que estivesse passando por um luto?"

Sua pergunta me paralisa.

Já atendi pessoas lidando com todo tipo de luto: a perda de um filho, de um pai ou uma mãe, de um cônjuge, de um irmão ou uma irmã, a perda de um casamento, de um cachorro, de um trabalho, de uma identidade, de um sonho, de uma parte do corpo, da juventude. Atendi pessoas cujos rostos fecham-se em si mesmos, cujos olhos tornam-se fendas, cujas bocas lembram a imagem de *O Grito*, de Munch. Atendi pacientes que descrevem seu luto como "monstruoso" e "insuportável"; uma paciente, citando algo que havia escutado, disse que aquilo a deixou "alternadamente entorpecida e com uma dor agonizante".

Também presenciei o luto de longe, como na época da faculdade de medicina, quando estava transportando amostras de sangue no pronto-atendimento e escutei um som tão chocante que quase derrubei os tubos. Era um lamento, mais animalesco do que humano, tão penetrante e primitivo que levei um minuto para descobrir sua origem. Do lado de fora, no corredor, havia uma mãe, cuja filha de 3 anos tinha se afogado, depois de sair correndo pela porta dos fundos e cair na piscina no intervalo de dois minutos em que a mãe tinha subido para trocar a fralda do bebê. Enquanto eu escutava o lamento, vi o marido chegar e receber a notícia; ouvi seu choque irrompendo em gritos, como que em coro com os gemidos-urros da mulher. Foi a primeira vez que escutei essa música singular de tristeza e angústia, mas, desde então, escutei-a inúmeras vezes.

O luto, não é de se surpreender, pode se parecer com depressão, e por essa razão, até alguns anos atrás, havia algo denominado *exclusão de luto* no nosso manual de diagnóstico. Se uma pessoa vivenciava sintomas de depressão nos primeiros dois meses após uma perda, o diagnóstico era luto; mas se esses sintomas persistiam além de dois meses, o diagnóstico passava a ser depressão. Essa exclusão do luto já não existe, em parte por causa da linha temporal: as pessoas devem deixar de lamentar uma perda após dois meses? O luto não pode durar seis meses, um ano, ou, de uma ou outra forma, uma vida toda?

Além disso, existe o fato de que as perdas tendem a ter várias camadas. Existe a perda real (no meu caso, do Namorado) e a perda subjacente (o que ela representa). É por isso que, para muitas pessoas, a dor de um divórcio é apenas em parte a perda da outra pessoa; muitas vezes, ela inclui, com a mesma intensidade, o que a mudança *representa*: fracasso, rejeição, traição, o desconhecido, e uma história de vida diferente daquela que era esperada. Se o divórcio acontece na idade madura, a perda pode envolver lidar com as limitações de se conhecer alguém e ser novamente conhecida com o mesmo grau de intimidade. Lembro-me de ler a experiência de uma divorciada ao conhecer um novo amor, depois do término de seu casamento que durou décadas: "Nunca olharei David nos olhos na sala de parto", ela escreveu. "Nunca conhecerei sua mãe."

E também é por isso que a pergunta de Wendell é tão importante. Ao me pedir que me lembre da sensação de estar com pessoas que estão atravessando um luto, está me mostrando o que pode fazer por mim neste exato momento. Ele não pode consertar meu relacionamento interrompido. Não pode mudar os fatos. Mas pode me ajudar, porque sabe isto: todos nós temos um profundo desejo de entender a nós mesmos e de sermos entendidos. Quando vejo casais em terapia, muitas vezes um deles reclamará não de que "Você não me ama", mas de que "Você não me *entende*". (Uma mulher disse ao marido: "Sabe quais são as três palavras que para mim são ainda mais românticas do que 'Eu te amo'?". "Você está linda?", ele tentou. "Não", a esposa disse, "eu te *entendo*.")

Minhas lágrimas recomeçam, e penso em como será para Wendell ficar aqui sentado, comigo. Tudo que nós terapeutas fazemos, dizemos ou sentimos, enquanto estamos atendendo nossos pacientes, é mediado por nossas histórias; tudo o que vivenciei influenciará a maneira como estarei em uma determinada sessão, em uma determinada hora. A mensagem de texto que acabei de receber, a conversa que tive com uma amiga, minha interação com o serviço de atendimento ao cliente enquanto tento resolver um erro na minha conta bancária, o clima, quanto de sono tive, o que sonhei antes da minha primeira sessão do dia, uma lembrança inspirada pela história de um paciente; tudo isso influenciará minha atitude durante a terapia. A pessoa que eu era antes do Namorado é diferente de quem sou agora. A pessoa que eu era quando meu filho era um bebê é diferente de quem sou agora nas sessões, inclusive nesta com Wendell. E ele é diferente nesta sessão comigo por causa do que quer que tenha acontecido em sua vida até agora. Talvez minhas lágrimas estejam trazendo algum luto que ele tenha vivenciado, e também seja doloroso para ele aguentar isso. Ele é tão misterioso para mim quanto eu sou para ele, e mesmo assim cá estamos, juntando forças para desvendar a história que me trouxe até aqui.

É função de Wendell me ajudar a editar minha história. Todos os terapeutas fazem isto: Que material é irrelevante? Os coadjuvantes são importantes ou são uma distração? A história está avançando ou o protagonista anda em círculos? Os pontos do enredo revelam um tema?

As técnicas que usamos parecem-se um pouco com o tipo de cirurgia cerebral em que o paciente permanece acordado durante o procedimento; enquanto os cirurgiões operam, ficam checando com o paciente:

Consegue sentir isso? Consegue dizer essas palavras? Pode repetir essa frase? Eles conferem, constantemente, quão próximos estão de regiões sensíveis do cérebro, e, se tocam em uma, recuam para não danificá-la. Os terapeutas remexem numa mente, e não em um cérebro, e podemos ver, pelos gestos ou expressões mais sutis, se atingimos um nervo. Mas, ao contrário dos neurocirurgiões, gravitamos *em direção* à área sensível, pressionando-a com delicadeza, mesmo que isso faça o paciente se sentir desconfortável. É assim que atingimos o significado mais profundo da história, e, com frequência, no núcleo há uma espécie de luto. Mas grande parte da trama encontra-se nas camadas do meio.

Uma paciente chamada Samantha veio à terapia nos seus 20 anos para entender a história da morte do seu amado pai. Contaram-lhe, quando criança, que ele tinha morrido num acidente, mas, quando adulta, ela começou a desconfiar que ele houvesse se matado. O suicídio com frequência deixa os sobreviventes com um mistério insolúvel: *Por quê? O que poderia ter sido feito para impedir isso?*

Nesse meio tempo, Samantha estava sempre procurando problemas em seus relacionamentos, buscando questões que, inevitavelmente, lhe dariam motivo para ir embora. Ao não querer que seus namorados fossem o enigma que seu pai era, ela, involuntariamente, recriava uma história de abandono; só que, nessa versão, era ela quem abandonava. Ela tinha controle, mas terminava sozinha. Na terapia, descobriu que o mistério que tentava resolver era maior do que saber se seu pai havia ou não cometido suicídio. Era também o mistério de quem era seu pai *quando vivo*, e quem *ela* se tornou como consequência disso.

As pessoas querem ser compreendidas e compreender, mas, para a maioria de nós, o maior problema é não saber qual é o nosso problema. Ficamos batendo na mesma tecla: *Por que faço o tempo todo exatamente aquilo que me deixará infeliz?*

Choro e choro, perguntando-me como é possível chorar por tanto tempo. Pergunto-me se estou totalmente desidratada. E mesmo assim, surgem mais lágrimas. Antes de me dar conta, Wendell está batendo em suas pernas, indicando que nossa sessão terminou. Respiro fundo e reparo que, agora, sinto-me estranhamente calma. Soluçar à vontade na sala de Wendell foi como ter sido envolvida por um cobertor quente e seguro, à parte de tudo que acontece lá fora. Penso novamente na citação de Jack Kornfield, no trecho sobre autoaceitação, mas ainda assim começo a julgar: *Será que paguei alguém só para me ver chorar por quarenta e cinco minutos seguidos?*

Sim e não.

Wendell e eu tivemos uma conversa, mesmo que não tenhamos trocado uma palavra. Ele me observou em meu luto, e não tentou tornar as coisas mais confortáveis, interrompendo ou analisando o problema. Deixou que eu contasse a minha história, hoje, da maneira que eu precisasse.

Enquanto enxugo as lágrimas e levanto-me para ir embora, penso em como todas as vezes que Wendell me perguntou sobre outros aspectos da minha vida – o que mais estava acontecendo enquanto eu e o Namorado estávamos juntos, como era a minha vida antes de conhecê-lo –, dei uma resposta evasiva (família, trabalho, amigos; *nada para se ver aqui, pessoal!*), sempre voltando o foco para o Namorado. Mas agora, jogando meus lenços de papel na lata de lixo, percebo que o que contei a Wendell não é, de fato, a história toda.

Não menti, exatamente. Mas também não contei tudo.

Digamos, apenas, que deixei de fora alguns detalhes.

Parte dois

*A sinceridade é um remédio
mais forte do que a simpatia,
que pode consolar, mas
geralmente dissimula.*

Gretel Ehrlich

18

Sextas-feiras às 4 da tarde

Estamos na sala da minha colega Maxine, poltronas com saias, madeira envelhecida, tecidos vintage e suaves tons creme. Hoje, é a minha vez de apresentar um caso no grupo de aconselhamento, e quero falar sobre uma paciente que parece que não estou ajudando.

É por causa dela? Por minha causa? Estou aqui para descobrir isso.

Becca tem 30 anos, e me procurou há um ano por causa de uma dificuldade em sua vida social. Ela se saía bem no trabalho, mas se sentia magoada por ser excluída pelos colegas, que nunca a convidavam para ir almoçar com eles ou tomar um drink. Enquanto isso, ela tinha namorado uma série de homens que no início pareciam empolgados, mas rompiam depois de dois meses.

O problema era ela? Eram eles? Tinha vindo à terapia para descobrir isso.

Essa não é a primeira vez que menciono Rebecca em uma sexta-feira às 4 da tarde, quando nosso grupo semanal se encontra. Embora não seja uma exigência, os grupos de aconselhamento são uma constante na vida de muitos terapeutas. Trabalhando a sós, não temos o benefício da contribuição de outros, quer seja através de um elogio por um trabalho bem-feito, ou feedbacks de como fazer melhor. Aqui analisamos não apenas nossos pacientes, mas *nós mesmos em relação a eles*.

Em nosso grupo, Andrea pode me dizer: "Aquele paciente lembra seu irmão. É por isso que você está reagindo assim". Posso ajudar Ian a lidar com seus sentimentos em relação à paciente que começa suas sessões narrando seu horóscopo ("Não suporto essa bobagem de merda", ele diz). O grupo de aconselhamento é um sistema imperfeito, mas valioso, de checagens e comparações para assegurar que estamos mantendo a objetividade, concentrando-nos em temas importantes, e não deixando de perceber coisas óbvias no tratamento.

É preciso reconhecer que também há brincadeiras e provocações nessas tardes de sexta-feira, geralmente com comida e vinho.

"É o mesmo dilema", digo ao grupo: Maxine, Andrea, Claire e Ian, nosso único homem. Todo mundo tem pontos cegos, acrescento, mas o que é notável em Becca é que ela parece ter muito pouca curiosidade sobre si mesma.

Os membros do grupo concordam. Muitas pessoas começam a terapia mais curiosas em relação a outras pessoas do que a si mesmas. *Por que meu marido faz isso?* Mas a cada conversa, salpicamos sementes de curiosidade, porque a terapia não pode ajudar pessoas que não sejam curiosas sobre si mesmas. A certa altura, posso até dizer algo como "Por que será que pareço ter mais curiosidade sobre você do que você em relação a si mesma?", e vejo o que o paciente faz com isso. A maioria começa a ficar curiosa com a minha pergunta. Mas Becca não.

Respiro fundo e continuo: "Ela não está satisfeita com o que estou fazendo, não evolui, e em vez de procurar outra pessoa, vem toda semana, quase que para mostrar que está certa e eu, errada".

Maxine, que clinica há trinta anos e é a matriarca do grupo, gira o vinho em sua taça. "Por que você continua atendendo-a?"

Reflito sobre isso, enquanto corto um pedaço de queijo da tábua. Na verdade, todas as ideias que o grupo ofereceu nos últimos meses foram inúteis. Se, por exemplo, eu perguntava a Becca por que ela estava chorando, ela retrucava: "É por isso que estou aqui. Se soubesse o que está acontecendo, não precisaria estar aqui". Quando eu falava sobre o que estava acontecendo entre nós no momento, sua decepção em relação a mim, sua sensação de não ser compreendida, sua percepção de eu não estar ajudando, ela saía pela tangente dizendo como aquele tipo de impasse só acontecia comigo, e com mais ninguém. Quando eu tentava manter a conversa focada em nós – sentia-se acusada de alguma coisa, ou criticada? –, ela ficava brava. Quando eu tentava falar sobre isso, ela se fechava. Quando eu especulava se o seu recolhimento seria uma maneira de se esquivar do que eu tinha a dizer por medo de se machucar, ela repetia que eu estava equivocada. Se eu perguntava por que ela continuava me procurando mesmo se sentindo tão incompreendida, ela dizia que eu a estava abandonando e queria que ela fosse embora, exatamente como seus namorados e seus colegas de trabalho. Quando tentava ajudá-la a refletir sobre o motivo de essas pessoas afastarem-se dela, dizia que os namorados tinham fobia a compromissos, e seus colegas de trabalho eram esnobes.

Em geral, o que acontece entre terapeuta e paciente também acontece entre o paciente e as pessoas do mundo externo, e é no lugar protegido da sala de terapia que o paciente pode começar a entender o motivo. E, se a dança entre terapeuta e paciente não espelha o que acontece nos relacionamentos externos do paciente é, na maioria das vezes, porque ele não possui nenhum relacionamento profundo, exatamente por esse motivo. É fácil ter relacionamentos leves num nível superficial. Parecia que Becca estava reencenando comigo e com todos os outros uma versão do seu relacionamento com seus pais, mas ela também não estava disposta a discutir isso.

É claro que há momentos em que algo não vai bem entre o terapeuta e o paciente, quando a contratransferência do terapeuta atrapalha. Um sinal: ter sentimentos negativos em relação ao paciente.

"Becca *realmente* me irrita", digo ao grupo. Mas é por me lembrar alguém do meu passado, ou por ser genuinamente difícil interagir com ela?

Os terapeutas usam três fontes de informação quando trabalham com os pacientes: o que os pacientes dizem, o que fazem, e *como nos sentimos quando estamos sentados com eles*. Às vezes um paciente estará, basicamente, usando um cartaz pendurado no pescoço que diz: EU TE FAÇO LEMBRAR SUA MÃE! Mas, como um supervisor insistiu conosco durante o treinamento: "O que vocês sentem como receptores em um encontro com um paciente é real, usem isso". Nossa experiência com essa pessoa é importante porque, provavelmente, estamos sentindo algo muito parecido com o que todos os participantes da vida desse paciente sentem.

Saber isso me ajudou a sentir empatia por Becca, a ver como suas dificuldades são intensas. O falecido repórter Alex Tizon acreditava que toda pessoa possui uma história épica que se situa "em algum ponto do emaranhado do fardo e do desejo do sujeito". Mas eu não conseguia chegar lá com Becca. Sentia-me cada vez mais cansada em nossas sessões, não pelo esforço mental, mas por tédio. Tinha o cuidado de comer chocolate e fazer polichinelo antes de ela chegar, para me manter acordada. Acabei mudando sua sessão do final de tarde para o primeiro atendimento da manhã. No entanto, assim que ela se sentava, instalava-se o tédio e sentia-me impotente para ajudá-la.

"Ela precisa fazer com que você se sinta incompetente para se sentir mais poderosa", Claire, uma analista requisitada, diz hoje. "Se você fracassar, ela não precisa se sentir tão fracassada."

Talvez Claire esteja certa. Os pacientes mais difíceis não são aqueles como John, pessoas que estão mudando, mas não parecem perceber. Os pacientes mais difíceis são aqueles como Becca, que continuam vindo, mas não mudam.

Recentemente, Becca tinha começado um novo namoro com um sujeito chamado Wade, e na semana passada ela me contou uma discussão que tiveram. Wade tinha reparado que Becca parecia reclamar um bocado sobre os amigos dela. "Se você se sente tão mal com eles, por que continua amiga deles?"

Becca "não conseguiu acreditar" na reação de Wade. Ele não entendia que ela só estava desabafando? Que ela queria conversar com ele a respeito, e não ser "silenciada"?

As semelhanças aqui pareciam óbvias. Perguntei a Becca se ela só estava tentando desabafar comigo e se, como com as amigas, via alguma importância no nosso relacionamento, ainda que, algumas vezes, se sentisse frustrada. "Não", Becca respondeu, e mais uma vez eu tinha entendido errado. Ela estava ali para falar sobre Wade. Ela não percebia que o tinha silenciado, do mesmo jeito que tinha me silenciado, o que fez com que tivesse a sensação de ela mesma ter sido silenciada. Não estava disposta a olhar para o que fazia, tornando difícil para as pessoas lhe darem o que queria. Embora tivesse me procurado querendo mudar aspectos da sua vida, não parecia aberta para realmente mudar. Estava empacada em uma "discussão histórica", anterior à terapia.

E exatamente como Becca tinha suas limitações, eu também tinha as minhas. Todo terapeuta que conheço depara-se com as suas.

Maxine torna a perguntar por que continuo atendendo Becca. Ela observa que já tentei tudo o que sei graças à minha formação e à minha experiência, tudo o que reuni a partir das discussões dos terapeutas no meu grupo de aconselhamento, e Becca não progride.

"Não quero que ela se sinta abandonada emocionalmente", digo.

"Ela já se sente abandonada emocionalmente", Maxine diz. "Por todos em sua vida, inclusive você."

"Certo", respondo, "mas tenho medo de que, se encerrar a terapia com ela, isso vá consolidar sua crença de que ninguém possa ajudá-la."

Andrea ergue as sobrancelhas.

"O quê?", pergunto.

"Você não precisa provar sua competência para Becca", ela diz.

"Sei disso. É com ela que estou preocupada."

Ian tosse forte, depois finge engasgar. Todo o grupo estoura na risada.

"Ok, pode ser que vocês tenham razão." Coloco um pouco de queijo em uma bolacha salgada. "É como uma outra paciente minha, que está se relacionando com um sujeito que não a trata muito bem, e ela não desiste, porque, de alguma maneira, quer provar a ele que merece ser mais bem tratada. Ela jamais vai provar isso a ele, mas não vai deixar de tentar."

"Você precisa desistir da luta", Andrea diz.

"Nunca rompi com um paciente", digo.

"Os rompimentos são horrorosos", Claire diz, jogando algumas uvas na boca. "Mas seríamos negligentes se não fizéssemos isso."

Um *aham* coletivo enche a sala. Ian observa sacudindo a cabeça. "Vocês todas vão querer me matar por isso" – Ian é famoso no grupo por fazer generalizações sobre homens e mulheres –, "mas o negócio é o seguinte: as mulheres aguentam mais merda do que os homens. Se uma namorada não está tratando bem um sujeito, para ele é mais fácil ir embora. Se uma paciente não está se beneficiando do que tenho a oferecer e não tenho dúvida de estar fazendo o meu melhor, mas nada tem funcionado, eu desisto."

Dirigimos-lhe nossa conhecida encarada. As mulheres são tão boas em abrir mão quanto os homens, mas também sabemos que pode haver uma ponta de verdade nisso.

"Ao rompimento", Maxine diz, erguendo o copo. Brindamos, mas não de um jeito alegre.

É penoso quando um paciente investe esperança em você e, no fim, você sabe que não correspondeu. Nesses casos, resta a você uma pergunta: *Se eu tivesse feito algo diferente, se tivesse descoberto a solução a tempo, teria ajudado?* A resposta que você se dá é: *Provavelmente*. Independentemente do que meu grupo de aconselhamento diga, não consegui chegar até Becca da maneira certa, e nesse sentido fracassei com ela.

A terapia é um trabalho puxado, e não apenas para o terapeuta. Isso acontece porque a responsabilidade pela mudança encontra-se diretamente com o paciente.

Se você espera uma hora de um balançar de cabeça compreensivo, veio ao lugar errado. Os terapeutas serão solidários, mas nosso apoio é para o seu crescimento, não para sua opinião negativa sobre seu companheiro. (Nosso papel é entender a sua perspectiva, mas não necessariamente endossá-la.) Na terapia, o requisito é que você seja tanto responsável, quanto vulnerável. Em vez de encaminharmos a pessoa diretamente para o cerne do problema, cutucamos para que ela chegue lá sozinha, porque as verdades mais poderosas, aquelas que as pessoas levam mais a sério, são as que elas descobrem pouco a pouco, por conta própria. No contrato terapêutico está implícita a disposição do paciente para tolerar desconforto, porque, para que o processo funcione, é inevitável que haja algum desconforto.

Ou, como disse Maxine uma sexta-feira à tarde: "Não faço terapia do tipo 'é isso aí, garota'".

Pode parecer um contrassenso, mas a terapia funciona melhor quando a pessoa começa a melhorar, quando se sente menos deprimida ou ansiosa, ou quando a crise já passou. Então, elas passam a ser menos reativas, mais presentes, mais capazes de participar do trabalho. Infelizmente, às vezes as pessoas vão embora assim que seus sintomas são suspensos, sem perceber (ou talvez percebendo bem demais) que o trabalho está apenas começando, e que ficar exigirá que trabalhem ainda com mais afinco.

Uma vez, no final de uma sessão com Wendell, eu lhe disse que, às vezes, nos dias em que eu ia embora mais nervosa do que tinha chegado, arremessada no mundo, tendo muito mais a dizer, retendo tantos sentimentos dolorosos, eu odiava a terapia.

"A maioria das coisas que valem a pena ser feitas são difíceis", ele retrucou. Disse isso não de uma maneira simplista, mas num tom e com uma expressão que me levou a pensar que falava por experiência própria. Acrescentou que, embora todos queiram sair de cada sessão sentindo-se melhor, eu, mais do que ninguém, deveria saber que nem sempre é assim que a terapia funciona. Se quisesse me sentir melhor a curto prazo, ele disse, poderia comer uma fatia de bolo ou ter um orgasmo. Mas seu trabalho não era de gratificação a curto prazo.

Nem o meu, acrescentou.

Só que o meu era, sim – enquanto paciente. O que torna a terapia um desafio é que ela exige que as pessoas se enxerguem de maneiras que, normalmente, escolhem não se enxergar. Um terapeuta vai segurar o espelho da maneira mais compassiva possível, mas cabe ao paciente dar uma boa olhada naquele reflexo, encará-lo e dizer: "Ah, não é interessante? E agora, o que acontece?", em vez de dar as costas.

Decido seguir a orientação do meu grupo de aconselhamento e encerrar minhas sessões com Becca. Depois disso, sinto-me igualmente decepcionada e liberta. Quando comento isso com Wendell, em minha sessão seguinte, ele diz que sabe exatamente qual era a sensação de estar com ela.

"Você tem pacientes assim?", pergunto.

"Tenho", ele diz, e sorri largamente, sustentando meu olhar.

Levo um minuto, mas então entendo: ele está se referindo a *mim*. Credo! Será que ele também faz polichinelo ou engole cafeína antes das nossas sessões? Muitos pacientes especulam se nos entediam com o que lhes parece uma vida comum, mas eles não são nem um pouco enfadonhos. Os que nos dão tédio são os que não *compartilham* suas vidas, que sorriem durante as sessões ou desandam a contar, o tempo todo, histórias aparentemente sem sentido e repetitivas, fazendo-nos quebrar a cabeça: *Por que ela está me contando isso? Que significado tem para ela?* Pessoas excessivamente enfadonhas desejam manter-nos à distância.

Foi o que fiz com Wendell, ao falar incessantemente sobre o Namorado; ele não consegue chegar até mim, porque não permito que chegue. E agora, ele está expondo isto: estou fazendo com ele o que eu e o Namorado fizemos um com o outro, e, no fim das contas, não sou tão diferente de Becca.

"Estou lhe dizendo isso como um convite", Wendell diz, e penso em quantos convites feitos por mim Becca recusou. Não quero fazer isso com Wendell.

Se não consegui ajudar Becca, talvez ela consiga me ajudar.

19

O que sonhamos

Certo dia, uma mulher de 24 anos que eu estava atendendo havia alguns meses, contou-me seu sonho da noite anterior.

"Estou no shopping", Holly começou, "e dou de cara com essa moça, Liza, que era péssima comigo no ensino médio. Ela não me provocava diretamente, como algumas meninas faziam. Apenas me ignorava completamente! Isso não seria um problema, só que, quando eu a encontrava fora da escola, ela fingia não fazer ideia de quem eu era. Uma *loucura*, porque estivemos na mesma escola por três anos, e assistimos a várias aulas juntas.

"Em todo caso, ela morava a um quarteirão de distância de mim, então eu dava de cara com ela muitas vezes – sabe como é, lá pelo bairro –, e eu tinha que fingir que não a tinha visto, porque se dissesse 'oi', acenasse, ou mostrasse de alguma forma que a conhecia, ela franzia a testa, e me olhava como se tentasse me situar, sem conseguir. E então dizia, numa voz falsamente doce: 'Me desculpe, mas te conheço?', ou, se eu tivesse sorte, 'Isso é muito constrangedor, mas como é o seu nome, mesmo?'"

A voz de Holly falseou por um segundo, depois ela continuou.

"Então no sonho, estou no shopping e Liza está lá. Já não estou na escola, e pareço diferente. Estou magra, perfeitamente vestida, cabelo seco com escova. Percorro algumas roupas numa arara, quando Liza chega para dar uma olhada na mesma arara e começa a bater papo sobre as peças, do jeito que você faria com uma estranha. No começo, fico irritada, tipo: *lá vamos nós de novo, ela continua fingindo não me reconhecer.* Só que, então, percebo que agora é real, ela *não* me reconhece, porque estou com uma aparência ótima."

Holly mexeu-se no sofá, cobrindo-se com o cobertor. Conversamos no passado sobre como ela usa aquele cobertor para cobrir seu corpo, esconder seu tamanho.

"Então, faço-me de inocente, e começamos a conversar sobre as roupas, e onde trabalhamos, e enquanto falo, vejo esse olhar de reconhecimento surgir no seu rosto. É como se ela tentasse conciliar a imagem que tinha de mim no terceiro ano – cheia de espinhas, gorda, cabelo crespo – comigo agora. Vejo seu cérebro ligando os pontos, e então ela diz: 'Ai, meu Deus! Holly! Nós frequentamos a mesma escola!'."

Agora, Holly começou a rir. Era alta e chamativa, com longos cabelos castanhos e olhos da cor de um mar tropical, e continuava uns bons vinte quilos acima do peso.

"Então", ela continuou, "franzo a testa e digo, com a mesma voz falsamente doce que ela costumava usar comigo: 'Espere, sinto muito, eu te conheço?', e ela responde: 'Claro que sim, sou a Liza! Tivemos aula de geometria, francês e história antiga juntas. Lembra-se da aula da sra. Hyatt?'. E eu digo: 'É, eu tive aula com a sra. Hyatt, mas, puxa, não me lembro de você. Você estava naquela classe?'. E ela diz: '*Holly!* A gente morava a um quarteirão de distância uma da outra. Eu costumava te ver no cinema, e na loja de iogurte, e naquela vez, na Victoria Secret's, perto do provador...'."

Holly ri mais um pouco.

"Ela está entregando totalmente que me reconheceu todas aquelas vezes, mas digo: 'Uau, que esquisito! Não me lembro de você, mas é bom te ver'. Então, meu celular toca, e é o namorado dela do tempo do ensino médio, dizendo para eu me apressar, vamos chegar atrasados ao cinema. Assim, dirijo a ela aquele sorriso condescendente que ela costumava me dar, e vou embora, deixando-a se sentindo como eu me sentia na época da escola. É aí que percebo que o celular tocando é, na verdade, meu despertador, e tudo era um sonho."

Mais tarde, Holly chamaria a isso seu "sonho de justiça poética", mas para mim não passou de um tema comum que surge em terapia, e não apenas em sonhos, o tema da *exclusão*. Trata-se do medo de sermos deixados de lado, ignorados, evitados, e terminarmos mal amados e sós.

Carl Jung cunhou o termo *inconsciente coletivo* para se referir à parte da mente que conserva uma lembrança ancestral, ou vivencia o que é comum a toda a humanidade. Enquanto Freud interpretava sonhos no *nível objetivo*, ou seja, o modo como o conteúdo do sonho relacionava-se, na vida real, com quem sonhava (a seleção de personagens, as situações específicas), na psicologia junguiana, os sonhos são interpretados no *nível subjetivo*, ou seja, como eles se relacionam com temas comuns em nosso inconsciente coletivo.

Não é de se surpreender que frequentemente sonhemos com nossos medos. Temos muitos deles.

Do que temos medo?

Temos medo de nos machucarmos, de sermos humilhados, do fracasso e do sucesso. Medo de ficar sozinhos, e de estabelecer uma ligação. Medo de escutar o que nossos corações nos dizem, de ser infelizes e de ser felizes demais (nesses sonhos, inevitavelmente, somos punidos por nossa alegria). Medo de não ter a aprovação dos nossos pais, e de nos aceitar como realmente somos; medo de uma saúde ruim, e de uma boa sorte. Medo da nossa inveja e de possuir em excesso; medo de ter esperança em relação a coisas que podemos não conseguir. Temos medo de mudança, e de não mudar, medo de que algo aconteça a nossos filhos, a nosso trabalho. Medo de não ter controle, e do nosso próprio poder. Temos medo da brevidade da nossa vida, e da duração da nossa morte. (Temos medo de que, depois de mortos, não façamos falta.) Medo de ser responsáveis por nossas próprias vidas.

Às vezes leva-se um tempo para admitirmos nossos próprios medos, principalmente para nós mesmos.

Notei que os sonhos podem ser um precursor da autoconfissão, uma espécie de pré-confissão. Algo que se acha enterrado é trazido mais para a superfície, mas não em sua inteireza. Uma paciente sonha que está deitada na cama, abraçada a sua companheira de quarto. De início, ela acha que se trata da forte amizade entre elas, mas depois percebe que se sente atraída por mulheres. Um homem tem um sonho recorrente de que é pego em alta velocidade na via expressa. Após um ano tendo esse sonho, começa a refletir que décadas de sonegação de impostos, de se colocar acima das regras, poderiam trazer-lhe consequências ruins.

Depois de frequentar o consultório de Wendell por alguns meses, o sonho da minha paciente sobre sua colega de escola infiltra-se no meu. Estou no shopping, dando uma olhada numa arara de vestidos, quando o Namorado aparece ao meu lado. Aparentemente, está procurando um presente de aniversário para sua nova namorada.

"Ah, quantos anos?", pergunto no sonho.

"50", ele diz.

A princípio fico aliviada da maneira mais mesquinha; ela não apenas não é o clichê de 25 anos, como é, na verdade, mais velha do que eu. Faz sentido. O Namorado não queria crianças na casa, e ela é velha o bastante para ter filhos na faculdade. O Namorado e eu estamos tendo um conversa simpática, amigável, inócua, até eu dar uma olhada no meu reflexo no espelho, ao lado da arara. É então que vejo que sou, de fato, uma velha senhora, no fim da casa dos 70, talvez 80. Acontece que a namorada de 50 anos do Namorado é, na verdade, décadas mais nova do que eu.

"Você chegou a escrever o seu livro?", o Namorado pergunta.

"Que livro?", digo, vendo meus lábios enrugados como ameixas secas mexerem-se no espelho.

"O livro sobre a sua morte", ele responde, naturalmente.

E então, meu despertador toca. O dia todo, enquanto escuto os sonhos de outros pacientes, não paro de pensar no meu. Esse sonho me assombra. Assombra por ser minha pré-confissão.

20

A primeira confissão

Deixe-me ficar na defensiva por um minuto. Veja, quando contei a Wendell que tudo estava ótimo até o rompimento, estava dizendo a absoluta verdade. Ou melhor, a verdade como eu a via, o que equivale a dizer a verdade que eu queria ver.

E agora me deixe remover a defesa: eu estava mentindo.

Uma coisa que não contei a Wendell é que se espera que eu esteja escrevendo um livro, e que ele não vai indo muito bem. Por "não vai indo muito bem", quero dizer que não o tenho escrito de fato. Isso não seria um problema se eu não estivesse sob contrato e, sendo assim, obrigada a produzir um livro ou devolver o adiantamento que já não tenho na minha conta bancária. Bom, isso continuaria sendo um problema mesmo que pudesse devolver o dinheiro, porque além de ser terapeuta, sou escritora – não se trata apenas do que eu faço, mas *quem eu sou* –, e se não consigo escrever, fica faltando uma parte crucial em mim. E se eu não entregar esse livro, minha agente diz que não terei a chance de escrever outro.

Não é que eu não tenha conseguido escrever de jeito nenhum. Na verdade, durante o tempo em que eu deveria estar escrevendo meu livro, estava elaborando e-mails fabulosamente espirituosos e sedutores para o Namorado, dizendo o tempo todo a amigos e familiares, e até a ele, que estava ocupada escrevendo o livro. Eu era como o jogador enrustido que, toda manhã, se veste para ir trabalhar, despede-se da família com um beijo e dirige até o cassino, em vez de ir para o escritório.

Andei pretendendo falar sobre essa situação com Wendell, mas estive tão focada em superar o rompimento que não tive chance.

Obviamente, isso também é uma grande mentira.

Não contei a Wendell sobre "o livro que não estou escrevendo" porque toda vez que penso nisso, fico tomada de pânico, medo, arrependimento e vergonha. Sempre que a situação me vem à cabeça (o que acontece constantemente; como diz Fitzgerald: "Numa noite realmente sombria da alma, são sempre 3 da manhã, dia após dia"), meu estômago contrai-se e me sinto paralisada. Então, questiono cada decisão ruim que tomei em várias encruzilhadas da estrada, porque estou convencida de que me encontro nessa situação atual por causa do que se classifica como uma das piores decisões da minha vida.

Talvez você esteja pensando: *Jura? Você teve sorte o bastante de conseguir um contrato para um livro, e agora não está escrevendo o livro? Aff! Experimente trabalhar doze horas por dia em uma fábrica, pelo amor de Deus!* Entendo que isso passe pela sua cabeça. Ou seja, quem eu penso que sou, Elizabeth Gilbert no começo de *Comer, rezar, amar*, quando está chorando no chão do banheiro, enquanto pensa em deixar o marido que a ama? Gretchen Rubin em *Projeto Felicidade*, que tem o marido bonitão e amoroso, as filhas saudáveis, e mais dinheiro do que a maioria das pessoas jamais verá, mas ainda assim tem aquela sensação insistente de que algo esteja faltando?

O que me faz lembrar: esqueci um detalhe importante sobre "o livro que não estou escrevendo". O tópico? Felicidade. Não, não ignoro a ironia; o livro sobre felicidade tem me deixado miserável.

Antes de mais nada, eu jamais deveria estar escrevendo um livro sobre felicidade, e não apenas por ter andado deprimida (se é que a teoria de Wendell "de estar lamentando algo mais importante" faça sentido). Quando tomei a decisão de escrever um livro, tinha aberto, havia pouco, meu consultório particular, e acabado de escrever um artigo de capa para a *Atlantic*, chamado: "Como levar seu filho à terapia: Por que nossa obsessão pela felicidade dos nossos filhos pode estar condenando-os a serem adultos infelizes", o qual, na época, foi o artigo com mais retorno nos mais de cem anos de história da revista. Falei sobre ele em rede nacional de televisão e rádio; a mídia ao redor do mundo procurou-me para entrevistas, e da noite para o dia, passei a ser "especialista em parentalidade".

Logo em seguida, os editores queriam a versão em livro de "Como levar seu filho à terapia". Quando digo "queriam", quero dizer que eles me propuseram – não sei de que outro jeito dizer isso – uma soma estonteante de dinheiro. Era o tipo de quantia com a qual uma mãe solteira como eu só podia sonhar, o tipo de quantia que proporcionaria à nossa família, de um único provedor, um respiro financeiro por um bom tempo. Um livro como esse teria levado a palestras (as quais gosto de ministrar) em escolas pelo país e a um fluxo regular de pacientes (o que teria ajudado, já que eu estava começando). O artigo foi até considerado para uma série televisiva (que poderia ter sido feita, caso houvesse um best-seller para acompanhá-la).

Mas quando tive a oportunidade de escrever a versão em livro de "Como levar seu filho à terapia", um livro que poderia, potencialmente, mudar todo o cenário do meu futuro financeiro e profissional, eu disse, com uma surpreendente falta de previsibilidade: "Muito obrigada, é muita gentileza, mas prefiro não aceitar".

Eu não tinha tido um AVC. Simplesmente disse "não".

Disse "não" porque parecia haver algo de errado naquilo. Sobretudo, eu não achava que o mundo precisava de outro livro supervisionando a parentalidade. Dezenas de livros inteligentes e sensíveis já tinham tratado da parentalidade excessiva por todos os ângulos concebíveis. Afinal de contas, há *duzentos anos* o filósofo Johann Wolfgang von Goethe sintetizou esse sentimento: "Um número enorme de pais e mães dificultam a vida para os filhos tentando, com um excesso de cuidado, facilitá-la para eles". Mesmo na história recente – 2003, para ser exata –, um dos primeiros livros modernos sobre parentalidade excessiva, adequadamente intitulado *Preocupados o tempo todo*, colocou-a da seguinte maneira: "As regras fundamentais para uma boa parentalidade – moderação, empatia e adequação de temperamento com o filho – são simples e não propensas a serem aperfeiçoadas pelas últimas descobertas científicas".

Eu mesma, como mãe, não estou imune à ansiedade parental. Na verdade, escrevi meu artigo original com a esperança de que ele fosse útil para pais do mesmo modo que uma sessão de terapia poderia ser. Mas se extraísse um livro dali para alcançar popularidade comercial e me juntar às hordas de especialistas do Instagram, acreditava que me tornaria parte do problema. O que os pais precisavam, a meu ver, não era de mais um livro sobre como deveriam se acalmar e fazer uma pausa. O que precisavam era de um verdadeiro afastamento da enxurrada de livros sobre parentalidade. (Mais tarde, a revista *The New Yorker* apresentou uma peça de humor sobre a proliferação de informações sobre parentalidade, dizendo que "a essa altura, outro livro seria simplesmente cruel".)

Muito semelhante a *Bartleby, o escrevente* (e com resultados igualmente trágicos), eu disse: "Prefiro não fazer". Depois, passei vários anos seguintes observando mais e mais livros sobre parentalidade excessiva chegarem ao mercado, e me castigando com uma carga circular de perguntas autotorturantes: Teria sido eu uma adulta responsável, rejeitando aquela quantia de dinheiro? Tinha terminado, recentemente, um estágio não remunerado, tinha empréstimos da faculdade a serem pagos, e era a única provedora da minha família. Por que não poderia simplesmente escrever rápido o livro sobre parentalidade, colher os frutos profissionais e financeiros e seguir meu caminho feliz? Afinal de contas, quantas pessoas tinham o luxo de trabalhar apenas com o que mais lhes interessava?

O arrependimento que senti por não ter feito o livro era agravado pelo fato de continuar a receber, semanalmente, correspondência de leitores e perguntas em palestras sobre o artigo "Como levar seu filho à terapia". "Vai sair um livro?", era o que me perguntavam frequentemente. *Não*, eu queria responder, *porque sou uma idiota*.

Eu realmente me sentia uma idiota, porque com a intenção de não me vender e faturar em cima da loucura da parentalidade, concordei, em vez disso, em escrever o livro, agora temido e causador de depressão, sobre a felicidade. Para equilibrar o orçamento no começo do consultório, eu ainda tinha que escrever *um* livro, e na época pensei que poderia oferecer um serviço aos leitores. Em vez de mostrar o quanto nós, pais, estávamos nos esforçando demais para fazer nossos filhos felizes, eu mostraria o quanto estávamos nos esforçando demais para fazer a *nós mesmos* felizes. A ideia parecia mais próxima do meu coração.

Mas sempre que eu me sentava para escrever, sentia-me tão desconectada do assunto quanto da supervisão parental. A pesquisa não refletia – *não poderia* refletir – as sutilezas que eu estava vendo na sala de terapia. Alguns cientistas tinham chegado a apresentar uma complexa equação matemática para predizer a felicidade, baseada na premissa de que a felicidade deriva não do quanto as coisas transcorrem bem, mas se elas vão melhor do que o esperado. A aparência é esta:

$$\text{Felicidade } (t) = w_0 + w_1 \sum_{j=1} \text{Y}^{t-j} \text{CR}_j + w_2 \sum_{j=1} \text{Y}^{t-j} \text{EV}_j + w_3 \sum_{j=1} \text{Y}^{t-j} RPE_j$$

Tudo reduzindo-se a: A felicidade equivale à *realidade* menos as *expectativas*. Aparentemente, é possível fazer as pessoas felizes dando-lhes más notícias e depois desdizendo-as (o que, pessoalmente, só me deixaria furiosa).

Ainda assim, eu sabia que poderia reunir alguns estudos interessantes, mas senti que estaria ficando apenas na superfície de alguma outra coisa que queria dizer, mas não conseguia determinar. E na minha nova carreira, e, de maneira geral, na minha vida, ficar na superfície já não parecia satisfatório. É impossível passar por uma formação psicoterapêutica e não sair mudada de alguma maneira, não passar a se orientar, mesmo sem notar, para o cerne.

Disse comigo mesma que não tinha importância. *Simplesmente escreva o livro e fique livre disso*. Eu já tinha estragado as coisas com o livro sobre parentalidade; não poderia estragar também o livro sobre felicidade. E, no entanto, dia após dia, não conseguia me levar a escrevê-lo. Exatamente como não conseguia me levar a escrever o livro sobre parentalidade. Como tinha, de novo, chegado a esse ponto?

Na faculdade, costumávamos assistir a sessões de terapia através de espelhos falsos e, às vezes, quando eu me sentava para escrever o livro sobre felicidade, pensava sobre um paciente de 35 anos, que tinha observado. Ele tinha procurado terapia porque amava demais a esposa, sentia-se atraído por ela, mas não conseguia deixar de traí-la. Nem ele, nem a esposa entendiam como seu comportamento poderia estar tão em desacordo com o que ele acreditava querer: confiança, estabilidade, intimidade. Em sua sessão, ele explicou que detestava a turbulência que o fato de ser infiel provocava em sua esposa e em seu casamento, e sabia que não era o marido ou o pai que queria ser. Falou por um tempo em como queria, desesperadamente, parar de trair, e como não fazia ideia do motivo de continuar fazendo-o.

O terapeuta explicou que, com frequência, diferentes partes do nosso íntimo querem coisas distintas, e se silenciamos as partes que consideramos inaceitáveis, elas encontrarão outras maneiras de se fazerem escutar. Ele pediu ao sujeito que se sentasse em uma outra cadeira, do outro lado da sala, e visse o que acontecia quando a parte nele que escolhia trair não era posta de lado, mas ganhava o direito de se pronunciar.

No início, o pobre sujeito ficou perdido, mas gradualmente começou a dar voz ao seu eu escondido, a parte que incitava o marido amoroso e responsável a assumir um comportamento autodestrutivo. Ficou dividido entre esses dois aspectos de si mesmo, exatamente como eu estava dividida entre a parte de mim que queria prover para a minha família, e a parte de mim que queria fazer algo significativo, algo que tocasse minha alma e, com sorte, também a de outras pessoas.

O Namorado entrou em cena bem a tempo de me distrair dessa batalha interna. E depois que ele se foi, preenchi o vazio espionando-o pelo Google, quando deveria estar escrevendo. Muitos dos nossos comportamentos destrutivos nascem de um vazio emocional, que clama por algo que o preencha. Mas agora que Wendell e eu tínhamos conversado sobre parar de bisbilhotar o Namorado pelo Google, sinto-me responsável. Não tenho desculpa para não me sentar e escrever esse livro sobre felicidade que causa tormento.

Ou, pelo menos, contar a Wendell a verdade sobre o caos em que estou metida.

21

Terapia com camisinha

"Ei, sou eu", ouço, enquanto escuto minhas mensagens de voz entre as sessões. Meu estômago dá um tranco; é o Namorado. Apesar de fazer três meses desde a última vez que conversamos, na mesma hora sua voz me leva de volta no tempo, como escutar uma música do passado. Mas, conforme a mensagem prossegue, percebo que *não* é o Namorado, porque (a) o Namorado não ligaria no número do meu consultório, e (b) o Namorado não trabalha num programa de TV.

Esse "eu" é John (estranhamente, o Namorado e John têm vozes parecidas, graves e baixas), e não é a primeira vez que um paciente liga para o meu consultório sem deixar nome. Ele faz isso como se fosse meu único paciente, ou o único "eu" na minha vida. Até pacientes suicidas deixam seus nomes. Nunca recebi um *Ei, sou eu. Você me disse para ligar se eu estivesse com vontade de me matar.*

John diz, na mensagem, que não vai poder vir à sessão hoje, porque está preso no estúdio, então vai ter que ser por Skype mesmo. Ele me dá seu identificador do Skype, depois diz: "Falo com você às 3 horas".

Noto que ele não pergunta se podemos falar por Skype, nem se faço sessões por Skype, para começo de conversa. Simplesmente presume que ela acontecerá, porque é assim que o mundo funciona para ele. E embora eu use o Skype com pacientes sob certas circunstâncias, acho que com John é uma má ideia. Grande parte do que estou fazendo para ajudá-lo depende da nossa interação na sala. Diga o que quiser sobre as maravilhas da tecnologia, mas tela a tela é, como disse uma colega uma vez, "igual fazer terapia usando camisinha".

Não se trata apenas das palavras que as pessoas dizem, ou mesmo dos sinais corporais que os terapeutas percebem na pessoa: o pé balançando, o sutil repuxar do rosto, o tremor do lábio inferior, os olhos estreitando-se de raiva. Além de escutar e ver, existe algo menos tangível, mas igualmente importante: a energia na sala, o *estar juntos*. Você perde aquela dimensão indescritível quando não está compartilhando o mesmo espaço físico.

Também existe a questão das panes. Certa vez, eu estava em uma sessão por Skype com uma paciente, que estava temporariamente na Ásia, e justo quando ela começou a chorar histericamente, o som saiu do ar. Eu só via sua boca se mexendo, mas ela não sabia que eu não conseguia escutar o que dizia. Antes que eu pudesse esclarecer isso, a conexão caiu por completo. Foram precisos dez minutos para reiniciar o Skype, e a essa altura não apenas o momento tinha passado, como também nosso tempo havia se esgotado.

Mando um rápido e-mail a John, propondo que remarquemos, mas ele digita uma mensagem de volta que parece um telegrama dos tempos modernos: *N posso esperar. Urgente. Pfvr.* Fico surpresa com o *por favor*, e ainda mais com o seu reconhecimento de precisar de ajuda urgente, de precisar de mim, em vez de me tratar como dispensável. Então, digo "ok, a gente se fala por Skype às 3 horas".

Deduzo que algo esteja acontecendo.

Às 3 horas, abro o Skype e clico em "chamada de vídeo", esperando encontrar John sentado a uma mesa, num escritório. Em vez disso, a ligação é iniciada e surge na tela o interior de uma casa conhecida. É conhecida para mim porque é um dos principais cenários de uma série de TV que o Namorado e eu costumávamos maratonar, no meu sofá, com os braços e as pernas entrelaçados. Aqui, os câmeras e o pessoal da luz estão se movendo pelo local, e estou olhando para o interior de um quarto que já vi um milhão de vezes. O rosto de John aparece.

"Espere um segundo", é como ele me cumprimenta, e então seu rosto desaparece, e estou olhando para seus pés. Hoje, ele está usando uns tênis xadrez na última moda e parece estar andando para algum lugar, enquanto me carrega com ele. Presumivelmente, está buscando privacidade. Juntamente com seus tênis, vejo no chão fios elétricos grossos e escuto um alvoroço ao fundo. Então, o rosto de John reaparece.

"Tudo bem", ele diz. "Estou pronto."

Agora, há uma parede atrás dele, e ele começa a cochichar rapidamente: "É a Margô e seu terapeuta idiota. Não sei como essa pessoa tem uma licença, mas ele está piorando as coisas, não melhorando. Ela deveria estar recebendo ajuda para depressão, mas em vez disso está ficando mais nervosa comigo: não sou disponível, não escuto, estou distante, eu a evito, esqueci alguma coisa da agenda. Te contei que ela criou uma agenda no Google, compartilhada, pra garantir que eu não esqueça coisas que são 'importantes'?" – com a mão livre, John faz sinal de aspas no ar, ao dizer a palavra *importante*. "Então, agora, estou ainda *mais* estressado, porque minha agenda está cheia de coisas da Margô, e já tenho um cronograma apertado!"

John já falou sobre isso comigo, então não tenho certeza de qual seja a urgência hoje. Inicialmente, ele tinha batalhado para que Margô fosse a um terapeuta ("Assim, ela pode reclamar com *ele*"), mas depois que ela começou a ir, muitas vezes ele me contou que esse "terapeuta idiota" estava "fazendo lavagem cerebral" em sua esposa, e "pondo ideias malucas em sua cabeça". Minha sensação é de que o terapeuta esteja ajudando Margô a ganhar mais clareza sobre o que ela deve ou não suportar, e que esse autoexame já vinha com muito atraso. Quero dizer, não deve ser fácil ser casada com John.

Ao mesmo tempo, sinto empatia por ele, porque sua reação é comum. Sempre que uma pessoa em um sistema familiar começa a passar por mudanças, mesmo que sejam mudanças saudáveis e positivas, não é raro que os outros membros desse sistema façam todo o possível para manter o status quo e trazer as coisas de volta para a estabilidade. Se um alcoólatra para de beber, por exemplo, os membros da família, frequentemente de maneira inconsciente, sabotam a recuperação dessa pessoa, porque, a fim de recuperar a estabilidade do sistema, *alguém* precisa preencher o papel da pessoa perturbada. E quem é que quer esse papel? Às vezes, as pessoas até chegam a resistir a mudanças positivas em amigos: *Por que você vai tanto à academia? Por que não pode ficar fora até tarde? Você não precisa dormir mais! Por que está batalhando tanto por aquela promoção? Você perdeu a graça!*

Se a esposa de John ficar menos deprimida, como é que ele pode manter seu papel como o saudável do casal? Se ela tentar se aproximar de uma maneira mais saudável, como ele pode preservar a distância confortável, manejada tão magistralmente todos esses anos? Não me surpreende que John esteja tendo uma reação negativa à terapia de Margô. O terapeuta dela parece estar fazendo um bom trabalho.

"Então", John continua, "na noite passada, Margô me chamou para ir para a cama, e eu disse que estaria lá em um minuto. Tinha que responder a alguns e-mails. Normalmente, depois de uns dois minutos, ela já estaria me pressionando: *Por que você não vem para a cama? Por que está sempre trabalhando?* Mas na noite passada, ela não fez nada disso. E fiquei perplexo! Jesus amado, acho que alguma coisa está *finalmente* funcionando na terapia dela, porque ela está percebendo que ficar me atormentando para eu ir para a cama não vai fazer com que eu vá mais rápido. Então, termino meus e-mails, mas quando chego ao quarto, Margô está dormindo. Seja como for, hoje de manhã, quando acordamos, ela disse: 'Estou feliz que você tenha conseguido fazer seu trabalho, mas sinto sua falta. Sinto muito a sua falta. Só quero que você saiba que sinto a sua falta'".

John vira para a esquerda e agora escuto o que ele escuta, uma conversa que acontece próximo a ele sobre iluminação, e sem que ele diga uma palavra, estou novamente olhando para seus tênis, enquanto ele caminha. Quando vejo seu rosto surgir dessa vez, a parede atrás dele sumiu, e agora a estrela da produção está num segundo plano distante, no canto superior direito da minha tela, rindo com seu inimigo na série, juntamente com o par romântico que ele maltrata verbalmente no programa. (Tenho certeza de que John é quem escreve esse personagem.)

Adoro esses atores, então, agora estou prestando atenção nos três pela minha tela, como se eu fosse uma daquelas pessoas por detrás das cordas nos Emmys, tentando conseguir dar uma olhada em uma celebridade. Só que esse não é o tapete vermelho, e vejo-os darem goles em garrafas de água, enquanto batem papo no intervalo de cenas. *Os paparazzi matariam por essa visão*, penso, e é preciso uma enorme força de vontade para focar apenas em John.

"De qualquer modo", ele cochicha, "eu *sabia* que era bom demais para ser verdade. Pensei que ela estivesse sendo compreensiva ontem à noite, mas é claro que a reclamação recomeçou logo de manhã. Então, eu disse: 'Você sente a minha falta? Que tipo de sentimento de culpa é esse?'. Quer dizer, estou bem aqui, estou aqui *todas as noites*, sou cem por cento fiel, nunca traí, nem nunca vou trair. Proporciono uma vida boa, sou um pai presente. Até cuido do cachorro, porque Margô diz que detesta caminhar por aí com saquinhos plásticos de cocô. E quando não estou lá, estou trabalhando. Não é como se eu estivesse curtindo na praia, o dia todo. Então, digo para ela que posso largar meu trabalho e ela pode sentir menos a minha falta, porque vou ficar coçando saco em casa, ou posso manter meu trabalho, e teremos um teto sobre a cabeça." Ele grita "Só um minuto!" para alguém que não consigo ver e continua: "E sabe o que ela fez, quando eu disse isso? Ela disse, bem *a la* Oprah" – aqui ele faz uma imitação perfeita de Oprah – "Sei que você dá duro, e respeito isso, mas também sinto sua falta até quando você está aqui".

Tento falar, mas John vai em frente. Nunca o vi tão agitado.

"Então, por um segundo fico aliviado, porque, normalmente, ela gritaria a essa altura, mas aí percebo o que acontece. Isso não parece *nem um pouco* com a Margô. Ela está tramando alguma coisa! E, como era de se esperar, ela diz: 'Preciso muito que você escute isso'. E eu digo: 'Estou escutando, ok? Não sou surdo. Vou tentar vir para a cama mais cedo, mas primeiro tenho que terminar meu trabalho'. Mas aí ela fica com aquela expressão triste no rosto, como se fosse chorar, e isso me mata, porque não quero deixar ela triste. A última coisa que quero é decepcioná-la. Mas antes que eu possa dizer qualquer coisa, ela diz: 'Preciso que você escute o quanto sinto sua falta, porque se você não escutar, não sei quanto tempo mais posso continuar dizendo isso a você'. Então, eu digo: 'Estamos ameaçando um ao outro, agora?', e ela diz: 'Não é uma ameaça, é a verdade'."

Os olhos de John ficam do tamanho de um pires, e sua mão livre projeta-se no ar, com a palma para cima, como se dissesse: *Dá para acreditar nessa merda?*

"Eu não acho que ela de fato faria isso", ele continua, "mas fiquei chocado porque nenhum de nós tinha ameaçado ir embora antes. Quando a gente se casou, sempre dissemos que não importava o quanto ficássemos bravos, nunca ameaçaríamos nos separar, e em doze anos nunca fizemos isso." Ele olha para a direita. "Tudo bem, Tommy, deixe-me dar uma olhada..."

John para de falar e, de repente, volto a olhar para os seus tênis. Quando ele termina com Tommy, começa a caminhar para algum lugar. Um minuto depois, seu rosto aparece; está na frente de outra parede.

"John", digo. "Vamos dar um passo atrás. Em primeiro lugar, sei que você está nervoso com o que Margô disse..."

"O que *Margô* disse? Nem foi ela! Foi seu terapeuta idiota agindo como seu ventríloquo! Ela ama aquele cara. Fala dele o tempo todo, como se ele fosse a merda do seu guru. Provavelmente, ele serve alguma poção hipnótica na sala de espera, e por toda a cidade as mulheres estão se divorciando dos maridos por terem entrado na onda desse cara! Dei uma olhada na ficha dele, só para ver quais são suas credenciais, e, com certeza, algum *comitê de terapeutas imbecis* concedeu-lhe a licença. Wendell Bronson, um porra de um PhD."

Espere.

Wendell Bronson?

!

!!

!!!!

!!!!!!!

Margô está se consultando com o *meu* Wendell? O "terapeuta idiota" é Wendell? Minha cabeça explode. Pergunto-me em que lugar do sofá Margô escolheu se sentar em seu primeiro dia. Pergunto-me se Wendell joga para ela caixas de lenços de papel, ou se ela se senta próximo o bastante para alcançá-las sozinha. Pergunto-me se já nos cruzamos na entrada ou na saída (a linda mulher chorosa da sala de espera?).

Pergunto-me se alguma vez ela mencionou meu nome em sua própria terapia: "John tem uma terapeuta horrorosa, Lori Gottlieb, que disse...", mas aí me lembro de que John está escondendo sua terapia de Margô – sou a "puta" que ele paga em dinheiro –, e nesse momento estou tremendamente agradecida por essa circunstância. Não sei como lidar com essa informação, então faço o que os terapeutas aprendem a fazer quando estamos tendo uma reação complicada a alguma coisa e precisamos de mais tempo para entendê-la. Não faço nada, por um momento. Mais tarde, vou me aconselhar quanto a isso.

"Vamos focar na Margô por um segundo", digo, tanto para mim mesma, quanto para John. "Acho doce o que ela disse. Ela deve te amar de verdade."

"Há? Ela está ameaçando ir embora!"

"Bom, vamos olhar para isso de um outro jeito", digo. "Já conversamos sobre a diferença que existe entre uma crítica e uma reclamação, que a primeira contém julgamento, enquanto a outra contém um pedido. Mas uma reclamação também pode ser um elogio não verbalizado. Sei que o que a Margô diz frequentemente parece uma série de reclamações, e são, mas são reclamações ternas, porque dentro de cada uma, ela está lhe fazendo um elogio. A demonstração não é ideal, mas ela está dizendo que te ama, quer mais de você, sente sua falta. Está pedindo para você *chegar mais perto*. E agora ela está dizendo que a experiência de querer estar com você e não ter a recíproca é tão dolorosa que ela pode não tolerá-la, *por te amar demais*." Espero para que ele absorva essa última parte. "Isso é um belo elogio."

Estou sempre trabalhando com John na identificação do seu sentimento imediato, porque os sentimentos levam a comportamentos. Depois que sabemos o que estamos sentindo, podemos fazer escolhas sobre aonde queremos ir com isso. Mas se os afastamos no segundo em que surgem, geralmente terminamos desviando na direção errada, perdendo-nos novamente na terra do caos.

Os homens tendem a estar em desvantagem aqui, porque normalmente não foram criados para ter um conhecimento prático de seus mundos internos; para eles, é menos aceitável, socialmente, falar sobre seus sentimentos. Da mesma forma que as mulheres sentem uma pressão cultural para manter sua aparência física, os homens sentem essa pressão para manter sua aparência emocional. As mulheres tendem a se abrir com amigas ou familiares, mas quando os homens me contam, em terapia, como se sentem, quase sempre sou a primeira pessoa a quem eles confidenciam isso. Assim como minhas pacientes, os homens lutam com seu casamento, sua autoestima, sua identidade, seu sucesso, seus pais, sua infância, sua necessidade de ser amado e compreendido, e, no entanto, pode ser complicado abordar esses tópicos com seus amigos homens de uma maneira significativa. Não é de se estranhar que as taxas de abuso de substâncias e de suicídio em homens maduros continuem a aumentar. Muitos deles não sentem ter nenhum outro lugar a que recorrer.

Então, deixo John tomar seu tempo para identificar seus sentimentos quanto à "ameaça" de Margô, e a mensagem mais suave que poderia estar por trás dela. Nunca o vi considerar seus sentimentos por tanto tempo, e estou impressionada que consiga fazer isso agora.

Os olhos dele correram para baixo e para o lado, o que normalmente acontece com alguém quando o que digo toca um ponto vulnerável, e fico satisfeita. É impossível crescer sem antes se tornar vulnerável. Parece que ele ainda está, de fato, assimilando isso; que pela primeira vez seu impacto sobre Margô esteja ressoando.

Por fim, John volta a olhar para mim. "Ei, me desculpe, tive que silenciar você agora há pouco. Eles estavam gravando. O que você estava dizendo?"

I-na-cre-di-tá-vel. Eu estava, literalmente, falando sozinha. Não é de se estranhar que Margô queira ir embora! Eu deveria ter confiado no meu instinto e remarcado uma sessão presencial com John, mas me deixei levar por seu pedido urgente.

"John", digo, "quero muito ajudar você nisso, mas acho que é uma coisa importante demais para ser conversada via Skype. Vamos remarcar um horário para você vir, assim não haverá tantas distra..."

"Ah, não, não, não, não, não", ele interrompe. "Isso não pode esperar. Só tive que te dar o contexto antes, para você poder conversar com ele."

"Com...?"

"O terapeuta idiota! É óbvio que ele só está escutando um lado da história, e não um lado muito preciso nesse assunto. Mas você me *conhece*. Pode testemunhar a meu favor. Pode dar a esse cara alguma perspectiva, antes que Margô pire de vez."

Reviro esse cenário na minha cabeça: *John quer que eu ligue para meu próprio terapeuta, para discutir o motivo pelo qual meu paciente não está feliz com a terapia que meu terapeuta está fazendo com a esposa dele.*

Há, não.

Mesmo se Wendell não fosse meu terapeuta, eu não faria essa ligação. Às vezes, ligo para outro terapeuta para discutir um paciente se, digamos, estou cuidando de um casal, e um colega está atendendo um membro desse casal, e existe um motivo imperioso para a troca de informações (alguém está com tendências suicidas ou potencialmente violento, ou estamos trabalhando algo em um cenário que seria útil ser reforçado em outro, ou queremos ter uma perspectiva mais ampla). Mas nessas raras ocasiões, as partes terão assinado uma autorização para isso. Sendo Wendell ou não Wendell, não posso ligar para o terapeuta da esposa do meu paciente sem uma razão clinicamente relevante, e sem que os dois pacientes tenham assinado um consentimento.

"Deixe-me fazer uma pergunta", digo a John.

"O quê?"

"Você sente falta da Margô?"

"Se eu sinto falta *dela*?"

"É."

"Você não vai telefonar para o terapeuta dela, vai?"

"Não vou, e você não vai me dizer como realmente se sente em relação a ela, vai?"

Tenho a sensação de que existe um monte de amor escondido entre John e Margô, porque sei de uma coisa: o amor frequentemente pode se parecer com muitas coisas que não parecem amor.

John sorri quando vejo alguém, que deduzo ser novamente Tommy, surgir na tela segurando um roteiro. Sou virada para o chão com tal rapidez que fico zonza, como se estivesse em uma montanha-russa que acabou de dar uma despencada rápida. Contemplando os tênis de John, escuto certo vai-e-vem sobre se o personagem – meu preferido – deve ser um completo babaca nessa cena, ou talvez ter alguma noção de que esteja sendo um babaca (curiosamente, John escolhe a noção), e então Tommy lhe agradece e sai. Para meu divertimento, John parece totalmente agradável, desculpando-se com Tommy por sua ausência, e explicando que está ocupado, "apagando um incêndio com a emissora" (Eu sou a "emissora"). Vai ver que, afinal de contas, ele é educado com seus colegas.

Ou talvez não. Ele espera até que Tommy saia, depois me ergue para o nível do rosto, novamente, e gesticula com a boca: *idiota*, revirando os olhos na direção de Tommy.

"Simplesmente não entendo como o terapeuta dela, que é um *cara*, não consegue enxergar os dois lados disso", ele continua. "Até *você* pode ver os dois lados!"

Até eu? Sorrio. "Isso que você acabou de dizer foi um elogio a mim?"

"Sem querer ofender. Só quis dizer... Você sabe."

Sei mesmo, mas quero que ele diga. À sua própria maneira, ele está criando um vínculo comigo, e quero que permaneça um pouco mais em seu mundo emocional. Mas John volta para sua invectiva sobre Margô estar jogando areia nos olhos do terapeuta, e que Wendell é um charlatão, porque suas sessões duram apenas quarenta e cinco minutos, não os costumeiros cinquenta. (Aliás, isso também me incomoda.) Ocorre-me que John está falando sobre Wendell da maneira que um marido poderia falar sobre um homem por quem sua mulher sente atração. Acho que ele sente ciúmes, e se sente deixado de lado do que quer que aconteça, naquela sala, entre Margô e Wendell. (Também estou com ciúmes! Será que Wendell ri das brincadeiras de Margô? Será que gosta mais dela?) Quero trazer John de volta ao momento em que quase se conectou comigo.

"Fico satisfeita que você se sinta compreendido por mim", digo. Por um segundo, John faz uma expressão de surpresa, depois prossegue.

"Só quero saber como lidar com Margô."

"Ela já te disse", respondo. "Ela sente sua falta. Sei, por nossa experiência conjunta, como você é habilidoso em afastar pessoas que se preocupam com você. Não estou indo embora, mas Margô está dizendo que poderia. Então, talvez você deva tentar algo diferente com ela. Talvez fazer com que ela saiba que também sente falta dela." Faço uma pausa. "Porque posso estar enganada, mas acho que você sente mesmo falta dela."

Ele dá de ombros, e, dessa vez, quando olha para baixo, não fui silenciada. "Sinto falta do jeito que a gente era", ele diz.

Agora, está com uma expressão triste, e não de raiva. A raiva é o sentimento a que a maioria das pessoas recorre por ser dirigido para fora; culpar os outros com raiva pode ser deliciosamente hipócrita. Mas, em geral, é apenas a ponta do iceberg, e se você olhar sob a superfície, vislumbrará sentimentos submersos dos quais ou você não tinha consciência, ou não queria demonstrar: medo, desânimo, inveja, solidão, insegurança. Se puder tolerar esses sentimentos mais profundos por tempo suficiente para entendê-los e escutar o que eles estiverem lhe dizendo, não apenas lidará com sua raiva de um jeito mais produtivo, como também não ficará tão zangado o tempo todo.

Evidentemente, a raiva tem outra função: afasta as pessoas e impede que elas se aproximem o bastante para enxergá-lo. Pergunto-me se John precisa que as pessoas fiquem zangadas com ele, para assim não verem sua tristeza.

Começo a falar, mas alguém grita o nome de John, assustando-o. O celular escorrega da sua mão, e resvala para o chão, mas justo quando sinto que meu rosto poderia encontrar o chão, John o pega, deixando-se ver, novamente.

"Merda, preciso ir!", diz. Depois, baixinho: "Bando de imbecis". E então, a tela fica vazia.

Aparentemente, nossa sessão terminou.

Com tempo sobrando até minha próxima sessão, vou até a cozinha comer alguma coisa. Dois dos meus colegas estão lá. Hillary fazendo chá, Mike comendo um sanduíche.

"Hipoteticamente, o que vocês fariam se a esposa do seu paciente estivesse indo ao seu terapeuta, e seu paciente achasse seu terapeuta um idiota?", pergunto.

Eles olham para mim com as sobrancelhas erguidas. As hipóteses nessa cozinha nunca são hipóteses.

"Eu mudaria de terapeuta", Hillary diz.

"Eu ficaria com meu terapeuta e mudaria de paciente", Mike diz.

Os dois riem.

"Não, falando sério", digo. "O que vocês fariam? E ainda piora: ele quer que eu converse com meu terapeuta sobre sua esposa. Ela ainda não sabe que ele está fazendo terapia, então agora está fora de questão, mas e se a certa altura ele contar a ela, e então quiser que eu consulte meu terapeuta sobre sua esposa, e ela consentir? Tenho que revelar que ele é meu terapeuta?"

"Com certeza", Hillary diz.

"Não necessariamente", Mike diz ao mesmo tempo.

"Exatamente", digo. "Não está claro. E sabem por que não está claro? Porque esse tipo de coisa JAMAIS ACONTECE! Quando foi que aconteceu alguma coisa do tipo?"

Hillary me serve um pouco de chá.

"Uma vez, duas pessoas me procuraram individualmente, para fazer terapia, logo depois de se separarem", Mike diz. "Eles tinham sobrenomes diferentes e deram endereços diferentes por causa da separação, então eu não sabia que eram casados até a segunda sessão com cada um, quando percebi que estava escutando as mesmas histórias de lados diferentes. O amigo dos dois, que era um paciente antigo, deu meu nome a ambos. Tive que abrir mão deles."

"É", digo, "mas aqui não são dois pacientes com um conflito de interesses. Meu terapeuta está envolvido nisso. Quais são as probabilidades *disso*?"

Reparo que Hillary desvia o olhar.

"O quê?", pergunto.

"Nada."

Mike olha para ela. Ela cora.

"Desembucha", ele diz.

Hillary suspira. "Ok. Cerca de vinte anos atrás, quando estava começando, atendia um rapaz por causa de depressão. Sentia que estávamos fazendo progresso, mas então a terapia pareceu empacar. Pensei que ele não estivesse pronto para seguir adiante, mas de fato eu só não tinha experiência suficiente e era verde demais para saber a diferença. Seja como for, ele foi embora, e cerca de um ano depois, dei com ele na minha terapeuta.

Mike sorri. "Seu paciente te trocou por sua própria terapeuta?"

Hillary concorda com um gesto de cabeça. "O mais curioso é que, na terapia, eu contava como estava emperrada com esse paciente e o quanto me senti desanimada quando ele foi embora. Tenho certeza de que, mais tarde, ele contou à minha terapeuta sobre sua antiga terapeuta incompetente, e a certa altura citou meu nome. Ela com certeza ligou os pontos."

Penso nisso em relação à situação com Wendell. "Mas sua terapeuta nunca disse nada?"

"Nunca", Hillary diz. "Então, um dia, toquei no assunto. Mas é claro que ela não pode dizer que atendia esse sujeito, então mantivemos a conversa focada em como lido com as inseguranças de ser uma terapeuta iniciante. *Pff. Meus* sentimentos? Seja como for, eu estava louca para saber como estava indo a terapia *deles*, e o que ela fazia de diferente com ele, que funcionava melhor."

"Você nunca saberá", digo.

Hillary sacode a cabeça. "Nunca saberei."

"Nós somos como cofres", Mike diz. "Não dá pra quebrar a gente."

Hillary vira-se para mim. "Então, você vai contar para o seu terapeuta?"

"Devo?"

Ambos dão de ombros. Mike olha para o relógio, joga seu lixo na lata. Hillary e eu damos um último gole no chá. Está na hora da nossa próxima sessão. Uma a uma, as luzes verdes no painel superior da cozinha acendem-se, e saímos para buscar nossos pacientes na sala de espera.

22

Prisão

"Huum", Wendell diz, depois que confesso sobre o meu livro no desenrolar da nossa sessão. Levo um tempo para juntar coragem para lhe contar.

Durante duas semanas, mudei-me para posição B, planejando contar tudo, mas assim que ficamos cara a cara, em diagonal nos sofás, fico paralisada. Falo sobre a professora do meu filho (grávida), a saúde do meu pai (ruim), um sonho (bizarro), chocolate (uma tangente, admito), as rugas que estão surgindo na minha testa (surpreendentemente, não é uma tangente) e o significado da (minha) vida. Wendell tenta focar em mim, mas deslizo com tanta rapidez de uma coisa para outra que passo a perna nele. Ou é o que penso.

Do nada, Wendell boceja. É um bocejo falso, estratégico, um bocejo grande, dramático, escancarado. Um bocejo que diz: *Até você me contar o que de fato está passando pela sua cabeça, você vai ficar empacada exatamente onde está.* Depois, ele se recosta e me analisa.

"Tenho uma coisa para te contar", digo.

Ele olha para mim de um jeito *Fala sério.*

E toda a história sai de uma vez só.

"Huum", ele repete. "Então, você não quer escrever esse livro."

Confirmo com a cabeça.

"E se você não entregar o livro, haverá sérias consequências financeiras e profissionais?"

"Certo." Dou de ombros, como se dissesse *Está vendo como estou ferrada?* "Se eu tivesse escrito o livro sobre parentalidade, não estaria nessa situação", digo. É a frase que venho repetindo diariamente para mim mesma, às vezes de hora em hora, nos últimos anos.

Wendell faz seu rotineiro dar de ombros, sorriso, pausa.

"Eu sei", suspiro. "Cometi um erro colossal, irremediável." Sinto o pânico aflorar de novo.

"Não é nisso que estou pensando", ele diz.

"Então, o quê?"

Ele começa a cantar: "Metade da minha vida acabou, metade da minha vida passou por mim".

Reviro os olhos, mas ele continua. É uma melodia de blues, e tento identificá-la. Etta James? B. B. King?

"Gostaria de poder voltar, mudar o passado, ter mais anos para fazer a coisa certa..."

E então, percebo que não é uma música famosa. É Wendell Bronson, compositor de improviso. Sua letra é péssima, mas ele me surpreende com sua voz forte, ressonante.

A música continua, e ele está realmente se empolgando. Batendo os pés. Estalando os dedos. Se estivéssemos à solta no mundo, eu acharia que ele era um nerd de cardigã, mas aqui, o que me impressiona é sua segurança e espontaneidade, sua disposição para ser plenamente ele mesmo, completamente despreocupado em parecer bobo ou não profissional. Não posso me imaginar fazendo isso na frente dos meus pacientes.

"Porque metade da minha vida aaaacabou." Ele chega ao final, completando com um abanar de mãos ao lado do corpo.

Wendell para de cantar e olha para mim, sério. Quero dizer a ele que está sendo irritante, que está banalizando um problema realístico e prático que provoca ansiedade. Mas antes de poder dizer isso, sinto se instalar uma tristeza profunda, aparentemente vinda do nada. Sua melodia percorre a minha cabeça.

"É como aquele poema da Mary Oliver", digo a Wendell. "*O que é que você planeja fazer com sua vida alucinada e preciosa?* Eu pensava que sabia o que planejava fazer, mas agora tudo mudou. Eu estaria com o Namorado, escreveria o que tinha importância para mim. Nunca esperei..."

"...estar nesta situação". Wendell me dá uma olhada. *Lá vamos nós, de novo.* A esta altura, somos como um velho casal de marido e mulher, que termina a frase um do outro.

Mas então Wendell fica calado, e não parece o tipo intencional de silêncio a que estou acostumada. Ocorre-me que talvez ele esteja perplexo, da maneira que, às vezes, eu fico perplexa quando meus pacientes empacam e eu também fico empacada. Ele tentou bocejar, cantar, me reorientar e fazer perguntas importantes, mas, mesmo assim, estou de volta aonde normalmente vou, à saga das minhas perdas.

"Estava exatamente pensando no que você pretende aqui", ele diz. "Como acha que posso te ajudar?"

Fico sem reação com sua pergunta. Não sei se ele está recorrendo à minha ajuda como colega, ou me perguntando como sua paciente. Seja como for, não tenho certeza; o que eu quero da terapia?

"Não sei", respondo, mas assim que digo isso, sinto medo. Talvez Wendell *não possa* me ajudar. Talvez nada possa. Talvez eu tenha que aprender a viver com as minhas escolhas.

"Acho que posso ajudar", ele diz, "mas talvez não da maneira que você imagina. Não posso trazer seu namorado de volta, nem fazer você voltar no tempo. E agora você está nesse imbróglio com o livro e quer que eu também te salve disso. Mas eu também não posso fazer isso".

Solto um bufo do quanto isso é absurdo. "Não quero que você me *salve*", digo. "Sou a chefe de família, não uma donzela em perigo."

Ele me encara. Desvio o olhar.

"Ninguém vai salvar você", ele diz calmamente.

"Mas não quero ser *salva!*", insisto, embora, desta vez, eu, em parte, cisme; *Espere, será?* Em certo grau, não é o que queremos todos? Penso em como as pessoas vêm à terapia esperando sentir-se melhor, mas o que *melhor* significa realmente?

Na geladeira da cozinha do nosso consultório, tem um ímã colocado por alguém: *Paz não significa estar em um lugar onde não haja barulho, confusão ou trabalho duro. Significa estar no meio dessas coisas e ainda assim ter calma no coração.* Podemos ajudar os pacientes a encontrar a paz, mas talvez um tipo diferente do que eles imaginavam que encontrariam quando começaram o tratamento. Como disse o falecido psicanalista John Weakland numa frase famosa: "Antes de a terapia ter sucesso, é a mesma chatice todas as vezes. Depois que a terapia tem sucesso, é uma chatice atrás da outra".

Sei que a terapia não fará com que todos os meus problemas desapareçam, não impedirá o desenvolvimento de outros, nem garantirá que eu sempre agirei partindo de um lugar de iluminação. Os terapeutas não realizam transplantes de personalidade, apenas ajudam a aparar as arestas. Um paciente pode se tornar menos reativo ou crítico, mais aberto e apto a deixar as pessoas se aproximarem. Em outras palavras, a terapia tem a ver com entender o indivíduo que você é. Mas parte de entender a si mesmo é *desconhecer-se*, abrir mão das histórias limitantes que você vem se contando sobre quem você é, de modo a não ficar aprisionado por elas, podendo viver sua vida.

Mas como ajudar as pessoas a fazer isso são outros quinhentos.

Revejo o problema mais uma vez em minha mente. *Tenho que escrever um livro para ter onde morar. Abri mão da oportunidade de escrever o livro que colocaria um teto sobre minha cabeça por anos a fio. Não consigo escrever o livro estúpido sobre um tópico estúpido que está me deixando miserável. Me obrigarei a escrever o livro estúpido e miserável sobre felicidade. Tentei me forçar a escrever o livro estúpido e miserável sobre felicidade, mas acabei no Facebook, com inveja de todas as pessoas que conseguem resolver seus problemas.*

Lembro-me de uma citação de Einstein: "Nenhum problema pode ser resolvido pelo mesmo grau de consciência que o criou". Sempre achei que fazia sentido, mas, como a maioria de nós, também acredito que poderia conseguir solucionar meu problema pensando repetidas vezes como me coloquei naquela situação.

"Simplesmente não vejo como sair dessa", digo. "E não estou só me referindo ao livro. Estou dizendo *isso* como um todo, tudo o que aconteceu."

Wendell recosta-se no sofá, descruza e torna a cruzar as pernas, depois fecha os olhos, algo que faz quando parece estar organizando seus pensamentos.

Quando volta a abrir os olhos, ficamos lá por um tempo, sem dizer nada, dois terapeutas à vontade, juntos em um longo silêncio. Recosto-me para trás e sinto prazer nisto; penso em como eu queria que todo mundo pudesse fazer isso mais vezes em sua vida cotidiana, simplesmente estar em companhia, sem celulares, sem notebooks, TVs ou conversa ociosa. Apenas a presença. Ficar assim me faz sentir relaxada e energizada, ao mesmo tempo.

Por fim, Wendell fala.

"Lembrei-me de um desenho animado clássico", ele começa, "de um prisioneiro balançando as grades, tentando desesperadamente escapar... Mas à sua direita e à esquerda, a cela está aberta, não há grades."

Ele faz uma pausa, deixando que a imagem fique clara.

"O prisioneiro só precisa *dar a volta*, mas mesmo assim ele balança freneticamente as grades. Isso acontece com a maioria de nós. *Sentimo-nos* completamente empacados, presos em nossas celas emocionais, mas existe uma saída... Desde que estejamos dispostos a vê-la."

Ele deixa que essa parte permaneça entre nós. *Desde que estejamos dispostos a vê-la.* Gesticula para uma cela de prisão imaginária, convidando-me a vê-la.

Eu desvio o olhar, mas sinto os olhos de Wendell em mim.

Suspiro. *Tudo bem.*

Fecho os olhos e respiro fundo. Começo a visualizar a prisão, uma cela minúscula com paredes de um bege monótono. Visualizo as barras de metal, grossas, cinza e enferrujadas. Vejo a mim mesma em um macacão laranja, sacudindo aquelas barras com fúria, implorando soltura. Visualizo minha vida nessa cela minúscula, com nada além do cheiro pungente de urina e a perspectiva de um futuro lúgubre, limitado. Imagino-me gritando: "Tirem-me daqui! Salvem-me!". Vejo-me olhando freneticamente à direita, depois à esquerda, e em seguida, fixo o olhar surpresa. Noto todo o meu corpo reagindo; sinto-me mais leve, como se tivessem sido tirados quinhentos quilos, quando me vem a compreensão: *Você é seu próprio carcereiro.*

Abro os olhos e dou uma olhada em Wendell. Ele levanta a sobrancelha direita, como que dizendo: *Eu sei... você vê. Eu vi você vendo.*

"Continue olhando", ele sussurra.

Torno a fechar os olhos. Agora, estou contornando as grades e me dirigindo para a saída, no início com certa hesitação, mas conforme vou me aproximando dela, começo a correr. Do lado de fora, posso sentir meus pés na terra, a brisa na pele, o calor do sol no rosto. Estou livre! Corro o mais rápido que posso, e então, depois de um tempo, diminuo a velocidade e dou uma olhada às minhas costas. Nenhum guarda da prisão está me perseguindo. Ocorre-me que, para começo de conversa, não havia guardas na prisão. É claro!

A maioria de nós vem à terapia sentindo-se encurralado, aprisionado por nossos pensamentos, comportamentos, casamento, trabalho, medos ou o passado. Às vezes, aprisionamo-nos com uma narrativa de autopunição. Se tivermos uma escolha entre acreditar em uma de duas coisas, ambas das quais podendo ser comprovadas: *sou incapaz de despertar afeto*, ou *sou amado*, frequentemente escolhemos a que nos faz sentir mal. Por que mantemos nossos rádios sintonizados nas mesmas estações com estática (a estação "a vida de todo mundo é melhor do que a minha", a estação "não posso confiar nas pessoas", a estação "nada dá certo para mim"), em vez de girar o *dial* para lá ou para cá? Mude a estação. Contorne as barras. Quem está nos impedindo, senão nós mesmos?

Existe uma saída, *desde que estejamos dispostos a vê-la*. Justo um desenho animado ensinou-me o segredo da vida.

Abro os olhos e sorrio. Wendell sorri de volta. É um sorriso conspiratório, que diz: *Não se engane. Pode parecer que você teve um avanço de abalar a terra, mas isso é só o começo*. Sei muito bem quais desafios estão à frente, e Wendell sabe que eu sei, porque nós dois sabemos de algo mais: a liberdade envolve responsabilidade, e existe uma parte na maioria de nós que acha a responsabilidade assustadora.

Poderia parecer mais seguro ficar na prisão? Visualizo novamente as grades e as laterais abertas. Uma parte em mim pressiona para ficar, outra, para sair. Escolho sair. Mas contornar as barras na minha mente é diferente de contorná-las na vida real.

Minha máxima preferida do meu ofício é "O *insight* é o prêmio de consolação da terapia", significando que você pode ter toda a percepção do mundo, mas se não mudar quando estiver à solta lá fora, o *insight* – e a terapia – são inúteis. O *insight* permite que você se pergunte: *Isso é algo que estão fazendo comigo, ou eu estou causando a mim mesma?* A resposta lhe dá escolhas, mas cabe a você fazê-las.

"Você está pronta para começar a falar sobre a luta que está travando?", Wendell pergunta.

"Você quer dizer a luta com o Namorado?", começo. "Ou comigo mesma..."

"Não, sua luta com a morte", Wendell diz.

Por um segundo, fico confusa, mas então revejo meu sonho em que encontro com o Namorado no shopping. Ele: *Você chegou a escrever seu livro?* Eu: *Que livro?* Ele: *O livro sobre a sua morte.*

Ai. Meu. Deus.

Normalmente, nós, terapeutas, estamos vários passos à frente dos nossos pacientes, não por sermos mais espertos ou mais sábios, mas porque temos a vantagem de estar fora da vida deles. Eu direi ao paciente que comprou o anel, mas parece não encontrar a hora certa de pedir a namorada em casamento: "Não acho que você tenha certeza de querer se casar com ela", e ele dirá: "O quê? Claro que tenho! Vou fazer isso neste fim de semana!". E então, ele vai para casa e não faz o pedido, porque o tempo estava ruim e ele queria fazê-lo na praia. Teremos o mesmo diálogo durante semanas, até que um dia ele chega e diz: "Vai ver que eu não quero me casar com ela". Muitas pessoas que dizem "Não, eu não sou assim" descobrem-se uma semana, um mês ou um ano depois dizendo: "É, na verdade, esse sou eu".

Tenho a sensação de que Wendell andou guardando essa pergunta, esperando o momento certo para trazê-la à tona. Os terapeutas estão sempre avaliando o equilíbrio entre formar uma aliança confiável e partir para o verdadeiro trabalho, de modo que o paciente não precise continuar sofrendo. Desde o início, nós nos movemos lenta e rapidamente, retardando o conteúdo, acelerando o relacionamento, plantando sementes estrategicamente ao longo do percurso. Assim como acontece na natureza, se você planta as sementes cedo demais, elas não brotam. Se planta tarde demais, elas podem se desenvolver, mas você perdeu o solo mais fértil. No entanto, se planta no momento exato, elas absorverão os nutrientes e crescerão. Nosso trabalho é uma dança intrincada entre apoio e confronto.

Wendell pergunta sobre a minha luta com a morte no momento certo, mas por mais razões do que ele teria meios de saber.

23

Trader Joe's

É uma manhã de sábado movimentada no Trader Joe's, e estou dando uma olhada nas filas para ver qual é a mais curta, enquanto meu filho dispara para olhar o mostruário de barras de chocolate. Apesar do caos, os caixas parecem inabaláveis. Um rapaz jovem, cujos braços estão cobertos de tatuagens, toca uma campainha, e uma empacotadora de legging chega dançando e embala as compras de uma cliente, balançando-se ao som da música ambiente. No corredor ao lado, um hipster com corte moicano pede uma confirmação de preço, e no final da fila, uma caixa linda e loira faz malabarismos com algumas laranjas para divertir uma criança pequena que está tendo um ataque em seu carrinho.

Levo um minuto para perceber que a caixa malabarista é minha paciente Julie. Ainda não tinha visto sua nova peruca loira, embora ela a tivesse mencionado na terapia.

"Maluco demais?", ela havia perguntado sobre a ideia de ser loira, fazendo-me manter fiel à promessa de lhe dizer se ela estava passando dos limites. Tinha feito a mesma pergunta sobre responder a um anúncio que buscava uma cantora para uma banda local, ir a um programa de jogos na TV e se inscrever para um retiro budista que exigia que os participantes passassem uma semana inteira em silêncio. Tudo isso foi antes que o remédio milagroso tivesse operado seus milagres nos tumores de Julie.

Eu tinha gostado de vê-la superar a posição de avessa-ao-risco que ela havia assumido a vida toda. Ela sempre achara que conseguir estabilidade no emprego lhe daria liberdade, mas agora estava experimentando um tipo completamente inesperado de liberdade.

"Isso é alucinado demais?", ela às vezes perguntava, antes de me apresentar uma nova ideia. Estava louca para se desviar do seu caminho bem traçado, mas não tão longe a ponto de se perder. No entanto, nada do que propôs surpreendeu-me.

Então, finalmente, Julie teve uma ideia que me pegou desprevenida. Ela me contou que a certa altura, durante aquelas semanas em que acreditava estar prestes a morrer, estava esperando na fila no Trader Joe's e se viu hipnotizada pelos caixas. Eles pareciam muito *eles mesmos*, na maneira como interagiam com seus clientes e entre si, conversando sobre as coisas corriqueiras do dia, que são de fato as coisas importantes na vida das pessoas: comida, trânsito, clima. Quão diferente ela imaginava que esse trabalho devia ser do seu, que ela amava, mas que também vinha com uma pressão constante para produzir e publicar, posicionar-se para uma ascensão. Com um futuro reduzido, imaginou-se trabalhando onde pudesse ver resultados tangíveis de imediato: você embala as mercadorias, anima os clientes, estoca produtos. No final do dia, fez algo de concreto e útil.

Julie decidiu que se tivesse, digamos, apenas um ano para viver, se inscreveria para ser caixa de final de semana no Trader Joe's. Sabia que estava idealizando o trabalho, mas queria experimentar esse senso de propósito e comunidade, de ser uma pequena parte de várias vidas de diversas pessoas, mesmo que fosse apenas pelo período que levava para registrar seus mantimentos.

"Talvez o Trader Joe's possa ser parte da minha Holanda", ela devaneou.

Pude sentir que eu resistia à ideia, e por um minuto fiquei tentando entender o motivo. Poderia ter algo a ver com um dilema que estava enfrentando no tratamento de Julie. Se ela não tivesse tido câncer, eu a teria ajudado a olhar para um aspecto seu que estava inibido havia muito tempo. Ela parecia estar abrindo a tampa de facetas que não haviam tido espaço para respirar.

Mas com alguém que está morrendo, fazia mais sentido fazer terapia ou simplesmente oferecer apoio? Deveria tratar Julie como uma paciente saudável, em termos de objetivos mais ambiciosos, ou apenas oferecer conforto e não estragar seus planos? Fiquei pensando se Julie teria, algum dia, feito a si mesma as perguntas sobre risco, segurança e identidade que estavam escondidas sob sua consciência, caso não tivesse enfrentado o terror de uma morte iminente. E agora que tinha, até onde deveríamos nos aprofundar nisso?

Essas são questões com que todos nós lidamos de uma maneira mais tranquila: Quanto queremos saber? Quanto é demais? E quanto é demais quando se está morrendo?

A fantasia do Trader Joe's parecia representar uma espécie de escapatória, como uma criança falando: "Vou fugir para a Disney!", e me perguntei como essa fantasia teria relação com a Julie pré-câncer. Mas, acima de tudo, me perguntei se ela poderia realizar o serviço fisicamente. O tratamento experimental havia colaborado para o seu cansaço. Ela precisava de descanso.

Seu marido, segundo ela, achava que ela estava maluca.

"Você tem um tempo limitado para viver, e seu sonho é trabalhar no Trader Joe's?", ele perguntou.

"Por quê? O que *você* faria se só tivesse mais ou menos um ano de vida?", Julie rebateu.

"Eu trabalharia menos, não mais", ele respondeu.

Quando Julie contou-me sobre a reação de Matt, ocorreu-me que ele e eu parecíamos pouco solidários, ainda que quiséssemos que ela obtivesse alegria. Claro, havia algumas preocupações práticas, mas será que nossa hesitação também poderia ser atribuída ao fato de nós dois, de maneira estranha, sentirmos inveja de Julie e sua convicção em seguir seu sonho, por mais estranho que ele fosse? Os terapeutas dizem a seus pacientes: *Siga sua inveja, ela mostra o que você quer.* Será que ver Julie resplandecer destacava o fato de termos muito medo de agir em nossas próprias equivalências a trabalhar no Trader Joe's, e de querermos que ela permanecesse como nós, sonhando sem agir, restritos por nada além das grades abertas em nossas celas prisionais?

Ou talvez isso fosse apenas eu.

"Além disso", Matt havia dito em sua conversa com Julie, "você não quer passar esse tempo junto comigo?"

Julie respondeu que era claro que sim, mas também queria trabalhar no Trader Joe's, e isso se tornou uma espécie de obsessão. Então, ela foi procurar emprego lá, e no dia em que soube que estava livre do tumor, foi-lhe oferecido um turno aos sábados de manhã.

Em meu consultório, Julie tirou seu celular e me deixou ouvir as duas mensagens, uma do seu oncologista e uma do gerente do Trader Joe's. Sorria não como se tivesse ganhado apenas em alguma loteria, mas na loteria das loterias.

"Eu respondi a eles que aceitava", ela disse, após o término da mensagem do Trader Joe's. Explicou que ninguém sabia se os tumores voltariam, e não queria apenas aumentar sua lista de desejos, mas também riscar várias coisas dela.

"É preciso enxugar", ela disse, "ou então não passa de um exercício inútil de 'o que poderia ter sido'."

Então, cá estou, parada no supermercado, sem saber ao certo que fila de caixa escolher. É claro que eu sabia que Julie tinha começado a trabalhar no Trader Joe's, mas não fazia ideia que fosse *neste* Trader Joe's.

Ela ainda não me viu, mas não consigo deixar de olhá-la de longe. Toca a campainha para um empacotador, arruma alguns adesivos para uma criança, ri com um cliente por algo que não consigo escutar. Ela é como a Rainha dos Caixas, a festa onde todo mundo quer estar. As pessoas parecem conhecê-la, e não é de se surpreender que seja incrivelmente eficiente, fazendo a fila andar rápido. Sinto meus olhos marejarem, e em seguida meu filho chama: "Mãe, por aqui!", e vejo que ele abriu caminho na fila de Julie.

Hesito. Afinal de contas, Julie poderia se sentir desconfortável, registrando as compras da sua terapeuta. E, verdade seja dita, eu também poderia me sentir desconfortável. Ela sabe tão pouco a meu respeito, que até exibir o conteúdo do meu carrinho parece, de certo modo, muito revelador. Mas, acima de tudo, penso no que Julie já havia me contado sobre a tristeza que sente sempre que vê os filhos das amigas, enquanto ela e o marido estão tentando encontrar um jeito de se tornarem pais. Como será para ela me ver com meu filho?

"Aqui!", respondo, gesticulando para Zach mudar para outra fila.

"Mas essa está mais curta!", ele grita de volta, e é claro que está, porque Julie é absurdamente *eficiente*, e é aí que ela olha para meu filho, e depois segue o olhar dele até mim.

Flagrada.

Sorrio. Ela sorri. Começo a ir para a outra fila, mas Julie diz: "Ei, senhora, ouça o menino. Esta fila está mais curta!". Junto-me a Zach na fila de Julie.

Tento não encarar, enquanto esperamos nossa vez, mas não consigo evitar. Estou assistindo à versão ao vivo da imagem que ela descreveu em sua sessão de terapia; seu sonho literalmente tornou-se realidade. Quando Zach e eu chegamos ao caixa, Julie brinca com a gente como faz com os outros clientes.

"Joe's O's", ela diz para o meu filho, "é um bom cereal para o café da manhã."

"São para minha mãe", ele responde. "Sem querer ofender, prefiro Cheerios."

Julie olha em volta para se assegurar de que ninguém esteja ouvindo, dá-lhe uma piscada esperta e cochicha: "Não conte pra ninguém, mas eu também".

Eles passam o resto do tempo discutindo os méritos das várias barras de chocolate escolhidas por meu filho. Quando está tudo embalado e estamos saindo com nosso carrinho, Zach examina os adesivos de Julie.

"Gosto daquela moça", ele diz.

"Eu também", respondo.

Só meia hora depois, quando estou desempacotando as sacolas na minha cozinha, é que vejo algo rabiscado no recibo do meu cartão de crédito.

Estou grávida!, está escrito.

24

Oi, família

ANOTAÇÃO NO PRONTUÁRIO, RITA:
*A paciente é divorciada e se apresenta com depressão.
Expressa arrependimento quanto ao que acredita serem "más
escolhas" e uma vida mal vivida. Relata que se sua vida não
melhorar em um ano, planeja "dar um fim nela".*

"Tenho uma coisa para te mostrar", Rita diz.

No corredor entre a sala de espera e a minha sala, ela me passa seu celular. Rita nunca havia me entregado o celular, muito menos começado a conversar comigo antes de estarmos instaladas no meu consultório, com a porta fechada, então, fico surpresa com o gesto. Ela indica que eu deveria dar uma olhada.

Em sua tela há um perfil do aplicativo de encontros chamado Bumble. Recentemente, Rita começou a usar o Bumble porque, diferentemente dos aplicativos mais voltados para sexo casual, como o Tinder ("Revoltante!", ela disse), o Bumble só permite, nas interações heterossexuais, que o contato seja iniciado pelas mulheres. Coincidentemente, minha amiga Jen acabou de ver uma matéria sobre ele e me repassou com a mensagem: *Para o dia em que você estiver pronta para namorar de novo.* Digitei de volta: *Esse dia ainda não chegou.*

Olhei do celular para Rita.

"E então?", ela diz, ansiosa, ao entrarmos na minha sala.

"E então o quê?", pergunto, devolvendo-lhe o celular. Não sei ao certo aonde ela quer chegar.

"*Então o quê?*", ela replica, incrédula. "Ele tem *82 anos!* Não sou nenhuma garotinha, mas faça-me o favor! Sei qual é a aparência de um homem de 80 nu, e isso me deu pesadelos por uma semana. Sinto muito, mas vou só até 75. E não tente me convencer do contrário!"

Preciso dizer que Rita tem 69.

Algumas semanas atrás, depois de meses de incentivo, ela decidiu experimentar um aplicativo de relacionamentos. Afinal de contas, em seu cotidiano, não estava encontrando nenhum solteiro mais velho, muito menos quem preenchesse suas exigências: inteligente, gentil, estável financeiramente ("Não quero ninguém que esteja procurando uma enfermeira e um baú") e em boa forma física ("Alguém que ainda possa ter uma ereção em tempo hábil"). Cabelo era opcional, mas dentes, insistiu, não.

Antes do octogenário, tinha conhecido um homem da mesma idade, que não era muito gentil. Os dois tinham saído para jantar, e na noite anterior ao que deveria ser seu segundo encontro, Rita havia lhe enviado uma mensagem com a receita e a foto de um prato que ele disse que queria experimentar. *Huuummm*, ele escreveu de volta. *Parece delicioso*. Rita estava prestes a responder, mas apareceu mais um *Huuummm*, seguido por *Você está me matando aqui...*, seguido por *Se você não parar, não vou conseguir ficar de pé*, seguido, um minuto depois, por *Me desculpe, eu estava enviando uma mensagem para minha filha sobre minha dor nas costas*.

"Dor nas costas, pois sim, o pervertido!", Rita exclamou. "Ele estava fazendo sabe-se lá o que com sabe-se lá quem, e com certeza não estava comentando meu prato de salmão!" Não houve um segundo encontro, nem qualquer outro encontro até ela conhecer o octogenário.

Rita havia me procurado no começo da primavera. Em nossa primeira sessão, estava tão deprimida que, quando me fez um relato da sua situação, pareceu que estava lendo um obituário. A frase final havia sido escrita, e sua vida, segundo ela, era uma tragédia. Três divórcios, e mãe de quatro adultos complicados (devido a seu próprio mau papel como mãe, explicou), sem netos e morando sozinha, aposentada de um trabalho de que não gostava, Rita não via motivo para se levantar de manhã.

Sua lista de erros era longa: escolha equivocada de maridos, fracasso em colocar as necessidades dos filhos acima das suas (inclusive não protegê-los do pai alcoólatra), não usar suas habilidades de uma maneira profissionalmente gratificante, não se dedicar, quando jovem, a formar uma rede de relacionamentos. Tinha se entorpecido com negações enquanto isso funcionou. Recentemente, isso tinha perdido a eficácia. Até pintar, a única atividade que lhe dava prazer e onde se sobressaía, mal prendia seu interesse.

Agora, seu septuagésimo aniversário estava chegando, e ela tinha feito um acordo consigo mesma de melhorar sua vida até lá, ou deixar de viver.

"Acho que passei do ponto de ser ajudada", concluiu, "mas quero fazer uma última tentativa, só para ter certeza."

Sem pressão, pensei. Embora pensamentos suicidas, conhecidos como "ideação suicida", sejam comuns com a depressão, a maioria das pessoas responde ao tratamento e nunca leva a cabo esses impulsos desesperados. Na verdade, é quando os pacientes começam a *melhorar* que o risco de suicídio aumenta. Durante essa breve janela, eles já não estão tão deprimidos para que comer e se vestir pareçam esforços monumentais, mas ainda sofrem o suficiente para querer acabar com tudo – uma mescla perigosa de angústia residual e energia recuperada. Mas depois que a depressão se dissipa e os pensamentos suicidas amainam-se, uma nova janela abre-se. É então que a pessoa pode fazer mudanças que melhoram a vida significativamente a longo prazo.

Sempre que o assunto suicídio surge, seja porque o paciente, ou o terapeuta, aborda o tópico (levantar a questão não "planta" a ideia na cabeça de uma pessoa, como alguns temem), o terapeuta precisa avaliar a situação. O paciente tem um plano concreto? Existem meios para efetivar o plano (uma arma na casa, um cônjuge fora da cidade)? Houve tentativas anteriores? Existem fatores de risco específicos (falta de apoio social, ou ser do gênero masculino – os homens cometem três vezes mais suicídio do que as mulheres)? Frequentemente, as pessoas falam em suicídio não por querer morrer, mas por querer dar fim a seu sofrimento. Se puderem encontrar um jeito de fazê-lo, vão querer imensamente estar vivas. Fazemos a melhor avaliação possível, e desde que não haja perigo iminente, monitoramos a situação de perto e trabalhamos a depressão. Mas se a pessoa estiver determinada a se suicidar, há uma série de passos a serem dados imediatamente.

Rita contava-me que se mataria, mas estava muito segura que iria esperar passar o ano, e não fazer nada antes do seu aniversário de 70 anos. Queria mudança, não morte. Do jeito que as coisas estavam, já estava morta por dentro. Por enquanto, o suicídio não era a minha preocupação.

O que me preocupava, no entanto, era a sua idade.

Tenho vergonha de admitir isso, mas no início preocupei-me de que pudesse, secretamente, concordar com a perspectiva sombria de Rita. Talvez ela *fosse* mesmo um caso perdido, ou, pelo menos, estivesse além do tipo de ajuda que buscava. Um terapeuta deve ser um receptáculo para a esperança que uma pessoa deprimida ainda não pode conter, e eu não estava vendo muita esperança ali. Em geral, vejo possibilidade, porque as pessoas que estão deprimidas têm alguma coisa que as mantêm seguindo; pode ser um trabalho que as faz sair da cama (mesmo que não gostem desse trabalho específico), uma rede de amigos (apenas uma ou duas pessoas com quem possam conversar), ou contato com alguns membros da família (problemáticos, mas presentes). Ter crianças na casa, um animal de estimação querido ou fé religiosa também podem proteger contra o suicídio.

Mas mais especificamente, as pessoas deprimidas que atendi eram mais jovens, mais maleáveis. Suas vidas poderiam parecer desoladoras àquela altura, mas tinham tempo para virar as coisas e criar algo novo.

Rita, no entanto, parecia uma lição para a vida: uma pessoa de idade, totalmente só, sem um propósito e cheia de arrependimentos. Pelo seu relato, nunca tinha sido realmente amada por ninguém. Filha única de pais mais velhos e distantes, bagunçou tanto a vida dos próprios filhos que nenhum deles falava com ela; não tinha amigos, parentes, nem vida social. Seu pai morrera havia décadas, e a mãe morrera aos 90, depois de sofrer durante anos de Alzheimer.

Ela me encarou e me apresentou um desafio. Realisticamente, perguntou, o que poderia mudar assim tão tarde?

Cerca de um ano antes, eu tinha recebido uma ligação de um psiquiatra muito respeitado, de 70 e tantos anos. Ele me perguntou se eu poderia receber sua paciente, uma mulher na casa dos 30, que estava pensando em congelar seus óvulos enquanto continuava a procura por um companheiro. Ele achava que aquela mulher poderia se beneficiar de uma consulta comigo, porque ele não sabia o suficiente sobre o cenário de namoro e concepção para os que tinham, atualmente, 30 e poucos anos. Agora eu sabia como ele se sentia. Eu não tinha certeza de entender totalmente o cenário do envelhecimento para os cidadãos idosos de hoje.

Em minha formação, eu tinha aprendido sobre os desafios específicos enfrentados por adultos mais velhos, e, no entanto, esse grupo etário recebe pouca atenção quando se trata de atendimento em saúde mental. Para alguns, a terapia é um conceito estranho, como gravador de vídeo digital, e, além disso, sua geração cresceu acreditando, amplamente, que poderia "passar por isso" (seja lá o que "isso" queria dizer) por conta própria. Outros, vivendo de aposentadoria e buscando ajuda em clínicas de baixo custo, não se sentem confortáveis procurando os estagiários terapeutas de 20 e poucos anos, que predominam ali. Em pouco tempo, esses pacientes desistem. Outras pessoas mais velhas deduzem que o que estão sentindo é algo normal no processo de envelhecimento, e não percebem que o tratamento poderia ajudar. O resultado é que muitos terapeutas atendem relativamente poucos idosos em seus consultórios.

Ao mesmo tempo, a velhice é uma porcentagem proporcionalmente maior da média de vida de uma pessoa do que costumava ser. Diferentemente dos sexagenários de poucas gerações atrás, os sexagenários de hoje estão, com frequência, no auge, em termos de habilidade, conhecimento e experiência, mas continuam sendo descartados profissionalmente em prol de funcionários mais jovens. Atualmente, a expectativa média de vida nos Estados Unidos paira ao redor dos 80, e está se tornando comum entrar na casa dos 90, então, o que acontece com esses indivíduos sexagenários nas décadas que ainda lhes restam? Com o envelhecimento, vem o potencial para o acúmulo de muitas perdas: saúde, família, amigos, trabalho e propósito.

Mas percebi que Rita não estava vivenciando a perda fundamentalmente como resultado do envelhecimento. Em vez disso, conforme envelhecia, estava tomando consciência das perdas que andara sofrendo por toda a vida. Ali estava ela, querendo uma segunda chance, uma chance a que estava se permitindo apenas um ano para que acontecesse. Do seu ponto de vista, tinha perdido tanto que não tinha mais nada a perder.

Nisso eu concordava com ela, em grande parte. Ela ainda poderia perder a saúde e a beleza. Alta e esbelta, com grandes olhos verdes e maçãs do rosto salientes, cabelo volumoso naturalmente ruivo, salpicado apenas com alguns fios cinza, Rita era geneticamente abençoada com a pele de uma quarentona. (Apavorada de viver tanto quanto a mãe, esgotando seus fundos de pensão, recusava-se a pagar pelo que chamava "despesas da beleza moderna", seu eufemismo para Botox.) Também frequentava, todas as manhãs, uma aula de ginástica na Associação Cristã de Moços, "só para ter um motivo para sair da cama". Sua médica, que a tinha encaminhado para mim, disse que ela era "uma das pessoas da sua faixa etária mais saudáveis que já vi".

Mas em todos os outros aspectos, Rita parecia morta, sem vida. Até mesmo seus movimentos eram desprovidos de energia, como a maneira com que caminhava até o sofá, em câmera lenta, indício de depressão conhecido como "retardo psicomotor". (Essa desaceleração nos esforços coordenados entre o cérebro e o corpo poderia explicar por que eu não conseguia pegar a caixa de lenços de papel na sala de Wendell.)

Em geral, no começo da terapia, peço aos pacientes que narrem as últimas 24 horas com o máximo de detalhes possível. Dessa maneira, tenho uma boa percepção da situação vigente – o nível de conectividade e a sensação de pertencimento, como suas vidas são povoadas, quais são suas responsabilidades e seus fatores estressantes, o quanto seus relacionamentos podem ser tranquilos ou voláteis, e como escolhem passar o tempo. Acontece que a maioria de nós não se dá conta de como realmente passa o tempo, ou o que de fato faz o dia todo, até decompor esse dia hora por hora e dizer isso em voz alta.

Eis como transcorriam os dias de Rita: Levantar cedo ("A menopausa acabou com o meu sono"), dirigir até a ACM, voltar para casa, tomar o café da manhã, enquanto assiste a *Good Morning America*. Pintar ou tirar um cochilo. Almoçar, enquanto lê o jornal. Pintar ou tirar um cochilo. Esquentar o jantar congelado ("Dá muito trabalho cozinhar só para uma pessoa"), sentar-se na escadinha da entrada do seu prédio ("Gosto de olhar os bebês e os cachorrinhos que as pessoas levam para passear ao entardecer"), assistir bobagem na TV, dormir.

Rita parecia quase não ter contato com outros seres humanos. Passava vários dias sem falar com ninguém. Mas o que mais me chocou em sua vida não foi o quanto era solitária, mas como quase tudo que ela dizia ou fazia invocava para mim uma imagem de morte. Como escreveu Andrew Solomon em *O demônio do meio-dia*: "O oposto da depressão não é felicidade, mas vitalidade".

Vitalidade. Sim, Rita tinha tido uma depressão permanente e uma história complicada, mas eu não tinha certeza de que seu passado devesse ser nosso foco inicial. Mesmo se ela não tivesse se dado um prazo limite de um ano, havia outro prazo limite que nenhuma de nós poderia mudar: mortalidade. Como em relação a Julie, eu me perguntava qual deveria ser o objetivo em seu tratamento. Será que ela só precisava de alguém com quem conversar, para acalmar o sofrimento e a solidão, ou estaria disposta a entender seu papel na criação desse estado das coisas? Era a mesma questão com a qual eu me debatia no consultório de Wendell. O que deveria ser aceito e o que deveria ser mudado na minha própria vida? Mas eu era mais de duas décadas mais nova do que Rita. Seria tarde demais para ela se redimir – haverá um dia tarde demais para isso? E que nível de desconforto emocional ela estaria disposta a suportar para descobrir? Pensei em como o arrependimento pode tomar um de dois caminhos: ou te algemar no passado, ou servir como mecanismo de mudança.

Rita disse que queria que sua vida estivesse melhor em seu septuagésimo aniversário. Em vez de desencavar as últimas sete décadas, pensei, talvez devêssemos começar tentando injetar um pouco de vitalidade em sua vida, agora.

"*Companheirismo?*", Rita diz hoje, depois que conto a ela que não vou tentar dissuadi-la de encontrar companheirismo em homens abaixo dos 75 anos. "Ah, meu bem, por favor, não seja tão ingênua. Quero mais do que companheirismo. Eu *ainda* não morri. Até *eu* sei como encomendar algo na internet da privacidade do meu apartamento."

Levo um minuto para ligar os pontos: *Ela compra vibradores? Fico contente por ela!*

"Sabe quanto tempo faz que não sou tocada?"

Rita prossegue, descrevendo o quanto acha desanimador o cenário de namoro (e neste aspecto, pelo menos, ela não está sozinha). É a frase mais comum que escuto de solteiras de todas as idades: *Namorar é um saco.*

No entanto, o casamento não funcionou muito melhor para ela. Conheceu o homem que seria seu marido número um aos 20 anos, louca para escapar da sua triste casa. Ia todos os dias para a faculdade, passando de "morrer de tédio e silêncio" para "um mundo de ideias e pessoas interessantes". Mas também tinha que manter um emprego, e enquanto ficava no escritório de um corretor imobiliário, após as aulas, datilografando correspondências desinteressantes, perdia a vida social que almejava.

Em seu seminário de inglês, conheceu Richard, um estudante do último ano, sofisticado e charmoso, com quem ela tinha conversas profundas e que a conquistou, dando-lhe a vida que queria... até nascer seu primeiro filho, dois anos depois. Foi então que Richard começou a trabalhar até tarde e beber. Não tardou para que Rita se tornasse tão entediada e solitária quanto fora em casa na infância. Depois de quatro filhos, inúmeras brigas e um excesso de episódios em que Richard, alcoolizado, batia nela e nos filhos, Rita quis ir embora.

Mas como? O que poderia fazer? Tinha largado a faculdade; como sustentaria a si mesma e as crianças? Com Richard, os filhos tinham roupas, comida, boas escolas e amigos. Sozinha, o que poderia oferecer a eles? Sob vários aspectos, ela mesma se sentia uma criança, desamparada. Em pouco tempo, não era apenas Richard que bebia.

Foi só depois de um determinado incidente, pavoroso, que Rita juntou coragem para ir embora, mas a essa altura seus filhos eram adolescentes, e a família estava em ruínas.

Cinco anos depois, casou-se com o marido número dois. Edward era o oposto de Richard: um viúvo gentil e atencioso, que perdera a esposa havia pouco. Depois do seu divórcio, aos 39 anos, Rita voltara ao seu tedioso serviço de escritório (sua única habilidade rentável, apesar da sua inteligência arguta e do seu talento artístico). Edward era cliente do corretor de seguros para quem Rita trabalhava. Casaram-se seis meses depois de se conhecerem, mas Edward ainda lamentava a morte da mulher, e Rita sentia ciúmes do amor que ele tinha por ela. Discutiam constantemente. O casamento durou dois anos, e então Edward terminou a relação.

O marido número três deixou a esposa por Rita, e cinco anos depois, deixou Rita por outra pessoa.

A cada vez, Rita ficava chocada por se ver novamente só, mas seu histórico não me surpreendeu. Costumamos nos casar com nossos assuntos inacabados.

Na década seguinte, Rita absteve-se de namorar. Não que chegasse a conhecer homens, enfurnada em seu apartamento ou fazendo aeróbica na ACM. Então, havia confrontado a realidade recente de um corpo octogenário, muito murcho e flácido em comparação ao corpo do seu último marido, que tinha apenas 55 anos na época do divórcio. Rita conheceu o sr. Pelanca, como o chamava, pelo aplicativo de encontros, e "por querer ser tocada", ela disse, "pensei que poderia fazer uma tentativa". Ele parecia jovem para a idade, ela explicou ("mais como se tivesse 70"), e bonito – vestido, no caso.

Depois de fazerem sexo, ela me contou, ele quis ficar abraçado, mas ela escapou para o banheiro, onde descobriu "uma farmácia inteira de remédios", inclusive Viagra. Achando tudo aquilo "revoltante" (Rita achava muitas coisas revoltantes), esperou até seu companheiro estar profundamente adormecido ("Seus roncos soavam tão repugnantes quanto seu orgasmo") e pegou um táxi para casa.

"Nunca mais", ela diz agora.

Tento imaginar dormir com um octogenário, e me pergunto se a maioria dos idosos é desestimulada pelos corpos dos seus companheiros. É chocante apenas para aqueles que nunca estiveram com um corpo mais velho? Será que pessoas que vivem juntas por cinquenta anos não notam por terem se acostumado com as mudanças graduais do tempo?

Lembro-me de ler um artigo sobre um casal, casado havia mais de sessenta anos, que fora solicitado a dar dicas para casamentos felizes. Depois do conselho costumeiro de comunicação e compromisso, o marido acrescentou que o sexo oral ainda constava no repertório deles. Naturalmente, essa história espalhou-se on-line como um incêndio, e a maioria dos comentários foi de indignação.

Considerando as reações negativas do público a corpos envelhecidos, não é de se admirar que os idosos não sejam muito tocados. Mas isso é uma necessidade humana profunda. Está amplamente comprovado que o toque é importante para o bem-estar ao longo de nossas vidas. O toque pode abaixar a pressão e os níveis de estresse, melhorar o humor e os sistemas imunológicos. Bebês podem morrer pela falta de toque, e o mesmo pode ocorrer com adultos (adultos que são tocados com regularidade vivem mais). Existe até um termo para essa condição: "fome de pele".

Rita conta-me que esbanja dinheiro em pedicure, não por se preocupar com que suas unhas dos pés estejam pintadas ("Quem é que vai ver?"), mas porque o único toque humano que ela recebe é de uma mulher chamada Connie. Ela tem feito seus pés há anos, e não fala nadinha de inglês, mas suas massagens nos pés "são dos deuses", Rita diz.

Quando se divorciou pela terceira vez, Rita não sabia como viver nem uma semana sem ser tocada. Diz que ficava inquieta. Então, passou-se um mês, anos viraram uma década. Ela não gosta de gastar dinheiro numa unha feita que ninguém verá, mas que escolha tem? As pedicures são uma necessidade, porque ela enlouqueceria sem nenhum contato humano.

"É como ir a uma prostituta e pagar para ser tocada", Rita diz.

Como John faz comigo, penso. *Sou sua puta emocional.*

"O caso é que eu pensava que seria bom ser tocada por um homem outra vez", Rita está se referindo ao octogenário, "mas acho que vou ficar com as minhas pedicures".

Digo a ela que as escolhas não estão, necessariamente, limitadas a Connie ou a um octogenário, mas Rita me dá uma olhada e sei o que ela está pensando.

"Não sei quem você vai conhecer", admito, "mas talvez você seja tocada, tanto física, quanto emocionalmente, por alguém que te interesse, e que se interesse por você. Talvez você seja tocada de uma maneira totalmente nova, mais satisfatória do que foram seus outros relacionamentos."

Estou esperando um estalar de língua, que acabei reconhecendo como uma versão de Rita de um revirar de olhos, mas ela fica quieta, seus olhos verdes marejados.

"Vou te contar uma história", ela diz, buscando no fundo da bolsa um lenço de papel amassado, com cara de usado, ainda que haja uma caixa novinha bem ao lado dela, na ponta da mesa. "No apartamento em frente ao meu, tem uma família que se mudou há cerca de um ano. Novos na cidade, economizando para uma casa. Duas crianças pequenas. O marido trabalha em casa e brinca com as crianças no pátio, carregando-as nos ombros e correndo de cavalinho, jogando bola com elas. Tudo que eu nunca tive."

Ela procura mais lenços dentro da bolsa, não encontra nenhum e enxuga os olhos com aquele em que acabou de assoar o nariz. Sempre me pergunto por que ela não pega um lenço limpo na caixa a poucos centímetros dela.

"Enfim", ela diz, "todos os dias, por volta das 5 da tarde, a mãe chega do trabalho. E todos os dias acontece a mesma coisa."

Nesse ponto, Rita engasga e para. Ela assoa o nariz mais uma vez e enxuga os olhos. *Pegue os malditos lenços!*, tenho vontade de gritar. Essa mulher sofrida, com quem ninguém conversa e em quem ninguém toca, não se permite nem mesmo um lenço de papel limpo. Rita aperta na mão o que restou da bola de ranho, enxuga os olhos e respira fundo.

"Todos os dias", ela continua, "a mãe destranca a porta da sala, abre-a, e grita: 'Oi, família!'. É assim que ela os cumprimenta: 'Oi, família!'."

Sua voz falha, e ela leva um minuto para se recompor. As crianças, Rita explica, vêm correndo, gritando de alegria, e o marido lhe dá um grande beijo empolgado. Rita conta-me que observa tudo isso pelo olho mágico, que alargou secretamente para espionar. ("Não julgue", ela diz.)

"E sabe o que eu faço?", ela pergunta. "Sei que é horrivelmente egoísta, mas *fervo* de raiva." Agora ela está soluçando. "Nunca houve um 'Oi, família!' para mim."

Tento imaginar o tipo de família que Rita poderia idealizar para si mesma a essa altura da vida. Talvez com um companheiro ou uma reaproximação com seus filhos adultos. Mas também visualizo outras possibilidades: o que ela poderia fazer com sua paixão pela arte, ou como poderia estabelecer algumas novas amizades. Penso no abandono que vivenciou quando criança, e o trauma vivido por seus próprios filhos. Como todos eles devem se sentir tão espoliados e cheios de ressentimento que nenhum deles consiga ver o que existe realmente, e que tipo de vínculo ainda poderia criar. E como, por um tempo, eu também não conseguia ver essa mudança na vida de Rita.

Vou até a caixa de lenços de papel, estendo-a para Rita, depois me sento a seu lado, no sofá.

"Obrigada", ela diz. "De onde surgiram?"

"Estavam ali o tempo todo", respondo.

Mas em vez de pegar um lenço novo, ela continua a enxugar o rosto com a bola de ranho.

No carro, a caminho de casa, ligo para Jen. Sei que, provavelmente, ela também está no carro, indo para casa.

Quando ela atende, digo: "Por favor, diga que eu ainda não vou estar namorando depois de aposentada".

Ela ri. "Não sei. Talvez eu possa estar namorando depois de aposentada. As pessoas costumavam encerrar a carreira quando os cônjuges morriam. Agora, elas namoram." Ouço toques de buzina antes que ela continue. "E também tem uma porção de gente divorciada por aí."

"Você está tentando me dizer que está tendo problemas conjugais?"

"Estou."

"Ele voltou a peidar?"

"Voltou."

É a brincadeira permanente entre eles. Jen preveniu o marido de que vai se mudar para o quarto ao lado à noite, se ele continuar comendo laticínios, mas ele adora laticínios, e ela o ama, então nunca se muda.

Paro na entrada da garagem e digo a Jen que preciso desligar. Estaciono, destranco a porta da entrada da nossa casa, onde meu filho está sendo cuidado por sua babá, César. Tecnicamente, César trabalha para nós, mas na realidade, ele é como um irmão mais velho para Zach, e um segundo filho para mim. Temos intimidade com seus pais e irmãos e sua multidão de primos, e o vi crescer até ser o aluno de faculdade que é agora, tomando conta do meu filho, enquanto ele também cresce.

Abro a porta e grito: "Oi, família!".

Zach grita do quarto: "Ei, mãe!".

César tira um fone de ouvido e grita da cozinha, onde prepara o jantar: "Oi!".

Ninguém corre, animado, para me receber, ninguém grita de alegria, mas não me sinto carente comó Rita, e sim o oposto. Vou até meu quarto vestir um moletom e, quando volto, começamos a conversar todos ao mesmo tempo, compartilhando nossos dias, provocando uns aos outros, competindo para falar mais tempo, colocando pratos na mesa e servindo bebidas. Os meninos brigam para pôr a mesa e correm para conseguir as porções maiores. *Oi, família.*

Uma vez, contei a Wendell que sou péssima para tomar decisões, que com frequência o que penso que quero não acontece da maneira que imaginei. Mas havia duas notáveis exceções, e ambas provaram ser as melhores decisões da minha vida. Nos dois casos, eu tinha quase 40 anos.

Uma delas foi a decisão de ter um bebê.

A outra foi minha decisão de me tornar terapeuta.

25

O sujeito da transportadora

No ano em que Zach nasceu, comecei a me comportar de um jeito inadequado com o cara que entregava minhas encomendas.

Não estou dizendo que tentei seduzi-lo. É difícil ser sedutora com manchas de leite na camiseta. Estou dizendo que sempre que ele entregava um pacote, o que era frequente, considerando minha necessidade de artigos para bebês, eu tentava segurá-lo para conversar, simplesmente porque estava louca por companhia adulta. Esforçava-me por bater papo sobre o tempo, uma manchete do noticiário, até sobre o peso de um pacote. ("Uau, quem diria que as fraldas pesassem tanto! Você tem filhos?"), enquanto o motorista da transportadora dava um sorriso falso e concordava com a cabeça, recuando de um modo não muito sutil, afastando-se de mim para o espaço seguro do seu furgão.

Na época eu trabalhava em casa como escritora, o que significava que ficava o dia todo de pijama, em frente a um computador, quando não estava amamentando, trocando fralda, ninando ou me relacionando de algum outro modo com um ser humano adorável, mas exigente, de quatro quilos e meio, com talento para berrar como uma *banshee*.[5] Basicamente, eu interagia com um "trato gastrointestinal com pulmões", que era como o chamava nos meus piores momentos. Antes de ter um bebê, tinha me deliciado com a liberdade de trabalhar fora de um escritório, mas agora ansiava por me vestir todos os dias e estar na companhia de adultos alfabetizados.

---

[5] Ser fantástico de mau agouro, originário da mitologia irlandesa, cujos gritos são ouvidos a quilômetros de distância. [N.T.]

Foi durante essa verdadeira tormenta de isolamento e queda brusca de estrógeno que comecei a me perguntar se teria cometido um erro ao deixar a faculdade de medicina. O jornalismo combinava comigo. Passei a cobrir centenas de tópicos para dezenas de publicações, e todos eles giravam em torno de uma linha comum que me fascinava: a psique humana. Não queria parar de escrever, mas agora, enquanto fedia a golfadas no meio da noite, reconsiderava a possibilidade de uma carreira dupla. Se me tornasse psiquiatra, raciocinei, poderia interagir com pessoas de maneira significativa, não só ajudando-as a serem mais felizes, mas também poderia ter a flexibilidade para escrever e passar tempo com minha família.

Refleti sobre essa ideia por algumas semanas, até uma manhã de primavera, quando liguei para minha antiga coordenadora em Stanford, e lhe expus meu plano. Renomada pesquisadora, ela também era a versão, na faculdade de medicina, de uma chefe de acampamento: afetuosa, inteligente, intuitiva. Eu tinha coordenado seu grupo de leitura mãe-filha,[6] quando estava na faculdade de medicina, e a conhecia bem. Tinha certeza de que depois de explicar minha linha de pensamento, ela apoiaria meu plano.

Em vez disso, ela disse: "Por que você faria isso?".

E depois: "Além disso, os psiquiatras não tornam as pessoas felizes!".

Lembrei-me da velha piada da faculdade de medicina: *Os psiquiatras não tornam as pessoas felizes, os remédios, sim!*

Voltando subitamente à realidade, entendi o que ela queria dizer. Não é que ela não respeitasse os psiquiatras, e sim que a psiquiatria, atualmente, tende a se voltar mais para as nuances da medicação e dos neurotransmissores do que para as sutilezas das histórias de vida das pessoas – fato que ela sabia que eu sabia.

Mesmo assim, ela perguntou: Eu queria realmente fazer três anos de residência com uma criança aprendendo a andar? Queria ficar um tempo com meu filho, antes que ele fosse para o jardim da infância? Será que eu me lembrava de ter conversado com ela, enquanto estudante de

---

6   Grupo em que mães e filhas leem o mesmo livro e depois discutem em rodas de leitura. [N.T.]

medicina, sobre meu desejo de ter relacionamentos mais substanciais com pacientes do que o permitido pelo modelo médico contemporâneo?

Então, justo quando eu imaginava minha antiga coordenadora balançando a cabeça do outro lado do telefone, justo quando eu desejava poder voltar no tempo para que aquela conversa nunca tivesse acontecido, ela disse algo que mudaria o rumo da minha vida: "Você deveria ir para a faculdade e se formar em psicologia clínica". Pegando o caminho da psicologia clínica, ela disse, eu poderia trabalhar com pessoas da maneira que sempre tinha comentado; as consultas seriam de cinquenta minutos, e não de quinze, e o trabalho seria mais profundo e mais a longo prazo.

Senti um calafrio. As pessoas normalmente usam essa expressão com sentido figurado, mas eu, de fato, senti calafrios, arrepios e tudo mais. Era chocante o quanto isso parecia certo, como se meu plano de vida tivesse, finalmente, sido revelado. Com o jornalismo, pensei, eu poderia contar histórias de pessoas, mas não as estaria *mudando*. Como terapeuta, eu poderia ajudar as pessoas a mudar suas histórias. E com essa carreira dupla, eu poderia ter a combinação perfeita.

"Ser terapeuta exigirá uma mistura do cognitivo com o criativo", a coordenadora continuou. "Existe uma maestria em combinar os dois. O que poderia ser uma mescla melhor das suas capacidades e interesses?"

Não muito depois dessa conversa, sentei-me em uma sala com veteranos da faculdade e fiz o GRE, a versão do teste de admissão SAT [similar ao Enem] para a graduação. Inscrevi-me em um programa local de graduação e, nos anos seguintes, batalhei para conseguir meu diploma. E continuei a escrever, a ouvir histórias e compartilhá-las, enquanto aprendia a ajudar pessoas a mudarem, enquanto minha vida também mudava.

Durante esse período, meu filho começou a falar e a andar, e as entregas do sujeito da transportadora gradualmente evoluíram de fraldas para Legos. "Ah, a nave Starfighter!", eu dizia. "Você é fã de *Guerra nas estrelas*?" E quando, finalmente, estava apta a me formar, dei a notícia a ele.

Pela primeira vez, ele não tentou correr de volta para seu furgão. Em vez disso, inclinou-se e me abraçou.

"Parabéns!", disse, com os braços envolvendo as minhas costas. "Uau, você já fez tudo isso, mesmo tendo uma criança? Estou orgulhoso de você."

Fiquei ali parada, em choque e comovida, abraçando o cara da transportadora. Quando, finalmente, nos soltamos, ele me contou que também tinha uma novidade: não faria mais a minha rota. Assim como eu, tinha decidido voltar para a escola, e, para economizar no aluguel, precisava ir morar com a família, que residia a algumas horas de distância. Queria se tornar empreiteiro.

"*Você* está de parabéns!", eu disse, jogando os braços em volta dele. "Também sinto orgulho de você."

Provavelmente, aquela cena pareceu esquisita ("Deve ter sido um *senhor* pacote!", imaginei os vizinhos murmurando), mas ficamos daquele jeito pelo que pareceu ser muito tempo, encantados com o quanto tínhamos avançado.

"A propósito, me chamo Sam", ele disse, depois que terminamos nosso abraço.

"A propósito, me chamo Lori", eu disse. Ele sempre tinha me chamado de "Senhora".

"Eu sei." Com o queixo, ele apontou o pacote com meu nome na etiqueta de endereço.

Nós dois rimos.

"Bom, Sam, estarei torcendo por você", eu disse.

"Obrigado", ele respondeu. "Vou precisar."

Balancei a cabeça. "Tenho a impressão de que você vai se sair bem, mas vou torcer do mesmo jeito."

Então, Sam pediu minha assinatura pela última vez e foi embora, erguendo o polegar no assento do motorista, enquanto se afastava em seu grande furgão marrom.

Uns dois anos depois, recebi um cartão de visitas de Sam. *Guardei seu endereço*, escreveu em um post-it grudado no cartão. *Se tiver algum amigo precisando dos meus serviços, terei prazer em atendê-lo.* Eu estava na metade do meu estágio, e coloquei o cartão na minha gaveta para mais tarde, sabendo exatamente quando iria usá-lo.

As estantes do meu consultório?

Obra de Sam.

26

Encontros públicos constrangedores

Um dia, no começo do nosso relacionamento, o Namorado e eu estávamos na fila do lugar onde se vende frozen yogurt, quando uma das minhas pacientes de terapia apareceu.

"Uau, oi!", Keisha disse, pegando seu lugar na fila atrás de nós. "É tão curioso encontrar você aqui!" Ela se virou para sua direita: "Este é o Luke".

Luke, que aparentava ter uns 30 anos e era atraente como Keisha, sorriu e apertou minha mão. Embora nunca tivéssemos nos encontrado, eu sabia exatamente quem ele era. Sabia que era o namorado que, recentemente, havia traído Keisha, e que ela tinha descoberto isso porque ele não havia conseguido ter ereção com ela. Toda vez que ele traía, acontecia a mesma coisa. ("Seu sentimento de culpa está no pênis", ela disse uma vez.)

Eu também sabia que Keisha estava se preparando para deixá-lo. Ela veio a compreender o que a havia atraído nele, e queria ser mais criteriosa quanto a escolher um companheiro confiável. Em nossa última sessão, ela dissera que planejava terminar com ele naquele final de semana. Agora era sábado. Teria decidido ficar com ele, ou terminaria no domingo, de maneira a ter os afazeres do trabalho na segunda-feira para ajudá-la a manter o foco? Keisha me contara que queria conversar com Luke num lugar público, para que ele não fizesse uma cena e implorasse para ela ficar, algo que tinha acontecido nas duas vezes em que ela tentou terminar em seu próprio apartamento. Não queria ceder mais uma vez, só porque ele dizia todas as coisas certas para convencê-la a mudar de ideia.

Na fila do iogurte, o Namorado estava parado ao meu lado, ansioso, aguardando para ser apresentado. Eu ainda não tinha explicado para ele que, quando encontro pacientes fora do consultório, a fim de proteger-lhes a privacidade, não os cumprimento se eles não me cumprimentarem antes. Poderia ser desconcertante, por exemplo, se eu dissesse "oi" para uma paciente, e a pessoa que a estivesse acompanhando perguntasse: "Quem é?", deixando-a na situação constrangedora de ter que ser evasiva ou se explicar. E se eu cumprimentasse um paciente que estivesse com um colega de trabalho, o patrão, ou num primeiro encontro?

Mesmo que os pacientes me cumprimentassem antes, eu não os apresentava para quem quer que estivesse comigo. Isso também seria uma quebra de confidencialidade, a não ser que eu mentisse quando me perguntassem como eu conhecia o paciente.

Sendo assim, o Namorado estava olhando para mim, Luke olhando para o Namorado, e Keisha deu uma olhada na minha mão, que o Namorado segurava.

Sem o conhecimento do Namorado, eu já tinha encontrado um paciente, quando eu e ele estávamos juntos. Alguns dias antes, o marido de um casal que eu atendia passou por nós na rua. Sem parar, ele disse "oi", eu respondi com outro "oi", e nós dois continuamos seguindo em direções opostas.

"Quem era?", o Namorado perguntou, então.

"Ah, só uma pessoa que conheci no trabalho", respondi, casualmente. Sem contar que eu sabia mais sobre as fantasias sexuais do indivíduo do que sobre as do Namorado.

Naquele sábado à noite, na loja do iogurte, sorri para Keisha e Luke, depois me virei de frente para o balcão. A fila era longa, e o Namorado pegou a deixa e ficou conversando comigo sobre sabores de iogurte, enquanto eu tentava ignorar a voz de Luke, que, animado, discutia planos de férias com Keisha. Ele tentava fixar datas, ela estava sendo evasiva, e ele perguntou se ela preferiria ir no mês seguinte. Keisha perguntou se eles poderiam falar a respeito mais tarde e mudou de assunto.

Senti vergonha pelos dois.

Depois que eu e o Namorado pegamos nossos iogurtes, levei-o até uma mesa distante, próxima à saída, e me sentei com as costas voltadas para o restante da loja lotada, para que Keisha e eu pudéssemos ter nosso espaço.

Alguns minutos depois, Luke passou voando pela nossa mesa, porta afora, Keisha seguindo atrás dele. Pelas paredes de vidro, pudemos vê-la gesticulando pedidos de desculpas a Luke, e ele entrando em seu carro, indo embora, quase atropelando Keisha.

O Namorado pareceu estar juntando as peças. "Então, é *assim* que você conhece ela." Ele brincou que namorar uma terapeuta era como namorar um agente da CIA.

Eu ri e disse que, às vezes, ser terapeuta era mais parecido com ter um caso com todos os nossos pacientes, passados e presentes, simultaneamente. Estamos sempre fingindo não conhecer as pessoas que conhecemos em sua maior intimidade.

Mas, em geral, são os terapeutas que se sentem desconfortáveis quando nossos mundos externos colidem-se. Afinal de contas, vemos as vidas reais dos nossos pacientes; eles não veem as nossas. Fora do consultório, somos como pequenas celebridades: quase ninguém sabe quem somos, mas para quem sabe, uma aparição é significativa.

Eis algumas coisas que não podemos fazer em público, sendo terapeutas: chorar junto a um amigo em um restaurante; discutir com o cônjuge; apertar o botão do elevador do prédio incessantemente, como se fosse uma bomba de morfina. Se você estiver com pressa para chegar ao consultório, não pode buzinar para o carro lento que está bloqueando a entrada do estacionamento, porque há o risco de ser visto por seu paciente (ou a pessoa para quem você está buzinando pode *ser* seu paciente).

Se você for uma respeitada psicóloga infantil, como no caso de uma colega minha, não vai querer ficar parada na padaria, quando seu filho de 4 anos dá um chilique por não ganhar mais um cookie, culminando na afirmação de furar os tímpanos: "VOCÊ É A PIOR MÃE QUE EXISTE!", enquanto seu paciente de 6 anos, e a mãe dele, observam, horrorizados. Nem, como aconteceu comigo, vai querer dar de cara com uma paciente antiga na seção de sutiãs de uma loja de departamentos, enquanto a vendedora anuncia em alto e bom som: "Boa notícia, senhora! Consegui encontrar o Sutiã Milagroso, tamanho 40".

Quando você for dar um pulo no banheiro, entre as sessões, é melhor evitar a cabine próxima à de sua próxima paciente, especialmente se uma de vocês estiver passando um fax malcheiroso. E se for usar a farmácia em frente ao consultório, não vai querer ser vista comprando camisinhas, absorventes, remédio para prisão de ventre, fraldas geriátricas, creme para candidíase e hemorroidas, ou receitas para doenças sexualmente transmissíveis ou transtornos mentais.

Um dia, sentindo-me gripada e fraca, fui à farmácia em frente ao consultório aviar uma receita. O farmacêutico me deu o que deveria ser um antibiótico, mas quando olhei a etiqueta, vi que era um antidepressivo. Algumas semanas antes, uma reumatologista havia receitado um antidepressivo *off-label* para fibromialgia, ou seja, para um uso não previsto na bula. Ela achava que tal diagnóstico poderia explicar um cansaço persistente, mas depois decidimos que eu deveria aguardar, levando-se em conta os potenciais efeitos colaterais do medicamento. Nunca busquei o remédio dessa receita cancelada, mas por algum motivo, ela continuava no sistema, e todas as vezes em que eu buscava um medicamento, o farmacêutico trazia o antidepressivo, dizendo seu nome em voz alta, enquanto eu rezava para nenhum dos meus pacientes estar na fila atrás de mim.

Frequentemente, quando os pacientes presenciam nossa humanidade, eles nos deixam.

Pouco depois de John começar a se consultar comigo, encontrei com ele em um jogo do Lakers. Era intervalo, e meu filho e eu estávamos esperando para comprar um agasalho.

"Jesus Cristo", escutei alguém murmurar; segui a voz e avistei John à nossa frente, na fila ao lado. Estava com outro homem e duas meninas, que pareciam ter por volta da idade da filha mais velha de John, 10 anos. Um programa pai-e-filha, imaginei. John reclamava com o amigo sobre o casal à frente deles que estava demorando muito tempo para fazer sua compra. Os dois estavam com dificuldade para assimilar os tamanhos que a vendedora havia dito que estavam esgotados.

"Ah, pelo amor de Deus", John disse ao casal, seu vozeirão chamando a atenção de todos à nossa volta. "Os pretos com o nome do Kobe Bryant acabaram em todos os tamanhos, a não ser o pequeno, que claramente não é o *seu* tamanho, e só tem o do Kobe branco no tamanho infantil, o que também claramente não é o seu tamanho. Mas é o dessas meninas aqui, que vieram assistir a um jogo do Lakers, que vai começar daqui a" – a essa altura, ele fez um grande show, erguendo seu relógio – "quatro minutos".

"Relaxa, cara", o sujeito do casal disse para John.

"Relaxa?", John disse. "Talvez você esteja relaxado *demais*. Talvez devesse pensar no fato de que o intervalo tem quinze minutos, e atrás de vocês há uma multidão considerável. Vamos ver, vinte pessoas, quinze minutos, menos de um minuto para cada. *Ah, merda, talvez eu não devesse estar tão relaxado!*"

John exibiu seu sorriso cintilante para o sujeito, e foi então que reparou em mim, olhando para ele. Ficou paralisado, perplexo por ver sua amante-puta-terapeuta ali parada, aquela sobre quem ele não queria que a esposa, e provavelmente seu amigo, ou sua filha soubessem.

Nós dois desviamos o olhar, ignorando um ao outro.

Mas depois que meu filho e eu fizemos nossa compra, correndo de mãos dadas para nossos lugares, notei John observando-nos de longe, com uma expressão indecifrável no rosto.

Às vezes, quando vejo pessoas circulando no mundo, particularmente na primeira vez em que isso acontece, pergunto na sessão seguinte como foi a experiência para elas. Alguns terapeutas esperam que seus pacientes toquem no assunto, mas em geral, o fato de não mencionar o fato torna-o maior, o elefante na sala, e admitir o encontro dá uma sensação de alívio. Assim, na semana seguinte, durante a terapia, perguntei a John como foi para ele me ver no jogo do Lakers.

"Que porra de pergunta é essa?", John disse, soltando um suspiro, seguido por um gemido. "Sabe quantas pessoas foram ver aquele jogo?"

"Um monte", respondi, "mas, às vezes, é estranho ver sua terapeuta fora do consultório. Ou ver seus filhos."

Eu andara pensando na expressão no rosto de John enquanto ele me via correr com Zach. Intimamente, me perguntei como seria para ele ver uma mãe de mãos dadas com o filho, considerando a perda de sua própria mãe quando ele era menino.

"Sabe como foi ver minha terapeuta com o filho?", John perguntou. "Foi irritante."

Fiquei surpresa por ele estar disposto a expressar sua reação. "De que maneira?"

"Seu filho conseguiu o último agasalho do Kobe no tamanho da minha filha."

"Há?"

"É, então isso foi irritante."

Esperei para ver se ele ia dizer mais alguma coisa, se ia parar com as brincadeiras. Por um tempinho, ficamos os dois quietos. Então, John começou a contar os segundos: "Um, dois, três..." Lançou-me um olhar exasperado. "Por quanto tempo vamos ficar aqui sentados, sem dizer nada?"

Entendi sua frustração. Nos filmes, os silêncios do terapeuta se tornaram um clichê, mas é apenas no silêncio que as pessoas podem, realmente, escutar a si mesmas. Falar pode mantê-las dentro de suas mentes e a uma distância segura das suas emoções. Ficar em silêncio é como esvaziar o lixo. Quando você para de jogar lixo no vazio – palavras, palavras e mais palavras –, algo importante sobe à superfície. E quando o silêncio é uma experiência compartilhada, pode ser uma mina de ouro para pensamentos e sentimentos que o paciente nem mesmo sabia existirem. Não é de se surpreender que eu tenha passado uma sessão inteira com Wendell sem dizer praticamente nada, simplesmente chorando. Até mesmo uma grande alegria, às vezes, é mais bem expressa através do silêncio, como quando uma paciente chega depois de conseguir uma promoção duramente conquistada, ou depois de ficar noiva, e não consegue encontrar as palavras para expressar a magnitude do que está sentindo. Então, ficamos sentadas em silêncio, sorrindo.

"Estou escutando o que quer que você tenha a dizer", digo a John.

"Ótimo", ele disse. "Sendo assim, tenho uma pergunta para você."

"Há?"

"Como foi para você *me* ver?"

Ninguém nunca tinha me feito essa pergunta. Pensei por um minuto sobre minha reação, e como eu a transmitiria a John. Lembrei-me da minha irritação com a maneira como ele estava falando com aquele casal no começo da fila, e também da minha culpa ao incentivá-lo em silêncio. Eu também queria voltar ao ginásio antes do começo do segundo tempo. Também me lembrei, quando estava de volta ao meu lugar, de olhar para baixo e notar que John e seu grupo estavam sentados nas primeiras fileiras. Vi sua filha mostrar-lhe alguma coisa em seu celular, e enquanto eles olhavam para aquilo juntos, ele passou o braço à volta dela, e eles riram, riram, e fiquei tão tocada que não consegui tirar os olhos deles. Queria compartilhar isso com ele.

"Bom", comecei, "foi..."

"Ah, nossa, eu estava brincando", John interrompeu. "É claro que não dou a mínima para como foi para você. Minha *opinião* é a seguinte: era um jogo do Lakers! Estávamos lá pra ver o Lakers."

"Ok."

"Ok o quê?"

"Ok, você não dá a mínima."

"É óbvio que não."

Vi novamente aquela expressão no rosto de John, a que tinha notado quando ele me via correr com Zach. Por mais que eu tentasse me empenhar com John naquele dia, ajudando-o a desacelerar e prestar atenção nos seus sentimentos, falando sobre sua experiência comigo na sala, compartilhando um pouco da minha experiência em nossa conversa, ele permaneceu trancado.

Só quando estava saindo é que se virou de volta para mim, lá do corredor, e disse: "A propósito, uma gracinha o menino. Seu filho. O jeito como segurou sua mão. Os meninos nem sempre fazem isso".

Esperei o arremate. Em vez disso, ele me olhou bem nos olhos e disse, quase pensativo: "Aproveite enquanto dure".

Fiquei ali parada por um segundo. *Aproveite enquanto dure.*

Cismei se ele estaria pensando na filha. Talvez ela tivesse passado da fase de deixar John segurar sua mão em público. Mas ele também disse: "Os *meninos* nem sempre fazem isso". O que ele sabia sobre a criação de meninos, sendo pai de duas meninas?

Tinha algo a ver com ele e sua mãe, concluí. Guardei o diálogo para quando ele estivesse pronto para conversar sobre ela.

27

A mãe de Wendell

Quando Wendell era menino, todo mês de agosto ele e seus quatro irmãos amontoavam-se na perua da família e iam com os pais do subúrbio onde moravam, no centro-oeste, até um chalé em um lago, passar férias com sua grande família. Ao todo, havia cerca de vinte primos, e a garotada perambulava como uma matilha, saindo pela manhã, voltando a se reunir com os adultos para o almoço (em que comiam vorazmente, sentados em cobertas espalhadas sobre um campo verdejante), e desaparecendo novamente até a hora do jantar.

Às vezes, os primos saíam de bicicleta, mas Wendell, o mais novo, tinha medo de pedalar uma bike. Sempre que seus pais e os irmãos mais velhos ofereciam-se para lhe ensinar, ele fingia indiferença, mas todos sabiam que a história de um menino mais velho da cidade, que tinha caído da bicicleta, batido a cabeça e ficado surdo por causa da pancada, permanecera na mente de Wendell.

Por sorte, as bicicletas não tinham tanta importância no chalé. Mesmo quando alguns primos saíam pedalando, sempre havia crianças o suficiente com quem ele podia nadar no lago, subir nas árvores e disputar brincadeiras épicas de rouba-bandeira.

Então, num verão, logo depois de Wendell fazer 13 anos, ele sumiu. O grupo de primos havia voltado para o almoço, e enquanto eles saboreavam uma melancia, alguém notou que Wendell não estava lá. Verificaram dentro dos chalés. Vazios. Grupos dispersaram-se para procurar por ele no lago, na mata, em volta da cidade, mas Wendell não estava em lugar algum.

Após quatro horas apavorantes para sua família, Wendell voltou – pedalando uma bicicleta. Aparentemente, uma menina bonitinha que ele conhecera perto do lago o tinha convidado para pedalar com ela, então ele foi até a loja de bicicletas e explicou seu problema. O proprietário olhou para aquele menino ansioso, magrelo, de 13 anos e entendeu imediatamente. Fechou a loja, levou Wendell até um terreno abandonado, e ensinou-o a pedalar. Depois, deu-lhe um dia de aluguel de graça.

Agora, ali estava ele, pedalando uma bicicleta até os chalés. Seus pais gritaram de alívio.

Wendell e a menina do lago pedalaram juntos todos os dias, até o final da viagem, e depois disso trocaram cartas por vários meses. Mas um dia, ele recebeu uma carta dela dizendo que sentia muito, mas tinha encontrado um novo namorado em sua escola, e não mais escreveria para Wendell. Sua mãe encontrou a página rasgada, enquanto esvaziava o lixo.

Wendell fingiu não se importar.

"Aquele ano foi um curso intensivo de bicicleta e amor", a mãe de Wendell observou mais tarde. "Você se arriscou, caiu, tornou a subir e fez tudo de novo."

Wendell realmente tornou a subir. E com o tempo, parou de fingir que não se importava. Depois de se formar na faculdade, e se juntar aos negócios da família, não podia mais fingir que seu interesse em psicologia não passava de um hobby. Então, pediu demissão e fez um doutorado em psicologia. Agora, era a vez do pai dele de fingir que não se importava. E assim como Wendell, ele acabou voltando a subir naquela bicicleta metafórica e abraçou a decisão do filho.

Pelo menos, é assim que a mãe de Wendell conta a história.

É claro que ela não *me* contou essa história. Sei tudo isso por cortesia da internet.

Gostaria de poder dizer que tropecei acidentalmente nessa informação, que precisava do endereço de Wendell para lhe mandar um cheque, digitei seu nome e – *Ah, uau, veja o que apareceu* –, logo ali, na primeira página de resultados, havia uma entrevista com sua mãe. Mas a única parte que seria verdade é aquela em que digitei seu nome.

Um pequeno consolo: não fui a única a dar um Google no meu terapeuta.

Julie me disse uma vez algo sobre um cientista da sua universidade, sobre quem eu havia escrito, como se tivéssemos mencionado, previamente, que nós duas o conhecíamos (não tínhamos). Rita, certa vez, aludiu ao fato de que ela e eu havíamos crescido em Los Angeles, embora eu jamais tivesse contado a ela onde cresci. John terminou uma de suas diatribes sobre "idiotas" a respeito de um contratado recém-saído da faculdade, em Stanford, com isto: "A Harvard do Oeste, meu cu". Depois, olhando envergonhado para mim, acrescentou: "Sem querer ofender". Ele deve ter descoberto que estudei em Stanford. Também sei que John deu um Google em Wendell para checar o terapeuta da esposa, porque uma vez ele reclamou que Wendell não tinha site, nem foto, o que imediatamente o deixou desconfiado. "O que esse idiota está tentando esconder?", disse. "Ah, certo... sua incompetência."

Portanto, os pacientes dão mesmo um Google em seus terapeutas, mas essa não foi a minha desculpa. Na verdade, nunca tinha me ocorrido pesquisar sobre Wendell, até ele sugerir que, ao espionar o Namorado pelo Google, eu estava me prendendo a um futuro que havia sido cancelado. Estava vendo o futuro do Namorado se desdobrar, enquanto eu permanecia presa no passado. Eu precisaria aceitar que, agora, o futuro dele e o meu, sua presença e a minha estavam separados, e que tudo que nos restava em comum era nossa história.

Sentada junto ao meu notebook, lembrei-me da maneira com que Wendell havia tornado tudo isso muito claro. Depois, pensei em como eu não sabia quase nada sobre ele, além do fato de que ele tinha estagiado com Caroline, a colega que me dera seu nome. Eu não sabia onde ele tinha se formado, no que tinha se especializado, nem qualquer informação básica que as pessoas tendem a reunir on-line antes de procurar um terapeuta. Estava tão louca por ajuda que aceitei a indicação de Caroline para "meu amigo" sem tê-lo avaliado.

Se algo não estiver funcionando, faça algo diferente, ensinam aos terapeutas no estágio quando eles chegam num impasse com o paciente, e nós também sugerimos isso a nossos pacientes. Por que continuar fazendo a mesma coisa inútil toda vez? Se seguir o Namorado on-line estava me deixando estagnada, Wendell sugeriu, eu deveria fazer algo diferente. Mas o quê? Tentei fechar os olhos e respirar fundo algumas vezes, intervenção que pode quebrar uma necessidade compulsiva. E funcionou... mais ou menos. Quando abri os olhos, não digitei o nome do Namorado no Google. Digitei o de Wendell.

John tinha razão; Wendell era virtualmente invisível. Sem site. Sem LinkedIn. Sem publicação no *Psychology Today*, sem Facebook, ou Twitter. Apenas um único link com o endereço do seu consultório e o número de telefone. Para um profissional da minha geração, Wendell era excepcionalmente *old-school*.

Percorri mais uma vez os resultados da pesquisa. Havia vários Wendell Bronson, mas nenhum deles era meu terapeuta. Continuei procurando, e duas páginas depois, notei um registro do Yelp para Wendell. Tinha uma avaliação. Cliquei.

A usuária, chamada Angela L., tinha sido considerada uma comentarista de "elite" por cinco anos seguidos, e não era de se surpreender. Havia postagens dela sobre restaurantes, tintureiros, lojas de colchões, parques para cachorros, dentistas (uma sequência deles), ginecologistas, manicures, carpinteiros, floristas, lojas de roupas, hotéis, empresas de controles de pragas, transportadoras, farmácias, vendedores de carros, estúdios de tatuagens, um advogado para danos pessoais, e até um advogado de defesa criminal (algo a ver com ter sido "falsamente acusada" de uma infração de estacionamento, que, de algum modo, tornou-se uma ofensa criminal).

Mas o mais surpreendente sobre Angela L. não era o número total de comentários; era o quanto quase todos eram agressivamente negativos.

"FRACASSO!", ela escrevia. Ou "CRETINOS!". Angela L. parecia terrivelmente desapontada com tudo: a maneira como suas cutículas eram tiradas, a maneira como uma recepcionista falou com ela; até quando estava de férias, nada escapava a seu escrutínio. Postou comentários enquanto estava no quiosque de aluguel de carros, no check-in do hotel, ao chegar ao seu quarto, em aparentemente todos os lugares onde comia e bebia durante a viagem, e até na praia (onde uma vez pisou em uma pedra, no que deveria ser uma areia branca e sedosa, e afirmava ter machucado o pé). Invariavelmente, todo mundo que ela encontrava era preguiçoso, incompetente ou estúpido.

Ela me lembrou John. E então, me ocorreu que talvez Angela L. fosse Margô! Porque a única pessoa no mundo qu não a irritava ou a tratava injustamente era Wendell.

Ele recebeu de Angela L. o primeiríssimo comentário cinco estrelas.

Já estive em muitos terapeutas – nenhuma surpresa nisso –, *mas desta vez, sinto como se estivesse realmente progredindo*, ela escreveu. Continuou, exagerando sobre a compaixão e a sabedoria de Wendell, acrescentando que ele a estava ajudando a ver como seu comportamento contribuía para suas dificuldades conjugais. Por causa de Wendell, acrescentou, ela tinha conseguido se reconciliar com o marido, depois da separação. (Nada a ver com Margô.)

O comentário fora postado um ano antes. Percorrendo suas avaliações subsequentes, notei uma tendência. Gradualmente, suas críticas de uma e duas estrelas tornaram-se elogios de três e depois quatro estrelas. Angela L. estava se tornando menos irritada com o mundo, menos propensa a culpar os outros por sua infelicidade (o que chamamos de "externalização"). Havia menos raiva para com os funcionários do serviço de atendimento ao cliente, menos percepção de descortesias (personalização), mais autoconsciência (reconhecendo, em um comentário, que ela podia ser difícil de satisfazer). A quantidade de posts também tinha diminuído, fazendo o empenho parecer menos obsessivo. Ela estava se aproximando da "sobriedade emocional", habilidade para gerenciar os próprios sentimentos sem se automedicar, quer essa medicação venha sob a forma de substâncias, quer de defesas, casos amorosos ou internet.

Parabéns a Wendell, pensei. Eu podia ver a evolução emocional de Angela L. através da progressão dos seus comentários no Yelp.

Mas justo quando estava admirando a habilidade de Wendell, dei com outro comentário de apenas uma estrela, irado, de Angela L. Era para um serviço de traslado, uma depreciação de um comentário anterior, quatro estrelas, que ela havia dado à empresa. Angela L. parecia furiosa que o ônibus tocasse alto "música de elevador", e que o motorista não pudesse desligá-la. Como eles podiam "atacar" os passageiros dessa forma? Três parágrafos depois, ressaltado por múltiplas palavras em caixa alta e pontos de exclamação, Angela L. terminou o comentário com *Usei essa empresa durante meses, mas essa foi a última vez. Nosso relacionamento terminou!!!*

Seu rompimento dramático com o serviço de traslado depois de todas aquelas críticas anteriores mais equilibradas já era o esperado. Como muitas pessoas, ela provavelmente tinha recuado, se arrependido, percebido que tinha chegado ao fundo do poço, e decidido que a moderação não bastava; tinha que largar o Yelp de vez. E até então, foi o que aconteceu. Aquele foi o último comentário de Angela L., postado seis meses atrás.

Mas eu não estava pronta para largar minha espionagem via Google. Meia hora depois, meu cursor pairou sobre a entrevista da mãe de Wendell. O terapeuta que eu conhecia parecia tanto fundamentado, quanto não convencional, duro e gentil, seguro e desajeitado. Quem o tinha criado? Senti como se tivesse encontrado a mina de ouro, por assim dizer.

Logicamente, cliquei.

A entrevista, que acabou sendo uma história de família de dez páginas, apareceu no blog de uma organização local, que documentava a vida de famílias notáveis que haviam vivido naquela cidade do centro-oeste, por meio século.

Soube que o pai e a mãe de Wendell tinham nascido pobres. Sua avó materna falecera no parto, então sua mãe foi criada por uma tia em um pequeno apartamento, e aquela família passou a ser a sua. Enquanto isso, o pai de Wendell tinha se tornado um *self-made man*, o primeiro em sua família a ir para a faculdade. Foi nessa grande universidade estadual que ele conheceu a mãe de Wendell, a primeira mulher da sua família a se formar no ensino superior. Depois de casados, o pai abriu um negócio, a mãe deu à luz uma ninhada de cinco, e quando Wendell era adolescente, a família havia se tornado absurdamente rica, um dos motivos para a entrevista que eu estava lendo. Aparentemente, os pais de Wendell deram grande parte da sua riqueza para causas beneficentes.

Quando descobri os nomes dos irmãos de Wendell, de suas esposas e filhos, tinha me tornado tão desequilibrada quanto Angela L. Pesquisei a família toda de Wendell: suas profissões, em que cidade moravam, a idade dos filhos, quem era divorciado. Nada disso foi fácil de encontrar; minha missão requereu inúmeras referências cruzadas e muito tempo.

Devo reconhecer que eu sabia algumas coisas sobre Wendell pelos comentários que ele estrategicamente soltava em nossas sessões. Uma vez, depois de eu ter dito: "Mas não é justo!", sobre a situação do Namorado, Wendell olhou para mim e respondeu, carinhosamente: "Você parece minha filha de 10 anos. O que te leva a crer que a vida deveria ser justa?".

Assimilei seu ponto de vista, mas também pensei: *Ah, ele tem uma filha mais ou menos da idade do meu filho.* Quando ele me jogava essas pistas, pareciam presentes inesperados.

Mas naquela noite na internet, sempre havia outro caminho, outro link. Ele tinha conhecido a esposa através de amigos comuns; sua família vivia em uma casa estilo espanhol que, segundo um site imobiliário, tinha dobrado de valor desde que eles a compraram; recentemente, quando ele precisou reagendar nosso horário, foi por estar participando de uma conferência.

Quando, finalmente, fechei meu notebook, a noite tinha acabado e eu me sentia culpada, vazia e exausta.

A internet tanto pode ser um bálsamo, quanto um vício, uma maneira de bloquear a dor (o bálsamo), ao mesmo tempo em que a cria (o vício). Quando o efeito da droga-cibernética passa, você se sente pior, não melhor. Os pacientes pensam que querem saber sobre seus terapeutas, mas, com frequência, depois que descobrem, desejam que não o tivessem feito, porque esse conhecimento tem o potencial de contaminar a relação, fazendo os pacientes filtrarem, conscientemente ou não, o que dizem em suas sessões.

Eu sabia que tinha feito algo destrutivo. E também sabia que não contaria a Wendell. Entendi o motivo; quando um paciente, sem querer, revela saber mais a meu respeito do que compartilhei, e pergunto a respeito, há uma ligeira hesitação, enquanto a pessoa decide se vai ser sincera ou mentir. É difícil confessar ter investigado seu terapeuta. Eu estava envergonhada – de ter invadido a privacidade de Wendell, de ter desperdiçado a noite – e jurei (talvez como Angela L.), nunca repetir isso.

Ainda assim, o mal estava feito. Quando voltei a Wendell na quarta-feira seguinte, senti-me sobrecarregada pela minha recente descoberta. Não conseguia parar de pensar que era só uma questão de tempo para eu vacilar – exatamente como acontecia com meus próprios pacientes.

28

Viciada

ANOTAÇÃO NO PRONTUÁRIO, CHARLOTTE:

*Paciente de 25 anos relata estar se sentindo "ansiosa" nos
últimos meses, embora nada tenha ocorrido de diferente.
Declara estar "entediada" com o seu trabalho. Descreve
dificuldade com os pais e uma vida social agitada, mas
nenhum histórico de relacionamentos românticos significativos.
Informa que, para relaxar, bebe "umas duas taças
de vinho" todas as noites.*

"Você vai me matar", Charlotte diz ao entrar e se acomodar lentamente na grande poltrona diagonalmente à minha direita. Coloca uma almofada no colo, depois joga a manta por cima. Ela nunca se sentou no sofá, nem mesmo na primeira sessão, fazendo da poltrona seu trono. Como sempre, tira seus pertences da bolsa, um por um, desembalando as coisas para sua permanência de cinquenta minutos. No braço esquerdo da poltrona, coloca seu celular e o pedômetro; no da direita, a garrafa de água e os óculos escuros.

Hoje, ela está usando blush e batom, e sei o que isso significa: voltou a flertar com o sujeito da sala de espera.

Nosso conjunto tem uma grande área de recepção, onde os pacientes esperam para ser atendidos. A saída das sessões é mais privada: existe uma passagem por um corredor interno, que leva ao saguão do prédio. Em geral, os pacientes ficam recolhidos em si mesmos, na sala de espera, mas tem algo acontecendo com Charlotte.

O Cara, como Charlotte chama o objeto do seu flerte (nenhuma de nós sabe seu nome), é paciente do meu colega Mike, e ele e Charlotte têm suas sessões no mesmo horário. Segundo ela, na primeira vez que o Cara apareceu, eles imediatamente repararam um no outro, trocando olhares por cima dos seus respectivos celulares. Isso levou semanas, e depois das sessões deles, que também terminavam na mesma hora, os dois saíam pela porta interior, trocando mais olhares no elevador, antes de seguirem caminhos separados.

Por fim, um dia, Charlotte chegou com uma novidade.

"O Cara acabou de falar comigo!", ela cochichou, como se ele pudesse ouvi-la através das paredes.

"O que ele disse?", perguntei.

"Ele perguntou: 'Então, qual é o seu problema?'."

Boa frase, pensei, impressionada, apesar da breguice.

"Então, agora vem a parte em que você vai me matar", ela disse, naquele dia. Respirou fundo, mas eu já tinha ouvido essa frase. Se Charlotte bebeu demais na semana anterior, abre a sessão com: "Você vai me matar". Se ela se atracou com um sujeito e se arrependeu (como acontece com frequência), também começa com "Você vai me matar". Eu até ia matá-la quando ela deixou de pesquisar as opções para a faculdade e perdeu o prazo de inscrição. Já tínhamos conversado sobre como debaixo dessa projeção havia uma profunda sensação de vergonha.

"Tudo bem, você não quer me matar", ela admitiu. "Mas, *argh*, eu não sabia o que dizer, então fiquei paralisada. Ignorei-o totalmente e fingi que estava digitando. Nossa, eu me odeio."

Imaginei o Cara, naquele exato momento, sentado na sala de terapia do meu colega, a pouca distância, contando o mesmo incidente: "Finalmente falei com aquela menina na sala de espera, e ela me rejeitou total. *Argh!* Eu parecia um idiota. Nossa, eu me odeio".

Mesmo assim, na semana seguinte, o flerte continuou. Quando o Cara entrou na sala de espera, Charlotte me contou, ela disse uma frase que tinha ensaiado a semana toda.

"Quer saber o que tem de errado comigo?", perguntou a ele. "Fico paralisada quando estranhos na sala de espera me fazem perguntas." Isso fez o Cara rir, e os dois estavam rindo quando abri a porta para recebê-la.

Ao me ver, o Cara corou. *Culpa?*, imaginei.

Ao irmos para a minha sala, Charlotte e eu passamos por Mike, que estava se aproximando para buscar o Cara. Mike e eu nos encaramos, depois imediatamente desviamos os olhos. *Aham*, pensei. *O Cara também contou para ele sobre Charlotte.*

Na semana seguinte, as provocações na sala de espera estavam a todo vapor. Charlotte contou-me que perguntou ao Cara seu nome, e ele respondeu: "Não posso te dizer".

"Por que não?", ela perguntou.

"Tudo aqui é confidencial", ele disse.

"Tudo bem, Confidencial", ela replicou. "Meu nome é Charlotte. Estou indo falar a seu respeito com a minha terapeuta, agora."

"Espero que faça valer seu dinheiro", ele disse, com um sorriso sexy.

Eu tinha visto o Cara algumas vezes, e Charlotte tinha razão, o sorriso dele era um arraso. E embora eu não soubesse nada a seu respeito, algo em mim previa perigo para Charlotte. Considerando seu histórico com homens, tive a sensação de que tudo aquilo terminaria mal, e duas semanas depois, Charlotte chegou com uma informação. O Cara tinha vindo à sessão com uma mulher.

É claro, pensei. *Indisponível.* Bem o tipo de Charlotte. Na verdade, ela tinha usado a mesma expressão todas as vezes em que mencionou o Cara. "Ele é muito o meu tipo."

O que a maioria das pessoas quer dizer com *tipo* é uma sensação de atração, um *tipo* de aparência física, ou um *tipo* de personalidade que as incita. Mas o que realça o *tipo* de uma pessoa, de fato, é uma sensação de familiaridade. Não é por coincidência que as pessoas que tiveram pais mal-humorados, frequentemente, acabem escolhendo companheiros ranzinzas; as que tiveram pais alcoólatras, frequentemente são atraídas por companheiros que bebem um bocado; ou aquelas que tiveram pais reservados ou críticos vejam-se casadas com cônjuges retraídos ou exigentes.

Por que as pessoas fazem isso consigo mesmas? Porque a atração para esse sentimento do "familiar" dificulta distinguir o que elas querem como adultas daquilo que experienciaram quando crianças. Elas têm uma atração inquietante por pessoas que compartilham as características de um genitor que, sob algum aspecto, as magoou. No começo de um relacionamento, essas características mal são perceptíveis, mas o inconsciente tem um sistema de radar bem afinado, inacessível à mente consciente. Não é que as pessoas queiram se machucar novamente, mas sim dominar uma situação na qual se sentiam impotentes quando crianças. Freud chamou isso de "compulsão repetitiva". *Talvez desta vez*, o inconsciente imagina, *eu possa voltar e curar aquela ferida de tempos atrás, envolvendo-me com alguém familiar, mas novo*. O único problema é que, ao escolher companheiros familiares, as pessoas asseguram o resultado oposto: elas reabrem as feridas e se sentem ainda mais inadequadas e indignas do amor.

Isso acontece totalmente fora da consciência. Charlotte, por exemplo, dizia querer um namorado confiável, apto a intimidade, mas toda vez que conhecia alguém que era seu *tipo*, seguiam-se caos e frustração. Por outro lado, depois de um encontro com um sujeito que parecia possuir muitas das qualidades que ela afirmava querer num companheiro, ela veio à terapia e relatou: "É uma pena, mas simplesmente a química não rolou". Para seu inconsciente, a estabilidade emocional do rapaz pareceu estranha demais.

O terapeuta Terry Real descreveu nosso padrão de comportamento como "nossa família originária internalizada. Trata-se do nosso repertório de temas relacionais". As pessoas não precisam contar suas histórias com palavras, porque elas sempre as encenam para você. Com frequência, elas projetam expectativas negativas no terapeuta, mas se o terapeuta não corresponder a essas expectativas negativas, essa "experiência emocional corretiva" com uma pessoa confiável e benevolente muda os pacientes; eles aprendem que o mundo não vem a ser sua família de origem. Se Charlotte trabalhar comigo seus sentimentos complicados em relação aos pais, se descobrirá cada vez mais atraída para um *tipo* diferente, um que possa lhe dar a experiência *não* familiar que procura, com um companheiro compassivo, confiável e maduro. Até lá, todas as vezes em que encontrar um sujeito disponível que poderia amá-la, seu inconsciente rejeitará essa estabilidade como "não interessante". Ela ainda equipara sentir-se amada não a paz ou alegria, mas a ansiedade.

E assim vai. O mesmo sujeito, nome diferente, resultado igual.

"Você viu ela?", Charlotte perguntou, referindo-se à mulher que veio à terapia com o Cara. "Deve ser a namorada dele." Na rápida olhada em que eu tinha captado os dois, estavam sentados em cadeiras vizinhas, mas sem qualquer tipo de interação. Assim como o Cara, a moça era alta, com cabelo escuro e volumoso. Poderia ser sua irmã, pensei, vindo com ele para uma terapia familiar. Mas, provavelmente, Charlotte estava certa; o mais provável era que fosse sua namorada.

E agora, na sessão de hoje, dois meses depois que a namorada do Cara passou a ser um acessório na sala de espera, Charlotte voltou a dizer que vou matá-la. Percorro as possibilidades em minha mente, a primeira delas sendo de que ela dormiu com o Cara, apesar da namorada. Imaginei a namorada e o Cara sentados na sala de espera com Charlotte, a namorada sem saber que Charlotte havia dormido com seu namorado. Imaginei a garota gradualmente dando-se conta disso, e rompendo com o Cara, deixando ele e Charlotte livres para se tornarem um casal. Então, imaginei Charlotte fazendo o que costuma fazer nos relacionamentos (evitando intimidade), e o Cara fazendo o que quer que faça nos relacionamentos (só Mike sabe), e a coisa toda explodindo de maneira espetacular.

Mas estou enganada. Hoje, Charlotte acredita que vou matá-la porque, ontem à noite, quando ela estava saindo do trabalho no ramo de finanças para ir à sua primeira reunião dos Alcoólicos Anônimos, alguns colegas convidaram-na para tomar uns drinques, e ela aceitou, porque achou que seria uma boa oportunidade para fazer contatos. Então, ela me disse, sem um traço de ironia, que bebeu demais porque estava nervosa consigo mesma por não ir à reunião do AA.

"Nossa", ela diz. "Eu me odeio."

Certa vez, um supervisor me disse que todo terapeuta tem a experiência de atender um paciente com quem as similaridades sejam tão chocantes, que essa pessoa parece ser seu duplo. Quando Charlotte entrou na minha sala, eu soube que ela era essa paciente – ou quase isso. Ela era a irmã gêmea da Lori de 20 anos.

Não apenas porque éramos parecidas fisicamente e tínhamos hábitos de leitura e maneirismos similares, mas também tínhamos modos padronizados de pensar (excessivos e negativos). Charlotte procurou-me três anos depois de se formar na faculdade, e embora tudo parecesse bem externamente – tinha amigos e um trabalho respeitável, pagava suas próprias contas –, estava insegura quanto à direção da sua carreira, em conflito com os pais, e, de maneira geral, perdida. É verdade que eu não bebia em excesso, nem dormia com pessoas ao acaso, mas transitei por essa década igualmente às cegas.

Pode parecer lógico que, se você se identifica com um paciente, o trabalho ficará mais fácil porque, intuitivamente, você o compreende, mas sob vários aspectos esse tipo de identificação dificulta as coisas. Tive que ficar ultra-atenta em nossas sessões, para ter certeza de que via Charlotte como uma pessoa distinta, e não como uma versão mais jovem de mim mesma, que eu poderia voltar e consertar. Mais do que com outros pacientes, tive que resistir à tentação de intervir e corrigi-la com demasiada rapidez, quando ela se joga na poltrona, conta uma história sinuosa e termina com uma reclamação, expressa em uma pergunta: "O meu gerente não é *absurdo*?". "Dá para *acreditar* que minha colega que mora comigo disse isso?"

Contudo, aos 25 anos, Charlotte sofre, mas não tem um desapontamento significativo. Ao contrário de mim, ela não teve um acerto de contas da meia-idade. Ao contrário de Rita, não maltratou seus filhos, nem se casou com alguém abusivo. Ela tem a dádiva do tempo, se souber usá-lo com sabedoria.

Charlotte não se via como viciada ao começar o tratamento para depressão e ansiedade. Bebia, insistia, apenas "umas duas taças" de vinho, todas as noites, "para relaxar". (Imediatamente apliquei o cálculo terapêutico padrão, usado quando alguém parece defensivo em relação ao uso de drogas ou álcool: qualquer que seja a quantidade total relatada, dobre-a.)

Por fim, soube que o consumo de álcool de Charlotte, a cada noite, era de, em média, três quartos de uma garrafa de vinho, às vezes precedidos por um coquetel (ou dois). Ela disse que nunca bebia durante o dia ("a não ser nos finais de semana", acrescentou, "por motivos de *hashtag brunch*"), e raramente aparecia bêbada na frente dos outros, tendo desenvolvido uma tolerância no decorrer dos anos, mas às vezes tinha, sim, dificuldade para se lembrar de fatos e detalhes no dia seguinte à bebedeira.

Mesmo assim, acreditava que não havia nada de incomum no seu "consumo social de álcool", e estava obcecada em relação a seu "verdadeiro" vício, aquele que progressivamente a afligia, quanto mais ela permanecia na terapia: *eu*. Dizia que, se pudesse, viria todos os dias.

Toda semana, depois que eu indicava que nosso tempo estava esgotado, Charlotte suspirava dramaticamente e exclamava, surpresa: "Jura? Está falando *sério*?". Depois, bem lentamente, enquanto eu esperava junto à porta aberta, ela juntava, um a um, seus pertences espalhados: óculos escuros, celular, garrafa d'água, elástico de cabelo –, frequentemente esquecendo alguma coisa que precisaria vir buscar mais tarde.

"Viu?", dizia, quando eu sugeria que o fato de esquecer coisas era sua maneira de não deixar a sessão. "Sou viciada em terapia." Ela usava o termo genérico *terapia*, em vez do mais pessoal *você*.

Mas por mais que não gostasse de ir embora, a terapia era a configuração perfeita para alguém como Charlotte, uma pessoa que desejava ligação, mas também a evitava. Nosso relacionamento era a combinação ideal de intimidade e distância; ela podia ficar próxima a mim, mas não próxima demais, porque, terminado o horário, gostando ou não, ela ia para casa. Durante a semana, também, ela podia se aproximar, mas não demais, enviando-me por e-mail artigos que havia lido, ou frases curtas sobre algo que havia acontecido entre as sessões (*Minha mãe telefonou com um comportamento maluco, e não gritei com ela*), ou fotos de várias coisas que tinha achado divertidas (uma placa de carro com os dizeres 4EVJUNG[7] – que eu esperava não ter sido tirada enquanto ela estava embriagada no volante).

Se eu tentava conversar sobre essas coisas durante nossas sessões, Charlotte desconsiderava-as: "Ah, só achei engraçado", disse sobre a

---

[7] Lê-se *forever young* ("para sempre jovem"), se pronunciado conforme o sobrenome do célebre psiquiatra e psicoterapeuta austríaco Carl Jung. [N.T.]

placa do carro. Quando enviou um artigo sobre uma epidemia de solidão em sua faixa etária, perguntei sobre como aquilo repercutia nela. "Na verdade, de nenhuma forma", respondeu com uma expressão perplexa no rosto. "Só achei culturalmente interessante."

É claro que, no intervalo entre as sessões, os pacientes pensam o tempo todo em seus terapeutas, mas para Charlotte, manter-me presente em sua mente, parecia mais uma perda de controle do que uma ligação estável. E se ela dependesse demais de mim?

Para lidar com esse medo, por duas vezes ela já tinha deixado nossa terapia e voltado, sempre lutando para se manter longe do que chamava de sua "fixação". Nas duas vezes, ela desistiu sem aviso prévio.

Na primeira delas, comunicou, durante a sessão, que "precisava parar, e a única maneira de fazer isso era sair rapidamente". Depois, literalmente levantou-se e disparou pela porta da sala. (Eu deveria saber que algo estava para acontecer, quando ela não colocou o conteúdo da bolsa nos braços da poltrona e deixou a manta jogada sobre a cadeira.) Dois meses depois, perguntou se poderia voltar "para uma sessão", para discutir um problema com sua prima, mas quando chegou, ficou claro que sua depressão havia voltado, então permaneceu por três meses. Justo quando começou a se sentir melhor e a fazer algumas mudanças positivas, uma hora antes da sua sessão, ela me enviou um e-mail explicando que, de uma vez por todas, precisava parar.

Estava se referindo à terapia. A bebedeira continuava.

Então, uma noite Charlotte estava dirigindo para casa, vindo de uma festa de aniversário, e bateu num poste. Telefonou-me na manhã seguinte, depois que a polícia acusou-a de dirigir embriagada.

"Eu não vi aquilo de jeito nenhum", ela me disse, depois de chegar usando um gesso. "E não estou falando só do poste." Seu carro havia tido perda total, mas, milagrosamente, ela só acabou com um braço quebrado.

"Vai ver", ela disse pela primeira vez, "eu tenho um problema com bebida, e não com minha terapeuta."

Mas, um ano depois, ela continuava bebendo, quando conheceu o Cara.

29

O estuprador

No horário marcado para John, minha luz verde acende-se. Caminho pelo corredor até a sala de espera, mas quando abro a porta, a cadeira usada normalmente por John está vazia, a não ser por um saco de comida embalada para viagem. Por um minuto, penso que ele possa estar no banheiro no fim do corredor, mas a chave pública ainda está pendurada no gancho. Especulo se John está atrasado – afinal de contas, presumivelmente ele pediu a comida –, ou se decidiu não vir hoje por causa do acontecido na semana passada.

Aquela sessão havia começado normalmente. Como sempre, o entregador trouxe nossas saladas chinesas de frango, e depois de John reclamar sobre o molho ("concentrado demais") e dos hashis ("frágeis demais"), foi direto ao assunto.

"Eu estava pensando sobre a palavra 'terapeuta' em inglês, *therapist*", ele começou. Comeu uma porção da salada. "Você sabe, se ela for dividida em duas..."

Eu sabia aonde aquilo iria parar. *Therapist* é soletrado da mesma maneira que *the rapist*, "o estuprador". É uma brincadeira comum no mundo da terapia.

Sorri. "Eu me pergunto se você está tentando me dizer que às vezes é difícil estar aqui."

Sem dúvida eu havia sentido isso com Wendell, especialmente quando seus olhos pareciam me perfurar, e não havia onde me esconder. Durante o dia, os terapeutas escutam os segredos e as fantasias das pessoas, sua vergonha e seus fracassos invadindo os espaços que elas normalmente mantêm privados. Então – *bum!* – a hora acaba. Simples assim.

Somos *estupradores emocionais*?

"Difícil estar aqui?", John disse. "Não. Você pode ser um pé no saco, mas aqui não é o pior lugar para se estar."

"Então você acha que eu sou um pé no saco?". Foi preciso certo esforço para não enfatizar o *eu*, como em "Então você acha que *eu* sou um pé no saco?".

"Claro", John respondeu. "Você vive fazendo umas drogas de umas perguntas."

"Há? Como quais?"

"Como essa."

Concordei com a cabeça. "Dá para perceber o quanto isso deve te irritar."

John animou-se. "Dá?"

"Dá. Acho que você prefere me manter à distância, enquanto estou tentando te conhecer."

"E lá vaaaaamos nós de novo." John revirou os olhos dramaticamente.

No mínimo uma vez por sessão, menciono nosso padrão: minha tentativa de me conectar com ele; a tentativa dele de fugir. Pode ser que ele resista a reconhecer isso agora, mas vejo com prazer sua resistência, porque ela é uma pista de onde se acha o ponto crucial do trabalho; ela sinaliza em que um terapeuta precisa prestar atenção. Durante o estágio, sempre que nós, estagiários, sentíamo-nos frustrados com pacientes resistentes, nossos supervisores aconselhavam: "A resistência é uma amiga do terapeuta. Não lute contra ela, siga-a". Em outras palavras, antes de qualquer coisa, tente imaginar seu porquê.

Enquanto isso, eu estava interessada na segunda parte do que John tinha dito. "Só para ser mais irritante", continuei, "vou te fazer outra pergunta. Você disse que este não é o pior lugar para se estar. Qual é o pior?"

"Você não sabe?"

Dei de ombros. *Não.*

Os olhos de John saltaram. "Jura?"

Assenti.

"Ah, tenha dó, você sabe", ele disse. "Adivinhe."

Eu não queria entrar numa luta de poder com John, então dei um palpite.

"No trabalho, quando você não sente que as pessoas te entendem? Em casa, com Margô, quando sente que a está decepcionando?"

John fez o som de uma campainha de programa de competição. "Errado!" Comeu outra porção de salada, depois levantou os hashis no ar para pontuar suas palavras. "Eu vim aqui, pode ser que você se lembre, *ou não*, porque estava tendo dificuldade para dormir."

Notei sua indireta: *Ou não.*

"Eu me lembro", eu disse.

Ele soltou um suspiro enorme, como se invocasse a paciência de Gandhi. "Então, Sherlock, se tenho problema para dormir, onde você acha que, para mim, é difícil estar atualmente?"

Aqui, eu quis dizer. *Você tem dificuldade em estar aqui. Mas, na hora certa, conversaremos a respeito.*

"Na cama", eu disse.

"Bingo!"

Esperei que ele elaborasse, mas ele voltou para sua salada. Ficamos sentados juntos, enquanto ele comia e xingava seus hashis.

"Você não vai dizer nada?"

"Gostaria de escutar mais", eu disse. "No que você pensa, enquanto tenta dormir?"

"Puxa vida! Você está com algum problema de memória hoje? No que você *acha* que eu penso? Tudo que eu te conto toda semana! Trabalho, meus filhos, Margô..."

John prosseguiu, contando uma discussão que havia tido com Margô na noite anterior, sobre se sua filha mais velha deveria ganhar um celular em seu 11º aniversário. Margô queria que ela o tivesse por segurança, agora que Grace viria da escola para casa a pé, com as amigas, e John achava que a mãe estava sendo superprotetora.

"São dois quarteirões!", John disse a ela. "Além disso, se alguém tentar sequestrá-la, Grace não vai poder dizer: 'Ei, com licença, sr. Sequestrador, deixe-me dar uma paradinha aqui por um segundo, tirar meu celular da mochila e ligar para minha mãe!'. E a não ser que o sequestrador seja um completo idiota – o que ele poderia ser, tudo bem, mas provavelmente é só um filho da puta doente –, a primeira coisa que ele vai fazer, se raptar a filha de alguém, é *procurar um celular na mochila dela* e se desfazer dele, ou destruí-lo, para que a gente não possa rastrear sua localização. Então, qual é o sentido de um celular?" O rosto de John tinha ficado vermelho. Estava realmente exaltado.

Desde nossa ligação por Skype, no dia seguinte ao que Margô insinuou que poderia ir embora, as coisas entre eles tinham se acalmado. Segundo John tinha contado, ele vinha tentando escutar mais. Tentava chegar em casa mais cedo, depois do trabalho. Mas na verdade, o que me parecia é que ele estava, como disse, "apaziguando-a", enquanto o que ela provavelmente queria era exatamente aquilo em que eu e John estávamos tendo dificuldade: sua presença.

John embrulhou as sobras do seu almoço na embalagem para viagem e a arremessou para o outro lado da sala, onde ela caiu com um baque na lata de lixo.

"E é por isso que não consegui dormir", ele continuou. "Porque uma menina de 11 anos não precisa de um celular, e sabe de uma coisa? Ela vai ganhar um de qualquer jeito, porque se eu bater o pé, Margô vai ficar de cara feia e me dizer, de novo, de um jeito passivo-agressivo, que quer ir embora. E sabe por que isso? Por causa do TERAPEUTA IDIOTA dela!"

Wendell.

Tentei imaginar Wendell escutando a versão dessa história vinda de Margô. *A gente estava conversando sobre dar um celular para Grace no seu aniversário, e John simplesmente perdeu as estribeiras.* Visualizei Wendell na posição C, usando sua calça cáqui e seu cardigã, olhando Margô com a cabeça inclinada. Imaginei-o fazendo uma pergunta estilo Buda, sobre a possibilidade de ela estar curiosa com o porquê de John ter tido uma reação tão exagerada. Imaginei que, quando a sessão deles terminasse, Margô teria uma visão ligeiramente diferente dos motivos de John, exatamente como eu tinha passado a ver os atos do Namorado como não tão sociopatas.

"E sabe o que mais ela vai contar para aquele terapeuta idiota?", John continuou. "Vai contar que a porra do marido dela não pode fazer sexo com ela, porque, quando fui para a cama na mesma hora que ela, em vez de terminar meus e-mails – a propósito, outra coisa que estou fazendo para deixá-la feliz –, estava tão louco da vida que não quis transar. Ela se aproximou de mim, mas eu disse que estava cansado e não me sentia bem. Como uma dona de casa nos anos 50, com dor de cabeça. Deus do céu!"

"Às vezes, nossos estados emocionais podem mesmo afetar nossos corpos", eu disse, tentando normalizar aquilo para John.

"Dá para deixarmos meu pênis fora disso? Este não é o foco da questão."

O tema sexo aparece em quase todos os pacientes que eu atendo, da mesma maneira que o amor. Mais cedo, tinha perguntado a John sobre sua vida sexual com Margô, considerando as dificuldades no relacionamento deles. É comum acreditar-se que a vida sexual das pessoas reflete seus relacionamentos, que um bom relacionamento equivale a uma boa vida sexual, e vice-versa. Mas isso só é verdade às vezes. Com a mesma frequência, existem pessoas que têm relacionamentos extremamente problemáticos e um sexo fantástico, e pessoas profundamente apaixonadas, mas que não reagem com a mesma intensidade entre quatro paredes.

John havia me contado, então, que a vida sexual deles era "ok". Quando perguntei o que "ok" significava, ele disse que sentia atração por Margô e gostava de fazer sexo com ela, mas que eles iam para a cama em horários diferentes, então isso acontecia com menos frequência do que no passado. Mas era muito comum ele se contradizer. A certa altura, ele disse que tendia a iniciar o sexo, mas que Margô não queria; outra vez, disse que, em geral, ela tomava a iniciativa, "mas só se eu faço o que ela quer durante o dia". Uma vez, disse que eles tinham conversado sobre seus desejos e necessidades sexuais; em outra, disse: "Temos feito sexo um com o outro por mais de uma década. O que tem para conversar a respeito? A gente sabe o que o outro quer". Agora, eu tinha a sensação de que John estava tendo problema para ter uma ereção, e se sentia humilhado.

"O foco da questão", John continuou, "é que existem dois pesos e duas medidas em nossa casa. Se Margô estiver cansada demais para fazer sexo numa noite, eu relevo, não a encurralo na manhã seguinte enquanto ela está com a escova de dente na boca e digo:" – aqui ele fez novamente sua imitação de Oprah – "'Sinto muito que você não estivesse se sentindo bem ontem à noite. Talvez a gente consiga arrumar um tempo para se relacionar hoje à noite'."

John olhou para o teto e balançou a cabeça.

"Os homens não falam assim, não dissecam cada coisinha e acham que aquilo tem um 'significado'." Ele fez aspas no ar, quando disse a palavra *significado*.

"É como cutucar uma casca de ferida, em vez de deixá-la sossegada."

"Exatamente!", John concordou. "E agora eu sou o vilão, a menos que ela possa tomar todas as decisões! Se tenho uma opinião, não estou 'vendo'" – mais aspas no ar – "quais são as 'necessidades' de Margô. Então, Grace entra na discussão e diz que não estou sendo razoável, que 'todo mundo' tem celular, e é dois contra um, as meninas venceram! Ela realmente disse isto: 'As meninas venceram'".

Agora que ele tinha terminado com as aspas no ar, abaixou os braços. "E é então que percebo que parte do que estava me deixando maluco e dificultando meu sono é que há um excesso de estrógeno na casa, e ninguém entende meu ponto de vista! Ruby vai entrar no ensino fundamental no ano que vem, mas já se comporta como sua irmã mais velha. E Gabe está ficando muito emocional, como se fosse adolescente. Sou voto vencido em minha própria casa, e todos querem alguma coisa de mim a cada minuto, ninguém entende que eu também possa precisar de alguma coisa, como paz, sossego e alguma voz sobre o que acontece!"

"Gabe?"

John ergue o corpo. "O quê?"

"Você disse que Gabe estava ficando muito emocional. Estava querendo dizer Grace?" Conferi rapidamente minha memória: sua filha de 4 anos era a Ruby, e a mais velha, Grace. Ele não tinha acabado de dizer que Grace queria um celular de presente de aniversário? Ou eu tinha entendido errado? Seria Gabriella? Gabby poderia virar Gabe, da mesma maneira que algumas meninas chamadas Charlotte são chamadas de Charlie, hoje em dia? Certa vez, eu tinha confundido Ruby com Rosie, o cachorro deles, mas tinha toda certeza de que o nome de Grace estava certo.

"Falei?" Ele pareceu nervoso, mas se recuperou rapidamente. "Bom, quis dizer Grace. É óbvio que estou com falta de sono. Como eu te *disse*."

"Mas você conhece algum Gabe?" Algo na reação de John fez com que eu suspeitasse que isso não se tratasse apenas de insônia. Perguntei-me se Gabe seria alguém significativo em sua vida, como um dos seus irmãos, um amigo de infância, o nome do pai dele?

"Essa é uma conversa idiota", John disse, desviando os olhos. "Eu quis dizer Grace. Às vezes um charuto não passa de um charuto, dr. Freud."

Ficamos os dois calados.

"Quem é Gabe?", perguntei com delicadeza.

John ficou em silêncio por um longo tempo. Seu rosto passou por uma série de expressões em rápida sucessão, como o vídeo acelerado de uma tempestade. Isso era novidade; em geral, ele tinha duas modalidades: zangado e engraçadinho. Acabou olhando para seus tênis, os mesmos tênis xadrez que eu tinha visto em nossa chamada por Skype, e mudou para o modo mais seguro, neutro.

"Gabe é meu filho", John disse tão baixinho que mal pude escutá-lo. "Que tal essa reviravolta no caso, Sherlock?"

Então, agarrou seu celular, saiu pela porta e fechou-a ao passar.

Agora, cá estou eu, uma semana depois, parada na sala de espera vazia, e não sei ao certo o que fazer com o fato de nossos almoços terem chegado, mas John não. Não soube dele desde a revelação, mas tenho pensado nele. *Gabe é meu filho* ecoou pela minha mente nos momentos mais aleatórios, principalmente na hora de dormir.

Isso pareceu um clássico exemplo de "identificação projetiva". Na projeção, um paciente atribui suas crenças a outra pessoa; na identificação projetiva, ele as insere em outra pessoa. Por exemplo, um homem pode se sentir zangado com seu chefe no trabalho, então chega em casa e diz para a esposa: "Você parece zangada". Ele está projetando, porque a esposa *não está* zangada. Por outro lado, na identificação projetiva, o homem está zangado com o chefe, volta para casa, e essencialmente *insere sua raiva em sua companheira*, fazendo com que, de fato, ela fique zangada. A identificação projetiva é como jogar uma batata quente para a outra pessoa. O homem já não precisa sentir sua raiva, já que agora ela vive dentro da sua companheira.

Falei sobre a sessão de John no meu grupo de aconselhamento de sexta-feira. Assim como ele andara deitado na cama com um turbilhão de pensamentos em sua mente, contei ao grupo que agora eu estava fazendo a mesma coisa, e ao conter toda a sua ansiedade, provavelmente ele estava dormindo como um bebê.

Enquanto isso, minha memória rebobinou. O que fazer com a bomba que ele havia detonado antes de sair pela porta? *John tem um filho? Da juventude? Estaria levando uma vida dupla? Margô sabe?* Revi nossa sessão depois do jogo do Lakers, quando ele comentou o fato de eu e meu filho estarmos de mãos dadas. *Aproveite enquanto dure.*

O que John fez, pelo menos a parte de ir embora, não é incomum. Especialmente em terapia de casais, os pacientes, ocasionalmente, vão embora quando se sentem encurralados por sentimentos intensos. Às vezes, essa pessoa se beneficia de um telefonema do terapeuta, particularmente se o motivo de sua saída tiver a ver com sentimentos mal compreendidos ou feridos. Mas, com frequência, é melhor deixar os pacientes a sós com seus sentimentos, se situando, e depois trabalhar isso com eles na sessão seguinte.

Meu grupo de aconselhamento acreditava que se John já estivesse se sentindo encurralado pelas pessoas à sua volta, um telefonema meu poderia ser além da conta. Todos concordaram: recue, não o pressione, espere que volte.

Só que hoje ele não está aqui.

Pego a embalagem para viagem sem identificação, na sala de espera, e olho para me certificar de que seja nossa. Dentro há duas saladas chinesas de frango e o refrigerante de John.

Será que ele se esqueceu de cancelar o pedido, ou está usando a comida para se comunicar comigo, fazendo com que sua ausência seja notada? Às vezes, quando as pessoas não aparecem, fazem isso para punir o terapeuta e mandar uma mensagem: *Você me deixou nervoso.*

E, às vezes, eles tentam fazer isso para evitar não apenas o terapeuta, mas eles mesmos, evitar o confronto com sua vergonha ou dor, ou com a verdade que sabem que precisam revelar. As pessoas comunicam-se através do seu comparecimento, se são pontuais ou chegam atrasadas, se cancelam um horário antecipadamente, ou simplesmente não aparecem.

Vou até a cozinha, coloco a sacola de comida na geladeira e resolvo usar o horário para atualizar as observações no prontuário. Ao chegar à minha mesa, noto que tenho alguns recados de voz.

O primeiro é de John.

"Oi, sou eu", começa sua mensagem. "Merda, me esqueci completamente de cancelar, até que meu celular bipou logo agora, com nosso, hum, compromisso. Normalmente, minha assistente agenda tudo, mas como eu mesmo lido com a parte da terapia... Seja como for, não vou poder ir hoje. O trabalho está uma loucura e não dá para eu sair. Sinto muito."

Meu primeiro pensamento é que John precise de algum espaço, e vá voltar na próxima semana. Imagino que tenha lutado até o último minuto quanto a vir ou não hoje, e foi por isso que não telefonou antes... E esse é também o motivo para que o pedido automático de comida tenha aparecido aqui sem ele.

Mas, então, ouço minha próxima mensagem: "Ei, sou eu de novo. Então, há, na verdade, eu não me *esqueci* de telefonar". Há uma longa pausa, tão longa que acho que John possa ter desligado. Estou prestes a apertar o *apagar*, quando ele, finalmente, continua: "Eu ia te contar que, há, não vou mais fazer terapia, mas não se preocupe, não é porque você seja uma idiota. Percebi que se não estou conseguindo dormir, deveria arrumar um remédio para isso. É óbvio. Então eu comprei um e... problema resolvido! É melhor viver pela química, ha, ha. E, há, quanto ao outro assunto que falamos, você sabe, todo o estresse que venho sofrendo, acho que a vida é isso, e se eu conseguir dormir, vou ficar menos perturbado com tudo. Os idiotas sempre serão idiotas, e não existe remédio pra isso, certo? Teríamos que medicar metade da cidade, se houvesse!". Ele ri da própria piada, a mesma risada de que me lembro, quando disse que eu seria como sua amante. Sua risada é seu escudo.

"Seja como for", ele continua, "sinto muito pelo aviso de última hora. E sei que te devo por hoje, não se preocupe, sou ponta firme nisso." Ele ri de novo, e depois desliga.

Olho para o telefone. É isso? Nenhum *Obrigado*, nem mesmo um *Tchau* no final, simplesmente... acabou? Eu esperava que algo do tipo pudesse acontecer, após as primeiras sessões, mas agora que eu o estava atendendo por quase seis meses, fico surpresa com essa partida repentina. À sua própria maneira, John parecia estar construindo uma ligação comigo. Ou, talvez, eu é que estivesse construindo uma ligação com ele. Acabei sentindo um afeto verdadeiro por John, a ver flashes de humanidade por detrás da sua fachada antipática.

Penso nele e em seu filho Gabe, um menino ou homem feito, que pode ou não conhecer o pai. Especulo se, em algum nível, John quer me deixar com o ônus desse mistério, um grande foda-se por não ajudá-lo a se sentir melhor com a rapidez necessária. *Toma essa, Sherlock, sua idiota.*

Quero que John saiba que estou aqui, comunicar de algum modo que ele pode lidar com o que quer que traga para a terapia. Quero que saiba que é seguro conversar sobre Gabe aqui, por mais que essa situação, ou esse relacionamento, possa ser difícil. Ao mesmo tempo, quero respeitar o ponto em que ele está agora. *Não quero ser a estupradora.*

Mas teria sido muito melhor dizer tudo isso pessoalmente. Em minha documentação de consentimento, entregue aos pacientes antes de iniciar o tratamento, recomendo que eles participem de, no mínimo, duas sessões de término. Discuto isso, no início, com os novos pacientes; assim, se algo os deixar nervosos durante o tratamento, eles não precisam agir impulsivamente para se livrar dos sentimentos desconfortáveis. Mesmo que achem que seja melhor parar, pelo menos será uma decisão ponderada, para que possam ir embora sentindo que fizeram uma escolha cuidadosa e analisada.

Enquanto tiro alguns prontuários de pacientes, lembro-me de algo que John disse, enquanto deixava escapar o deslize sobre Gabe. *Há um excesso de estrógeno na casa, e ninguém entende meu ponto de vista!... Sou voto vencido... Todos querem alguma coisa de mim... Ninguém entende que eu também possa precisar de alguma coisa, como paz, sossego e alguma voz sobre o que acontece!*

Agora faz sentido; Gabe poderia neutralizar um pouco do estrógeno. Talvez John ache que Gabe o compreende – ou entenderia, se participasse da vida de John.

Pouso minha caneta e ligo para ele. Quando sua saudação da caixa postal termina, digo: "Oi John, é a Lori. Recebi sua mensagem e agradeço o fato de me comunicar. Acabei de pôr nossos almoços na geladeira e pensei na semana passada, quando você disse que ninguém entendia que *você* também poderia precisar de alguma coisa. Acho que você tem razão, que precisa de algo, mas não tenho tanta certeza de que ninguém entenda isso. Todo mundo precisa de algumas coisas, geralmente uma porção delas. Gostaria de saber quais são as suas necessidades. Você mencionou precisar de paz e sossego, e talvez encontrar isso na turbulência da sua mente vá envolver Gabe, talvez não, mas não precisamos conversar sobre Gabe, caso você não queira. Estarei aqui, se mudar de ideia e decidir que quer vir na semana que vem para continuar nossa conversa, mesmo que seja apenas pela última vez. Minha porta está aberta para você. Tchau, por enquanto".

Faço uma anotação no prontuário de John, e depois o fecho, mas ao me inclinar sobre o arquivo, decido não guardá-lo, hoje, na seção de "Pacientes terminados". Lembro-me do quanto era difícil, para nós, alunos da faculdade de medicina, aceitar que alguém tivesse morrido e que não havia nada mais que pudéssemos fazer, ter que ser a pessoa a "declarar a morte", dizer em voz alta aquelas palavras temíveis: *Hora da morte...* Olho para o relógio: 15h17.

Vamos esperar mais uma semana, penso. *Ainda não estou pronta para isso.*

30

Pontualmente

No meu último ano da graduação, tive que fazer um estágio clínico como trainee. O estágio de trainee é como uma versão light das três mil horas de residência que vêm mais tarde e são exigidas para o licenciamento. A essa altura, eu tinha feito o trabalho de conclusão de curso, participado de dramatizações e assistido a inúmeras horas de vídeo de terapeutas renomados em plena atividade. Também tinha me sentado atrás de um espelho unidirecional e observado nossos professores mais competentes em sessões de terapia em tempo real.

Agora, era hora de entrar em uma sala com meus próprios pacientes. Assim como a maioria dos trainees nessa área, eu faria isso sob supervisão em uma clínica comunitária, bem semelhante à maneira como os médicos residentes fazem seu treinamento em hospitais-escola.

No meu primeiro dia, imediatamente após a orientação, minha supervisora entrega-me uma pilha de prontuários e explica-me que o de cima será meu primeiro caso. O prontuário contém apenas informações básicas: nome, data de nascimento, endereço, números de telefone. A paciente, Michelle, que tem 30 anos e indicou o namorado como seu contato de emergência, chegará em uma hora.

Se parecer estranho que essa clínica permita que eu, uma pessoa com zero experiência em terapia, assuma o tratamento de alguém, trata-se simplesmente da maneira como os terapeutas são treinados – fazendo-a. A faculdade de medicina também era uma prova de fogo; os alunos aprendiam os procedimentos através do método "veja, faça, ensine". Em outras palavras, você observava um médico, digamos, apalpando um abdômen, você mesmo apalpava o abdômen seguinte e depois ensinava a outro aluno. *Voilà!* Você foi considerado competente para apalpar abdomens.

No entanto, para mim, a terapia parecia diferente. Achei que realizar uma tarefa concreta, com etapas específicas, como apalpar um abdômen ou inserir uma intravenosa, era menos estressante do que descobrir como aplicar as numerosas teorias psicológicas abstratas, que tinha estudado nos últimos anos, às centenas de situações possíveis que um paciente terapêutico pudesse apresentar.

Ainda assim, enquanto vou até a sala de espera conhecer Michelle, não estou terrivelmente preocupada. Essa sessão inicial de cinquenta minutos é uma captação, o que significa que vou reunir um histórico e estabelecer alguma relação com a moça. Só preciso recolher informações usando um conjunto específico de perguntas como guia, depois, levo esses resultados para a minha supervisora de modo a podermos planejar um tratamento. Passei anos como jornalista, fazendo perguntas de sondagem e estabelecendo um clima confortável com pessoas que não conhecia. *Quão difícil isso pode ser?*, penso.

Michelle é alta e magra demais. Suas roupas estão amarrotadas, o cabelo maltratado, a pele macilenta. Depois de nos sentarmos, começo perguntando o que a traz aqui, e ela me conta que, recentemente, vem tendo dificuldade para fazer qualquer coisa, exceto chorar.

Então, como uma deixa, ela começa a chorar. E quando digo chorar, quero dizer uivar da maneira que alguém poderia fazer ao ser informado de que a pessoa que mais ama no mundo acaba de morrer. Não existe preâmbulo, nenhuma umidade nos olhos que leve a um fraco chuvisco e gradualmente a um aguaceiro. Este é um tsunami nível quatro. Todo o seu corpo se sacode, pinga muco do seu nariz, da garganta emanam ruídos asmáticos e, francamente, não sei bem como é que ela consegue respirar.

A sessão começou há trinta segundos. Não foi assim que as captações simuladas transcorreram na faculdade.

A não ser que você já tenha se sentado numa sala silenciosa, sozinha com um desconhecido aos soluços, você realmente não sabe o quanto isso é, ao mesmo tempo, estranho e íntimo. Para tornar a situação ainda pior, não tenho um contexto para esse ataque, porque ainda não cheguei na parte do histórico. Não sei nada sobre essa pessoa extremamente perturbada, sentada a poucos centímetros de mim.

Não sei ao certo o que fazer, nem para onde olhar. Se eu olhar diretamente para ela, ela se sentirá constrangida? Se olhar para o outro lado, se sentirá ignorada? Deveria dizer algo para me relacionar com ela, ou esperar que acabe de chorar? Estou tão desconfortável que tenho medo de soltar uma risadinha nervosa. Tento me manter focada, pensando na minha lista de perguntas, e sei que deveria perguntar há quanto tempo ela se sente assim ("histórico da condição presente"), quão grave tem sido, se aconteceu algo que provocasse isso ("evento precipitante").

Mas não faço nada. Gostaria que, neste momento, minha supervisora estivesse na sala comigo. Sinto-me totalmente inútil.

O tsunami continua sem sinal de amainar. Considero dar um tempo, imaginando que logo ela ficará sem energia, e em seguida pronta para falar, como acontecia com meu filho, quando pequeno, depois de ter um ataque de birra. Mas a coisa continua. E continua. Por fim, decido dizer alguma coisa, mas assim que as palavras saem dos meus lábios, fico convencida de que acabei de soltar a coisa mais estúpida que qualquer terapeuta já disse no histórico da profissão.

Digo: "É, você parece mesmo deprimida".

Assim que digo isso, sinto-me mal por essa mulher, como se devesse pontuá-lo com um grande *dã*. Essa pobre deprimida de 30 anos está sofrendo tremendamente, e não está vindo aqui para que uma trainee, em seu primeiro dia, possa afirmar o óbvio. Enquanto procuro pensar em como corrigir meu erro, me pergunto se ela pedirá outra terapeuta. Tenho certeza de que não irá querer ser tratada por alguém como eu.

Mas, em vez disso, Michelle para de chorar. Com a mesma rapidez com que começou, enxuga as lágrimas com um lenço de papel e respira fundo, demoradamente. Então, dá um meio sorriso.

"É", ela diz, "*estou numa depressão fodida.*" Parece quase eufórica em dizer isso em voz alta. Ela me conta que é a primeira vez que alguém diz a palavra *deprimida*, referindo-se a seu estado.

Ela continua, explicando que é arquiteta e que tem tido um relativo sucesso, fazendo parte de uma equipe que projetou alguns prédios bem conceituados. Diz que sempre foi melancólica, mas que ninguém de fato sabe a extensão disso, porque, em geral, é sociável e agitada. No entanto, há cerca de um ano, notou uma mudança. Seu nível de energia abaixou, bem como seu apetite. Só o fato de sair da cama pela manhã parecia um enorme esforço. Não dormia bem. Sentiu acabar o amor que nutria pelo namorado, com quem morava, mas não estava certa se era por estar tão deprimida, ou por ele não ser a pessoa certa para ela. Nos últimos meses, chorava escondido todas as noites, no banheiro, enquanto o namorado dormia, tomando cuidado para não acordá-lo. Nunca chorou na frente de ninguém como acabou de fazer comigo.

Ela chora mais um pouco, e, em meio às lágrimas, diz: "Isso é como... ioga emocional".

O que a trouxe aqui agora, confessa, é que seu trabalho começou a ficar desleixado, e seu chefe reparou. Não consegue se concentrar, porque todo seu foco está em tentar não chorar. Deu uma olhada nos sintomas da depressão e identificou todos eles. Nunca fez terapia, mas sabe que precisa de ajuda. Ninguém, ela diz, olhando-me nos olhos, nem seus amigos, nem o namorado, ou a família, sabe o quanto está deprimida. Só eu.

Eu, a trainee que nunca praticou terapia.

(Se alguma vez você quiser uma prova de que aquilo que as pessoas mostram on-line é uma versão mais bonita da vida delas, torne-se terapeuta e dê um Google nos seus pacientes. Mais tarde, quando dei um Google em Michelle, por estar preocupada – rapidamente aprendi a nunca mais fazer isso, a sempre deixar os pacientes serem os únicos narradores das suas histórias –, surgiram várias páginas com resultados. Vi imagens dela recebendo um prêmio respeitado, sorrindo em um evento, em pé ao lado de um rapaz bonito, parecendo equilibrada e confiante, em paz com o mundo em uma foto de página inteira em uma revista. On-line, ela não tinha nenhuma semelhança com a pessoa sentada à minha frente, naquela sala.)

Agora, converso com Michelle sobre sua depressão, descubro que ela está pensando em suicídio, tenho uma dimensão do quanto ela é funcional, qual é seu sistema de apoio e o que ela faz para resistir. Estou atenta ao fato de que preciso levar um histórico para minha supervisora – a clínica precisa disso para seus registros –, mas sempre que pergunto algo, Michelle desvia o assunto, o que nos leva em uma direção totalmente diferente. Reencaminho sutilmente, mas isso, inevitavelmente, nos leva para outro rumo, e tenho plena consciência de que não estou chegando a lugar algum com o histórico.

Decido apenas escutar, por um tempo, mas não consigo bloquear completamente meus pensamentos: *Será que os outros trainees sabem como fazer isso na primeira vez? A pessoa pode ser despedida desse trabalho em seu primeiro dia?* E quando Michelle recomeça a chorar, *Será que existe alguma coisa que eu possa fazer ou dizer que a ajude nem que seja um pouquinho, antes que ela vá embora... Espere, quantos minutos restam?*

Olho para o relógio na mesa ao lado do sofá. Passaram-se dez minutos.

Não, penso. *Com certeza estamos aqui há mais de dez minutos! Está mais para vinte, trinta, ou... Não faço ideia. Só foram dez?* Agora Michelle está entrando em grandes detalhes sobre todas as maneiras pelas quais ela sabotou sua vida. Volto a escutar, depois olho mais uma vez para o relógio. Continuam dez minutos de sessão.

É então que percebo: os ponteiros não estão se mexendo! A bateria deve ter acabado. Meu celular está em outra sala, e embora seja provável que Michelle tenha um em sua bolsa, não posso chegar a ponto de lhe perguntar as horas no meio da sua história.

Ótimo.

E agora? Deveria dizer, arbitrariamente, "Nosso horário terminou", mesmo que eu não faça ideia se decorreram vinte, quarenta ou sessenta minutos? E se eu interromper cedo demais ou tarde demais? Devo atender meu segundo novo paciente depois dela. Será que ele está sentado na sala de espera, imaginando se me esqueci da sua consulta?

Entrando em pânico, já não presto muita atenção no que Michelle está dizendo. Então, escuto isto: "Já acabou? Foi mais rápido do que eu esperava!".

"Há?", digo.

Michelle aponta para algum lugar atrás da minha cabeça, e eu me viro para olhar. Há um relógio na parede, logo atrás de mim, para que os pacientes possam ver as horas.

Ah. Eu não fazia ideia, e espero que ela não faça ideia de que eu não fazia ideia. Só sei que meu coração está disparado e que, embora a sessão tenha passado rápido para Michelle, para mim pareceu uma eternidade. Seria preciso prática até que eu viesse a sentir, por instinto, o ritmo de cada sessão, saber que havia um arco em cada hora, com as partes mais intensas no terço médio, e que seria preciso três, cinco ou dez minutos para o paciente se recompor, dependendo da sua fragilidade, do assunto em questão, do contexto. Levaria anos para eu aprender o que devia ou não ser mencionado, quando e como trabalhar com o tempo disponível para conseguir o máximo do seu rendimento.

Acompanho Michelle até a saída, envergonhada por ficar perturbada e distraída, por não reunir seu histórico e ter que me reportar à minha supervisora de mãos vazias. Durante toda a graduação, nós, estudantes, tínhamos aguardado o Grande Dia, quando perderíamos nossa virgindade terapêutica, e agora, penso, a minha acabou sendo mais vergonha do que emoção.

Então, o alívio: discutindo a sessão naquela tarde com minha supervisora, ela diz que, apesar da minha falta de jeito, eu me saí bem. Tinha feito companhia a Michelle em seu sofrimento, o que, para muitas pessoas, pode ser uma experiência incomum e poderosa. Na próxima vez, não vou me preocupar tanto em ter que fazer alguma coisa para impedi-lo. Estive lá para escutá-la, quando ela precisou descarregar o segredo opressivo da sua depressão. Na terminologia da teoria terapêutica, "eu tinha me reunido com a paciente onde ela estava", a captação histórica que se danasse.

Anos depois, já tendo feito milhares de primeiras sessões, e o recolhimento de informações se tornado algo natural e instintivo, eu usaria um barômetro diferente para julgar como a coisa andou: *O paciente sentiu-se compreendido?* Sempre me surpreende que alguém possa entrar numa sala como um estranho e depois, passados cinquenta minutos, sair sentindo-se compreendido, mas isso acontece quase sempre. Quando não, o paciente não volta. E como Michelle voltou, algo deu certo.

Quanto à confusão do relógio, no entanto, minha supervisora não mediu suas palavras: "Não enrole seus pacientes".

Ela deixou sua fala fazer efeito, depois explicou que se eu não souber alguma coisa, deveria simplesmente dizer: "Não sei". Se eu estava confusa com o tempo, deveria ter dito a Michelle que precisava sair da sala um segundo, para trazer um relógio que funcionasse, de modo a não me distrair. Se for para eu aprender alguma coisa nesse estágio, minha supervisora enfatiza, é que não posso ajudar ninguém se não for autêntica naquela sala. Eu tinha me preocupado com o bem-estar de Michelle, tinha querido ajudar, tinha feito o possível para escutar; tudo isso são ingredientes-chave para o começo de um relacionamento.

Agradeci-lhe e dirigi-me para a porta.

"Mas", minha supervisora acrescenta, "não deixe de obter esse histórico nas próximas duas semanas."

Nas sessões seguintes, consigo o necessário para o formulário de admissão da clínica, mas fica claro para mim que não passa disso, um formulário. Leva-se um tempo para escutar a história de alguém, e para que a pessoa a conte, e como a maioria das histórias, inclusive a minha, ela quica por todo canto, antes que se saiba qual é realmente a trama.

Parte três

Aquilo que causa a noite dentro de nós também pode deixar estrelas.

Victor Hugo

31

Meu útero vagante

Tenho um segredo.

Tem algo de errado com o meu corpo. Eu poderia estar morrendo, ou talvez não seja nada, e nesse caso não há motivo para eu revelar meu segredo.

Essa questão da minha doença começou há uns dois anos, algumas semanas antes de eu conhecer o Namorado. Ou, pelo menos, acho que foi assim. Meu filho e eu estávamos em nossas férias de verão, passando uma semana relaxante no Havaí com meus pais. No entanto, na noite anterior à nossa volta para casa, uma dolorosa e forte erupção cutânea pareceu surgir do nada e devorar meu corpo. Passei a viagem de avião de volta drogada com anti-histamínicos e lambuzada de creme à base de cortisona, comprado sem receita, coçando-me tanto que, quando aterrissamos, minhas unhas estavam incrustadas de sangue. Em poucos dias, a erupção diminuiu, e meu médico fez alguns exames, atribuindo-a a uma reação alérgica aleatória. Mas isso tinha parecido um presságio estranho, um prenúncio do que estava por vir.

Algo parecia estar espreitando dentro de mim, atacando meu corpo nos vários meses que se seguiram, enquanto eu olhava para outro lado (que na época era diretamente nos olhos do Namorado). Sim, eu me sentia cansada e fraca, e tinha uma série de sintomas preocupantes, mas conforme minha condição piorava, convenci-me de que deveria ser uma alteração de estâmina, que acontece na faixa dos 40. Meu médico fez mais exames e descobriu alguns indicadores de doença autoimune, mas nenhum que pudesse ser vinculado a alguma doença específica, como, digamos, lúpus. Mandou-me para uma reumatologista, que suspeitou que eu pudesse ter fibromialgia, condição que não pode ser diagnosticada com um exame específico. A ideia era tratar os sintomas e ver se melhoravam, e foi quando o antidepressivo *off-label* acabou indo parar no meu registro da farmácia em frente ao consultório. Logo, eu frequentaria aquela drogaria assiduamente, buscando cremes de cortisona para erupções bizarras, antibióticos para infecções não diagnosticadas e remédios antiarrítmicos para minha frequência cardíaca irregular. Mas meus médicos não conseguiam descobrir o que havia de errado, e concluí que isso era um bom sinal; se eu *tivesse* uma doença grave, meus médicos já teriam descoberto. *Notícia ruim chega rápido*, disse a mim mesma.

Exatamente como com o livro sobre felicidade causador de tormento, segui em frente, mantendo minhas preocupações com saúde tão confidenciais quanto minhas preocupações com a escrita. Não era que eu escondesse de propósito minha situação médica das minhas amigas mais chegadas e da família; era mais que escolhi escondê-la de mim mesma. Assim como o médico que desconfia ter câncer, mas adia os exames de imagem, achei bem mais conveniente simplesmente não lidar com aquilo. Ainda que eu já não tivesse forças para me exercitar e inexplicavelmente perdera quase cinco quilos, sentindo-me lerda e pesada, mesmo ficando mais leve, assegurava a mim mesma que deveria ser algo benigno como, sei lá, a menopausa. (Não importa que eu ainda não estivesse na menopausa.)

Quando eu me permitia pensar no assunto, fazia uma pesquisa on-line e me inteirava de que estava morrendo de basicamente tudo, para depois me lembrar de que na faculdade de medicina, nós, alunos, sofríamos de "doença dos estudantes de medicina". Esse é um fenômeno verdadeiro, documentado na literatura, no qual os estudantes de medicina acreditam estar sofrendo de qualquer que seja a doença que estejam estudando. No dia em que aprendemos sobre o sistema linfático, um grupo da sala sentiu os nódulos linfáticos uns dos outros no decorrer do jantar. Uma aluna colocou as mãos no meu pescoço e exclamou: "UAU!".

"Uau o quê?", perguntei.

Ela fez uma careta. "Parece um linfoma". Levantei os braços e apalpei meu pescoço. Ela tinha razão; eu tinha um linfoma! Vários outros colegas apalparam meu pescoço e concordaram; eu estava frita. Melhor verificar minha contagem de leucócitos, eles disseram. Vamos fazer uma biópsia nesses nódulos!

No dia seguinte, na sala de aula, nosso professor apalpou meu pescoço. Meus nódulos eram grandes, mas estavam dentro da variação normal. Eu não tinha linfoma; tinha a "doença dos estudantes de medicina".

Deduzi que agora, provavelmente, eu também não tinha nada; só que lá no fundo sabia que não era normal alguém na faixa dos 40, acostumada a correr, não conseguir mais praticar exercícios e se sentir doente todos os dias. Acordava formigando, com os dedos vermelhos, grossos como salsichas, os lábios inchados como se tivessem sido picados por abelhas. Meu clínico geral pediu ainda mais exames de laboratório, alguns deles com resultados anormais ou, segundo ele, "peculiares". Enviou-me para ressonâncias magnéticas, tomografias e biópsias, algumas das quais também tiveram resultados "peculiares". Fui encaminhada para especialistas para interpretarem os vários exames "peculiares" de laboratório e de imagem, além dos sinais e sintomas, e estive em tantos especialistas que comecei a chamar minha odisseia de "Medical Mystery Tour".

Era realmente um mistério. Baseado nos exames de laboratório, um médico achou que eu tivesse uma forma rara de câncer, mas a tomografia eliminou essa possibilidade; outro pensou ser alguma espécie de vírus, a começar pela erupção; outro acreditou ser uma doença metabólica (meus olhos estavam cheios de sedimentos que ninguém conseguia diagnosticar); e mais um pensou que eu tivesse esclerose múltipla (minha tomografia cerebral apresentou pontos que não eram típicos dessa doença, mas poderiam ser atribuídos a uma apresentação incomum). Por várias vezes, pensou-se que eu podia ter problema de tireoide, esclerodermia, ou, sim, linfoma (novamente aqueles gânglios aumentados; será que isso tinha, realmente, começado lá atrás, na faculdade de medicina, permanecendo adormecido até agora?).

Mas todos os exames deram negativos.

Cerca de um ano nesse estado, a cuja altura eu tinha desenvolvido disfunção temporomandibular e tremor nas mãos, um neurologista, que usava botas de caubói verdes e falava com um forte sotaque italiano, acreditou ter descoberto meu problema. A primeira vez em que estive em seu consultório, ele entrou na sala, acessou o sistema informatizado do hospital, reparou na longa lista de especialistas com quem eu tinha me consultado ("Bom, com certeza você procurou todo mundo na cidade, não é?", disse, com leviandade, como se eu fosse promíscua), e pulando o exame, imediatamente fez o diagnóstico. Achava que eu era uma versão moderna da histérica de Freud, passando pelo que é conhecido como "transtorno de conversão".

Trata-se de uma condição na qual a ansiedade de uma pessoa é "convertida" em problemas neurológicos, tais como paralisia, transtornos de equilíbrio, incontinência, cegueira, surdez, tremores e convulsões. Os sintomas são frequentemente temporários e tendem a estar relacionados (às vezes, simbolicamente) com o fator de estresse psicológico em sua raiz. Por exemplo, depois de ver algo traumático (como a esposa na cama com outra pessoa, ou um assassinato terrível), um paciente pode sofrer cegueira. Depois de uma queda horrorosa, uma paciente poderia passar por paralisia nas pernas, ainda que não houvesse evidência funcional de dano neural. Ou um homem que sinta que sua raiva em relação à esposa seja inaceitável pode sentir entorpecimento nos braços, que fantasiou erguer para agredi-la.

As pessoas com transtorno de conversão não estão fingindo, o que é chamado de "transtorno factício". As pessoas com esse transtorno têm necessidade de serem vistas como doentes e intencionalmente fazem todo o possível para *parecer* doentes. Por outro lado, no transtorno de conversão, o paciente de fato *vivencia* esses sintomas, só que não há uma explicação médica identificável para eles. Parecem ser causados por perturbações emocionais das quais o paciente não tem a menor consciência.

Eu não achava que tinha transtorno de conversão. Mas, de novo, se ele fosse causado por um processo *inconsciente*, como eu poderia saber?

Os transtornos de conversão têm um longo histórico e vêm sendo documentados desde quatro mil anos atrás, no Egito antigo. Assim como a maioria dos transtornos emocionais, eles eram desproporcionalmente diagnosticados em mulheres. Na verdade, acreditava-se que os sintomas fossem causados pelo útero da mulher, movendo-se para cima ou para baixo, síndrome que veio a ser conhecida como "útero vagante".

O tratamento? A mulher deveria colocar aromas ou condimentos agradáveis perto do corpo, na direção oposta ao local onde o útero teria, supostamente, vagado. Acreditava-se que essa "cura" atrairia o útero de volta para sua posição adequada.

No século V a.C., no entanto, Hipócrates observou que os aromas não pareciam estar funcionando para tal doença, a qual chamou de "histeria", a partir da palavra grega para "útero". Sendo assim, o tratamento para mulheres histéricas passou de aromas e condimentos para exercícios, massagens e banhos quentes. Isso perdurou até o começo do século XIII, quando se pensou haver uma ligação entre as mulheres e o diabo.

O novo tratamento? Exorcismo.

Por fim, no final dos anos 1600, a histeria passou a ser vista como relacionada ao cérebro, e não ao diabo ou ao útero. Hoje, ainda se discute como pensar sobre sintomas para os quais não são encontradas explicações funcionais. A CID-10[8] atual classifica "transtorno de conversão com sintoma motor ou deficiência motora" como um transtorno dissociativo (e inclui a palavra "histérica" em seus subtipos), enquanto que o DSM-5[9] o classifica como um "transtorno de sintoma somático".

Curiosamente, os transtornos de conversão tendem a ser mais predominantes em culturas com regras rígidas e poucas oportunidades para expressão emocional. No geral, contudo, seus diagnósticos diminuíram nos últimos cinquenta anos por duas possíveis razões. A primeira é que os médicos já não diagnosticam erroneamente os sintomas da sífilis como transtorno de conversão; a segunda é que as mulheres "histéricas", que sucumbiram ao transtorno de conversão no passado, tendiam a reagir aos papéis restritivos de gênero, que parecem muito diferentes das liberdades que mais mulheres experimentam agora.

---

[8] Classificação Internacional de Doenças e Problemas Relacionados à Saúde. [N.E.]

[9] Manual Diagnóstico e Estatístico de Transtornos Mentais. [N.E.]

Não obstante, o neurologista de botas de caubói percorreu a lista de especialistas que eu tinha procurado, olhou para mim, e sorriu da maneira que as pessoas sorriem para crianças ingênuas, ou adultos delirantes.

"Você se preocupa demais", disse, com seu sotaque italiano. Depois, declarou que eu devia estar estressada, sendo uma mãe solteira que trabalha e tudo mais, e que o que eu precisava era de uma massagem e uma boa noite de sono. Depois de me diagnosticar com transtorno de conversão (sua palavra: *ansiedade*), prescreveu melatonina e me disse para marcar uma hora semanal num SPA. Disse que, embora eu parecesse "uma paciente com doença de Parkinson", com grandes bolsas debaixo dos olhos e tremores, eu não tinha doença de Parkinson; tinha falta de sono, o que poderia causar aqueles mesmos sintomas. Quando expliquei que o cansaço estava me fazendo dormir demais, e não de menos (deixando o Namorado acordar com meu filho, e olhar para aqueles Legos), o dr. Caubói abriu um sorriso. "Ah, mas você não está tendo um *bom* sono."

Meu clínico tinha certeza de que eu não tinha um transtorno de conversão, não apenas porque meus sintomas eram crônicos e pioravam progressivamente, mas também porque cada especialista que consultei havia descoberto algo de errado (um pulmão hiperinflado, um nível brutalmente elevado de algo no meu sangue, uma amídala inchada, aqueles sedimentos espalhados pelos meus olhos, "um espaço extra" na tomografia do meu cérebro e, de novo, aquelas erupções de pele violentas). Eles simplesmente não sabiam como combinar as informações. Alguns especialistas disseram ser possível que meus sintomas estivessem relacionados com o meu DNA, uma falha em um dos meus genes. Queriam sequenciar meus genes para ver o que poderiam encontrar, mas o plano de saúde se negou a cobrir a sequência genética – mesmo depois de os médicos recorrerem diversas vezes –, porque, segundo o argumento deles, se eu tivesse uma desordem genética ainda a ser descoberta, não haveria tratamento conhecido.

Eu continuaria doente.

Se parecer estranho que eu me apresentasse como relativamente bem para o mundo externo – compartilhava pouco da Medical Mystery Tour com as pessoas, até mesmo com o Namorado –, é porque eu tinha meus motivos. Em primeiro lugar, se fosse para contar para as pessoas o que estava havendo, eu não saberia como explicar. Eu não poderia simplesmente dizer: "Tenho a doença X". Até as pessoas com depressão, doença que tem um nome, frequentemente têm dificuldade em explicá-la para os outros, porque seus sintomas parecem vagos e intangíveis para quem quer que não a tenha tido. Você está triste? Anime-se!

Meus sintomas eram tão nebulosos quanto o sofrimento emocional para os que estão de fora. Imaginava as pessoas me escutando e questionando como eu poderia ter ficado tão doente e continuar sem respostas. Como tantos médicos poderiam estar desorientados?

Em outras palavras, eu sabia que corria o risco de me dizerem que estava tudo na minha cabeça, mesmo antes de o neurologista caubói de botas fazer exatamente isso. Na verdade, depois da minha consulta com ele, meu prontuário médico eletrônico recebeu a inclusão de *ansiedade*, palavra que todo médico subsequente veria na home page da minha ficha. E embora tecnicamente isso fosse verdade, eu certamente estava ansiosa em relação ao meu livro miserável sobre felicidade e à minha saúde precária (só mais tarde eu ficaria ansiosa com o meu rompimento), sentia como se não houvesse escapatória para aquele rótulo como causa dos meus sintomas, nenhuma forma de acreditarem em mim.

Mantive em segredo porque quis evitar ser uma mulher suspeita de ter um útero vagante.

E então aconteceu isto: Em uma de nossas primeiras saídas, quando o Namorado e eu estávamos no auge da paixão e conversávamos durante horas sobre qualquer coisa e sobre tudo, ele mencionou que, antes de me conhecer, tinha tido alguns encontros com uma mulher de quem realmente gostava, mas quando soube que ela tinha certos problemas com suas articulações, o que lhe dificultava fazer caminhadas, deixou de vê-la. Perguntei por quê. Afinal de contas, ela não tinha uma doença aguda, parecia mais um caso comum de artrite, e estávamos na meia-idade. Além disso, o Namorado nem mesmo fazia caminhadas.

"Não quero ter que cuidar dela, se um dia ela ficar doente", ele disse, enquanto dividíamos a sobremesa. "Se estivéssemos casados por vinte anos, e *então* ela ficasse doente, seria diferente, mas por que entrar nisso sabendo que ela já está doente?"

"Mas qualquer um de nós pode ficar doente", eu disse. Na época, eu não achava que me enquadrasse nessa categoria. Pensava que o que quer que eu tivesse fosse temporário (alguma espécie de bacilo), ou tratável (um desequilíbrio da tireoide). Mais tarde, quando minha Medical Mystery Tour teve início, minha negação transformou-se em pensamento mágico: *Enquanto eu não tiver um diagnóstico, posso adiar contar ao Namorado a extensão disso, indefinidamente e talvez para sempre, se acontecer de, no final, não haver nada de errado.* Ele sabia, às vezes, que eu estava fazendo exames e não estava me sentindo "eu mesma", mas também justifiquei o meu cansaço da maneira que o dr. Botas de Caubói havia feito: eu era uma atarefada mãe que trabalhava. Em outras ocasiões, eu brincava que estava envelhecendo. Não estava disposta a testar o amor dele por mim, fazendo-o pensar que eu tivesse alguma doença física, ou que estava louca por acreditar que tivesse.

Enquanto isso, andava tão apavorada com o que quer que estivesse me acontecendo, que ficava esperando que meus sintomas simplesmente desaparecessem. Pensava: *Estou construindo o meu futuro com o Namorado, foque nisso.* Motivo pelo qual eu também ignorava qualquer indício de que poderíamos não ser adequados um para o outro. Se aquele futuro sumisse, eu teria que lidar com um livro não escrito e um corpo em falência.

Mas agora aquele futuro *tinha* sumido.

Então, imagino: Será que o Namorado me deixou porque eu estava doente, ou ele pensou que eu era paranoica por pensar que estava? Ou ele me deixou por eu ser tão desonesta com ele, quanto ele tinha sido comigo, em relação a quem eu era e o que eu queria em um companheiro? Acontece que, no fim das contas, nós não éramos tão diferentes. Na esperança de fazer aquilo dar certo com uma pessoa de quem de fato gostava, ele quis adiar sua confissão pelo mesmo motivo que eu: assim, poderíamos continuar juntos, mesmo que não pudéssemos. Se o Namorado não queria viver com uma criança sob o mesmo teto pelos próximos dez anos, se o que ele queria era liberdade, com certeza não iria querer cuidar de mim, caso um dia eu precisasse. E eu tinha ciência disso desde aquela conversa durante o jantar; exatamente como ele sabia que eu tinha um filho.

E agora, estou fazendo a mesma coisa com Wendell, adiando, porque a verdade tem um custo: a necessidade de encarar a realidade. Minha paciente Julie havia dito que ela sempre quis poder congelar o tempo nos poucos dias entre fazer uma tomografia e obter o resultado. Antes de receber aquele telefonema, explicou, ela podia dizer a si mesma que estava tudo bem, mas sabendo que a verdade poderia mudar tudo.

O custo de eu dizer a verdade não é que Wendell vá me deixar, como aconteceu com o Namorado. É que ele me fará encarar de frente essa doença misteriosa, em vez de fingir que ela não existe.

32

Atendimento de emergência

"Você está parecendo a Cachinhos Dourados", eu disse a Rita, um mês depois do seu ultimato de suicídio. Apesar do seu passado tumultuado, eu andava focando no seu presente. É importante romper o estado depressivo com ação, criar conexões sociais e encontrar um propósito diário, uma razão convincente para sair da cama pela manhã. Atenta aos objetivos de Rita, tentei ajudá-la a encontrar maneiras de viver melhor o agora, mas quase todas as minhas sugestões foram um fracasso.

A primeira coisa que Rita fez foi rejeitar o maravilhoso psiquiatra que propus que ela procurasse, em busca de medicação. Ela o pesquisou, notou que estava na faixa dos 70, e declarou que era "velho demais para conhecer os últimos medicamentos". (Pouco importando que, atualmente, ele lecione psicofarmacologia para os alunos de medicina.) Então, sugeri um psiquiatra mais jovem, mas ela achou que era "jovem demais para entender". Em seguida, indiquei um psiquiatra de meia-idade, e embora Rita não fizesse objeções ("É um sujeito muito atraente", observou), depois que deu início à medicação ficou sonolenta demais. O psiquiatra mudou o medicamento, mas este a deixou ansiosa e piorou sua insônia. Ela então decidiu que bastava de remédios.

Enquanto isso, Rita me contou que uma vaga havia sido aberta no conselho do seu prédio, e animei-a a assumir o posto, podendo, assim, conhecer melhor seus vizinhos. "Não, obrigada", ela disse. "Os moradores interessantes são ocupados demais para participar."

Discuti com ela a ideia de ser voluntária, talvez se envolver no mundo da arte ou em um museu, já que suas paixões eram pintura e história da arte, mas ela também arrumou motivos para dispensar essas sugestões.

Conversei com ela sobre como poderia entrar em contato com seus filhos adultos, que a essa altura tinham-na afastado das suas vidas, mas ela sentia que não poderia lidar com mais uma tentativa fracassada. ("Já estou em depressão profunda.") E sugeri os aplicativos de encontros, o que resultou no que ela chamou de "a brigada octogenária".

Todo esse tempo, o que eu achava mais urgente do que sua fantasia de um suicídio no aniversário era o nível agudo de sofrimento em que ela vivia, e andara vivendo por tanto tempo. Parte disso devia-se a circunstâncias. Sua infância fora solitária, tivera um marido abusivo e uma meia-idade difícil, e tinha certos padrões de relacionamento que a atrapalhavam. Mas parte disso, senti à medida que a conheci melhor, poderia ser alguma outra coisa, e queria confrontá-la a respeito. Minha conclusão era de que, mesmo que Rita *pudesse* aliviar um pouco do seu sofrimento, não se permitiria ser feliz. Algo a refreava.

E então, ela me telefonou, pedindo uma sessão de emergência.

Acontece que Rita também tinha um segredo. Recentemente, tinha havido um homem em sua vida, e agora ela estava em crise.

Myron, Rita conta-me ao chegar para sua sessão de emergência, agitada e anormalmente despenteada, é um "ex-amigo". Na época da amizade deles, ela explica, que terminou seis meses atrás, ele era seu único amigo. Sim, havia mulheres que ela cumprimentava ao passar por elas na Associação Cristã de Moços, mas eram mais jovens e não estavam interessadas em fazer amizade com "uma idosa". Ela se sentia, como havia acontecido em grande parte da sua vida, excluída, invisível.

Mas Myron reparou nela. No começo do ano anterior, aos 65 anos, ele se mudara da costa leste, para o condomínio de Rita. Três anos antes, sua esposa havia quarenta anos morrera, e os filhos crescidos, que moravam em Los Angeles, haviam-no encorajado a se mudar para o Oeste.

Eles tinham se conhecido junto às caixas de correio, na área comum do prédio. Ele estava dando uma olhada em folhetos de propaganda de eventos locais – publicidade que Rita sempre jogava diretamente no lixo –, quando contou a ela que era novo na cidade e queria saber se algum dos anunciados ficava perto. Ela olhou o folheto. O hortifruti dos fazendeiros ficava perto, disse, a apenas alguns quarteirões.

"Ótimo", disse Myron, "você vai comigo para eu não me perder?".

"Não estou disponível", Rita disse.

"Não estou com segundas intenções", ele assegurou.

Rita achou que poderia morrer de vergonha. *Claro*, pensou. Não era possível que Myron se sentisse atraído por ela, ali parada com sua calça de moletom folgada, e uma camiseta furada. Seu cabelo estava oleoso, o cabelo sujo de uma depressiva, o rosto caído de tristeza. Concluiu que se havia alguma coisa pela qual ele estivesse atraído era sua correspondência: um folheto do Museu de Arte Moderna, um exemplar da *The New Yorker*, uma revista sobre bridge. Aparentemente, eles tinham interesses semelhantes. Myron estava se esforçando para se adaptar à cidade, e Rita parecia ter a sua idade. Talvez, ele disse, ela conhecesse pessoas para lhe apresentar, para que sua vida social começasse a funcionar. (Mal sabia ele que Rita era uma ermitã sem amigos.)

No hortifruti dos fazendeiros, os dois conversaram sobre filmes antigos, as pinturas de Rita, a família de Myron e bridge. Nos meses seguintes, fizeram coisas juntos – passearam, visitaram museus, foram a algumas palestras, experimentaram alguns restaurantes novos. Mas, sobretudo, faziam jantares e assistiam a filmes no sofá de Myron, os dois conversando o tempo todo. Quando ele precisou de uma roupa nova para a cerimônia de nomeação do neto, eles foram a um shopping, e Rita, com sua afiada visão artística, encontrou o traje perfeito. Às vezes, se ela estivesse no shopping, comprava uma camisa para Myron, só por saber que ficaria bem nele. Também o ajudou a mobiliar seu apartamento. Em troca, ele pendurou trabalhos artísticos de Rita nas paredes dela, com material à prova de terremoto, e serviu como seu assistente técnico de plantão, sempre que o computador tinha problemas, ou quando ela não conseguia um sinal de Wi-Fi.

Não estavam namorando, mas passavam grande parte do tempo juntos. E embora Rita, no início, achasse Myron apenas "com uma aparência decente" (tinha dificuldade em achar atraentes homens acima de 50 anos), um dia, enquanto ele lhe mostrava fotos dos netos, algo se atiçou dentro dela. Primeiro, pensou que estivesse com inveja da relação próxima que ele tinha com a família, mas não pôde negar que também sentia alguma outra coisa. Aquilo foi vindo à tona cada vez mais, embora ela tentasse não pensar a respeito. Afinal de contas, sabia desde o primeiro encontro mortificante que tiveram junto às caixas de correio que seu relacionamento com Myron era platônico.

Mas mesmo assim... Depois de seis meses desse jeito, eles com certeza comportavam-se como se estivessem namorando. Tanto que ela pensou em tocar no assunto com ele. *Teria que fazer isso*, disse consigo mesma, porque não podia se sentar a centímetros dele no sofá, com uma taça de vinho na mão, o filme tremeluzindo no escuro, e se comportar friamente, como um pepino, quando ele, acidentalmente, roçou em seu joelho, ao colocar sua taça na mesinha de centro. *Teria sido acidental?*, perguntou a si mesma. Além disso, pensou, tinha sido ela quem havia dito que não estava disponível, quando Myron abordou-a pela primeira vez. Talvez ele tivesse dito que não estava com segundas intenções só para manter a dignidade.

Rita detestava o fato de ter quase 70 anos e ainda analisar interações com homens com o mesmo nível de obsessão que tinha na faculdade. Detestava se sentir como uma menina com uma paixonite, boba, desesperada e confusa. Detestava experimentar uma roupa depois da outra, descartando uma, substituindo-a por outra, a cama forrada com as provas de sua insegurança e do superinvestimento. Queria expulsar seus sentimentos, só aproveitar a amizade, mas tinha medo de não conseguir lidar com a tensão que crescia dentro dela; de acabar dando um beijo no rosto de Myron, caso isso durasse muito mais tempo. Ela teria que criar coragem para dizer alguma coisa.

Sem demora. Logo.

Mas então, Myron conheceu alguém. Logo no Tinder. ("Revoltante!") Para o desgosto de Rita, a mulher era bem mais nova, na faixa dos *50!* Mandy, ou Brandy, ou Sandy, ou Candy, ou algum nome insípido como esses, terminando com som de "y" que, na imaginação de Rita, a perua soletraria com um *ie*. Mandie. Brandie. Sandie. Rita não conseguia se lembrar. Só sabia que Myron tinha sumido e deixado uma cratera em sua vida.

Foi então que ela tomou a decisão de procurar uma terapeuta e acabar com tudo, se não houvesse melhora até seu septuagésimo aniversário.

Rita olha para mim como se sua história tivesse terminado. Acho interessante que, embora Myron fosse o verdadeiro impulso para ela vir à terapia, ela nunca o tivesse mencionado. Quero saber por que ela está me contando isso agora, e do que se trata a emergência de hoje.

Rita solta um longo suspiro. "Espere", diz, acabrunhada. "Tem mais."

Segue explicando que, embora Myron tenha se afastado, namorando fulana de tal, Rita ainda o vê na ACM, onde ele nada, enquanto ela pratica aeróbica, mas eles já não vão juntos de carro, porque agora ele dorme na casa de Mandie/Brandie/Sandie. Eles ainda se veem nas caixas de correio, à tarde, onde Myron tenta bater papo, e Rita trata-o com frieza. Foi Myron quem convidou Rita a ingressar no conselho do condomínio onde moram, e foi seu convite que ela declinou bruscamente. Certa vez, ao sair do prédio para ir à terapia, e se ver no elevador com Myron, ele elogiou sua aparência (ela sempre se "arruma" para nossas sessões de terapia, sua única saída na semana).

"Você está bonita hoje", ele disse. Ao que Rita respondeu secamente: "Obrigada", passando o resto da descida olhando para a frente. À noite, ela nunca saía do seu apartamento, nem mesmo para levar para fora o lixo malcheiroso da noite de peixe, por medo de dar de cara com Mandie/Brandie/Sandie e Myron, como aconteceu algumas vezes, os dois de braços dados, rindo ou, pior, se beijando ("Revoltante!").

Amor é sofrimento, Rita havia dito depois de me contar sobre seus casamentos fracassados, e novamente depois do seu encontro com o octogenário. *Por que se dar ao trabalho?*

Mas isso também foi antes de Myron terminar o caso com Mandie/Brandie/Sandie, antes de encurralar Rita no estacionamento da ACM, depois de ela passar semanas deixando seus telefonemas irem para a caixa postal e não respondendo suas mensagens de texto. (*Podemos conversar?*, ao que Rita apertou o *apagar*.) Foi antes de Myron – que ela notou, ao ficar cara a cara com ele, ontem, no estacionamento ensolarado, que "parecia ter envelhecido um pouco") – contar-lhe coisas que queria contar havia um bom tempo, coisas que não percebia, explicou, até estar se relacionando com Randie (Então, era *esse* o nome dela!) por três meses.

Eis o que Myron percebeu: sentia falta de Rita. Profundamente. Queria contar-lhe coisas o tempo todo, todos os dias, da maneira que quisera contar para sua esposa, Myrna, ao longo do casamento. Rita fazia-o rir e pensar, e quando fotos dos seus netos surgiam no celular, queria mostrá-las a ela. Não tinha vontade de fazer nada disso, da mesma maneira, com Randie. Amava o intelecto aguçado de Rita e sua perspicácia cortante, sua criatividade, sua gentileza, e o fato de comprar seu queijo preferido quando estava no supermercado.

Gostava da sofisticação de Rita, de suas observações irônicas e do conselho inteligente, sempre que pedia sua opinião. Adorava sua risada gutural, seus olhos verdes à luz do sol, e castanhos em lugar fechado, seu cabelo ruivo lustroso e seus valores. Amava que, quando eles começavam a conversar sobre algum assunto, ele derivasse para dois ou três outros, antes de retomarem o primeiro, ou que, às vezes, eles ficassem tão mergulhados em suas variantes, que esqueciam o que estavam falando inicialmente. Suas pinturas e esculturas davam-lhe palpitações. Sentia-se curioso a seu respeito, queria saber mais sobre seus filhos, sua família, sua vida, sobre ela. Queria que ela se sentisse à vontade para lhe contar, e se perguntava por que ela havia sido como um criptograma, revelando tão pouco do seu passado.

Ah, e ele a achava linda. Totalmente deslumbrante. Mas será que ela poderia parar de usar camisetas que pareciam trapos?

Myron e Rita ficaram ali parados no estacionamento da ACM, ele recuperando o fôlego depois de abrir seu coração, e ela sentindo-se zonza, cambaleante e furiosa.

"Não estou interessada em afastar sua solidão", disse, "só porque você rompeu com a golpista fulana de tal; só porque sente falta da esposa e não suporta ficar sozinho."

"É isso que você acha que está acontecendo?", Myron perguntou.

"É óbvio", Rita respondeu de um jeito arrogante. "Acho."

E então ele a beijou. Um beijo intenso, suave, urgente, digno de um filme, um beijo que pareceu eterno. Por fim, a coisa acabou com Rita estapeando-o no rosto e correndo para seu carro, depois me telefonando para um atendimento de urgência.

"Que emocionante!", digo, quando Rita termina de me contar a história. Eu não tinha esperado essa reviravolta de jeito nenhum, estou realmente empolgada por ela. Mas Rita só solta um bufo, e percebo que está se perdendo nos detalhes.

"O que ele disse foi lindo", digo. "E aquele beijo..." Vejo o começo de um sorriso, antes que ela o reprima e sua expressão fique dura, fria.

"Bom, está tudo muito bem, mas nunca mais vou falar com Myron", ela diz. Abre sua bolsa, tira um lenço de papel amassado e acrescenta, decidida: "Não quero mais saber de amor".

Lembro-me de Rita afirmar mais cedo: *Amor é sofrimento*. A situação com Myron derrubou-a desse jeito porque, quando seu coração, que tinha ficado décadas congelado, finalmente começou a descongelar com Myron em sua vida, ela sentiu esperança e depois perdeu-a. Ocorre-me, agora, que, quando Rita procurou-me pela primeira vez, estava desesperada, não porque faria 70 anos dali a um ano, como declarou então, mas porque o desaparecimento de Myron levou-a a pensar a mesma coisa que eu estava pensando quando estive com Wendell pela primeira vez: Será que o homem que acabou de ir embora era "o fim da linha", como eu coloquei, a última chance de amor? Rita também estava lamentando algo maior.

Mas, agora, o beijo provocou outra crise em Rita... Possibilidade. E isso pode lhe parecer ainda mais intolerável do que seu sofrimento.

33

Carma

Charlotte está atrasada para a consulta de hoje porque alguém bateu no seu carro quando ela estava saindo do estacionamento do trabalho. Ela diz que está bem, foi um amassadinho de nada, mas fez com que o café fumegante em seu suporte de caneca espirrasse em seu notebook, onde ela tinha elaborado a apresentação do dia seguinte, e da qual não tinha backup.

"Você acha que eu deveria contar para eles o que aconteceu, ou varar a noite?", ela pergunta. "Quero que ela seja boa, mas não quero parecer maluca."

Na semana anterior, na academia, ela tinha deixado cair um peso no dedo do pé, acidentalmente. O hematoma tinha piorado, e ela ainda sentia dor. "Você acha que eu deveria tirar um raio X?", ela perguntou.

Antes disso, seu professor de faculdade preferido tinha morrido em um acidente de acampamento ("Você acha que eu deveria viajar até o funeral, mesmo que meu chefe fique bravo?"), e, antes disso, sua carteira fora roubada, e ela passara dias enfrentando o roubo de identidade ("De agora em diante, devo trancar minha carteira de motorista no porta-luvas do carro?").

Charlotte acredita que esteja sendo vítima de uma onda de "carma ruim". Parece que semana sim, semana não, surge outra crise: uma transgressão de trânsito, um incidente com sua sublocadora, e embora, no começo, eu me sentisse mal por ela, tentando ajudá-la a superar, gradualmente notei que tínhamos parado totalmente com a terapia. E como poderíamos? Focando em uma calamidade externa após outra, Charlotte tem se distraído das verdadeiras crises na sua vida, as internas.

Às vezes o "drama", por mais desagradável que seja, pode ser uma forma de automedicação, uma maneira de nos acalmarmos, evitando as crises que fermentam por dentro.

Ela está esperando que eu a aconselhe sobre o que fazer quanto à apresentação, mas agora sabe que não tendo a dar conselhos explícitos. Uma das coisas que me surpreenderam como terapeuta era a frequência com que as pessoas queriam que lhes dissessem o que fazer, como se eu tivesse a resposta certa, ou como se existissem respostas certas ou erradas para o volume de escolhas que as pessoas fazem em suas vidas diárias. Ao lado do meu arquivo, está colada a palavra "ultracrepidanismo", que significa "o hábito de dar opiniões e conselhos em assuntos fora do conhecimento ou da competência de alguém". É um lembrete para mim mesma de que, como terapeuta, posso vir a entender as pessoas e ajudá-las a escolher o que queiram fazer, mas não posso fazer suas escolhas de vida *para* elas.

Quando comecei, no entanto, ocasionalmente sentia-me pressionada a dar conselhos do tipo benigno, ou era o que eu acreditava. Mas então percebi que as pessoas se ressentem de que lhes digam o que fazer. Sim, elas podem pedir que lhes digam, repetida e incansavelmente, mas depois que você cede, o alívio inicial que sentem é substituído por ressentimento. Isso acontece mesmo se as coisas correm bem, porque, no fundo, os seres humanos querem ter poder sobre suas vidas, motivo pelo qual as crianças passam a infância pedindo para tomar suas próprias decisões. (Depois, elas crescem e me pedem para acabar com essa liberdade.)

Às vezes, os pacientes presumem que os terapeutas têm as respostas, e simplesmente não as estamos contando para eles, que estamos sonegando. Mas não estamos aqui para torturar pessoas. Hesitamos em dar respostas não apenas porque os pacientes não querem ouvi-las de fato, mas também porque, com frequência, eles interpretam mal o que escutam, levando-nos a pensar, por exemplo: *Nunca sugeri que você dissesse isso para sua mãe!* Acima de tudo, queremos apoiar sua independência.

Mas quando estou no consultório de Wendell, esqueço tudo isso, juntamente com tudo mais que aprendi sobre aconselhamento ao longo dos anos: que a informação que o paciente apresenta é distorcida por uma determinada lente; que a apresentação da informação mudará com o tempo, na medida em que se torne menos distorcida; que o dilema pode até ser sobre algo completamente diferente, que ainda precisa ser descoberto; que o paciente, às vezes, está lutando para que você apoie uma escolha específica, e isso ficará mais claro com o desenvolvimento da relação entre vocês; e que o paciente quer que outras pessoas tomem decisões, para não ter que assumir responsabilidade, caso as coisas não deem certo.

Eis algumas perguntas que fiz a Wendell: "É normal uma geladeira quebrar depois de dez anos? Devo ficar com esta mais um tempo, ou pagar para ser consertada?". (Wendell: "Você está mesmo aqui para me perguntar uma coisa que pode perguntar para a Siri?".) "Devo escolher esta escola para o meu filho, ou a outra?" (Wendell: "Acho que você ganha mais se entender por que essa decisão é tão difícil para você".) Uma vez ele disse: "Só sei o que *eu* faria. Não sei o que *você* deveria fazer", e em vez de absorver seu significado, retruquei: "Ok, então, me diga, o que *você* faria?".

Por trás das minhas perguntas, está a suposição de que Wendell seja um ser humano mais competente do que eu. Às vezes, me pergunto: *Quem sou eu para tomar decisões importantes na minha própria vida? Será que sou mesmo qualificada para isso?*

Todo mundo trava essa batalha interna em algum grau: Criança ou adulto? Segurança ou liberdade? Mas independentemente de onde as pessoas caiam nessa continuidade, toda decisão feita é baseada em duas coisas: medo e amor. A terapia luta para ensinar como diferenciar um do outro.

Uma vez, Charlotte contou-me sobre um comercial que viu na televisão, que a fez chorar.

"Era de um carro", ela disse, depois acrescentou secamente: "Não consigo lembrar *qual* carro era, então é óbvio que o comercial não era muito eficiente".

O anúncio, ela disse, se passa à noite, e há um cachorro ao volante. Vemos o cachorro dirigindo por um bairro suburbano, e então a câmera percorre o interior do automóvel, na parte de trás, onde há um cachorrinho em uma cadeirinha, latindo. Mamãe Cão continua dirigindo, olhando pelo retrovisor, até que a viagem suave embala o filhotinho ao sono. Mamãe Cão, finalmente, para na entrada da sua garagem, olhando com amor seu filhote adormecido, mas assim que desliga o motor, o cachorrinho acorda e recomeça a latir. Com uma expressão resignada no rosto, Mamãe Cão volta a ligar o carro e recomeça a dirigir. Temos a sensação de que ela dirigirá pelo bairro por um bom tempo.

Ao chegar ao final da história, Charlotte estava soluçando, o que era incomum nela. Geralmente, ela revela pouca, se é que revela alguma, emoção. Seu rosto é uma máscara, suas palavras, desvios. Não é que ela esteja escondendo seus sentimentos; é que não consegue acessá-los. Existe uma palavra para esse tipo de cegueira emocional: "alexitimia". Ela não sabe o que está sentindo, ou não tem palavras para expressá-lo. Um elogio do seu chefe será relatado monotonamente, e preciso sondar... sondar... sondar, até finalmente conseguir uma insinuação de orgulho. Um assédio sexual na faculdade – ela estava bebendo, viu-se em uma festa, num quarto estranho, nua, numa cama – será narrado no mesmo tom monótono. Uma descrição de uma conversa com a mãe soará como se estivesse declamando um juramento à bandeira.

Às vezes, as pessoas não conseguem identificar seus sentimentos por eles terem sido desconsiderados quando eram crianças. A criança diz: "Estou brava", e o pai ou a mãe diz: "É mesmo? Só por causa dessa bobagem? Você é tão sensível!". Ou a criança diz: "Estou triste", e o pai ou a mãe falam: "Não fique triste. Ei, veja, um balão!". Ou a criança diz: "Estou com medo", e o pai ou a mãe respondem: "Não há nada com que se preocupar. Não seja um bebê". Mas ninguém consegue manter sentimentos profundos trancados para sempre. Inevitavelmente, quando menos esperamos – vendo um comercial, por exemplo –, eles escapam.

"Não sei por que isso me deixa tão triste", Charlotte disse sobre o comercial do carro.

Vendo-a chorar, entendi não apenas sua dor, mas a razão de ela constantemente me impelir a tomar suas decisões. Para Charlotte, não houve Mamãe Cão no assento do motorista. Com a mãe mergulhada em depressão, largada na cama entre episódios de noitadas inebriadas; com o pai frequentemente fora da cidade "a trabalho"; com os pais caóticos que discutiam sem moderação e liberal sequência de palavrões, às vezes em tão altos brados que a vizinhança reclamava, Charlotte foi obrigada a agir prematuramente como adulta, como uma motorista menor de idade dirigindo sua vida sem carteira de habilitação. Raramente, ela pôde ver os pais agindo como adultos, como os pais das suas amigas.

Imaginei-a quando criança: *A que horas devo ir para a escola? O que faço com uma amiga que hoje me disse uma coisa ruim? O que devo fazer quando encontrar drogas na gaveta da cômoda do papai? O que significa quando é meia-noite e minha mãe não está em casa? Como me inscrevo para a faculdade?* Ela tinha que cuidar de si mesma e também do irmão mais novo.

No entanto, as crianças não gostam de precisar ser ultracompeten-tes. Sendo assim, não é de se surpreender que, agora, Charlotte queira que eu seja sua mãe. Posso ser a mãe "normal" que dirige o carro com segurança e carinho, e ela pode ter a experiência de ser cuidada de uma maneira que nunca foi. Mas para me escalar para o papel competente, Charlotte acredita que precise escalar a si mesma como a desamparada, deixando-me ver apenas seus problemas; ou, como Wendell colocou uma vez, em referência ao que faço com ele: "Seduzir-me com sua mi-séria". Os pacientes frequentemente fazem isso como uma maneira de garantir que o terapeuta não esquecerá seu sofrimento, caso mencionem algo positivo. Também acontecem coisas boas na vida de Charlotte, mas raramente as escuto; quando isso acontece, ou é de passagem, ou meses depois do acontecido.

Penso nessa dinâmica de miséria-sedução entre mim e Charlotte, e entre uma Charlotte mais nova e seus pais. Não importava o que ela fizesse: embriagar-se, ficar fora até tarde, ser promíscua; nada obtinha o efeito desejado. *Isso deu errado. Aquilo deu errado. Prestem atenção em mim. Vocês conseguem me escutar?*

Agora, depois das indagações sobre o notebook e o café derramado, Charlotte pergunta o que deveria fazer com o Cara da sala de espera. Há semanas ela não o via, então ele chegou com a namorada, e hoje ele veio novamente sozinho. Alguns minutos atrás, na sala de espera, ele a convidou para um encontro. Ou, pelo menos, ela pensou que fosse um encontro. Convidou-a para dar uma volta hoje à noite. Ela aceitou.

Olho para Charlotte. *Por que raios você acha que* essa *é uma boa ideia?*

Tudo bem, não digo isso em voz alta, mas às vezes, não apenas com Charlotte, escuto alguma coisa que uma paciente diz, algum direcionamento autodestrutivo que ela tomou, ou está prestes a tomar (por exemplo, dizer a seu empregador como ela realmente se sente, com o intuito de "ser autêntica"), e tenho que reprimir a vontade de exclamar: *Não! Não faça isso!*

Mas também não posso ser mera testemunha de uma catástrofe.

Charlotte e eu conversamos sobre a antecipação do resultado de suas decisões, mas sei que isso é mais do que um processo intelectual. A compulsão à repetição é um animal espantoso. Para Charlotte, a estabilidade e sua concomitante alegria não são confiáveis; fazem com que ela se sinta indisposta, ansiosa. Quando você é criança e seu pai é amoroso e brincalhão, depois some por um tempo, voltando mais tarde e agindo como se nada tivesse acontecido, e faz isso repetidamente, você aprende que a alegria é inconstante. Quando sua mãe sai da depressão e repentinamente parece interessada na sua vida, agindo da maneira que você vê as mães de outras crianças agindo, você não se atreve a se sentir alegre porque sabe, por experiência, que tudo isso vai passar. E passa. Todas as vezes. É melhor esperar por nada tão estável. Melhor "dar uma volta" com o sujeito da sala de espera que, ou ainda tem uma namorada, ou já não tem, mas flertava com você quando tinha.

"Não sei qual é o acordo que ele tem com a namorada", Charlotte continua. "Você acha que isso é uma má ideia?"

"Como você se sente em relação a isso?"

"Sei lá." Charlotte dá de ombros. "Empolgada? Com medo?"

"Com medo do quê?"

"Não sei. Que ele não goste de mim fora da sala de espera, ou que eu seja seu estepe depois da namorada. Ou que, para começo de conversa, ele esteja ferrado, porque estava tendo problemas com a namorada. Ou seja, por que mais eles estariam vindo à terapia?"

Charlotte começa a se remexer, brincando com seus óculos escuros no braço da poltrona.

"Ou", ela continua, "e se ele ainda estiver com a namorada, e isso não passar de uma coisa de amigo, e eu não tiver percebido; então vou ter que vê-lo de novo na sala de espera na semana que vem?".

Digo a Charlotte que a maneira como ela fala do Cara lembra-me o jeito como descreveu seu estado de espírito antes de interagir com seus pais, não apenas quando criança, mas agora, enquanto adulta. *Vai correr tudo bem? Eles vão se comportar? Nós vamos começar a discutir? Meu pai virá, ou vai cancelar no último minuto? Minha mãe vai agir de forma inadequada em público? A gente vai se divertir? Eu ficarei humilhada?*

"É", Charlotte diz. "Não vou." Mas eu sei que ela vai.

Quando nossa sessão chega ao fim, Charlotte passa por seu ritual (expressando incredulidade de que o horário tenha terminado, guardando seus pertences devagar, espreguiçando-se sem pressa). Caminha lentamente até a porta, mas para na entrada, como faz em geral, para me fazer uma pergunta, ou dizer algo que deveria ter dito durante a sessão. Assim como John, é propensa ao que chamamos de "revelações na maçaneta".

"A propósito", começa casualmente, embora eu tenha a sensação de que o que quer que venha a seguir será qualquer coisa, menos um adendo trivial. Não é incomum que os pacientes passem toda a sessão falando sobre isso ou aquilo, para, nos últimos dez segundos, revelar algo importante ("Acho que sou bissexual", "Minha mãe biológica me achou no Facebook"). As pessoas fazem isso por várias razões: estão constrangidas, não querem que você tenha a chance de comentar, querem te deixar se sentindo tão abalada quanto eles. (*Entrega especial! Aqui está toda a minha perturbação; reflita sobre ela a semana toda, ok?*) Ou é um desejo: *Pense em mim.*

Porém, dessa vez, não sai nada. Charlotte só fica ali parada. Pergunto-me se ela está pensando em algo que lhe é particularmente difícil abordar: sua bebedeira, sua esperança de que o pai atenda o telefone quando ela ligar no aniversário dele, na semana que vem. Em vez disso, ela deixa escapar: "A propósito, onde você comprou esse top?".

Parece uma pergunta simples demais. A motorista do Uber, uma barista no Starbucks e uma estranha na rua, todas me fizeram a mesma pergunta sobre este novo top, um dos meus preferidos, e a cada vez eu respondi, sem a menor hesitação. "Liquidação da Anthropologie!", responderia, orgulhosa do meu bom gosto e da minha sorte, mas com Charlotte algo me impede. Não é que eu me preocupe que ela comece a se vestir exatamente como eu (como fez uma das minhas pacientes). É que meu instinto me diz por que ela está perguntando: quer comprá-lo e usá-lo em seu encontro com o Cara, o encontro a que, supostamente, ela não vai.

"Anthropologie", respondo assim mesmo.

"É uma graça", ela diz, sorrindo. "A gente se vê na semana que vem."

E lá se vai ela, mas não antes de eu captar seus olhos por um décimo de segundo, e ela desviar o olhar.

Nós duas sabemos o que está prestes a acontecer.

34

Apenas seja

Mais ou menos na metade do meu estágio, tive uma conversa com meu cabeleireiro sobre terapia.

"Por que você quer ser terapeuta?", Cory perguntou, franzindo o nariz. Ele disse que, frequentemente, sentia-se como um terapeuta, o dia todo escutando os problemas das pessoas. "É um excesso de informação", continuou. "Estou cortando o cabelo delas. Por que elas me contam essas coisas?"

"Elas ficam mesmo tão íntimas?"

"Ah, algumas delas sim. Não sei como você faz isso. É tão...", ele ergueu a tesoura, procurando a palavra certa. "Desgastante!"

Recomeçou a cortar. Observei-o desbastar minhas camadas da frente.

"O que você diz a elas?", perguntei. Ocorreu-me que quando as pessoas compartilhavam seus segredos com ele, estavam, provavelmente, olhando-se no espelho, da maneira que estávamos tendo nossa conversa naquele momento, com o reflexo um do outro. *Talvez aquilo facilitasse*, pensei.

"O que eu digo quando escuto todos os problemas delas?", ele perguntou.

"É. Você tenta aconselhá-las, meter a colher?"

"Nada disso", ele disse.

"Então, o quê?"

"Apenas seja."

"O quê?"

"Digo pra elas: 'Apenas seja'".

"É isso que você diz?" Começo a rir. Imaginei dizer isso na minha sala: *Você está com problemas? Apenas seja.*

"Você deveria experimentar isso com seus pacientes", ele disse, sorrindo de volta. "Poderia ajudar."

"Ajuda os seus clientes?", perguntei.

Cory concordou com um gesto de cabeça. "Funciona assim: eu faço um corte, e eles voltam na próxima vez, dizendo que querem uma coisa diferente. 'Por quê?', pergunto. 'Tinha alguma coisa errada com o último?' 'Não', eles dizem. 'O último estava fabuloso!' Eles só querem uma coisa diferente. Aí, eu faço *exatamente o mesmo corte*, mas eles acham que está diferente. E adoram."

Esperei que ele continuasse, mas ele pareceu estar concentrado nas minhas pontas duplas. Vi meu cabelo cair no chão.

"Tudo bem", eu disse. "Mas o que isso tem a ver com os problemas deles?"

Cory parou de cortar e me olhou no espelho.

"Talvez tudo que eles reclamam não seja de fato um problema! Vai ver que está tudo bem daquele jeito. Talvez esteja até ótimo, como o corte de cabelo deles. Vai ver que eles ficariam mais felizes se não tentassem *mudar* as coisas, apenas ser."

Refleti sobre isso. Com certeza, havia certa verdade ali. Às vezes, as pessoas precisavam aceitar a si mesmas e aos outros do jeito que eram. Mas, às vezes, para se sentir melhor, você precisa de um espelho erguido à sua frente, e não o espelho que a faça parecer bonita, como aquele que eu estava olhando no momento.

"Você já fez terapia?", perguntei a Cory.

"Nem pensar." Ele sacudiu a cabeça vigorosamente. "Não dá para mim."

Apesar das objeções de Cory ao excesso de informação, nos anos em que andou cortando meu cabelo, contou-me um bom bocado sobre si mesmo: o quanto sofrera por amor, como fora difícil sua família aceitá-lo quando contou que era gay, como seu pai tinha sido secretamente gay a vida toda, tendo casos com homens, mas ainda sem sair do armário. Eu também sabia que Cory tinha feito inúmeras cirurgias estéticas e ainda não estava satisfeito com sua aparência, que estava se preparando para entrar na faca mais uma vez. Mesmo enquanto conversávamos, ele se conferia no espelho, achando-se aquém do esperado.

"O que você faz quando se sente sozinho ou triste?", perguntei.

"Tinder", ele disse com naturalidade.

"E rola?"

Ele sorriu. *Claro.*

"E aí você não vê esses caras de novo?"

"Normalmente não."

"E você se sente melhor?"

"Sinto."

"Isso até você se sentir sozinho e triste de novo, e voltar pro aplicativo pra outra dose?"

"Exatamente." Ele trocou a tesoura pelo secador. "De qualquer modo, isso tem alguma diferença das pessoas que vêm se consertar toda semana na terapia?"

Tinha. Era diferente de diversas maneiras. Para começar, os terapeutas não oferecem um simples conserto semanal. Uma vez, escutei um jornalista dizer que fazer uma entrevista correta era um pouquinho como cortar o cabelo de uma pessoa: parecia fácil até se ter a tesoura na mão. Eu estava aprendendo que a mesma coisa acontecia com a terapia. Mas não quis fazer proselitismo. Afinal de contas, a terapia não era para todos.

"Você tem razão", disse a Cory. "Existem muitas maneiras de simplesmente ser."

Ele ligou o secador. "Você tem a sua terapia", disse, depois acenou para seu celular. "E eu tenho a minha."

35

Você preferiria?

Julie está catalogando as partes do seu corpo, decidindo quais manter.

"Cólon? Útero?", ela pergunta, levantando as sobrancelhas como se contasse uma piada. "E você não vai acreditar nesta. *Vagina*. Então, basicamente, resume-se a quero conseguir cagar, ter filhos ou transar?"

Sinto um nó se formando na garganta. Julie parece diferente do modo que agia no Trader Joe's alguns meses atrás, ou mesmo da aparência que tinha há algumas semanas, quando os médicos disseram que, para mantê-la viva, precisavam tirar mais coisas dela. Ela tinha seguido em frente no primeiro ataque de câncer, na recorrência e na sentença de morte que acabou com uma suspensão da execução, e com a gravidez, que lhe deu esperança. Mas depois de um excesso de *era brincadeirinha*, ela ficou farta das piadas cósmicas, desencorajada por tudo aquilo. Sua pele parece fina e vincada, os olhos estão vermelhos. Agora, às vezes choramos juntas, e ela me abraça ao ir embora.

Ninguém no Trader Joe's sabe que ela está doente, e enquanto puder, ela quer manter assim. Quer que eles a conheçam, primeiro, como uma pessoa, não como uma doente de câncer, o que se parece muito com a maneira como nós, terapeutas, pensamos sobre nossos pacientes. Queremos conhecê-los antes de conhecer seus problemas.

"É como aqueles jogos 'você preferiria', que a gente jogava nas festas do pijama, quando criança", ela diz hoje. "Você preferiria morrer num desastre de avião, ou num incêndio? Você preferiria ser cega ou surda? Você preferiria feder pelo resto da vida, ou cheirar coisas ruins pelo resto da vida? Certa vez, quando era minha vez de responder, eu disse 'Nenhum dos dois' e todos disseram: 'Não, você tem que escolher um', e eu disse: 'Bom, eu escolho nenhum'. E aquilo meio que desconcertou as pessoas, apenas a ideia de que quando te apresentam duas alternativas horrorosas, talvez *nenhuma delas* seja uma opção".

Em seu álbum do ensino médio, debaixo do seu nome, eles escreveram *Eu escolho nenhum dos dois*.

Ela também tinha usado essa lógica na vida adulta. Quando lhe perguntaram se preferiria ter uma oportunidade de graduação em uma faculdade de prestígio, com um financiamento mínimo, ou uma situação bem menos interessante com financiamento total, todos tinham uma opinião sobre qual das duas ela deveria escolher. Mas contra todos os conselhos, ela não escolheu nenhuma das duas. Funcionou bem para ela; logo depois, recebeu uma oferta ainda melhor para a graduação, num local melhor, na mesma cidade que a irmã, e foi lá que conheceu seu marido.

Depois de ficar doente, no entanto, *nenhuma das duas* já não foi tanto uma opção: Você preferiria não ter seios, mas viver, ou manter os seios e morrer? Ela escolheu a vida. Houve muitas decisões como essa, em que as respostas eram difíceis, embora óbvias, e a cada vez, Julie tirou de letra. Mas agora, com este específico *você preferiria*, essa roleta da parte do corpo, ela não sabia como escolher. Afinal de contas, ainda estava superando o choque do seu recente aborto espontâneo.

Sua gravidez durara oito semanas, em cujo período sua irmã mais nova, Nikki, tinha ficado grávida do segundo filho. Não querendo anunciar a novidade antes do fim do primeiro trimestre, as irmãs guardaram o segredo mútuo, marcando os dias, animadas, em um calendário on-line compartilhado, que registrava a progressão das duas por doze semanas. As marcas de Julie eram em azul, porque ela achava que carregava um menino; tinha apelidado-o BL, para Bebê Lindo. As de Nikki eram em amarelo (apelido: Bebê Y), a cor com que planejava pintar o quarto do bebê. Como em sua primeira gravidez, ela queria que o gênero fosse uma surpresa.

No final da oitava semana de Julie, o sangramento começou. Sua irmã estava justamente começando a sexta. Quando Julie estava a caminho do pronto-atendimento, chegou uma mensagem de texto de Nikki.

Era uma foto do ultrassom com a legenda *Ei, veja, tenho batimento cardíaco! Como vai meu primo BL? Beijos e abraços, Bebê Y.*

O primo do Bebê Y não estava indo muito bem. O primo do Bebê Y já não era viável.

Mas, pelo menos, não tenho câncer, Julie pensou ao sair do hospital, que a essa altura ela conhecia tão bem. Dessa vez, ela havia estado lá por causa de um problema "normal" para pessoas da sua idade. Muitas delas abortavam naquelas primeiras semanas, seu obstetra explicou. O corpo de Julie passara por muita coisa.

"São coisas que acontecem", havia dito o médico.

E pela primeira vez na vida, Julie, que sempre vivera no mundo de explicações racionais, ficou satisfeita com a resposta. Afinal de contas, sempre que os médicos tinham um *motivo* para alguma coisa, ele era devastador. Destino, azar, probabilidade, qualquer um deles parecia uma pausa bem-vinda para um diagnóstico funesto. Agora, quando seu computador desse pau, ou estourasse um cano na cozinha, ela diria: *São coisas que acontecem.*

A frase fez com que ela sorrisse. Poderia ser um caminho de mão dupla, decidiu. Quantas vezes coisas boas também vêm para nós inexplicavelmente? Logo no outro dia, ela me contou, uma pessoa qualquer entrou no Trader Joe's com uma sem-teto que estava sentada no estacionamento e disse a Julie: "Está vendo aquela mulher ali? Eu disse a ela pra comprar um pouco de comida. Quando ela chegar no caixa, me procure e eu pago a conta". Contando a história a Matt, depois do trabalho, Julie balançou a cabeça e disse: "São coisas que acontecem".

E, de fato, em sua próxima tentativa, Julie tornou a engravidar. Dessa vez, o Bebê Y teria que ter um primo mais novo. Essas coisas acontecem.

Então para não gorar, Julie não apelidou o bebê. Cantava para ele, conversava com ele, e carregava seu segredo como um diamante que ninguém podia ver. As únicas pessoas que guardavam segredo com ela eram seu marido, a irmã e eu. Nem sua mãe sabia. ("Ela tem dificuldade em guardar uma notícia boa", Julie disse, rindo.) Então, era para mim que ela contava seu progresso, para quem descreveu o balão em forma de coração que Matt havia levado para a consulta do ultrassom da primeira batida do coração, e quem ela chamou quando, uma semana depois, voltou a ter um aborto espontâneo e os exames revelaram que seu útero "não era hospitaleiro" por causa de um fibroide que ela precisaria tirar. Mais uma vez, um problema bem-vindo por ser tão comum – e reparável.

"Mas pelo menos não tenho câncer", Julie disse. Aquele tinha sido o outro lema dela e de Matt. Não importando o que acontecesse, todos os aborrecimentos diários, grandes e pequenos, sobre os quais as pessoas tendem a reclamar, desde que Julie não tivesse câncer, tudo estava certo no mundo. Ela só precisava de uma pequena cirurgia para se livrar do fibroide, e então poderia tentar engravidar de novo.

"Outra cirurgia?", Matt havia dito.

Ele se preocupava que o corpo de Julie já tinha aguentado o suficiente. Talvez, sugeriu, eles pudessem adotar ou usar uma barriga de aluguel para gestar o bebê com os embriões que eles haviam congelado. Matt era tão avesso a riscos quanto Julie; esse tinha sido um ponto em comum quando se conheceram. Com todos os seus abortos, não era uma ideia mais segura? Além disso, se eles embarcassem na ideia da barriga de aluguel, tinham a pessoa perfeita em mente.

A caminho do pronto-atendimento, durante seu aborto recente, Julie havia telefonado para Emma, uma colega de trabalho no Trader's Joe, para ver se ela poderia cobrir seu plantão. Sem o conhecimento de Julie, Emma havia acabado de se registrar numa agência de barrigas de aluguel, para poder pagar a faculdade. Era casada, mãe, tinha 29 anos, queria conseguir um diploma de curso superior e adorava a ideia de realizar o sonho de uma família, como forma de fazer seus próprios sonhos acadêmicos tornarem-se realidade. Quando Julie confidenciou a Emma seu problema uterino, ela imediatamente ofereceu seus serviços. Anteriormente, Julie havia encorajado-a a voltar a estudar, chegando a ajudá-la com suas inscrições na faculdade. Ela e Emma haviam trabalhado lado a lado durante meses, e nunca ocorreu a Julie que Emma pudesse, um dia, ficar grávida do seu próprio filho. Mas se sua questão na vida sempre tinha sido *Por quê?*, desta vez ela perguntou a si mesma *Por que não?*

Então, Julie e Matt fizeram um novo plano, assim como tiveram que fazer tantas vezes, desde o começo do casamento. Ela removeria o fibroide e tentaria mais uma gravidez. Se não desse certo, pediriam a Emma para gestar seu bebê. E se isso não funcionasse, tentariam ser pais através da adoção.

"Pelo menos não tenho câncer", Julie dissera no meu consultório, depois de terminar a explicação do contratempo do bebê, e o plano a seguir. Só que, enquanto se preparavam para a remoção do seu fibroide, os médicos de Julie descobriram que o fibroide não era o único problema. Seu câncer estava de volta, e se espalhando. Não havia nada que pudessem fazer. Nenhuma droga milagrosa. Se ela quisesse, eles fariam o possível para prolongar sua vida ao máximo, mas ela teria que desistir de muitas coisas ao longo do caminho.

Ela teria que decidir com o que poderia viver e o que dispensaria, e por quanto tempo.

Quando os médicos trouxeram essa notícia pela primeira vez, Julie e Matt, sentados lado a lado em cadeiras de vinil no consultório de um médico, caíram na gargalhada. Riram do ginecologista sério e, no dia seguinte, riram do oncologista solene. No final da semana, tinham rido do gastroenterologista, do urologista e dos dois cirurgiões consultados para uma segunda opinião.

Até antes de verem os médicos, estavam rindo. Sempre que as enfermeiras, acompanhando-os à sala de exame, perguntava retoricamente: "Como vão vocês?", Julie respondia, descontraída: "Bom, *eu* estou morrendo. E você, como vai?". As enfermeiras nunca sabiam o que dizer.

Ela e Matt achavam isso hilário.

Os dois também riram quando lhes foi apresentada a possibilidade de remover partes do corpo, onde o câncer poderia evoluir de maneira mais agressiva.

"Não temos função para um útero, agora", Matt disse casualmente, enquanto estava sentado com Julie no consultório de um médico. "Pessoalmente, eu votaria por manter a vagina e perder o cólon, mas vou deixar o cólon e a vagina pra ela resolver."

"'Vou deixar o cólon e a vagina pra ela resolver'!', Julie gargalhou. "Ele é um doce, não é?"

Em outra consulta, Julie disse: "Não sei, doutor. Qual é o sentido de manter minha vagina, se removermos o cólon e eu tiver um saco de cocô atrelado ao meu corpo? Não é exatamente um afrodisíaco". Matt e Julie também riram nessa hora.

O cirurgião explicou que poderia criar uma vagina com outro tecido, e Julie mais uma vez estourou na risada. "Uma vagina customizada!", disse a Matt. "Que tal?"

Eles riram, riram, riram.

E depois choraram. Choraram com a mesma intensidade com que tinham rido.

Quando Julie contou-me isso, lembrei-me de como eu caíra na risada quando o Namorado disse que não queria viver com um garoto sob seu teto por mais dez anos; lembrei-me da paciente que riu histericamente quando sua amada mãe morreu, e de outro que riu quando soube que a esposa tinha esclerose múltipla. Depois, lembrei-me de soluçar na sala de Wendell por sessões inteiras, do mesmo jeito que meus pacientes fizeram, e da maneira como Julie fez nas últimas semanas.

Isso era luto. Você ri. Você chora. Repete.

"Estou inclinada a manter minha vagina, mas me livrar do cólon", Julie disse hoje, dando de ombros, como se estivéssemos tendo uma conversa normal. "Quero dizer, acabei de conseguir seios falsos. Com uma vagina falsa, não haverá grande diferença entre mim e uma Barbie."

Ela anda imaginando o quanto precisa ser retirado, até que ela já não seja ela mesma. O que constitui a vida, mesmo que você esteja viva? Penso em como as pessoas mal falam sobre isso com seus pais idosos, todos os "você preferiria" que eles prefeririam não encarar. Além disso, tudo é uma experiência difícil, até você chegar lá. Quais são suas gotas d'água? A perda da mobilidade? A perda do intelecto? Quanto da mobilidade? Quanto da habilidade cognitiva? Isso ainda será uma gota d'água quando acontecer de fato?

Aqui estão as gotas d'água de Julie: ela preferiria morrer se já não pudesse comer comida normal, ou se o câncer se espalhasse até seu cérebro, e ela não conseguisse formar pensamentos coerentes. Julie costumava acreditar que preferiria morrer se tivesse cocô passando por um buraco em seu abdômen, mas, agora, ela apenas se preocupa com a bolsa de colostomia.

"Matt vai sentir aversão por isso, não vai?"

Na primeira vez em que vi uma colostomia na faculdade de medicina, fiquei surpresa em como era discreta. Existe até uma linha de capas de bolsas modernas, enfeitadas com flores, borboletas, sinais de paz, corações, pedras preciosas. Uma designer de lingerie apelidou-as de "Victoria's *Other* Secret".

"Você perguntou a ele?", digo.

"Perguntei, mas ele tem medo de me magoar. Quero saber. Você acha que ele vai achar repulsivo?"

"Não acho que ele vá achar repulsivo", digo, percebendo que também estou sendo cuidadosa com os sentimentos dela. "Mas pode ser que ele precise se acostumar com isso."

"Ele tem tido que se acostumar com um monte de coisas", ela diz.

Ela me conta sobre uma briga que tiveram poucas noites atrás. Matt estava assistindo a um programa, mas Julie queria conversar. Matt só fazia *aham* para ela, fingindo escutar, e Julie ficou irritada. "Veja o que descobri na internet, talvez a gente possa perguntar pros médicos", ela disse, e Matt respondeu: "Esta noite não. Vejo amanhã", e Julie disse: "Mas isso é importante, e não temos muito tempo", e Matt olhou para ela com uma raiva que ela nunca tinha visto nele.

"Será que a gente não pode ter *uma noite* de folga do câncer?", Matt gritou. Era a primeira vez que ele era outra coisa, senão gentil e solidário, e Julie, surpresa, revidou: "*Eu* não tenho uma noite de folga!", ela disse. "Você sabe o que *eu* daria por uma noite de folga do câncer?". Saiu desabalada para o quarto e fechou a porta. Um minuto depois, Matt foi atrás, pedindo desculpas por sua explosão. "Estou estressado", ele disse. "Isso é muito estressante pra mim, mas não tanto como o que você tem passado, então me desculpe. Fui insensível. Me mostre a coisa na internet". Mas suas palavras chocaram-na. Ela sabia que não era apenas sua qualidade de vida que estava mudando. A de Matt também. E ela não andava prestando atenção nisso.

"Não contei a ele sobre o que vi na internet", Julie diz. "Me senti muito egoísta. Ele *deveria* ter uma noite de folga do câncer. Isso não fazia parte do contrato, quando se casou comigo."

Dou-lhe uma olhada.

"Bom, claro, os votos dizem: 'na saúde e na doença, na alegria e na tristeza', e tudo mais, mas isso é como clicar no 'ok' para os termos e condições quando você baixa um aplicativo ou solicita um cartão de crédito. Você não acha que nada disso vá se aplicar a *você*. Ou se acha, não espera que aconteça logo depois da lua de mel, antes que você chegue a ter uma chance de ser casada."

Estou feliz que Julie pense no impacto do câncer em Matt. Isso é algo sobre o qual ela evitou falar, mudando de assunto sempre que eu mencionava que, talvez, também fosse difícil para Matt passar por isso.

Julie balançava a cabeça. "É, ele é incrível", dizia. "É tão sólido, tão disponível pra mim! Enfim..."

Se Julie tinha alguma consciência da profundidade do sofrimento de Matt, não estava pronta para encará-lo, mas algo mudou com a explosão dele, forçando-a a reconhecer uma tensão difícil: não só a união dos dois nessa jornada infeliz, mas também a "separatividade".

Agora, Julie chora. "Ele ficou querendo retirar o que disse, mas já estava ali, pendendo entre nós. Eu entendo por que ele quer uma noite de folga do câncer." Ela faz uma pausa. "Aposto que deseja que eu já tivesse morrido."

Aposto que às vezes isso acontece, penso por um segundo. É bem difícil em um casamento fazer o dar-e-receber de colocar as vontades e necessidades de um pelo outro, mas aqui as escalas estão inclinadas, o desequilíbrio é implacável. No entanto, também sei que é muito mais complicado do que isso. Imagino que Matt sinta-se preso no tempo, recém-casado, jovem, querendo levar uma vida normal e começar uma família, o tempo todo sabendo que o que lhe resta com Julie é temporário. Vê seu futuro como viúvo, depois como pai aos 40, e não aos 30. Provavelmente espera que isso não continue por mais cinco anos, cinco anos do auge da sua vida passados em hospitais, cuidando da jovem esposa, cujo corpo está sendo esquartejado. Ao mesmo tempo, aposto que ele está sendo profundamente tocado por essa experiência, que, sob alguns aspectos, ela o faz se sentir "eternamente mudado e paradoxalmente vivo", como me disse um homem nos meses anteriores à morte da esposa, com quem era casado havia trinta anos. Eu apostaria que, como esse homem, Matt não escolheria voltar no tempo e se casar com outra pessoa. Mas Matt está numa fase da vida em que todos os outros estão seguindo em frente; os 30 são uma década de construir as fundações do futuro. Ele está fora de sincronia com sua geração e, à sua própria maneira, em seu próprio pesar, provavelmente sente-se completamente só.

Não acho que seria útil Julie saber cada detalhe, mas acredito que o tempo que têm juntos será mais rico se houver espaço para Matt expor mais a sua humanidade durante esse processo. E se eles puderem ter uma experiência mais profunda um do outro, no tempo que lhes resta juntos, Julie viverá mais integralmente dentro dele depois da sua partida.

"O que você acha que Matt quis dizer ao querer a noite de folga do câncer?", pergunto.

Julie suspira. "Todas as consultas médicas, as gravidezes perdidas, tudo do que eu também quero ter uma noite de folga. Ele quer conversar sobre o desenvolvimento da sua pesquisa, o novo restaurante de tacos no fim da rua, e... você sabe, sobre as coisas *normais* que pessoas da nossa idade conversam. Durante todo o tempo que venho passando por isso, a gente só se preocupa em descobrir uma maneira de eu viver. Mas agora, ele não pode fazer planos comigo nem pra daqui a um ano, e não pode sair pra conhecer outra pessoa. A única maneira de ele seguir em frente é se eu morrer."

Escuto aonde ela quer chegar. Subjacente à provação deles, acha-se uma verdade fundamental: apesar de todas as maneiras como a vida de Matt mudou, ela vai acabar voltando para algum tipo de vida normal. E desconfio que isso deixe Julie furiosa. Pergunto se ela está zangada com Matt, com inveja.

"Estou", ela cochicha, como se estivesse compartilhando um segredo vergonhoso. Digo a ela que é compreensível. Como ela poderia não ter inveja do fato de que ele consiga viver?

Julie balança a cabeça. "Sinto-me culpada por fazê-lo passar por isso, e inveja de que ele tenha um futuro", ela diz, ajeitando uma almofada atrás das costas. "E depois, sinto culpa por ter inveja."

Penso em como é comum, mesmo em situações cotidianas, sentir inveja de um cônjuge, e o quanto é tabu falar sobre isso. Não deveríamos ficar felizes pela boa sorte deles? Amor não é isso?

Em um casal que atendi, a esposa conseguiu o trabalho dos seus sonhos no mesmo dia em que o marido foi demitido, o que resultou num constrangimento extremo, todas as noites, à mesa do jantar. O quanto ela deveria compartilhar dos seus dias, sem que, inadvertidamente, fizesse o marido sentir-se mal? Como ele poderia lidar com sua inveja sem ser desmancha-prazeres? O quanto se espera que as pessoas sejam razoavelmente nobres, quando seus companheiros conseguem algo que elas querem desesperadamente, mas não conseguem ter?

"Ontem, Matt chegou da academia", Julie diz, "e disse que teve um treino fantástico, e eu falei: 'Que máximo!', mas me senti muito triste, porque costumávamos ir juntos à academia. Ele sempre dizia para as pessoas que era eu quem tinha o corpo mais forte, que era a maratonista. 'Ela é a superstar, eu sou o banana!', ele dizia, e os amigos que fizemos na academia começaram a nos chamar assim.

"Enfim, costumávamos fazer bastante sexo depois da academia. Então, ontem, quando ele voltou, veio até mim e me deu um beijo, comecei a beijá-lo de volta, e fizemos sexo, mas fiquei sem fôlego de um jeito que nunca tinha ficado. Mas não o deixei perceber, então Matt levantou-se para tomar uma ducha, e enquanto ele estava indo para o banheiro, olhei para seus músculos e pensei: *Eu costumava ser a que tinha o corpo mais forte.* E aí percebi que não é só o Matt que está me vendo morrer, eu também estou. Estou me vendo morrer. E estou muito irritada com todo mundo que consegue viver. Meus pais sobreviverão a mim! Pode ser que meus *avós* também! Minha irmã está tendo o segundo bebê. E eu?" Ela pega sua garrafa de água.

Depois que Julie recuperou-se do seu tratamento de câncer inicial, seus médicos disseram-lhe que tomar água elimina as toxinas, então ela começou a carregar uma garrafa de dois litros para todo canto. Agora, deixou de ser útil, mas se tornou um hábito. Ou uma reza.

"É difícil enxergar o que ainda se tem, e dar valor, quando você está de luto por sua própria vida", digo.

Ficamos sentadas em silêncio por um tempo. Por fim, ela enxuga os olhos e o esboço de um sorriso forma-se em seus lábios.

"Tenho uma ideia."

Olho para ela, ansiosa.

"Você me diz se for muito maluca?"

Confirmo com a cabeça.

"Eu estava pensando", ela começa, "que em vez de passar o tempo sentindo inveja de todo mundo, talvez parte do meu propósito para o tempo que me resta poderia ser ajudar as pessoas que eu amo a seguir em frente."

Ela se remexe no sofá, empolgando-se. "Veja Matt e eu. Não vamos envelhecer juntos. Nem mesmo vamos chegar à idade madura juntos. Fiquei pensando se, para o Matt, minha morte vai parecer mais um rompimento do que o fim de um casamento. A maioria das mulheres do grupo de câncer que comenta o fato de deixar seus maridos para trás está com 60, 70 anos, e a que está na faixa dos 40 está casada há quinze, e tem dois filhos com o marido. Quero ser lembrada como uma esposa, e não como uma ex-namorada. Quero me *comportar* como uma esposa, e não como uma ex-namorada. Então, estou pensando, *o que uma esposa faria?* Você sabe o que essas esposas falam sobre deixar os maridos para trás?"

Balanço a cabeça.

"Elas dizem que querem ter certeza de que seus maridos ficarão bem", ela diz. "Mesmo que eu tenha inveja do futuro dele, quero que Matt fique bem." Julie olha para mim como se tivesse acabado de dizer algo que eu deveria entender, mas não entendo.

"O que te faria sentir que ele ficará bem?", pergunto.

Ela me dá um sorriso. "Por mais que isso me dê vontade de vomitar, quero ajudá-lo a encontrar uma nova esposa."

"Você quer que ele saiba que não há problema em amar de novo", digo. "Isso não parece nem um pouco maluco." Com frequência, um cônjuge à beira da morte quer dar ao sobrevivente essa bênção, dizer que não tem problema guardar uma pessoa no coração e se apaixonar por outra, que nossa capacidade de amar é grande o suficiente para as duas coisas.

"Não", diz Julie, sacudindo a cabeça. "Não quero só lhe dar a minha bênção. Quero de fato *achar uma esposa pra ele*. Quero que esse presente seja parte do meu legado."

Assim como quando Julie sugeriu pela primeira vez a ideia do Trader Joe's, sinto-me encolher. Isso parece masoquista, uma forma de tortura numa situação já torturante. Penso em como Julie não gostaria de ver isso, não suportaria isso. A futura nova mulher de Matt terá seus bebês. Sairá em caminhadas e subirá montanhas com ele. Ficará enroscada nele, rirá com ele e fará um sexo ardente com ele, como Julie já fez. Existe altruísmo e amor, claro, mas Julie também é humana. E o mesmo se aplica a Matt.

"O que te faz pensar que ele vá *querer* esse presente?", pergunto.

"Eu sei que é louco", Julie diz, "mas tem uma mulher no meu grupo de câncer que tem uma amiga que fez isso. Ela e o marido da sua melhor amiga estavam morrendo, e ela não queria que o marido ou a melhor amiga ficassem sozinhos. Ela sabia o quanto eles se davam bem, eram amigos havia décadas. Então, seu último desejo foi que eles tivessem um encontro depois do funeral. Um encontro. Então eles tiveram. E agora estão noivos." Julie volta a chorar. "Sinto muito", diz. Quase todas as mulheres que atendo pedem desculpas por seus sentimentos, especialmente pelas lágrimas. Eu me lembro de também me desculpar na sala de Wendell. Talvez os homens peçam desculpas preventivamente, contendo as lágrimas.

"Quero dizer, não sinto muito, só estou triste", Julie diz, ecoando uma frase que compartilhei mais cedo com ela.

"Você vai sentir muita falta de Matt", digo.

"Vou", ela chia. "De tudo dele. Da maneira como ele fica muito animado com coisas pequenas, como um latte ou uma frase num livro; da maneira que ele me beija, e da maneira que seus olhos levam dez minutos pra abrir, se ele acorda cedo demais. Do modo como ele esquenta meus pés na cama, e olha pra mim quando estamos conversando, como se seus olhos absorvessem tudo que estou dizendo, tanto quanto seus ouvidos." Julie para e recupera o fôlego. "E sabe do que vou sentir mais falta? Do *rosto* dele. Vou sentir falta de olhar para aquele rosto lindo. É o meu rosto preferido no mundo todo."

Julie está chorando tanto que não sai um som. Queria que Matt pudesse estar aqui neste momento.

"Você contou pra ele?", pergunto.

"O tempo todo", Julie diz. "Todas as vezes em que ele segura a minha mão, eu digo: 'Vou sentir falta das suas mãos'. Ou, quando ele está assobiando pela casa – ele é um assobiador incrível –, eu digo pra ele o quanto vou sentir falta daquele som. E ele sempre costumava dizer: 'Julie, você ainda está aqui. Pode segurar as minhas mãos e me ouvir assobiar'. Mas agora..." A voz de Julie falha. "Agora ele diz: 'Vou sentir sua falta com a mesma intensidade'. Acho que ele está começando a aceitar o fato de que, desta vez, estou mesmo morrendo."

Julie enxuga seu lábio superior.

"Sabe de uma coisa?", ela continua. "Também vou sentir falta de mim mesma. Todas aquelas inseguranças que passei a vida querendo mudar? Eu só estava chegando a um ponto em que gosto mesmo de mim. *Eu gosto de mim*. Vou sentir falta de Matt, da minha família, dos meus amigos, mas também vou sentir falta de *mim*."

Ela continua nomeando todas as coisas que gostaria de ter apreciado mais, antes de ficar doente: seus seios, que costumava pensar não serem empinados o bastante, até que teve que abrir mão deles; suas pernas fortes, que muitas vezes pensava serem grossas demais, ainda que funcionassem muito bem em maratonas; sua maneira silenciosa de escutar, que temia que alguns pudessem achar entediante. Sentirá falta da sua risada ímpar, que um menino da quinta série chamou de "grasnado", comentário que, de algum modo, grudou dentro dela como um carrapicho, durante anos, até que aquela risada fez com que Matt olhasse para onde ela estava, numa sala cheia, e fosse diretamente até lá para se apresentar.

"Vou sentir falta da droga do meu cólon!", ela diz, rindo agora. "Antes, eu não o apreciava o suficiente. Vou sentir falta de me sentar em um banheiro e *cagar*. Quem é que pensa que sentiria falta de *cagar*?" Então vêm as lágrimas, furiosas.

Todos os dias é mais uma perda de alguma coisa que ela tinha como certa, até que sumia, como acontece com os casais que atendo, que não dão o devido valor um ao outro e depois sentem falta um do outro quando o casamento parece estar morrendo. Muitas mulheres também me contaram que detestavam seus períodos menstruais, mas lamentaram perdê-los ao chegar à menopausa. Sentiram falta de sangrar, da mesma maneira que Julie sentirá falta de cagar.

Então, quase num sussurro, Julie acrescenta: "Vou sentir falta da *vida*".

"Merda, merda, merda, merda, *merda!*", ela diz, começando baixinho e falando mais alto, surpreendendo a si mesma com seu volume. Ela me olha, constrangida. "Me desculpe. Não pretendia..."

"Tudo bem", digo. "Eu concordo. É uma merda mesmo."

Julie ri. "E agora eu fiz minha terapeuta dizer *merda!* Nunca costumava xingar assim. Não quero que meu obituário diga *Ela xingava como um marinheiro.*

Eu me pergunto o que ela quer que seu obituário diga, mas o tempo está quase acabando e faço uma anotação mental para voltar a isso na próxima vez.

"Ah, e daí? Foi bom. Vamos fazer de novo", Julie diz. "Você faz comigo? Ainda temos um minuto, certo?"

De início, não sei do que ela está falando. Fazer o quê? Mas ela tem de novo aquela expressão maliciosa, e depois vem um clique.

"Você quer que a gente..."

Julie confirma com a cabeça. A CDF está me pedindo para gritar palavrões com ela. Recentemente, em meu grupo de aconselhamento, Andrea havia dito que embora precisássemos manter a esperança para nossos pacientes, tínhamos que almejar a coisa certa. Se já não posso manter esperança pela longevidade de Julie, Andrea disse, tenho que manter esperança por alguma outra coisa. "Não posso ajudá-la da maneira que ela quer", eu havia dito. Mas agora, aqui sentada, vejo que talvez eu possa, pelo menos hoje.

"Tudo bem. Pronta?", digo.

Nós duas gritamos "MERDA, MERDA, MERDA, MERDA, MERDA, MERDA, MERDA!". Ao acabar, recuperamos o fôlego, empolgadas.

Então, acompanho-a até a porta, onde, como sempre, ela se despede com um abraço.

No corredor, outros pacientes estão saindo de suas sessões, portas abrindo-se dez minutos antes de completar uma hora, como engrenagens. Meus colegas olham para mim, questionando, enquanto Julie sai. Nossas vozes devem ter ido parar no corredor. Dou de ombros, fecho a porta, e começo a rir. *Isso foi uma novidade*, penso.

Depois, sinto as lágrimas aflorarem. Da risada às lágrimas – luto. Vou sentir falta de Julie, e eu mesma estou tendo dificuldade com isso.

Às vezes, a única coisa a fazer é gritar: "*Merda!*".

36

A velocidade do querer

Depois de completar meu ano de residência, comecei meu estágio em uma clínica sem fins lucrativos, localizada no porão de um elegante edifício de escritórios. Nos andares superiores, os conjuntos bem iluminados tinham vista para as montanhas de Los Angeles de um lado, e para as praias do outro, mas nos andares de baixo a história era outra. Em salas de atendimento entulhadas, parecendo uma caverna, sem janelas, mobiliadas com cadeiras que tinham décadas, abajures quebrados e sofás rasgados, nós, estagiários, progredíamos em volume de pacientes. Quando chegava um novo caso, todos nós competíamos por ele, porque quanto mais pessoas atendíamos, mais aprendíamos e mais perto chegávamos do fim das nossas horas. Entre sessões consecutivas, supervisão clínica e montanhas de papelada, não dávamos muita atenção ao fato de que estávamos vivendo no subsolo.

Sentada na sala de descanso (aroma: pipoca de micro-ondas e Baygon), engolíamos alguma comida (sempre almoçávamos no local de trabalho) e lamentávamos nossa falta de tempo. Mas, apesar dos nossos resmungos, nossa iniciação como terapeutas era estimulante, em parte por causa da dificuldade de aprendizado e dos nossos sábios supervisores (que nos davam conselhos como "Se vocês estão conversando tanto, não podem estar escutando" e sua variante "Vocês têm dois ouvidos e uma boca; existe um motivo para essa proporção"), e em parte porque sabíamos que essa fase era abençoadamente temporária.

A luz no fim do túnel que durava anos era o licenciamento, quando imaginávamos poder melhorar a vida das pessoas fazendo o trabalho que amávamos, mas com horário razoável e ritmo menos frenético.

Enquanto nos curvávamos naquele porão, fazendo nossos prontuários à mão e buscando sinal em nossos celulares, não percebíamos que, nos, andares acima, acontecia uma revolução, de gratificação rápida, fácil e imediata. E que aquilo que estávamos sendo treinados a oferecer – resultados graduais, mas duradouros, que exigiam certo trabalho duro – estava se tornando cada vez mais obsoleto.

Vi sinais desses desdobramentos em meus pacientes na clínica, mas, focada em minha própria existência atormentada, deixei de ver a situação em seu conjunto. Pensei: É evidente que essas pessoas têm problema em desacelerar, prestar atenção ou estar presente. É por isso que estão na terapia.

Minha vida não era muito diferente, é claro, pelo menos durante essa fase. Quanto antes eu terminasse meu trabalho, mais cedo eu poderia estar junto com meu filho, e mais rápido poderíamos fazer a rotina da hora de dormir, mais rápido eu poderia ir para a cama, de modo a acordar no dia seguinte e recomeçar a fazer tudo às pressas. Quanto mais eu me apressava, menos eu via, porque tudo se tornou um borrão.

Mas isso terminará logo, eu lembrava a mim mesma. Depois de terminar meu estágio, começará minha *verdadeira* vida.

Um dia, eu estava na sala de descanso com alguns colegas estagiários, e mais uma vez começamos a contar o número de horas que nos era exigido e calcular a idade que teríamos quando, finalmente, recebêssemos o certificado. Quanto mais alto o número, pior nos sentíamos. Uma supervisora na faixa dos 60 passou por lá e entreouviu a conversa.

"Vocês terão 30, 40 ou 50 anos de qualquer maneira, tendo ou não completado suas horas", ela disse. "Que diferença faz a idade que terão quando isso acontecer? Seja como for, vocês não recuperarão o tempo presente."

Todos nós ficamos quietos. *Vocês não recuperarão o tempo presente.*

Que ideia arrepiante. Sabíamos que nossa supervisora estava tentando nos dizer algo importante, mas não tínhamos tempo para pensar a respeito.

A velocidade tem a ver com o tempo, mas também está intimamente relacionada à resistência e ao esforço. Quanto maior a velocidade, assim raciocinamos, menor a necessidade de resistência ou esforço. Por outro lado, a paciência *requer* resistência e esforço. Ela é definida como "a tolerância da provocação, da contrariedade, do infortúnio ou da dor, sem reclamação, sem perda de controle, sem irritação ou algo do gênero". É evidente que grande parte da vida é composta de provocação, contrariedade, infortúnio e dor. Em psicologia, a paciência poderia ser pensada como a tolerância dessas dificuldades por tempo suficiente para superá-las. Sentir sua tristeza ou ansiedade também pode lhe dar uma informação essencial sobre si mesmo e seu mundo.

Mas enquanto eu estava lá embaixo, naquele porão, correndo em direção ao licenciamento, a Associação Americana de Psicologia publicou um artigo chamado "Para onde foi toda a psicoterapia?". Ali se observava que trinta por cento a menos de pacientes receberam intervenções psicológicas em 2008 em comparação a dez anos antes, e que, desde a década de 1990, a indústria de gestão de saúde – o mesmo sistema contra o qual meus professores da faculdade de medicina haviam nos prevenido – tinha andado limitando, progressivamente, as visitas e os reembolsos para a terapia pela fala, mas não para o tratamento farmacológico. Seguia dizendo que, só em 2005, as empresas farmacêuticas gastaram 4,2 bilhões de dólares em publicidade direta ao consumidor, e 7,2 bilhões de dólares em promoções para médicos, quase o dobro do que gastaram em pesquisa e desenvolvimento.

Logicamente, é muito mais fácil, e mais rápido, engolir uma pílula do que fazer o trabalho pesado de olhar para dentro de si mesmo. E eu não tinha nada contra o uso de medicamentos para que os pacientes se sentissem melhor; exatamente o oposto. Na verdade, acreditava profundamente no imenso bem que aquilo frequentemente fazia nas situações corretas. Mas será que vinte e seis por cento da população em geral deste país precisa, de fato, receber medicamentos psiquiátricos? Afinal de contas, não era que a psicoterapia não funcionasse. Era que não funcionava com *rapidez suficiente* para os pacientes atuais, que, agora eram, reveladoramente, chamados de "consumidores".

Havia uma ironia velada em tudo isso. As pessoas queriam uma solução rápida para seus problemas, mas e se seus estados de espírito estivessem deprimidos, acima de tudo, por causa do ritmo frenético da vida que levavam? Elas imaginavam que corriam agora para gozar a vida mais tarde, mas com grande frequência o "mais tarde" nunca chegava. O psicanalista Erich Fromm provou isso há mais de cinquenta anos: "O homem moderno acha que perde alguma coisa – tempo – quando não faz as coisas rapidamente; no entanto, não sabe o que fazer com o tempo que ganha, a não ser desperdiçá-lo". Fromm tinha razão; as pessoas não usavam o tempo extra que ganhavam para relaxar ou interagir com amigos ou com a família. Em vez disso, tentavam acumular mais.

Um dia, quando nós, estagiários, implorávamos por mais casos novos, apesar da nossa carga de trabalho completa, nossa supervisora balançou a cabeça.

"A velocidade da luz está obsoleta", disse, secamente. "Hoje em dia todos se movem na *velocidade do querer*."

De fato, eu seguia em disparada. Em pouco tempo, completei meu estágio, passei no exame de qualificação e subi para os andares superiores, em um consultório arejado, com a vista do mundo à minha volta. Depois de dois falsos começos – Hollywood e a faculdade de medicina –, estava pronta para dar início a uma carreira pela qual me sentia apaixonada, e o fato de estar mais velha também deu a isso um sentido de urgência. Eu havia tomado um caminho tortuoso, chegando tarde ao jogo, e embora, agora, eu pudesse finalmente desacelerar e apreciar os resultados duramente conquistados do meu trabalho, ainda me sentia tão apressada quanto no meu estágio. Dessa vez, sentia-me apressada a desfrutá-lo. Enviei um aviso por e-mail divulgando meu consultório e fiz alguns contatos. Após seis meses, tinha um punhado de pacientes, mas depois o número pareceu se estabilizar. Todo mundo com quem eu conversava estava tendo uma experiência parecida.

Entrei em um grupo de aconselhamento para novos terapeutas, e uma noite, depois de termos discutido nossos casos, a conversa voltou-se para o estado das nossas atuações; estávamos imaginando coisas, ou nossa geração de terapeutas estaria condenada? Alguém contou ter ouvido sobre especialistas em gestão de marca especificamente para terapeutas, profissionais que poderiam ajudar a fazer a ponte entre a necessidade cultural por rapidez e facilidade, e o que fomos treinados a fazer.

Todos nós rimos; consultores de gestão de marca para *terapeutas*? Que ridículo. Os antigos terapeutas influentes que admirávamos estariam revirando em suas covas! Mas intimamente isso chamou minha atenção.

Uma semana depois, vi-me ao telefone com uma consultora de gestão de marca para terapeutas.

"Ninguém mais acredita em terapia", a consultora disse, com naturalidade. "As pessoas querem comprar uma solução para seu problema". Ela deu algumas sugestões sobre como me posicionar frente a esse novo mercado, até propondo que eu deveria oferecer "terapia por aplicativos", mas a coisa toda me deixou desconfortável.

Ainda assim, ela tinha razão. Uma semana antes do Natal, recebi um telefonema de um homem de 30 e poucos anos querendo vir à terapia. Ele explicou que queria decidir se deveria se casar com a namorada, e esperava que pudéssemos "resolver isso" rapidamente, porque o Valentine's Day estava chegando, e ele sabia que deveria aparecer com um anel, ou ela cairia fora. Expliquei que poderia ajudá-lo quanto à clareza, mas não poderia garantir o prazo. Era uma grande questão de vida, e eu ainda não sabia nada sobre ele.

Marcamos um horário, mas um dia antes de vir, ele me telefonou e disse que tinha descoberto outra pessoa para ajudá-lo a decidir. Ela lhe garantira que eles resolveriam o assunto em quatro sessões, o que atenderia seu prazo do Valentine's Day.

Outra paciente, que genuinamente queria encontrar um companheiro, contou-me que estava conhecendo pessoas por aplicativos de encontros com tanta rapidez que várias vezes contatava um sujeito que respondia que eles já haviam se *encontrado*. Na verdade, ela passara uma hora tomando café com essa pessoa, mas percorria suas opções com tanta pressa que não conseguia acompanhar.

Ambos os pacientes eram exemplos, como minha supervisora colocou, da "velocidade do querer" – *querer* no sentido de um desejo. Mas também comecei a pensar nos termos com uma ligeira diferença, como uma referência ao outro tipo de querer: uma falta ou deficiência.

Se, quando comecei como terapeuta, você me perguntasse o que as pessoas mais vinham procurar, eu teria respondido que elas esperavam se sentir menos ansiosas ou deprimidas, ter menos relacionamentos problemáticos. Mas, independentemente das circunstâncias, parecia haver esse elemento comum de solidão, um anseio, ou uma *falta,* de uma forte sensação de conexão humana. Um *querer.* Raramente elas expressavam isso dessa maneira, mas quanto mais conhecimento eu tinha de suas vidas, mais conseguia sentir isso, e eu mesma me sentia assim sob diversos aspectos.

Um dia, em meu novo consultório, na longa calmaria entre um paciente e outro, descobri um vídeo on-line da pesquisadora do MIT (Massachusetts Institute of Technology) Sherry Turkle falando sobre essa solidão. No final da década de 1990, ela disse que tinha ido a uma casa de repouso e observado um robô confortando uma idosa que havia perdido um filho. O robô parecia um filhote de foca, com pelos e cílios compridos, e processava a linguagem suficientemente bem para responder de forma adequada. A mulher abria seu coração para esse robô, e ele parecia acompanhar seus olhos, escutá-la.

Turkle prosseguiu dizendo que, embora seus colegas considerassem essa foca-robô um grande progresso, uma maneira de facilitar a vida das pessoas, ela se sentiu profundamente deprimida. Fiquei sem fala, identificando-me. Apenas dias antes, tinha brincado com uma colega: "Por que não ter um terapeuta em seu iPhone?". Eu não sabia, então, que logo *haveria* terapeutas em smartphones, aplicativos pelos quais você poderia se conectar com um terapeuta "a qualquer hora, em qualquer lugar... em questão de segundos" para "se sentir melhor, já". Minha sensação quanto a essas opções foi a mesma de Turkle em relação à mulher com a foca robótica.

"Por que estamos essencialmente terceirizando aquilo que nos define como gente?", Turkle perguntava no vídeo. Sua pergunta me fez pensar. Seria porque as pessoas não toleravam ficar sós, ou por não tolerarem estar com outras pessoas? Por todo o país, em cafés com amigos, encontros no trabalho, durante o almoço na escola, em frente ao caixa na loja de departamentos e na mesa do jantar de família, as pessoas mandavam mensagens de texto, tuitavam e compravam, às vezes fingindo fazer contato visual, e às vezes nem se dando ao trabalho.

Até no meu consultório, pessoas que pagavam para estar ali olhavam para seus celulares quando recebia uma notificação, só para ver quem era. Em geral, essas eram as mesmas pessoas que depois admitiam também olhar para o celular durante o sexo quando recebiam uma notificação, ou enquanto estavam sentadas no vaso sanitário. (Ao saber disso, coloquei um frasco de álcool em gel na minha sala.) Para evitar distrações, sugeri desligarem seus celulares durante as sessões, o que funcionou bem, mas notei que, até mesmo antes de os pacientes chegarem à porta no fim da sessão, eles pegavam seus celulares e começavam a verificar suas mensagens. Será que seu tempo não teria sido mais bem aplicado se permitisse apenas um minuto a mais de reflexão sobre o que tínhamos acabado de conversar, ou para ser recompor mentalmente e fazer a transição de volta para o mundo externo?

Notei que, no segundo em que as pessoas sentiam-se sós, normalmente no espaço entre atividades – saindo de uma sessão de terapia, num semáforo vermelho, paradas numa fila do caixa, subindo no elevador –, pegavam seus aparelhos e fugiam dessa sensação. Num estado de eterna distração, pareciam estar perdendo a habilidade de estar com outras pessoas, de estar consigo mesmas.

A sala de terapia parecia ser um dos únicos lugares restantes onde duas pessoas sentavam-se juntas em uma sala por cinquenta minutos interruptos. Apesar desse véu de profissionalismo, esse ritual semanal de eu-e-você é, com frequência, um dos encontros mais humanos que as pessoas vivenciam. Eu estava determinada a estabelecer uma clínica próspera, mas não estava disposta a comprometer esse ritual para fazer isso acontecer. Pode ter parecido estranho, se não extremamente inconveniente, mas para esses pacientes que eu *realmente* tinha, eu sabia que havia um imenso retorno. Se criamos o espaço e investimos tempo, damos com histórias que valem a pena aguardar, aquelas que definem nossas vidas.

E minha própria história? Bom, eu não estava realmente disponibilizando o tempo e o espaço para *isso*; gradualmente fui ficando ocupada demais ouvindo as histórias dos outros. Mas sob a agitação frenética das sessões de terapia, caronas até a escola, consultas médicas e romance, uma verdade havia muito reprimida estava infiltrando-se pela superfície e começando a se fazer sentir quando cheguei ao consultório de Wendell. *Metade da minha vida acabou*, eu diria em nossa primeira sessão, aparentemente a partir do nada. E Wendell se ateria exatamente a isso. Ele estava retomando de onde minha supervisora de estágio tinha deixado anos antes.

Vocês não recuperarão o tempo presente.

E os dias estavam voando.

37

Preocupações supremas

Chego ensopada ao consultório de Wendell, nesta manhã. Durante minha curta caminhada atravessando a rua, do estacionamento até o prédio dele, o primeiro aguaceiro de inverno chegou sem avisar. Sem guarda-chuva, nem capa, joguei meu blazer de algodão sobre a cabeça e corri.

Agora, meu blazer está pingando, meu cabelo frisando, minha maquiagem escorrendo e minhas roupas molhadas estão colando no corpo, como sanguessugas, nos lugares mais desconfortáveis. Molhada demais para me sentar, fico em pé ao lado das cadeiras da sala de espera, imaginando como me tornar apresentável para o trabalho, quando a porta para a sala interna de Wendell abre-se e de lá sai uma mulher bonita, que eu já tinha visto. Novamente, está enxugando os olhos. Ela abaixa a cabeça, passa às pressas pelo biombo de papel, e escuto o clique-claque das suas botas ecoando pelo corredor do prédio.

Margô?

Não; é coincidência bastante que ela também esteja vendo Wendell, mas ter nossas consultas semanais em sequência? Estou sendo paranoica. Então, repetindo, como diz o escritor Philip K. Dick: "É estranho como a paranoia pode se interligar com a realidade, de vez em quando".

Fico ali, tremendo como um cachorrinho molhado, até que a porta de Wendell volta a se abrir, desta vez para que eu entre.

Arrasto-me até o sofá e me sento na posição B, arrumando as conhecidas almofadas descombinadas atrás das costas, da maneira a que me acostumei. Wendell fecha a porta do consultório em silêncio, atravessa a sala, senta-se em seu lugar e cruza as pernas ao instalar seu corpo alto.

Começamos nosso ritual de abertura, nosso cumprimento sem palavras. Mas hoje estou molhando seu sofá.

"Você gostaria de uma toalha?", ele pergunta.

"Você tem *toalhas*?"

Wendell sorri, vai até seu armário e me joga duas toalhas de mão. Seco o cabelo em uma, e me sento na outra.

"Obrigada", digo.

"De nada", ele diz.

"Por que você tem toalhas aqui?"

"As pessoas se molham", Wendell diz, dando de ombro, como se as toalhas fossem um item básico.

Que estranho, penso, e, no entanto, sinto-me muito cuidada, como quando ele me jogou os lenços de papel. Faço uma anotação mental para manter toalhas em meu consultório.

Olhamos um para o outro novamente, num cumprimento silencioso.

Não sei por onde começar. Ultimamente, tenho andado ansiosa em relação a praticamente tudo. Até as pequenas coisas, como assumir pequenos compromissos, têm me deixado paralisada. Tornei-me cautelosa, temerosa de correr riscos e cometer erros, porque já cometi tantos que tenho medo de não ter mais tempo para consertá-los.

Na noite passada, enquanto procurava relaxar na cama com um romance, deparei-me com um personagem que descrevia sua preocupação constante como "uma necessidade incansável de escapar de um momento que nunca acaba". *Exatamente*, pensei. Nas últimas semanas, o que liga um segundo a outro é a preocupação. Sei que a ansiedade é da maior importância por causa do que Wendell disse no final da nossa última sessão. Precisei cancelar minha próxima consulta para ir a um evento na escola do meu filho; depois, Wendell esteve fora na semana seguinte, então agora faz três semanas que ando convivendo com as palavras de Wendell. Eu: *Que luta?* Ele: *Sua luta com a morte.*

Pareceu apropriado os céus abrirem-se sobre mim, hoje, enquanto estava a caminho. Respiro fundo e conto a Wendell sobre meu útero vagante.

Até hoje, nunca tinha contado essa história do começo ao fim. Se antes eu me sentia constrangida por ela, agora, enquanto a conto em voz alta, percebo o quanto tenho andado realmente apavorada. Sobreposto por cima do lamento, mencionado por Wendell logo na primeira sessão – de que metade da minha vida acabou –, tem estado o medo de que eu, assim como Julie, possa morrer muito antes do que o esperado. Não há nada mais assustador para uma mãe solteira do que a imagem de deixar, nesta Terra, seu filho pequeno sem ela. E se os médicos estiverem deixando passar alguma coisa que poderia ser tratada, se descoberta a tempo? E se eles descobrirem a causa, mas ela não puder ser tratada?

Ou, e se isso tudo só estiver na minha cabeça? E se a pessoa que puder curar meus sintomas físicos não for outra senão a pessoa com quem estou sentada neste exato momento, Wendell?

"Que história incrível", Wendell diz, quando termino, balançando a cabeça e exalando um pouco de ar.

"Você acha que é uma história?" *Até tu, Brutus?*

"Acho", Wendell diz. "É uma história sobre algo apavorante que está acontecendo com você nos últimos dois anos. Mas também é uma história sobre outra coisa."

Antecipo o que Wendell dirá: É uma história sobre evitamento. Tudo o que contei a ele desde que vim à terapia tem sido sobre evitamento, e nós dois sabemos que isso quase sempre tem a ver com medo. Evitamento de ver as pistas de que o Namorado e eu tínhamos diferenças inconciliáveis; de escrever o livro sobre felicidade; de falar sobre não escrever o livro sobre felicidade; de pensar no envelhecimento dos meus pais; do fato de que meu filho esteja crescendo; e da minha doença misteriosa. Lembro-me de algo que aprendi durante meu estágio: "O evitamento é uma maneira simples de aguentar sem ter que enfrentar".

"É uma história sobre evitamento, não é?", pergunto.

"Bom, sob certos aspectos, é", Wendell responde. "Mas eu ia dizer incerteza. É também uma história sobre incerteza."

Claro, penso. *Incerteza.*

Sempre pensei sobre incerteza no que diz respeito a meus pacientes. Será que John e Margô ficarão juntos? Charlotte parará de beber? Mas agora tem tanta coisa que parece incerta na minha própria vida! Voltarei a ficar saudável? Encontrarei o companheiro certo? Minha carreira literária arderá em chamas? Como será a próxima metade da minha vida – se é que vou viver tanto? Uma vez eu disse a Wendell que era difícil contornar aquelas barras de prisão, quando eu não sabia para onde ir. Eu poderia ficar livre, mas que caminho deveria tomar?

Lembro-me de uma paciente que havia entrado em sua garagem no final de um dia comum de trabalho e foi recebida por um bandido com uma arma. Logo ela ficou sabendo que o cúmplice do bandido estava dentro de casa com seus filhos e a babá. Depois de uma provação pavorosa, eles foram salvos quando um vizinho chamou a polícia. Minha paciente contou-me que a pior coisa nesse incidente foi ele ter arruinado seu pretenso senso de segurança, por mais ilusório que pudesse ser.

E, no entanto, percebendo ou não, ela ainda se agarrava a essa ilusão.

"Você se preocupa ao entrar na sua nova garagem?", perguntei, quando a família, traumatizada demais para viver na cena do crime, mudou-se para uma nova casa.

"Claro que não", ela disse, como se fosse uma pergunta absurda. "Como se isso fosse acontecer duas vezes? Quais são as chances *disso*?"

Conto essa história a Wendell, e ele balança a cabeça afirmativamente. "Que sentido você dá à resposta dela?", ele pergunta.

Wendell e eu raramente conversamos sobre meu trabalho como terapeuta, e agora me sinto nervosa. Às vezes me pergunto como Wendell agiria com meus pacientes, o que ele diria a Rita ou John. A terapia é uma experiência totalmente diferente com cada terapeuta; não há duas iguais. E como Wendell vem fazendo isso há muito mais tempo do que eu, sinto-me como a estudante e seu mestre; Luke Skywalker e seu Yoda.

"Acho que queremos que o mundo seja racional, e foi a maneira dela de ter controle sobre a imensa incerteza da vida", digo. "Depois que você conhece uma verdade, não dá para *desconhecê-la*, mas, ao mesmo tempo, para se proteger desse conhecimento, ela se convence de que jamais poderia ser assaltada uma segunda vez." Faço uma pausa. "Passei no teste?"

Wendell começa a abrir a boca, mas sei o que ele vai dizer: *Isso não é um teste.*

"Bom", digo, "era isso que você estava pensando? Como você daria sentido à certeza dela perante a incerteza?"

"Da maneira como você agiu com ela", ele diz. "Da mesma maneira que eu daria sentido a isso com você."

Wendell relembra as preocupações que eu trouxe para ele: meu rompimento, meu livro, minha saúde, a saúde do meu pai, a rápida passagem do meu filho pela infância. As observações aparentemente improvisadas com as quais eu salpicava nossas conversas, como "Escutei no rádio que cerca de metade dos norte-americanos de hoje não estavam *vivos* na década de 1970!". Tudo sobre o que converso está sombreado de incerteza. Quanto tempo mais vou viver, e o que vai acontecer nesse tempo antes de eu morrer? Quanto controle terei sobre qualquer uma dessas coisas? Mas, Wendell diz, assim como minha paciente, descobri minha própria maneira de resistir. Se eu arruinar a minha vida, posso inventar minha própria morte, em vez de deixá-la concretizar-se para mim. Pode não ser o que quero, mas pelo menos eu a escolherei. Assim como jogar pedras no próprio telhado, esta é uma maneira de dizer: *Toma essa, incerteza.*

Tento refletir sobre este paradoxo: autossabotagem como uma forma de controle. *Se eu arruinar a minha vida, posso inventar minha própria morte, em vez de deixá-la concretizar-se para mim.* Se eu ficar num relacionamento condenado, se estragar minha carreira, se me esconder de medo, em vez de enfrentar o que está errado com o meu corpo, posso criar uma morte em vida, mas uma em que eu é que estou no comando.

Irvin Yalom, acadêmico e psiquiatra, frequentemente falava sobre a terapia como uma experiência existencial de autoentendimento, motivo pelo qual os terapeutas adéquam o tratamento ao indivíduo, e não ao problema. Dois pacientes podem ter o mesmo problema – por exemplo, incomodam-se por serem vulneráveis em relacionamentos –, mas a abordagem que uso com eles será diversificada. O processo é altamente idiossincrático, porque não há uma maneira estereotípica de ajudar as pessoas em seus medos existenciais mais profundos; ou o que Yalom chamou de "preocupações supremas".

As quatro preocupações supremas são: morte, isolamento, liberdade e falta de sentido. A morte, logicamente, é um medo instintivo que em geral reprimimos, mas que tende a aumentar à medida que envelhecemos. O que tememos não é apenas morrer no sentido literal, mas no sentido de ser extinto, a perda de nossa própria identidade, de nosso eu mais jovem e mais vibrante. Como nos defendemos contra esse medo? Às vezes, nos recusamos a crescer. Às vezes, nos autossabotamos. E, às vezes, negamos com empenho nossa morte iminente. Mas, como escreveu Yalom em *Psicoterapia existencial*, nossa consciência da morte ajuda-nos a viver com mais intensidade, e com menos (não mais) ansiedade.

Julie, com os riscos malucos que vem assumindo, é um exemplo perfeito disso. Nunca prestei atenção a minha própria morte, até embarcar na Medical Mystery Tour, e, mesmo assim, o Namorado permitiu que eu me distraísse dos meus medos de extinção, tanto profissional, quanto real. Mas ele também me ofereceu um antídoto para meu medo de isolamento, outra preocupação fundamental. Existe um motivo para que os confinamentos solitários façam com que os prisioneiros literalmente enlouqueçam; eles passam por alucinações, ataques de pânico, comportamentos obsessivos, paranoia, desespero, dificuldade de se concentrar e ideação suicida. Quando soltas, essas pessoas frequentemente lutam contra atrofia social, o que as torna incapazes de interagir com os outros. (Talvez esta seja, simplesmente, uma versão mais intensa daquilo que acontece com nosso crescente *querer*, nossa solidão, criados por nosso estilo de vida acelerado.)

E então, há a terceira preocupação fundamental: a liberdade e todas as dificuldades existenciais que ela nos apresenta. Superficialmente, é quase risível a quantidade de liberdade que tenho, se, como Wendell observou, eu estiver disposta a contornar aquelas grades. Mas existe também a realidade de que conforme as pessoas envelhecem, enfrentam mais limitações. Torna-se mais difícil trocar de carreira, mudar para outra cidade, ou se casar com uma nova pessoa. Suas vidas estão mais definidas, e, às vezes, elas anseiam pela liberdade da juventude. Mas as crianças, limitadas pelas regras dos pais, são realmente livres apenas em um aspecto: emocionalmente. Por um tempo, pelo menos, elas podem chorar, rir, ou ter ataques, sem constrangimento; podem ter sonhos grandes e desejos não filtrados. Como muitas pessoas da minha idade, não me sinto livre porque perdi o contato com aquela liberdade emocional. E é isso que estou fazendo aqui, na terapia: tentando voltar a me libertar emocionalmente.

De certa maneira, essa crise de meia-idade pode ser mais de liberação do que de fechamento, uma expansão, e não uma constrição, um renascimento, e não uma morte. Lembro-me de quando Wendell disse que eu queria ser salva. Mas Wendell não está aqui para me salvar ou para resolver meus problemas, mas para me guiar pela vida *como ela é*, de modo que eu possa lidar com a certeza da incerteza sem me sabotar no percurso.

Estou começando a perceber que a incerteza não significa perda de esperança; significa que há possibilidade. *Não sei o que acontecerá a seguir; como isso é muito animador!* Vou ter que descobrir como tirar o máximo da vida que tenho, com ou sem doença, com ou sem companheiro, a despeito da marcha do tempo.

O que equivale a dizer que terei que olhar mais de perto para a quarta preocupação fundamental: a falta de significado.

38

Legoland

"Sabe por que estou atrasado?", John pergunta, assim que abro a porta para a sala de espera. Passaram-se quinze minutos do horário, e deduzi que ele não viesse. Transcorreu um mês até que ele respondesse à minha mensagem depois do seu não comparecimento; tinha ressurgido inesperadamente e pedido para vir. Mas talvez, pensei antes que chegasse, ficou com medo. Na verdade, caminhando pelo corredor, John diz que depois de ter entrado no estacionamento do prédio, ficou sentado no carro, decidindo se subiria. O funcionário pediu suas chaves, mas John disse que precisava de um minuto, então o homem disse-lhe para encostar no sentido da saída, e quando John decidiu ficar, o funcionário informou-o que o estacionamento estava lotado. John precisou achar um lugar na rua e correr dois quarteirões até o meu prédio.

"Uma pessoa não pode ficar um minuto sentada em seu próprio carro, organizando as ideias?", John pergunta.

Ao entrarmos na minha sala, penso no quanto ele tende a se sentir ameaçado. Hoje ele parece maltratado, exausto. Parece que seu remédio para dormir não tem dado conta do recado.

John senta-se no sofá, tira os sapatos, depois se espreguiça, deita-se e ajeita a cabeça nas almofadas. Em geral, ele se senta no sofá com as pernas cruzadas; então, isso é novidade. Noto também que hoje não há comida.

"Tudo bem, você ganhou", ele começa, suspirando.

"Ganhei o quê?", pergunto.

"O prazer da minha companhia", ele diz, impassível.

Ergo as sobrancelhas.

"A explicação do meu mistério", ele continua. "Vou te contar a história. Então, sorte sua, você ganhou."

"Não sabia que estávamos competindo", digo. "Mas estou contente que esteja aqui."

"Ah, pelo amor de Deus", ele diz, "não vamos analisar tudo, ok? Vamos só fazer isso, porque se a gente não começar já, estou a dois segundos de ir embora".

Ele vira para o encosto do sofá, e então, bem baixinho, diz para o tecido: "Então, há, a gente estava fazendo uma viagem de família para a Legoland".

Segundo John, ele, Margô e as crianças estavam indo de carro pela costa da Califórnia até a Legoland, um parque temático em Carlsbad, para um longo final de semana, quando os dois tiveram uma discussão. Tinham como política nunca discutir em frente às crianças, e até aquela altura, ambos tinham mantido sua promessa.

Na época, John estava no comando da sua primeira série de televisão, o que significava que estava de sobreaviso dia e noite, para a liberação de cada episódio semanal. Margô também se sentia sobrecarregada, cuidando de duas crianças pequenas e tentando dar conta dos seus clientes de design gráfico, mas enquanto John interagia com adultos o dia todo, Margô estava ou "na Mommyland", como ela dizia, ou trabalhando no computador em casa.

Margô ansiava por ver John no final do dia, mas, ao jantar, ele atendia telefonemas, enquanto ela lhe dirigia o que ele denominava "olhar mortal". Quando as coisas ficavam tão agitadas que o impediam de chegar em casa para jantar, Margô pedia-lhe para desligar o celular na hora de dormir, de modo a eles poderem pôr os assuntos em dia e relaxar juntos, sem serem interrompidos. Mas John insistia que não podia ficar inacessível.

"Eu não trabalhei tanto, todos esses anos, só para ter essa oportunidade e ver minha série fracassar", ele lhe disse. E, de fato, o começo foi difícil. Os índices de audiência foram decepcionantes, mas os críticos deliraram com o programa, então o canal concordou em lhe dar mais tempo para encontrar um público. Mas era um alívio curto; se a receptividade não melhorasse rapidamente, a série seria cancelada. John dobrou seus esforços e fez algumas mudanças, inclusive "despedindo alguns idiotas", e o programa decolou.

O canal tinha um sucesso nas mãos, e John tinha uma esposa muito furiosa nas suas.

Com o sucesso do programa, John ficou ainda mais ocupado. Ele se lembrava que tinha uma esposa? Margô perguntava-lhe. E quanto a seus filhos que, quando Margô gritava: "Papai chegou!", corriam para o computador, e não para a porta de entrada, por estarem tão acostumados a conversar com ele numa tela? O mais novo tinha começado a chamar o computador de "papai". Sim, Margô reconhecia, John passava um tempo com eles nos finais de semana, brincavam durante horas no parque, passeavam e faziam bagunça em casa. Mas, mesmo então, ele nunca desgrudava do telefone.

John não entendia por que Margô estava fazendo um carnaval disso. Quando ele se tornou pai, ficou surpreso com o quanto o vínculo foi imediato e intenso. Sua ligação com os bebês pareceu muito poderosa, até extrema. Lembrou-lhe o amor que tinha, quando menino, por sua mãe, antes de ela morrer. Era um tipo de amor que não vivenciava nem com Margô, embora a amasse profundamente, apesar das discordâncias entre eles. Na primeira vez em que a viu, ela estava parada no outro lado da sala, em uma festa, rindo de algo dito por algum idiota. Mesmo de longe, John pôde ver que era a risada de alguém que estava sendo educado, mas pensando *Que babaca*.

John ficou encantado. Foi até Margô, fez com que ela risse de verdade, e um ano depois se casou com ela.

Mesmo assim, a maneira como amava a esposa era diferente da maneira como amava seus filhos. Se seu amor pela esposa era romântico e caloroso, seu amor pelos filhos era como um vulcão. Quando leu para eles *Onde vivem os monstros*, e as crianças perguntaram por que os Monstros queriam *comer* o menino, ele soube exatamente o motivo. "Por causa do quanto eles o *amam!*", disse, fingindo engoli-los, enquanto eles riam tanto que mal podiam respirar. Ele entendia esse amor devorador.

Então, que importava se ele atendesse telefonemas quando estava com seus filhos? Passava tempo com ele, eles o adoravam, e, afinal de contas, era seu sucesso profissional que lhes proporcionava o tipo de segurança financeira que ele desejava ter tido ao crescer como filho de dois professores. Sim, John estava sob muita pressão no trabalho, mas adorava criar personagens e inventar mundos inteiros como escritor, exatamente o ofício a que seu pai sempre aspirara. Seja por sorte, talento, ou uma combinação dos dois, John havia alcançado os sonhos dele e do pai. E não conseguia estar em dois lugares ao mesmo tempo. O celular, disse a Margô, era uma bênção.

"Uma *bênção*?", Margô perguntou.

É, respondeu John, uma bênção. Permitia que ele estivesse no trabalho e em casa ao mesmo tempo.

Margô achava que era exatamente esse o problema. "Não quero que você esteja no trabalho e em casa ao mesmo tempo. Não somos seus colegas de trabalho. Somos sua família." Margô não queria estar no meio de uma frase, no meio de um beijo, ou no meio do que quer que fosse com John, para ser interrompida por Dave, Jack ou Tommy do programa. "Não os convidei para vir a nossa casa às 9 da noite", disse.

Na noite anterior à viagem para Legoland, Margô perguntou a John se ele poderia, por favor, ficar longe do celular durante o passeio. Era um tempo para a família viajar, e seriam apenas três dias.

"A não ser que alguém esteja morrendo", Margô havia pedido – o que John entendeu como *A não ser que haja uma emergência*. "Por favor, não atenda o celular nesta viagem."

Para evitar uma nova briga, John concordou.

As crianças mal podiam esperar a ida a Legoland; tinham passado semanas falando nisso. Durante a viagem, remexiam-se em seus assentos, perguntando a todo minuto: "Quanto tempo falta?" e "Estamos *quase* chegando?".

A família havia decidido pegar a estrada paisagística ao longo da praia, em vez da via expressa, e John e Margô distraíram as crianças fazendo-as contar os barcos no mar e jogar um jogo em que inventavam músicas bobas juntos, cada um acrescentando uma letra mais engraçada do que a última, até estarem todos morrendo de rir.

O celular de John estava em silêncio. Na noite anterior, ele havia alertado a equipe do programa para não telefonar.

"A não ser que alguém esteja morrendo", tinha dito a eles, citando Margô, "arrumem um jeito de resolver por si mesmos." Eles não eram idiotas completos, garantiu intimamente. O programa estava indo bem. Eles poderiam lidar com o que quer que acontecesse. Eram três malditos dias.

Agora, inventando músicas bobas no carro, John deu uma olhada em Margô. Ela estava rindo da maneira que tinha rido com ele na festa onde se conheceram. Ele não a via rir assim desde... Bom, não conseguiu lembrar há quanto tempo. Ela colocou a mão em sua nuca, e ele se derreteu com aquilo, reagindo de uma maneira que não reagia desde... Novamente não conseguiu lembrar há quanto tempo. As crianças tagarelavam no banco de trás. John teve uma sensação de paz e uma imagem veio-lhe à mente. Imaginou que sua mãe olhava lá do céu, ou de onde raios estivesse, sorrindo do quanto as coisas tinham dado certo para seu filho caçula, aquele que ele sempre acreditara ser o preferido dela. Ali estava ele, com a esposa e os filhos, agora um roteirista de sucesso da televisão, indo para Legoland num carro cheio de risadas e amor.

Ele se lembrou de estar sentado ele mesmo no banco de trás, quando menino, apertado no meio, entre os dois irmãos mais velhos, os pais na frente, o pai dirigindo, a mãe no banco do carona, todos eles inventando letras de música e rindo feito loucos. Lembrou-se de tentar se igualar aos irmãos, quando era sua vez de acrescentar uma frase, e como sua mãe se divertia com seu jogo de palavras.

"Tão precoce!", ela exclamava a cada vez.

John não sabia o que significava "precoce". Deduziu ser uma maneira extravagante de dizer *precioso*, e sabia que, para sua mãe, ele era o mais precioso dos meninos, não o "erro" como seus irmãos chamavam-no, provocando, por ser muito mais novo do que eles, mas, como dizia a mãe, uma "surpresa especial". Lembrou-se de ver a mãe pôr a mão atrás do pescoço do pai, e agora Margô fazia o mesmo com ele. Sentiu-se otimista; ele e Margô encontrariam um jeito de se reencontrarem.

Então, seu celular tocou.

O celular estava no painel, entre ele e Margô. John olhou para ele. Margô lançou-lhe o olhar mortal. John lembrou-se das suas instruções à equipe para chamar apenas em caso de emergência, *a não ser que alguém esteja morrendo*. Sabia que a filmagem de hoje era externa. Será que alguma coisa tinha dado errado?

"Não", Margô disse.

"Só preciso dar uma olhada em quem é", John respondeu.

"Puta que pariu", Margô disse entre dentes, xingando pela primeira vez na frente das crianças.

"Não diga puta que pariu pra mim", John sibilou de volta.

"Faz só duas horas que a gente saiu", Margô disse, alterando a voz, "e você prometeu não fazer isso!"

As crianças ficaram quietas, e o celular também. A chamada tinha ido para a caixa postal.

John suspirou. Pediu a Margô que visse quem tinha ligado e lhe dissesse, mas ela balançou a cabeça e virou para outro lado. John pegou o celular com a mão direita. Então, eles bateram em uma SUV preta que vinha diretamente em direção a eles.

Presos em suas cadeirinhas, estavam Grace, com 5 anos, e Gabe, com 6, quase gêmeos, nascidos com um ano de diferença e inseparáveis. Os amores da vida de John. Gracie sobreviveu, juntamente com John e Margô. Gabe, sentado diretamente atrás do pai, e exatamente no ponto de impacto, morreu no local.

Mais tarde, a polícia tentaria desvendar o que havia provocado a tragédia. As duas testemunhas de carros próximos não foram de grande ajuda. Uma disse que a SUV atravessou a pista ao fazer a curva rápido demais. A outra disse que o carro de John não se ajustou à posição da SUV, que contornava a curva. A polícia verificou que o motorista da SUV tinha uma taxa de álcool no sangue acima do limite legal, e ele foi preso. Homicídio culposo. Mas John não se sentiu absolvido. Sabia que no exato momento em que a SUV fez a curva, ele tinha desviado o olhar por um milésimo de segundo, ou era possível que tivesse, embora achasse que seus olhos tivessem permanecido na estrada, enquanto buscava o celular com a mão. Margô também não viu a SUV vindo. Olhava pela janela do passageiro, para o oceano, furiosa com John, enquanto se recusava a checar seu celular.

Gracie não se lembrava de nada, e parece que a única pessoa que viu o que estava prestes a acontecer foi Gabe. A última vez em que John escutou a voz do filho foi um grito penetrante com apenas uma prolongada palavra: "*Papaaaiiiiii!*".

A propósito, a ligação era engano.

Enquanto escuto, fico com o coração partido, não apenas por John, mas por toda a família. Contenho as lágrimas, mas agora John, no sofá, virou-se para olhar para mim, e vejo que tem os olhos secos. Parece à parte, distante, exatamente como estava quando me contou sobre a morte da mãe.

"Ah, John, isso é...", digo.

"É, é", ele interrompe em tom de sarcasmo, "é muito triste, eu sei. É triste pra caralho. Foi o que todo mundo disse quando aconteceu. Minha mãe morre. *É muito triste*. Meu filho morre. *É muito triste*. Óbvio. Mas não muda nada. Eles continuam mortos. É por isso que não conto pras pessoas. E foi por isso que não contei pra você. Não preciso escutar a porra de tristeza que isso é. Não preciso ver os rostos das pessoas ficarem assim tristes, uma expressão estúpida de *dó*. O único motivo de eu estar contando pra você é que tive um sonho na noite passada. Vocês psicólogos adoram sonhos, certo? Não consegui tirar ele da cabeça e pensei..."

John para e se senta.

"Margô me ouviu gritar ontem à noite. Acordei gritando às 4 da merda da madrugada. E não posso ficar fazendo esse tipo de cagada."

Quero dizer que o que John vê em mim não é dó de jeito nenhum, é compaixão, empatia e até uma espécie de amor. Mas John não deixa ninguém tocar ou ser tocado por ele, o que o deixa só, em circunstâncias que já são de isolamento. Perder alguém que ama é uma experiência profundamente solitária, algo que apenas você enfrenta de uma maneira própria e particular. Penso no quanto John deve ter se sentido destruído e sozinho, quando tinha 6 anos e a mãe morreu, e novamente agora, como pai, quando seu filho de 6 anos morreu. Mas não digo isso neste momento. Posso perceber que John está sentindo o que os terapeutas chamam de "transbordado", significando que seu sistema nervoso está saturado, e quando as pessoas sentem-se transbordadas, é melhor esperar um pouco. Fazemos isso com casais quando um dos dois está tão tomado de raiva ou dor que só consegue atacar ou se fechar. A pessoa precisa de alguns minutos para que seu sistema nervoso se recomponha, e ela consiga assimilar alguma coisa.

"Conte-me seu sonho", digo.

Por milagre, ele não se recusa. Noto que John não está resistindo a mim nesse momento, e hoje ele não olhou nem uma vez para seu celular. Nem mesmo o tirou do bolso. Simplesmente endireita o corpo, dobra as pernas sob ele, respira fundo e começa.

"Então, Gabe tem 16 anos. Quero dizer, *tinha*, no sonho..."

Aceno com a cabeça, assentindo.

"Ok, então ele tem 16 anos e está fazendo exame para tirar sua carteira de motorista. Andou esperando por esse dia, e agora ele chegou. Estamos parados ao lado do carro, no estacionamento do DMV [Divisão de Automóveis], e Gabe parece muito seguro. Começou a se barbear, e vejo alguns fiapos, noto o quanto ele está crescido." A voz de John falha.

"Qual foi a sensação de vê-lo tão crescido?"

John sorri. "Fiquei orgulhoso, muito orgulhoso de quem ele era. Mas também, sei lá, triste. Como se ele logo fosse embora pra faculdade. *Será que passei tempo suficiente com ele? Fui um bom pai?* Estava tentando não chorar – estou dizendo, no sonho – e não sabia se eram lágrimas de orgulho, pesar ou... sei lá. Em todo caso..."

John olha para outro lado, como se estivesse tentando não chorar agora.

"Então, estamos conversando sobre o que ele vai fazer depois do exame. Ele diz que vai sair com alguns amigos, e eu digo pra ele tomar o cuidado de nunca entrar no carro se estiver bebendo, ou se seus amigos estiverem. E ele diz: 'Eu sei, pai, não sou *idiota*'. Do jeito que os adolescentes fazem, sabe? E então, eu digo pra ele nunca mexer no celular enquanto estiver dirigindo."

John ri, uma risada sombria. "Qual é o sentido exato desse sonho, Sherlock?"

Não sorrio. Trago-o de volta, esperando.

"Seja como for", ele continua, "a examinadora chega, e Gabe e eu fazemos um joinha um pro outro, como no dia em que deixei ele no jardim da infância, quando ele estava entrando na classe. Um rápido *Você vai arrasar*. Mas alguma coisa na examinadora me deixa nervoso."

"Em que sentido?", pergunto.

"Ela me dá uma sensação ruim, inquietante. Não confio nela. Como se fosse pegar duro com Gabe, e ele não fosse passar no exame. Enfim, vejo os dois se afastando, e Gabe fazer sua primeira curva à direita e tudo corre bem. Então, começo a relaxar, mas aí Margô me telefona. Diz que minha mãe está me ligando, e ela quer saber se deve atender. No sonho, minha mãe ainda está viva, e não sei por que Margô me pergunta isso, por que ela simplesmente não atende o maldito telefone. Por que raios ela não atenderia? Então, ela diz: 'Você se lembra que nós combinamos de não atender o telefone a não ser que alguém estivesse morrendo?'. De repente, acho que se ela atender, isso significa que minha mãe esteja morrendo. Que ela morrerá. Mas se ela *não* atender, ninguém morre, minha mãe não está morrendo.

"Então eu digo: 'Você tem razão. O que quer que você faça, *não* atenda o telefone. Deixe tocar'.

"Então, a gente desliga, e ainda estou esperando Gabe no DMV. Olho para o relógio. Onde eles estão? Disseram que voltariam em vinte minutos. Passam-se trinta. Quarenta. Então, a examinadora volta, mas Gabe não está lá. Ela vem em minha direção, e eu sei.

"'Sinto muito', ela diz. 'Houve um acidente. Um homem no celular'. E então vejo que a examinadora é *minha mãe*. É ela quem me conta que Gabe está morto. E é por isso que fica ligando sem parar pra Margô, porque alguém *estava* morrendo; era Gabe. Um idiota no celular matou ele, enquanto ele fazia seu exame de motorista!

"Então eu digo: 'Quem é esse homem? Você chamou a polícia? Eu mato ele'. E minha mãe só olha pra mim. E percebo que o homem sou eu. Eu matei Gabe."

John recupera o fôlego e continua sua história. Depois da morte de Gabe, ele diz, ele e Margô culparam implacavelmente um ao outro. No pronto-atendimento, Margô rugiu para John: "Uma bênção? Você disse que o celular era uma bênção? *Gabe era a bênção, seu imbecil do caralho*". Mais tarde, depois que o relatório toxicológico indicou que o motorista estava bêbado, Margô pediu desculpas a John, mas ele sabia que, lá no fundo, ela ainda o culpava. Sabia porque, lá no fundo, ele punha a culpa *nela*. Parte dele sentia que era *ela* a responsável, que se ela não tivesse sido tão teimosa, e apenas tivesse olhado quem estava ligando, John teria ficado com a mão no volante e reagido com mais rapidez à guinada do motorista bêbado, livrando-os do perigo.

O pior, ele diz, é que ninguém jamais saberá quem foi o responsável. O motorista poderia tê-los atingido de qualquer modo, ou eles poderiam tê-lo evitado, se não tivessem sido distraídos pela discussão.

O que atormenta John é o fato de não saber.

Penso em como o fato de não saber é o que atormenta todos nós. Não saber por que seu namorado foi embora; não saber o que há de errado com seu corpo; não saber se você poderia ter salvado seu filho. A certa altura, todos nós temos de aceitar o desconhecido e o incompreensível. Às vezes, jamais saberemos o porquê.

"Enfim", John diz, voltando ao sonho, "naquele ponto, eu acordei gritando. E sabe o que eu dizia? Eu gritava '*Papaaiiiii!*' A última palavra de Gabe. E Margô ouviu isso e surtou. Correu para o banheiro e chorou".

"E você?", pergunto.

"Eu o quê?"

"Chorou?"

John balança a cabeça.

"Por que não?"

John suspira como se a resposta fosse óbvia. "Porque Margô estava no banheiro tendo um colapso. O que eu ia fazer, ter um colapso também?"

"Não sei. Se eu tivesse esse tipo de sonho e acordasse gritando, poderia ficar muito abalada, poderia sentir todo tipo de coisas: raiva, culpa, tristeza, desespero; e poderia precisar pôr um tanto disso para fora, abrir um pouco a válvula de pressão. Não sei o que eu faria. Talvez fizesse o que você fez, o que também é uma reação razoável para uma situação intolerável, me entorpecer, tentar ignorar o que eu sentia, aguentar firme. Mas acho que, em algum momento, eu simplesmente explodiria.

John balança a cabeça. "Deixe-me te contar uma coisa", ele diz, com os olhos fixos nos meus. Há uma intensidade em sua voz. "Sou pai. Tenho duas filhas. *Não vou* decepcioná-las. *Não vou* ficar um trapo e estragar a infância delas. *Não vou* deixá-las com um pai e uma mãe assombrados pelo fantasma do filho. Elas merecem mais do que isso. O que aconteceu não é culpa delas. É *nossa*. E é nossa responsabilidade estar ao lado delas, manter a cabeça fria por elas."

Penso nessa ideia dele de manter a cabeça fria pelas crianças. No quanto ele sente que fracassou com Gabe e não quer fracassar com as meninas. Em como ele sente que manter a dor isolada as protegerá. E resolvo contar a ele sobre o irmão do meu pai, Jack.

Até ele ter 6 anos, idade que John tinha quando a mãe morreu, e a idade que Gabe tinha ao morrer, meu pai acreditava que ele e a irmã eram os únicos filhos dos seus pais. Então, um dia, meu pai estava remexendo nas coisas do sótão e deu com uma caixa de fotos de um garotinho, desde o nascimento até a idade escolar.

"Quem é este?", ele perguntou ao pai. O menino era irmão dele, Jack, morto aos 5 anos de pneumonia. Nunca haviam mencionado Jack. Meu pai nasceu alguns anos depois da sua morte. Seus pais acreditavam que não falar em Jack era uma maneira de se controlar em nome dos filhos. Mas o menino de 6 anos ficou chocado e confuso; queria falar sobre Jack. Por que eles não tinham contado para ele? O que aconteceu com as roupas de Jack? Com seus brinquedos? Estariam no sótão junto com as fotos? Por que eles nunca falavam em Jack? Se ele – o garotinho que um dia seria meu pai – morresse, eles também esqueceriam tudo a seu respeito?

"Você está muito focado em ser um bom pai", eu disse a John, "mas, talvez, parte de ser um bom pai seja se permitir toda a gama de emoções humanas, viver de verdade, mesmo que viver com plenitude possa, às vezes, ser mais difícil do que se retrair. Você pode sentir suas emoções intimamente, ou com Margô, ou aqui comigo; pode soltá-las na esfera adulta, e, fazendo isso, se permitir ficar mais presente com suas filhas.

Pode ser uma outra maneira de manter a cabeça fria por elas. Talvez seja até confuso para elas o fato de Gabe nunca ser mencionado. E se permitir ter raiva, chorar, ou se desesperar, às vezes, pode ser mais administrável, se Gabe tiver algum espaço em sua casa, e não for enfiado em uma caixa no sótão."

John balança a cabeça. "Não quero ser como Margô", ele diz. "Ela chora com as mínimas coisas. Às vezes, parece que nunca vai parar de chorar, e eu não consigo viver assim. É como se nada tivesse mudado pra ela, mas chega uma hora que é preciso tomar a decisão de seguir em frente. Eu escolhi seguir em frente, ela não."

Visualizo Margô sentada no sofá, perto de Wendell, abraçada à minha almofada preferida, contando para ele o quanto se sente sozinha com sua dor, como está suportando tudo sozinha, enquanto o marido fica em seu mundo fechado. E, então, penso em como John deve se sentir só, assistindo à dor da mulher, e não conseguindo suportar essa visão.

"Sei que parece assim", digo por fim, "mas me pergunto se parte do motivo de Margô se sentir dessa forma não seja por estar exercendo uma função dupla. Vai ver que todo esse tempo ela anda chorando por vocês dois."

John franze a testa, depois olha para seu colo. Algumas lágrimas caem em seu jeans preto de grife, primeiramente devagar, depois rapidamente, como uma cachoeira, mais rápido do que ele consegue enxugar. Ele acaba desistindo de tentar. São as lágrimas que vem segurando nos últimos seis anos.

Ou, talvez, mais de trinta.

Enquanto ele chora, ocorre-me que o que eu tinha visto como tema com John – a discussão com Margô sobre deixar a filha ter um celular, as idas e vindas comigo sobre usar o aparelho na minha sala – tinha um significado bem mais profundo do que eu havia percebido. Lembro-me de estar de mãos dadas no jogo do Lakers com o meu filho – *Aproveite enquanto dura* –, e o comentário de John, hoje, ao chegar: "Você ganhou... o prazer da minha companhia". Mas, talvez, ele tenha ganhado o prazer da minha. Afinal de contas, ele escolheu vir aqui hoje e me contar tudo isso.

Penso, também, em como há diversas maneiras de se defender do indizível. Aqui está uma: você separa partes indesejáveis de si mesmo, esconde-se por detrás de um eu falso e desenvolve traços narcísicos. Diz: "É, aconteceu essa catástrofe, mas estou bem. Nada pode me atingir, porque sou especial. *Uma surpresa especial*". Quando John era menino, envolver-se na lembrança do encanto de sua mãe era uma maneira de se proteger do horror da imprevisibilidade absoluta da vida. Ele também deve ter se consolado dessa maneira quando adulto, agarrando-se ao fato de ser tão especial, após a morte de Gabe. Porque a única certeza com a qual John pode contar neste mundo é o fato de ser uma pessoa especial, cercada por idiotas.

Através das lágrimas, John diz que isso é exatamente o que ele não queria que acontecesse, não queria vir aqui para ter um descontrole emocional.

Mas garanto-lhe que ele não está tendo um descontrole emocional, está se abrindo.

39

Como os humanos mudam

Em psicologia, há uma abundância de teorias envolvendo estágios, sem dúvida, porque sua ordem, clareza e previsibilidade são atraentes. Qualquer pessoa que tenha tido um curso introdutório de psicologia provavelmente se deparou com os modelos de estágio de desenvolvimento postulados por Freud, Jung, Erikson, Piaget e Maslow.

Mas existe um modelo de estágio que tenho em mente quase em todos os minutos de todas as sessões, os "estágios de mudança". Se a terapia trata de guiar pessoas de onde estão agora para onde gostariam de estar, sempre devemos considerar: Como os humanos realmente mudam?

Na década de 1980, um psicólogo chamado James Prochaska desenvolveu o modelo transteórico de mudança comportamental [TTM, em inglês], baseado em pesquisa que mostra que as pessoas, em geral, não "vão à luta simplesmente" [*Just do it*], como a Nike, ou uma resolução de ano-novo poderia propor. Em vez disso, elas tendem a se mover por uma série de estágios sequenciais, que tem mais ou menos esta disposição:

Estágio 1 – Pré-contemplação
Estágio 2 – Contemplação
Estágio 3 – Preparação
Estágio 4 – Ação
Estágio 5 – Manutenção

Sendo assim, digamos que você queira fazer uma mudança: exercitar-se mais, terminar um relacionamento, ou até experimentar, pela primeira vez, uma terapia. Antes de chegar a isso, você está no primeiro estágio, pré-contemplação, o que equivale a dizer que não está nem pensando em mudança. Alguns terapeutas poderiam associar isso a uma negação, significando que você não percebe que poderia ter um problema. Quando Charlotte procurou-me pela primeira vez, apresentou-se como uma pessoa que bebe socialmente. Percebi que ela estava no estágio de pré-contemplação, enquanto falava sobre a tendência de sua mãe de se automedicar com álcool, mas falhei ao não perceber qualquer ligação com seu próprio uso de álcool. Quando a confrontei com isso, ela se fechou, ficou irritada ("As pessoas da minha idade saem e bebem!"), ou entrou em "*what-aboutery*", a prática de desviar atenção da dificuldade em discussão, levantando um assunto problemático diferente. ("X não tem importância, e quanto a Y?")

É claro que os terapeutas não são persuasivos. Não podemos convencer uma anoréxica a comer, um alcoólatra a não beber; não podemos convencer pessoas a não serem autodestrutivas, porque, no momento, a autodestruição lhes serve. O que podemos fazer é tentar ajudá-las a se entender melhor, e mostrar-lhes como fazer as perguntas certas a si mesmas, até que algo aconteça – interna ou externamente – e as leve a seu autoconvencimento.

Foi o acidente de carro de Charlotte e a direção sob efeito de álcool que fizeram com que ela passasse para o próximo estágio, contemplação.

A contemplação é repleta de ambivalências. Se a pré-contemplação é negação, a contemplação pode ser associada à resistência. Aqui, a pessoa reconhece o problema, está disposta a falar sobre ele, e em teoria não se opõe a partir para a ação, mas simplesmente não parece se levar a agir. Assim, embora Charlotte esteja preocupada com sua infração de dirigir alcoolizada e a obrigação subsequente de participar de um programa para dependentes – a que compareceu de má vontade, mas só depois de deixar de fazer o curso a tempo, precisando contratar um advogado custoso para estender seu prazo limite –, não estava pronta para fazer qualquer alteração em suas bebedeiras.

As pessoas frequentemente começam a terapia durante seu estágio de contemplação. Uma mulher, num relacionamento à distância, diz que seu namorado fica adiando sua planejada mudança para sua cidade, e ela reconhece que provavelmente ele não virá, mas não romperá com ele. Um homem sabe que a esposa anda tendo um caso, mas quando conversamos a respeito, arruma desculpas para onde ela poderia estar, quando não responde suas mensagens de texto, de modo a não ter que confrontá-la. Aqui, as pessoas adiam ou se autossabotam como um meio de impedir a mudança, mesmo quando positiva, por relutar em desistir de alguma coisa, sem saber o que obterão em seu lugar. A dificuldade é que, nesse estágio, uma mudança envolve a perda do antigo e a ansiedade do novo. Embora, frequentemente seja, para amigos e companheiros, exasperante de assistir, essa roda de hamster é parte do processo; as pessoas precisam fazer a mesma coisa repetidamente, por um número de vezes aparentemente ridículo, antes de estarem prontas para mudar.

Charlotte falou sobre tentar diminuir a bebida, tomar duas taças de vinho por noite, em vez de três, ou pular os coquetéis no brunch, se for beber novamente no jantar (e, é claro, *depois* do jantar). Conseguia reconhecer o papel que o álcool estava desempenhando em sua vida, seus efeitos de ansiedade e mutismo, mas não conseguia encontrar um modo alternativo para lidar com seus sentimentos, mesmo com o medicamento receitado por um psiquiatra.

Para ajudar com sua ansiedade, decidimos acrescentar uma segunda sessão semanal de terapia. Durante esse tempo, ela bebeu menos, e por um tempo acreditou que isso seria o bastante para controlar suas bebedeiras. Mas vir duas vezes por semana criou seus próprios problemas; Charlotte convenceu-se mais uma vez de que estava viciada em mim, então voltou ao esquema de uma vez por semana. Quando, num momento oportuno, como depois de ela ter mencionado ter ficado bêbada em um encontro, propus a ideia de um programa de tratamento ambulatorial, ela sacudiu a cabeça. Nem pensar.

"Esses programas fazem você parar completamente", ela disse. "Quero poder tomar um drinque ao jantar. É socialmente esquisito não beber, quando todo mundo está bebendo."

"Também é socialmente esquisito ficar bêbada", eu disse, ao que ela respondeu: "É, estou diminuindo". E na ocasião era verdade; ela *estava* diminuindo. E estava lendo sobre vício on-line, chegando ao estágio três, preparação.

Para Charlotte, era difícil admitir a luta de vida inteira em que ela havia estado com seus pais. "Não vou mudar, mamãe e papai, até vocês me tratarem do jeito que eu quero ser tratada." Ela havia feito uma barganha inconsciente de que só mudaria seus hábitos se seus pais mudassem os deles, pacto prejudicial aos dois lados, se é que existiu. Na verdade, seu relacionamento com os pais não poderia mudar até ela ter algo novo para trazer à relação.

Dois meses depois, Charlotte chegou, esvaziou o conteúdo da sua bolsa nos braços do seu trono e disse: "Então, tenho uma pergunta". Queria saber se eu conhecia algum bom programa ambulatorial para tratamento de alcoolismo. Tinha entrado no estágio quatro, ação.

Nesse estágio, Charlotte passava, devidamente, três noites por semana em um programa de tratamento para vício, usando o grupo como substituto para a ingestão de vinho, que costumava fazer naquele horário. Parou totalmente de beber.

O objetivo, logicamente, é chegar ao estágio final, manutenção, o que revela que a pessoa manteve a mudança por um período significativo. Isso não quer dizer que as pessoas não voltem atrás, como num jogo infantil de tabuleiro. Estresse ou certos gatilhos para o antigo comportamento (um determinado restaurante, um telefonema de um velho companheiro de bebedeira) podem resultar em recaída. Esse estágio é difícil porque os comportamentos que as pessoas querem modificar estão arraigados na trama de suas vidas. Pessoas com problemas de adição (seja a uma substância, drama, negatividade, ou maneiras autodestrutivas de ser) tendem a conviver com outros viciados. Mas, quando a pessoa se encontra em manutenção, normalmente ela consegue voltar a entrar nos eixos com o apoio adequado.

Sem vinho ou vodca, Charlotte conseguiu uma melhor concentração; sua memória melhorou, e ela se sentiu menos cansada e mais motivada. Inscreveu-se num curso de graduação, envolveu-se com uma organização beneficente para animais, pelos quais era apaixonada. Também, pela primeira vez, conseguiu conversar comigo sobre seu difícil relacionamento com a mãe e começou a interagir com ela de um jeito mais calmo, menos reativo. Manteve-se longe dos "amigos" que a convidaram para apenas um drinque de aniversário, "Porque só se faz 27 anos uma vez, certo?". Em vez disso, passou a noite do seu aniversário com um novo grupo de amigos, que lhe serviu seu prato preferido e brindou com uma mistura criativa de drinques festivos e não alcoólicos.

Mas havia um vício que ela não conseguia largar: o Cara.

Sendo bem sincera, eu não gostava do Cara; da sua arrogância, sua desonestidade e sua enrolação com Charlotte. Uma semana ele estava com a namorada, na outra, não. Um mês estava com Charlotte, no mês seguinte, não. *Estou de olho em você*, foi o que quis transmitir com meu olhar, quando abri a porta da sala de espera e o vi sentado perto de Charlotte. Senti-me protetora, como a mamãe cadela no assento do motorista naquele comercial de automóveis. Mas fiquei na minha.

Com frequência, Charlotte revirava os polegares no ar, enquanto narrava o último episódio: "Então, eu disse...", "E então ele meio que...", "E então eu meio que...".

"Você teve essa conversa por mensagem de texto?", perguntei, surpresa, na primeira vez em que ela fez isso. Quando sugeri que discutir o estado do relacionamento deles, via mensagem de texto, poderia ser limitante – não dá para olhar nos olhos de alguém, ou pegar na mão de alguém como conforto, ainda que você esteja nervosa –, ela retorquiu: "Ah, não, a gente também usa emojis".

Pensei no silêncio ensurdecedor e no retorcer de pé que me deram a dica do desejo do Namorado de romper; se naquela noite estivéssemos mandando mensagens de texto sobre as entradas de cinema, ele poderia ter esperado meses para me contar. Mas, para Charlotte, eu sabia que eu soava como uma velha antiquada; sua geração não iria mudar, então eu é que *teria* que mudar para acompanhar a época.

Hoje os olhos de Charlotte estão vermelhos. Ela descobriu, pelo Instagram, que o Cara voltou com sua suposta ex-namorada.

"Ele fica dizendo que quer mudar, mas aí acontece isso", ela diz, suspirando. "Você acha que um dia ele muda?"

Penso sobre os estágios de mudança, o ponto em que Charlotte está, o ponto em que o Cara devia estar e como o constante desaparecimento do pai de Charlotte vem sendo reencenado com o Cara. Para ela, é difícil aceitar que, embora *ela* possa mudar, outras pessoas talvez não mudem.

"Ele não vai mudar, vai?", ela pergunta.

"Talvez ele não queira mudar", digo, com delicadeza. "E talvez seu pai também não quisesse."

Charlotte aperta os lábios, considerando a possibilidade que nunca havia lhe ocorrido. Depois de todos os seus esforços de tentar fazer esses homens amarem-na da maneira que ela quer ser amada, ela não pode mudá-los porque *eles não querem mudar*. Esse é um cenário conhecido em terapia. O namorado de uma paciente não *quer* deixar de fumar maconha, nem de jogar videogames nos finais de semana. O filho de um paciente não *quer* estudar mais para os exames, em detrimento de fazer produções musicais. O marido de uma paciente não *quer* viajar menos a trabalho. Às vezes, as mudanças que você deseja em outra pessoa não estão nos planos dela, mesmo que ela diga que estão.

"Mas...", ela diz, depois se interrompe.

Olho para ela, percebendo a mudança acontecendo em seu interior.

"Eu fico tentando fazer com que eles mudem", ela diz, quase consigo mesma.

Concordo com a cabeça. Ele não vai mudar, então cabe a ela.

Todo relacionamento é uma dança. O Cara faz seus passos de dança (aproxima/recua), e Charlotte faz os dela (aproxima/machuca-se); é assim que eles dançam. Mas se Charlotte mudar seus passos, acontecerá uma de duas coisas: ou o Cara será forçado a mudar os dele, de modo a não tropeçar e cair, ou simplesmente deixará o salão de dança e descobrirá outros pés sobre os quais pisar.

O primeiro drinque de Charlotte, depois de quatro meses de sobriedade, aconteceu no Dia dos Pais, quando seu pai havia planejado ir à sua cidade para estar com ela, mas cancelou no último minuto. Isso foi há três meses. Ela não gostou daquela dança, então, mudou os passos. Desde então, não bebeu mais.

"Preciso parar de ver o Cara", ela diz, agora.

Sorrio, como que dizendo: *Acho que já ouvi isso*.

"Não, estou falando sério desta vez", ela diz, mas também sorri. Esse tem sido seu mantra por meses, durante a preparação. "Posso mudar minha hora?", ela pergunta. Hoje, ela está pronta para agir.

"Claro", respondo, lembrando já ter sugerido isso, para que Charlotte não tivesse que se sentar com o Cara na sala de espera, toda semana, mas ela não estava pronta para pensar nisso. Ofereço um dia e um horário diferentes, e ela muda o agendamento em seu celular.

No final da nossa sessão, Charlotte junta seus inúmeros pertences, vai até a porta e, como sempre, para, ganhando tempo.

"Bom, te vejo na *segunda*", sussurra, sabendo que demos um chapéu no Cara, que provavelmente vai se perguntar por que ela não está ali, em seu horário normal de quinta-feira. *Que pergunte*, penso.

Enquanto Charlotte segue pelo corredor, o Cara sai da sua sessão, e Mike e eu nos cumprimentamos com um aceno de cabeça, expressão impassível.

Talvez o Cara tenha contado a Mike sobre a namorada, e eles passaram a sessão conversando sobre sua tendência de manipular as pessoas, enganar, trair. ("Ah, então é esse o problema dele", Charlotte disse uma vez, depois de ele ter feito isso com ela duas vezes.) Ou talvez o Cara não tocou nesse assunto com Mike. Talvez ele não esteja pronto para mudar. Ou, talvez, apenas não esteja interessado em mudança.

Quando, no dia seguinte, trouxe isso para o meu grupo de aconselhamento, Ian disse, simplesmente: "Lori, quatro palavras: *não é seu paciente*".

E percebo que, assim como Charlotte, também preciso soltar o Cara.

40

Pais

Durante uma tardia limpeza de ano-novo, deparei-me com meu trabalho de faculdade sobre o psiquiatra austríaco Viktor Frankl. Percorrendo minhas notas, comecei a me lembrar da sua história.

Frankl nasceu em 1905, e, quando menino, interessou-se profundamente por psicologia. No ensino médio, começou uma ativa correspondência com Freud. Foi estudar medicina e oratória, na interseção entre psicologia e filosofia, ou o que chamou de *logoterapia*, da palavra grega *logos*, ou "significado". Enquanto Freud acreditava que as pessoas são impulsionadas a buscar prazer e evitar a dor (seu famoso "princípio do prazer"), Frankl afirmava que o impulso fundamental das pessoas não está na busca do prazer, mas de encontrar significado em suas vidas.

Ele estava na faixa dos 30 anos quando estourou a Segunda Guerra Mundial, colocando-o, um judeu, em perigo. Recebendo uma oferta de emigração para os Estados Unidos, recusou-a para não abandonar os pais, e, um ano depois, ele e a esposa foram forçados pelos nazistas a interromper a gravidez. Em questão de meses, Frankl e outros membros da família foram deportados para campos de concentração, e quando, três anos depois, ele foi finalmente libertado, soube que os nazistas haviam matado sua esposa, seu irmão e seus pais.

A liberdade sob essas circunstâncias deveria tê-lo levado ao desespero. Afinal de contas, agora, a esperança do que o aguardava, e a seus companheiros presos, com sua libertação, desaparecera; as pessoas de quem eles gostavam estavam mortas; suas famílias e seus amigos, exterminados. Mas Frankl escreveu o que se tornou um extraordinário tratado de resiliência e salvação espiritual, conhecido em inglês como *Man's Search for Meaning*

[*O homem em busca de um sentido,* na edição brasileira]. Nele, Frankl compartilha sua teoria da logoterapia, referindo-se não apenas aos horrores do campo de concentração, mas também a dificuldades mais mundanas.

Ele escreveu: "Tudo pode ser tirado de um homem, menos uma coisa, a última das liberdades humanas: escolher uma atitude em qualquer série de circunstâncias".

De fato, Frankl voltou a se casar, teve uma filha, publicou prolificamente e fez palestras pelo mundo até sua morte, aos 92 anos.

Relendo essas notas, pensei na minha conversa com Wendell. Rabiscadas no meu caderno espiral da faculdade, estavam as palavras "reagindo *vs.* respondendo = reflexivo *vs.* escolhido". Podemos escolher nossa reação, Frankl estava dizendo, mesmo sob o espectro da morte. O mesmo era verdade para a perda da mãe e do filho de John, a doença de Julie, o passado lamentável de Rita e a infância de Charlotte. Não consegui pensar em um único paciente para o qual as ideias de Frankl não se aplicassem, fosse por um trauma extremo, ou uma interação com um membro difícil da família. Mais de sessenta anos depois, Wendell dizia que eu também poderia escolher, que a cela da prisão estava aberta dos dois lados.

Eu gostava, particularmente, desta frase do livro de Frankl: "Existe um intervalo entre o estímulo e a resposta. Nesse intervalo está nosso poder de escolha para a nossa resposta. Em nossa resposta, está nosso crescimento e nossa liberdade".

Nunca mandei e-mail para Wendell que não fosse por problemas de horário, mas fiquei tão perplexa com o paralelo, que quis compartilhá-lo com ele. Peguei seu e-mail e digitei: *Era sobre isso que conversamos. Imagino que o truque seja encontrar esse "intervalo" indefinível.*

Algumas horas depois, ele respondeu:

Sempre gostei de Frankl. Citação linda. Vejo você na quarta.

Típico de Wendell: caloroso e genuíno, mas deixando claro que a terapia acontece cara a cara. Lembrei-me da nossa primeira conversa por telefone, quando ele quase não disse nada, e como foi surpreendentemente interativo ao nos conhecermos.

Ainda assim, fiquei com sua resposta na cabeça a semana toda. Eu poderia ter mandado aquela citação para vários amigos que também a teriam apreciado, mas não seria a mesma coisa. Wendell e eu existíamos num universo à parte, onde ele me via sob aspectos que nem os mais íntimos me viam. É claro que também é verdade que minha família e meus amigos viam aspectos em mim que Wendell jamais veria, mas ninguém entenderia com tanta precisão quanto ele o subtexto do meu e-mail.

Na quarta-feira seguinte, Wendell menciona o e-mail. Ele me conta que compartilhou a citação com a esposa, que vai usá-la em uma palestra sua. Ele nunca havia mencionado a esposa, embora eu saiba tudo sobre ela pela minha compulsão pelo Google há muito tempo.

"O que sua esposa faz?", pergunto, como se não tivesse visto seu perfil no LinkedIn. Ele me conta que ela trabalha em uma ONG.

"Ah, interessante", respondo, mas a palavra *interessante* soa artificialmente aguda.

Wendell observa-me. Mudo rapidamente de assunto.

Por uma fração de segundo, penso no que eu poderia fazer se estivesse no lugar do terapeuta. Às vezes, quero dizer: "Eu não faria isso desse jeito", mas sei que é como dirigir do banco de trás. Preciso ser a paciente, o que significa que preciso ceder o controle. Pode parecer que o paciente é que controla a sessão, decidindo o que dizer ou não, estabelecendo a agenda ou o tópico. Mas os terapeutas puxam os cordões à sua própria maneira, no que dizemos ou não dizemos, ao que reagimos ou esperamos para mais tarde, ao que damos atenção e ao que não damos.

Mais tarde, na sessão, estou falando sobre meu pai. Conto a Wendell que ele esteve novamente hospitalizado por causa do seu problema cardíaco, e apesar de agora estar bem, tenho medo de perdê-lo. Estou consciente, de uma nova maneira, do quão frágil ele está, e começo a absorver a realidade de que ele não ficará aqui para sempre.

"Não consigo imaginar um mundo sem ele", digo. "Não consigo imaginar não poder ligar para ele e escutar sua voz, ou pedir seu conselho, rirmos juntos de alguma coisa que nós dois achamos engraçada." Penso em como não existe nada no mundo como rir com o meu pai. No quanto ele entende de quase qualquer assunto, na intensidade do seu amor por mim e em como ele é bom, não só para mim, mas para todo mundo. A primeira coisa que as pessoas dizem sobre o meu pai não é o quanto ele é inteligente, ou divertido, embora ele seja as duas coisas. A primeira coisa que elas dizem é: "Ele é tão meigo!".

Conto a Wendell sobre a época em que eu estava na faculdade, na costa leste, sentindo saudades de casa, sem saber se queria ficar lá. Meu pai percebeu o sofrimento em minha voz, pegou um avião e voou quase cinco mil quilômetros para se sentar comigo em um banco de parque, em frente ao meu dormitório, no inverno gelado, e se limitou a escutar. Escutou-me por mais dois dias, senti-me melhor e ele foi para casa. Não penso nisso há anos.

Conto também o que aconteceu neste último final de semana, depois do jogo de basquete do meu filho. Enquanto os meninos saíam correndo para celebrar sua vitória, meu pai puxou-me de lado e me contou que um dia antes havia estado no funeral de um amigo. Depois da cerimônia, foi até a filha do amigo, que agora tem uns 30 e poucos anos, e disse: "Seu pai tinha muito orgulho de você. Em todas as nossas conversas, ele dizia: 'Tenho tanto orgulho da Christina!' e me contava tudo o que você andava fazendo!". Isso era totalmente verdade, mas Christina ficou chocada. "Ele nunca me contou isso", ela disse, caindo no choro. Meu pai ficou de boca aberta, até perceber que não tinha certeza se já havia *me* dito como se sentia em relação a mim. Será que tinha chegado a fazer isso, ou tinha feito o bastante?

"Então", meu pai disse, em frente ao ginásio, "quero ter certeza de ter te dito o quanto tenho orgulho de você. Quero ter certeza de que *você sabe.*" Disse isso de uma maneira muito tímida, claramente desconfortável por ter esse tipo de interação; estava acostumado a escutar os outros, mas a guardar seu mundo emocional consigo.

"Eu sei", eu disse, porque meu pai havia exposto seu orgulho por mim de inúmeras maneiras, embora nem sempre eu estivesse escutando tão bem quanto deveria. Mas naquele dia, não pude deixar de escutar as entrelinhas: *Mais cedo ou mais tarde, vou morrer.* Ficamos ali, nós dois, abraçados e chorando, enquanto as pessoas que passavam procuravam não encarar, porque ambos sabíamos que aquele era o começo da despedida do meu pai.

"Enquanto seus olhos estão se abrindo, os dele estão começando a se fechar", Wendell diz agora, e penso o quanto isso é amargo, mas verdadeiro. Meu despertar está acontecendo num momento oportuno.

"Estou muito feliz por ter esse tempo com ele, e que esse tempo possa ser tão significativo", digo. "Não gostaria que ele morresse um dia, de repente, e eu sentisse ser tarde demais, que havia esperado muito para nós realmente nos enxergarmos."

Wendell balança a cabeça concordando, e sinto-me indisposta. De repente, lembro-me que o pai de Wendell morreu dez anos atrás, muito inesperadamente. Em minha pesquisa no Google, me deparei com seu obituário depois de ler a história da sua morte na entrevista familiar da mãe. Aparentemente, o pai de Wendell gozava de uma saúde supostamente perfeita, quando desabou no jantar. Pergunto-me se falar sobre o meu pai dessa maneira pode lhe ser doloroso. Preocupo-me, também, que, se disser mais alguma coisa, vou revelar o quanto sei. Então, recuo, ignorando o fato de que os terapeutas são treinados para escutar o que os pacientes não dizem.

Algumas semanas depois, Wendell comenta que, nas últimas duas sessões, eu pareço estar medindo minhas palavras; desde que, acrescenta, enviei-lhe a citação de Viktor Frankl, e ele mencionou a esposa. Ele tenta imaginar como a menção à esposa me afetou.

"Não pensei de fato nisso", digo. É verdade. Andei concentrada em esconder minha pesquisa na internet.

Olho para os meus pés, depois para os de Wendell. As meias de hoje são azuis, estampa chevron. Quando levanto a cabeça, vejo que Wendell está olhando para mim com a sobrancelha direita levantada.

E, então, percebo do que Wendell está suspeitando. Ele acha que estou com ciúme da sua esposa, que o quero só para mim! Isso é chamado de "transferência romântica", reação comum dos pacientes para com seus terapeutas. Mas a ideia de que tenho uma paixonite por Wendell me parece hilária.

Olho para ele, em seu cardigã bege e calça cáqui, meias extravagantes, os olhos verdes, encarando-me de volta. Por um segundo, imagino como deve ser estar casada com Wendell. Em uma foto que achei dele com a esposa, eles estavam em um evento beneficente, de braços dados, elegantemente vestidos. Wendell sorria para a câmera, e sua esposa olhava para ele com admiração. Lembro-me de sentir uma pontada de inveja ao ver aquela foto, não por invejar sua esposa, mas porque os dois pareciam ter o tipo de relação que eu queria para mim... com outra pessoa. Mas quanto mais eu negar a transferência romântica, menos Wendell acreditará em mim.

Ainda restam cerca de vinte minutos da sessão. Mesmo como paciente, posso sentir o pulsar da hora, e sei que essa fachada não pode durar para sempre. Só há uma coisa a fazer.

"Dei um Google em você", digo, desviando o olhar. "Parei de investigar o Namorado, e acabei investigando você. Quando você mencionou sua esposa, eu já sabia a respeito. E sobre a sua mãe." Faço uma pausa, especialmente mortificada por essa última parte. "Li aquela longa entrevista com a sua mãe."

Fiquei preparada para... sei lá o quê. Que acontecesse alguma coisa ruim, entrasse um tornado na sala e alterasse nossa conexão de alguma maneira intangível e irreparável. Esperei que tudo parecesse distante, diferente, mudado entre nós. Mas, em vez disso, aconteceu o contrário. A sensação foi como se tivesse vindo uma tempestade, passado pela sala, e não fizesse nenhum estrago, deixando uma clareira à sua passagem.

Senti-me mais leve, aliviada de uma carga. Compartilhar verdades difíceis traz um custo, a necessidade de encará-las, mas também há uma recompensa: a liberdade. A verdade nos liberta da vergonha.

Wendell balança a cabeça em assentimento, e ficamos ali numa conversa sem palavras. Eu: *Sinto muito. Não deveria ter feito isso. Foi muito invasivo.* Ele: *Tudo bem. Eu compreendo. É natural sentir curiosidade.* Eu: *Estou feliz por você, por ter essa família amorosa.* Ele: *Obrigado. Espero que um dia você também tenha isso.*

E então temos a versão dessa conversa em voz alta. Também discutimos a minha curiosidade. Por que eu a mantive em segredo? Qual foi a sensação de guardar esse segredo, e também saber tanto sobre ele? O que imaginei que aconteceria entre nós se eu contasse; e qual a sensação agora que contei? E por ser terapeuta, ou talvez por ser uma paciente e precisar da informação, pergunto como é saber que eu o espionei. Descobri alguma coisa que ele desejava que eu não soubesse? Ele se sente diferente em relação a mim, em relação a nós?

Só uma das suas respostas me choca: ele nunca viu a entrevista com sua mãe! Não sabia que ela existisse on-line. Tinha ciência de que ela havia dado uma entrevista para aquela organização, mas pensava que fosse para seus arquivos internos. Pergunto se ele se preocupa que outros pacientes possam vê-la, e ele se recosta para trás e respira fundo. Pela primeira vez, vejo sua testa se enrugar.

"Não sei", diz, depois de um tempinho. "Vou ter que pensar nisso."

A citação de Frankl volta mais uma vez à minha cabeça. Ele está abrindo um espaço entre o estímulo e a reação para escolher sua liberdade.

Nossa sessão termina, então Wendell dá os costumeiros dois tapinhas nas pernas e levanta-se. Vamos até a porta, mas paro na soleira.

"Sinto muito pelo seu pai", digo. Afinal de contas, está tudo às claras. Ele sabe que eu conheço a história toda.

Wendell sorri. "Obrigado."

"Você sente saudades dele?", pergunto.

"Todos os dias", ele responde. "Não passa um dia sem que eu sinta falta dele."

"Eu também não passarei um dia sem sentir falta do meu pai", digo.

Ele confirma com a cabeça e ficamos ali parados, pensando juntos em nossos pais. Quando ele se afasta para abrir a porta, vejo uma leve umidade em seus olhos.

Há tantas outras coisas que quero perguntar a ele! Está em paz com o estado em que as coisas ficaram quando seu pai sucumbiu? Penso nos modos como pais e filhos possam estar enredados em expectativas e desejos por aprovação. Será que seu pai um dia lhe disse que tinha orgulho dele, não *apesar* de ter rejeitado os negócios da família, abrindo seu próprio caminho, mas *por causa* disso?

Não saberei mais coisas sobre o pai de Wendell, mas teremos muitas discussões nas próximas semanas e nos próximos meses sobre o meu. E por meio delas, ficará claro que, ao procurar um terapeuta homem, eu esperava ter uma opinião objetiva sobre o rompimento, mas, em vez disso, consegui uma versão do meu pai.

Porque meu pai também me mostra qual é a sensação de ser vista com olhos contemplativos.

41

Integridade *versus* desespero

Rita está sentada à minha frente com sua calça elegante e sapatos confortáveis, comentando em detalhes o motivo de a sua vida ser desanimadora. Sua sessão, assim como a maioria das suas sessões, parece uma marcha fúnebre, o que é ainda mais confuso, porque entre surtos de insistir que nada mudará jamais, ela tem feito mudanças, tanto mínimas, quanto monumentais.

No tempo em que ela e Myron eram amigos, pré-Randie, Myron tinha feito um site para que ela pudesse catalogar sua arte on-line. Assim, ele disse, ela poderia manter suas peças organizadas, além de compartilhá-las com outras pessoas. Mas Rita não via necessidade de ter um site. "Quem vai olhá-lo?", perguntou.

"Eu vou", Myron disse.

Três semanas depois, Rita tinha um site com exatamente um visitante. Bom, dois, contando com Rita que, verdade seja dita, amou-o. Parecia muito *profissional*. Naquelas primeiras semanas, ela ficou horas, todos os dias, clicando em seu site, tendo ideias para novos projetos, imaginando-os expostos. Mas sua empolgação diminuiu quando Myron começou a namorar Randie. Por que se dar ao trabalho de postar qualquer coisa nova, agora? De qualquer modo, ela não sabia como mexer naquela maldita coisa.

Então, uma tarde, Rita deu com Myron e Randie de mãos dadas no lobby, e, para se sentir melhor, disparou para a loja de produtos de arte e esbanjou dinheiro em material. A caminho do seu apartamento com suas compras, tropeçou em duas crianças que surgiram em disparada, saídas de lugar nenhum. As sacolas de pincéis, acrílicos e tintas guaches, as telas e os potes de argila, tudo veio rolando, juntamente com Rita, que foi amparada no último segundo por um par de mãos fortes.

As mãos pertenciam ao pai das crianças, Kyle, que Rita já vira algumas vezes pelo olho mágico, mas com quem nunca havia se encontrado. Era o pai do apartamento "Oi, família" em frente ao dela, e havia salvado sua vizinha de uma potencial fratura no quadril.

Depois de Kyle pedir às crianças para se desculparem por não olharem aonde estavam indo, todos eles juntaram as compras de Rita e levaram-nas para seu apartamento. Ali, em sua sala de visitas transformada em ateliê, viram seus trabalhos cobrindo todo o espaço: retratos e pinturas abstratas em cavaletes, cerâmicas perto de uma roda de oleiro, desenhos a carvão em andamento pendurados em um painel na parede. As crianças ficaram no céu. E Kyle ficou perplexo. "Você tem talento", disse. "Um verdadeiro talento. Deveria vender essas obras."

Eles voltaram para seu apartamento, e logo depois, quando a esposa de Kyle chegou em casa ("Oi, família!"), as crianças imploraram à mãe para cruzar o corredor com elas e ver a sala de visitas da "artista". Como sempre, Rita estava parada no olho mágico, e a batida veio antes que ela tivesse tempo de recuar. Contou até cinco e perguntou: "Quem é?", e cumprimentou-os com uma surpresa fingida.

Logo Rita estava ensinando arte para Sophia e Alice, de 5 e 7 anos, e com frequência juntava-se à família-oi para, bem, um jantar familiar. Uma tarde, Anna chegou em casa e gritou: "Oi, família!", para Sophia e Alice, que estavam pintando na sala de visitas de Rita. As crianças gritaram de volta: "Oi!", e então Alice virou-se para Rita e perguntou por que ela não respondia quando a mãe delas dizia "oi".

"Não sou da família", Rita disse naturalmente, ao que Alice respondeu: "Você é, sim. Você é nossa avó da Califórnia!". Os avós das meninas moravam em Charleston e Portland. Suas visitas eram frequentes, mas era Rita quem as via quase diariamente.

Enquanto isso, Anna havia pendurado uma das pinturas de Rita acima do sofá, na sala de visitas da família. Rita também pintou duas peças personalizadas para o quarto das meninas: uma bailarina para Sophia, e um unicórnio para Alice. As meninas ficaram encantadas.

Anna tentou pagá-la pelo seu trabalho, mas ela recusou, insistindo que eram presentes. Por fim, Kyle, que é programador, convenceu Rita a deixá-lo acrescentar um recurso ao seu site, uma loja on-line. Enviou um e-mail aos pais dos colegas de Sophia e Alice, e logo Rita estava recebendo encomendas para retratos personalizados das crianças. Uma das mães também comprou cerâmicas para sua sala de jantar.

Considerando todos esses desdobramentos, esperei que o humor de Rita melhorasse. Ela estava ganhando vida, levando uma existência menos restrita, tinha pessoas com quem conversar todos os dias, compartilhava seu talento artístico com quem o admirava. Não estava invisível como havia estado quando veio me procurar. Mas, mesmo assim, seu prazer, ou sua alegria, ou seja lá o que sentisse ("Acho que é agradável", era o máximo que dizia), achava-se sob uma nuvem negra, uma ladainha contínua de como Myron, se ele realmente estivesse falando a sério no estacionamento da ACM, teria, para começo de conversa, namorado Rita, e não aquela desagradável Randie; como, por mais que eles fossem gentis, a família-oi não era sua família, e como ela ainda morreria só.

Ela parecia estar presa naquilo que o psicólogo Erik Erikson denominou "desesperança".

Em meados de 1900, Erikson propôs oito "estágios de desenvolvimento psicossocial", que até hoje orientam o pensamento dos terapeutas. Ao contrário dos estágios de Freud do "desenvolvimento psicossexual", que terminam na puberdade e focam no id, "os estágios psicossociais" de Erikson focam no desenvolvimento da personalidade em um contexto social (tal como a maneira com que os bebês desenvolvem um sentimento de confiança nos outros). Mais importante, os estágios de Erikson prosseguem durante toda a vida, e cada estágio inter-relacionado envolve uma crise que precisamos atravessar para passar para o próximo. Eles se apresentam da seguinte maneira:

Bebê (esperança) – confiança *versus* desconfiança
Criança que começa a andar (vontade) – autonomia *versus* vergonha
Criança pré-escolar (propósito) – iniciativa *versus* culpa
Criança em idade escolar (competência) – atividade *versus* inferioridade

Adolescente (fidelidade) – identidade *versus* confusão de papéis
Jovem adulto (amor) – intimidade *versus* isolamento
Adulto de meia-idade (cuidado) – generatividade *versus* estagnação
Velhice (sabedoria) – integridade *versus* desesperança

O oitavo estágio é onde pessoas da idade de Rita geralmente se encontram. Erikson defendia que, nos anos mais avançados, experimentamos uma sensação de integridade, se acreditarmos ter vivido vidas significativas. Esse senso de integridade nos dá uma sensação de completude de modo a podermos aceitar melhor a aproximação da morte. Mas se tivermos arrependimentos não resolvidos em relação ao passado, se acharmos que fizemos más escolhas, ou fracassamos em alcançar objetivos importantes, sentimo-nos deprimidos e desanimados, o que nos leva à desesperança.

Parecia-me que a desesperança atual de Rita em relação a Myron estava ligada a uma antiga desesperança, e por isso lhe era difícil aproveitar qualquer um dos aspectos em que sua vida se expandira. Estava acostumada a ver o mundo de um lugar de déficit, e, como resultado, a alegria lhe era estranha. Se você está acostumado a se sentir abandonado, se já sabe qual é a sensação de se sentir decepcionado, ou rejeitado pelas pessoas, talvez não seja bom, mas pelo menos não há surpresas; você se sente em casa. No entanto, uma vez que você entra em território estrangeiro, se passa tempo com pessoas confiáveis, que o acham atraente e interessante, pode se sentir ansioso e desorientado. De uma hora para outra, nada é familiar. Você não tem marcos, nada para se basear, e toda a previsibilidade do mundo a que está acostumado sumiu. Talvez o lugar de onde você veio não seja formidável, poderia, na verdade, ser bem terrível, mas você sabia exatamente o que encontraria lá: desapontamento, caos, isolamento, desaprovação.

Conversei sobre isso com Rita, sobre como, em grande parte da sua vida, ela quis não ser invisível, ser *enxergada*, e agora isso estava acontecendo, em seu relacionamento com seus vizinhos, com as pessoas que compravam sua arte e na declaração de Myron sobre seu interesse romântico. Essas pessoas gostavam da sua companhia, admiravam-na, desejavam-na, *enxergavam-na*, e, mesmo assim, ela parecia incapaz de reconhecer que algo positivo estava acontecendo.

"Você está achando bom demais pra ser verdade?", pergunto. Existe um termo para esse medo irracional da alegria: "querofobia" (*chero* é a palavra grega para *alegrar-se*). As pessoas com querofobia são como panelas de Teflon, em termos de prazer; ela não gruda (embora a dor solidifique-se nelas, como em uma superfície não untada). É comum que as pessoas com histórias traumáticas esperem desastres a qualquer instante. Em vez de se apoiar no que vier de bom, tornam-se supervigilantes, sempre esperando que alguma coisa dê errado. Poderia ser por isso que Rita ainda procurasse lenços de papel em sua bolsa, mesmo sabendo que havia uma caixa nova ao seu lado, sobre a mesa. É melhor não se acostumar com uma caixa cheia de lenços de papel, ou com uma família emprestada na porta ao lado, pessoas comprando sua arte, ou o homem com quem você sonha dando-lhe um grande beijo no estacionamento. *Não se iluda, irmã!* No momento em que você se sentir bem confortável – *vuuum!* –, tudo sumirá. Para Rita, a alegria não é um prazer; é uma dor antecipada.

Rita olha para mim, concordando com a cabeça. "Exatamente", diz. "Sempre acontece alguma coisa."

Aconteceu quando ela entrou na faculdade, quando se casou com um alcoólatra, quando teve mais duas chances para o amor, e elas também saíram pela janela. Aconteceu quando seu pai morreu, e ela finalmente – finalmente! – começou a se relacionar com a mãe, que acabou diagnosticada com Alzheimer, e Rita teve que cuidar daquela mulher que não a reconheceu durante doze longos anos.

Logicamente Rita não tinha que trazer a mãe para seu apartamento durante aqueles anos; escolheu fazê-lo porque, de alguma maneira, sua desgraça lhe servia. Na época, nunca lhe ocorreu questionar se tinha obrigação de cuidar da mãe, quando a mãe não tinha cuidado dela na infância. Não enfrentou a mais difícil das perguntas difíceis: *O que devo a meus pais, e o que eles me devem?* Poderia ter conseguido ajuda externa para sua mãe. Rita reflete sobre isso enquanto conversamos, mas depois diz que se tivesse que fazer tudo de novo, faria tudo igual.

"Recebi o que merecia", explica. Ela *merece* essa miséria por todos os seus crimes; arruinar a vida dos filhos, não ter compaixão pela dor do segundo marido, nunca controlar a própria vida. O que lhe parece horrível são seus recentes vislumbres de felicidade. Ela se sente como uma fraude, como alguém que ganhasse na loteria com um bilhete roubado. Se as pessoas que entraram em sua vida recentemente a conhecessem de fato, ficariam indignadas. Sairiam correndo! *Ela é repulsiva.* E mesmo se ela, de algum modo, os enganasse por um tempo, por alguns meses, um ano, sabe-se lá, como poderia ficar feliz quando os próprios filhos estão tão tristes, e por sua causa? Isso não parece justo, não é? Como é que alguém que fez algo tão terrível pode esperar amor?

Ela diz que é por isso que não existe esperança para ela. Embola um lenço de papel na mão. Aconteceu muita coisa. Um excesso de erros foi cometido.

Olho para Rita e noto o quanto ela parece jovem ao me contar isso – as bochechas infladas, os braços dobrados sobre o peito. Visualizo-a quando menina, em sua casa, o cabelo ruivo bem penteado para trás, com uma faixa, imaginando se teria culpa no distanciamento dos pais, cismando com isso, sozinha em seu quarto. *Eles estão bravos comigo? Será que fiz alguma coisa que deixou os dois irritados, que fez com que tivessem tão pouco interesse em mim?* Eles haviam esperado tanto tempo para finalmente ter um filho; será que ela não tinha chegado à altura do que esperavam?

Penso também nos quatro filhos de Rita. No pai deles, o advogado, que podia ser muito divertido num minuto, bêbado e abusivo no outro. Na mãe deles, Rita, distante, inventando justificativas para o marido, oferecendo promessas em nome dele, que eles sabiam ser mentiras. Como a infância deles deve ter sido confusa e conturbada! Como eles devem estar furiosos agora. Como devem não ter vontade de lidar com a mãe vindo até eles, como ela fez várias vezes ao longo dos anos, chorando e implorando por um relacionamento. Fosse lá o que ela quisesse, provavelmente eles pensariam: *Foi por um motivo, um único motivo, para o bem dela, sempre para o bem dela.* Minha suposição era de que os filhos de Rita não falavam com ela porque não podiam lhe dar a única coisa que ela parecia querer, ainda que não tivesse pedido isso diretamente: perdão.

Rita e eu conversamos sobre a razão de ela não ter protegido seus filhos, porque deixou seu marido bater neles, porque passava o tempo lendo, pintando, jogando tênis ou bridge, em vez de ser presente para eles. E depois de revirmos as explicações que ela se deu durante anos, chegamos a algo do qual ela não havia se dado conta: Rita tinha inveja dos filhos.

Isso não é algo incomum. Veja o caso de uma mãe que veio de uma casa com pouco dinheiro e que agora adverte a filha toda vez que ela ganha um novo par de sapatos, ou um novo brinquedo, dizendo: "Você não percebe a sorte que tem?". Um presente embrulhado em censura. Ou considere o pai que leva seu filho para conhecer possíveis faculdades, e passa toda a visita à faculdade que sonhou frequentar, mas onde foi rejeitado, fazendo comentários negativos sobre o tour, o currículo, os dormitórios, não apenas constrangendo o filho, mas, possivelmente, prejudicando suas chances de admissão.

Por que os pais fazem isso? Com frequência, eles têm inveja da infância dos filhos, das oportunidades que eles têm, da estabilidade financeira, ou emocional que os pais lhes proporcionam; do fato de seus filhos terem a vida toda pela frente, uma extensão de tempo que agora está no passado dos pais. Esforçam-se para dar aos filhos todas as coisas que eles mesmos não tiveram, mas, às vezes, sem nem mesmo perceber, acabam se ressentindo de sua boa sorte.

Rita invejava nos filhos os irmãos, a confortável casa com piscina de sua infância, suas oportunidades de irem a museus e viajar. Invejava seus pais jovens e energéticos. E, em parte, era sua inveja inconsciente, sua fúria pela injustiça daquilo tudo, que a impedia de lhes permitir a infância feliz que ela não tivera, que a impedia de salvá-los da maneira que ela tanto queria ter sido salva quando criança.

Eu havia mencionado Rita no meu grupo de aconselhamento. Apesar do seu exterior sombrio, lembrando Ió [personagem de *Ursinho Pooh*], disse a meus colegas, ela era afetuosa e interessante, e como eu estava livre da história que seus filhos compartilharam com ela, podia curti-la da maneira que curtiria uma amiga, ou um parente. Gostava bastante dela. Mas será que realmente seria possível esperar que seus filhos a perdoassem?

Você a perdoaria?, o grupo perguntou. Pensei em meu filho e fiquei mal com a ideia de alguém bater nele, ou de algum dia eu permitir que isso acontecesse.

Não tive certeza.

O perdão é uma coisa tão ardilosa quanto podem ser os pedidos de desculpas. Você está pedindo desculpas porque isso faz com que se sinta melhor, ou para fazer a outra pessoa se sentir melhor? Você lamenta o que fez, ou está simplesmente tentando acalmar a outra pessoa, que acredita que você *deveria* se arrepender daquilo pelo qual se sente completamente justificada de ter feito? *Para quem é o pedido de desculpas?*

Existe um termo usado em terapia: "perdão forçado". Às vezes as pessoas acham que, para superar um trauma, precisam perdoar quem quer que tenha causado o dano – o genitor que as agrediu sexualmente, o ladrão que roubou sua casa, o membro da gangue que matou seu filho. Pessoas bem intencionadas lhes dizem que até conseguirem perdoar, ficarão agarradas à raiva. Com certeza, para alguns, o perdão pode funcionar como uma liberação poderosa; você perdoa a pessoa que lhe fez mal, sem condenar suas ações, e isso lhe permite seguir em frente. Mas, com muita frequência, as pessoas sentem-se pressionadas a perdoar e acabam acreditando que exista algo de errado com elas se não conseguem chegar a isso, que não são suficientemente esclarecidas, fortes ou compassivas.

Então, minha opinião é a seguinte: é possível se ter compaixão sem perdoar. Existem muitas maneiras de seguir em frente, mas fingir que se sente de determinada maneira não é uma delas.

Uma vez tive um paciente chamado Dave, cujo relacionamento com o pai era problemático. Segundo seu relato, o pai era um tirano: depreciador, crítico e cheio de si. Tinha afastado ambos os filhos, quando jovens, e tinha um relacionamento distante e contencioso com eles, enquanto adultos. Quando o pai estava à beira da morte, Dave tinha 50 anos, era casado, com filhos, e teve dificuldade sobre o que dizer no funeral do pai. O que soaria verdadeiro? E então, ele me contou que, no leito de morte, o pai estendeu a mão até a mão do filho e disse, subitamente: "Gostaria de ter tratado vocês melhor. Fui um canalha".

Dave ficou lívido. Será que seu pai esperava ser absolvido agora, aos quarenta e cinco do segundo tempo? Sentia que a hora de corrigir erros era bem antes de deixar a Terra, não na véspera da partida; não se consegue, automaticamente, a dádiva da superação, ou do perdão por uma confissão no leito de morte.

Dave não conseguiu se controlar. "Não te perdoo", disse ao pai. Odiou-se por dizer isso, arrependeu-se no segundo que falou. Mas depois de toda a dor que seu pai lhe causara, e todo o seu esforço para criar uma boa vida para si mesmo e sua família, nem pensar que iria acalmar o pai agora, com uma mentira adocicada. Tinha passado a infância mentindo sobre como se sentia. Mesmo assim, cismou, que tipo de pessoa diz isso para um pai moribundo?

Dave começou a se desculpar, mas o pai interrompeu-o. "Eu entendo", disse. "Se eu fosse você, também não me perdoaria."

E, então, Dave contou-me que aconteceu a coisa mais estranha. Ali sentado, segurando a mão do pai, sentiu algo mudar. Pela primeira vez na vida, sentiu uma compaixão genuína. Não perdão, mas compaixão. Compaixão pelo triste moribundo que provavelmente teve seu próprio sofrimento. E foi essa compaixão que permitiu que ele falasse com autenticidade no funeral do pai.

Também foi compaixão que me ajudou a amparar Rita. Eu não precisava perdoá-la pelo que havia feito com seus filhos. Assim como com o pai de Dave, esse ajuste de contas cabia a Rita. Podemos querer o perdão dos outros, mas isso vem de um lugar de autogratificação; pedimos perdão aos outros para evitar o esforço maior de perdoar a nós mesmos.

Pensei em uma coisa que Wendell me disse, depois que enumerei meus próprios deslizes lastimáveis, pelos quais sentia grande prazer em me punir: "Que prazo você acha que deveria ter a sentença desse crime? Um ano? Cinco? Dez?". Muitos de nós torturamo-nos por nossos erros durante décadas, mesmo depois de termos, genuinamente, tentado nos redimir. O quanto essa sentença é razoável?

É verdade que, no caso de Rita, a vida dos seus filhos foi afetada significativamente pelos erros dos pais. Ela e os filhos sempre sentiriam a dor do seu passado compartilhado, mas não deveria haver alguma redenção nisso? Rita merecia ser punida dia após dia, ano após ano? Eu queria ser realista sobre as consideráveis cicatrizes que todos eles traziam, mas não queria ser a juíza de Rita.

Não posso deixar de pensar sobre seu crescente envolvimento com as meninas da família-oi; e se ela tivesse conseguido oferecer a seus quatro filhos o que oferece a elas?

Coloco a questão para Rita: "Qual deveria ser a sua sentença, ao se aproximar dos 70, pelos crimes que cometeu aos 20 e 30? Foram crimes importantes, sim, mas você sentiu remorso durante décadas e tentou consertar. A essa altura, você não deveria estar solta, ou pelo menos em condicional? Qual você acha que é uma sentença justa pelos seus crimes?".

Rita reflete sobre isso por um momento. "Prisão perpétua", responde.

"Bom", digo, "foi isso que conseguiu. Mas não tenho certeza de que um júri que incluísse Myron, ou a família-oi concordaria."

"Mas as pessoas que mais me importam, meus filhos, jamais me perdoarão."

"Não sabemos o que eles farão, mas, para eles, não ajuda em nada você ser miserável. Sua miséria não muda a situação *deles*. Você não pode amainar a miséria deles, carregando-a para eles, dentro de você. A coisa não funciona assim. Existem maneiras de ser uma mãe melhor, a essa altura da vida de todos vocês. Sentenciar-se à prisão perpétua não é uma delas." Reparo que prendi a atenção de Rita. "Só existe uma pessoa no mundo todo que se beneficia de você não conseguir aproveitar nada de bom em sua vida."

A testa de Rita enche-se de vincos. "Quem?"

"Você", respondo.

Saliento que o sofrimento pode ser protetivo; ficar numa situação depressiva pode ser uma forma de evitamento. Segura dentro da sua concha de dor, ela não tem que enfrentar nada, nem precisa emergir no mundo, onde poderia voltar a se machucar. Seu crítico interno lhe convém: *não tenho que fazer nada, porque sou imprestável.* E há outro benefício em sua miséria: ela pode sentir que permanece viva na mente dos filhos, se eles apreciam seu sofrimento. Pelo menos alguém a tem em mente, mesmo que seja de maneira negativa; e nesse sentido, ela não fica completamente esquecida.

Ela ergue os olhos do seu lenço de papel, como se considerasse a dor que tem carregado há anos de uma maneira inteiramente nova. Talvez, pela primeira vez, Rita parece enxergar a crise em que se vê mergulhada, a batalha entre o que Erik Erikson chamava de "integridade e desesperança".

Pergunto-me qual ela escolherá.

42

Meu *neshama*

Estou almoçando com minha colega Caroline.

Estamos pondo a conversa em dia, falando sobre nossas atividades profissionais, quando Caroline pergunta se a indicação que me deu de Wendell, algum tempo atrás, funcionou para meu amigo. Como um aparte, diz que nosso telefonema trouxe de volta lembranças de quando ela e Wendell estavam juntos na faculdade. Uma colega deles teve uma paixão violenta por ele, mas não houve reciprocidade, e Wendell, na verdade, começou a namorar outra...

"Opa!", interrompo-a. Não posso escutar isso. "A indicação", admito, "era para mim."

Por um segundo, Caroline parece chocada, depois ri e começa a jorrar chá gelado pelo nariz. "Me desculpe", ela diz, enxugando o rosto com um guardanapo. "Pensei que estava encaminhando um sujeito casado para ele. Simplesmente não consigo imaginar você com Wendell."

Entendo o que ela diz. É difícil imaginar alguém que você conhece como paciente de outro alguém que você conhece, principalmente se você conheceu aquela pessoa na faculdade. Você sabe demais sobre ambos.

Conto a ela que naquela época eu estava envergonhada, em relação a meu rompimento, ao fiasco do meu livro, a meus problemas de saúde, e ela confessa suas próprias batalhas na tentativa de conceber um segundo filho. Perto do final do nosso almoço, ela também me conta sobre uma paciente difícil, e como não tinha ideia, na consulta inicial, do quanto ela seria difícil – quão rude, exigente... arrogante seria.

"Eu também tenho um", digo, pensando em John, "mas, com o tempo, acabei gostando bastante dele, me preocupando com ele profundamente."

"Espero que com a minha funcione assim", Caroline diz. Depois, pensando melhor: "Mas, se não der certo, posso mandá-la para você? Você tem horário?". Pelo seu tom, percebo que está brincando – ou quase. Lembro-me de, logo no início, ter falado a meu grupo de aconselhamento sobre John, seu ego enorme e suas constantes humilhações. Ian tinha brincado: "Bom, se não der certo, faça questão de encaminhá-lo para alguém de quem você não goste".

"Ah, não", digo, balançando a cabeça. "Não a mande para mim."

"Então, vou encaminhá-la para o Wendell!", Caroline diz. E rimos.

"Então", digo a Wendell na quarta-feira seguinte, de manhã, "almocei com a Caroline na semana passada".

Ele fica calado, mas seus olhos magnéticos estão em mim. Começo a contar como Caroline sentia-se em relação a sua paciente, e como, às vezes, tenho a mesma sensação com pacientes; como isso acontece com todo terapeuta, mas, mesmo assim, me incomoda. Estamos sendo muito duros no julgamento das pessoas? Não temos empatia suficiente?

"Não consigo apontar o motivo", continuo, "mas a semana toda me senti estranha com aquela conversa. Ela me deixou desconfortável de uma maneira que não tinha acontecido no almoço e..."

Wendell está com a testa enrugada, como se tentasse seguir minha linha de pensamentos.

"Acho que, enquanto profissão", digo, procurando esclarecer, "não podemos manter tudo guardado, mas, ao mesmo tempo..."

"Você vai me fazer uma pergunta?", Wendell indaga, interrompendo-me.

Percebo que vou. Tenho várias. Wendell conversa sobre mim no almoço com colegas? Ele *ainda* tem de mim a mesma impressão que eu tinha da minha paciente Becca, antes de deixar de atendê-la?

Mas Wendell tinha usado o singular; não "Você vai me fazer *perguntas?*", e sim "Você vai me fazer *uma pergunta?*". Fez isso, reconheço, porque todas as minhas perguntas reduzem-se a uma essencial, a uma pergunta tão carregada que não sei como dizê-la em voz alta. Existe alguma coisa que nos faça sentir mais vulneráveis que perguntar a alguém: *Você gosta de mim?*

Parece que o fato de ser terapeuta não me deixou imune a reagir a Wendell das maneiras que os pacientes reagem a mim. Fico frustrada com ele. Ressinto-me de ser cobrada por um cancelamento, quando estou doente (ainda que eu tenha a mesma política de cancelamento). Nem sempre conto a ele tudo que deveria e involuntariamente (ou voluntariamente) distorço o que ele diz. Sempre deduzi que, quando Wendell fechava os olhos em nossas sessões, era para ter espaço para analisar alguma coisa. Mas agora me pergunto se está mais para uma tecla de reiniciar. Talvez ele esteja dizendo para si mesmo: *Tenha compaixão, tenha compaixão, tenha compaixão*, do jeito que eu costumava fazer com John.

Assim como a maioria dos pacientes, quero que meu terapeuta goste da minha companhia, e tenha respeito por mim, mas, em última análise, quero fazer diferença para ele. Sentir no fundo da alma que você faz diferença é parte da alquimia que acontece numa boa terapia.

O psicólogo humanista Carl Rogers praticava o que chamou de terapia centrada no cliente, cujo princípio central era um *olhar positivo incondicional*. Sua opção por usar o termo "cliente", e não "paciente", era representativa da sua atitude em relação às pessoas com quem trabalhava. Rogers acreditava que um relacionamento positivo entre terapeuta e cliente era parte essencial da cura, não apenas um meio para um fim – conceito inovador introduzido por ele em meados do século XX.

Mas um olhar positivo incondicional não significa que o terapeuta *goste* necessariamente do cliente. Significa que o terapeuta é afetuoso e sem julgamentos, e, acima de tudo, acredita realmente na habilidade do cliente em se desenvolver, quando estimulado em um ambiente encorajador e receptivo. É um sistema que valoriza e respeita o "direito à determinação" do indivíduo, mesmo que suas escolhas estejam em desacordo com as do terapeuta. O olhar positivo incondicional é uma atitude, não um sentimento.

De Wendell, quero mais do que um olhar positivo incondicional; quero que ele goste de mim. Acontece que não se trata apenas de descobrir se faço diferença para ele; trata-se também de reconhecer o quanto ele importa para mim.

"Você gosta de mim?", pergunto, num tom agudo, sentindo-me patética e estranha. Ou seja, o que ele poderia dizer? Não iria dizer que não. Mesmo que não goste, ele poderia me devolver a pergunta com: "O que você acha?", ou "Por que essa pergunta, agora?". Ou ele poderia dizer o que eu poderia ter dito a John, se ele me fizesse essa pergunta no início. Eu teria sido sincera, segundo a minha experiência, comentando que teria menos a ver com o fato de eu gostar ou não dele, e mais sobre como era difícil conhecê-lo, quando ele me mantinha à distância.

Mas Wendell não faz nada disso.

"Gosto de você, sim", ele diz, de uma maneira que me faz sentir que diz a verdade. Não soa rotineiro, nem sentimental. É muito simples, e muito inesperadamente comovente em sua simplicidade. Sim, gosto de você.

"Eu também gosto de você", digo, e Wendell sorri.

Wendell diz que, embora eu queira que gostem de mim por ser inteligente ou divertida, ele estava falando sobre gostar do meu *neshama*, palavra hebraica para "espírito" ou "alma". Entendo a ideia instantaneamente.

Conto a Wendell sobre uma recente formanda na faculdade que, considerando uma carreira como terapeuta, perguntou se eu gostava dos meus pacientes, porque, afinal de contas, é com eles que os terapeutas ocupam seu tempo todos os dias. Eu disse que, às vezes, os pacientes se mostravam externamente de uma maneira, mas que isso, com frequência, era por estarem me confundindo com pessoas do seu passado, que podem não tê-los visto da maneira que vejo. Mesmo assim, eu disse que o tempo todo sentia um afeto genuíno pelos meus pacientes, por seus pontos sensíveis, sua coragem, suas almas, etc. Por sua *neshama*, como Wendell diz.

"Mas de uma maneira profissional, certo?", a moça insistiu, e eu soube que ela não compreendia muito bem, porque, antes de ter meus pacientes, eu também não compreendia. E para mim mesma, como paciente, ficava difícil lembrar. Mas Wendell tinha acabado de me levar a isso.

43

O que não dizer a uma pessoa
à beira da morte

"Isso não faz sentido!", Julie diz. Está falando sobre uma colega, caixa no Trader Joe's, que sofreu um aborto, e como outra colega, tentando consolá-la, disse: "Tudo tem um motivo para acontecer. Esse não era para ser".

"*Tudo tem um motivo para acontecer* não faz sentido!", Julie repete. "Não existe plano divino se você sofre um aborto, tem câncer, ou se sua filha é assassinada por um lunático!"

Sei o que ela quer dizer. As pessoas fazem comentários equivocados sobre todo tipo de desgraça, e Julie anda brincando com a ideia de escrever um livro que planeja chamar de *O que não dizer para uma pessoa à beira da morte: um guia para o bem-intencionado sem noção*.

Segundo ela, eis algumas das coisas a não serem ditas: *Você tem certeza de que está morrendo? Já procurou uma segunda opinião? Seja forte. Quais são suas chances? Você precisa se estressar menos. Tudo é questão de atitude. Você pode sair desta! Conheço uma pessoa que tomou vitamina K e ficou curada. Li sobre essa terapia nova que encolhe tumores — em ratos, mas mesmo assim... Você não tem mesmo um histórico familiar disso?* (Se Julie tivesse, a pessoa que perguntava se sentiria mais tranquila; poderia ser explicado pela genética.) Noutro dia, alguém contou a Julie: "Eu conhecia uma mulher que tinha o mesmo tipo de câncer que você". "Conhecia?", Julie perguntou. "Há, é", a pessoa respondeu, acanhada. "Ela, há, morreu."

Conforme Julie prossegue com sua lista de coisas a não serem ditas, penso em outros pacientes que reclamaram sobre comentários feitos por pessoas, em diferentes ocasiões: *Você ainda pode ter outro filho. Pelo menos ele teve uma vida longa. Agora ela está num lugar melhor. Quando você achar que é a hora, sempre dá para arrumar outro cachorro. Já faz um ano; talvez seja a hora de seguir em frente.*

Com certeza, esses comentários têm a intenção de consolar, mas também são um modo de proteger quem fala das sensações desconfortáveis provocadas pelo estado difícil em que alguém se encontra. Banalidades como essas tornam uma circunstância terrível mais palatável para quem as diz, mas levam a pessoa que atravessa a adversidade a se sentir zangada e sozinha.

"As pessoas acham que se falarem sobre o fato de eu estar morrendo, isso se tornará realidade, quando já é uma realidade", Julie diz, balançando a cabeça. Também já vi a verdade disso, e não apenas em relação à morte. Não falar sobre alguma coisa não a torna menos real, torna-a mais assustadora. Para Julie, o pior é o silêncio, pessoas que a evitam para nem ter que começar uma conversa e dizer aquelas coisas embaraçosas. Ela preferiria ser constrangida a ser ignorada.

"O que você gostaria que as pessoas dissessem?", pergunto.

Julie pensa a respeito. "Elas podem dizer: 'Sinto muito'. Podem perguntar: 'Posso ajudar em alguma coisa?', ou dizer 'Sinto-me muito perdida, mas me preocupo com você'."

Ela se remexe no sofá, suas roupas mal preenchidas por sua silhueta mais magra. "Elas podem ser honestas", ela continua. "Uma pessoa deixou escapar: 'Não faço ideia de como dizer a coisa certa neste caso', e fiquei tão aliviada que lhe disse que, antes de ficar doente, eu também não saberia o que dizer. No trabalho, quando meus alunos de graduação souberam, todos disseram: 'O que vamos fazer sem você?', e isso foi bom, porque era uma expressão de como eles se sentiam em relação a mim. As pessoas disseram: 'Nááãoo!' e 'Se quiser conversar ou fazer alguma coisa divertida, é só me telefonar'. Elas se lembram de que eu ainda sou *eu*, que ainda sou amiga delas e não apenas uma paciente com câncer, e que podem conversar comigo sobre seus relacionamentos, seu trabalho e o último episódio de *Game of Thrones*."

Uma coisa que surpreendeu Julie nesse processo de se ver morrendo é o quanto seu mundo se tornou vívido. Tudo que ela tinha como certo provoca uma sensação de revelação, como se ela voltasse a ser criança. Gostos – a doçura de um morango, seu sumo escorrendo pelo queixo; uma massa amanteigada derretendo na boca. Cheiros – flores em um gramado, o perfume de uma colega, alga levada até a praia, o corpo suado de Matt, na cama, à noite. Sons – as cordas de um violoncelo, a freada de um carro, a risada do sobrinho. Experiências – dançar em uma festa de aniversário, olhar as pessoas na Starbucks, comprar um vestido bonito, abrir uma correspondência. Tudo isso, por mais que seja cotidiano, é uma imensa delícia para ela. Ela passou a ser hiperpresente. Percebeu que quando as pessoas se iludem ao acreditar que têm todo o tempo do mundo, ficam preguiçosas.

Julie não esperava vivenciar esse prazer em seu pesar, nem achá-lo, em certo sentido, revigorante. Mas, mesmo enquanto está morrendo, percebe que a vida segue; ainda que o câncer invada seu corpo, ela continua checando o Twitter. No início, pensou: *Por que vou gastar até mesmo dez minutos do tempo que me resta para checar o Twitter?* E, então, pensou: *Por que não? Gosto do Twitter!* Também tenta não remoer aquilo que está perdendo. "Posso respirar bem, agora", diz, "mas vai ficar mais difícil, e vou lamentar isso. Até lá, respiro".

Julie dá mais exemplos do que ajuda, quando conta para as pessoas que está morrendo. "Um abraço é ótimo", diz. "'Eu te amo' também. O meu favorito de todos é só um simples: 'Eu te amo'."

"Alguém diz isso?", pergunto. Matt dizia, ela responde. Quando eles descobriram que ela tinha câncer, suas primeiras palavras não foram: "A gente vai sair dessa!", nem "Ah, que merda!", e sim "Jules, eu te amo muito". Isso era tudo que ela precisava saber.

"O amor vence", digo, fazendo referência a uma história contada por Julie sobre a época em que seus pais passaram por um período difícil e se separaram por cinco dias, quando ela tinha 12 anos. No final de semana, eles já tinham voltado, e quando ela e a irmã perguntaram por que, seu pai olhou para sua mãe com muito afeto e disse: "Porque no final do dia, o amor vence. Lembrem-se sempre disso, meninas".

Julie balança a cabeça. *O amor vence.*

"Vou escrever esse livro", ela diz. "Talvez eu diga que as melhores reações que recebi vieram de pessoas que foram genuínas e não se editaram." Ela olha para mim. "Como você."

Tento me lembrar do que disse quando Julie me contou que estava morrendo. Lembro-me de, na primeira vez, sentir-me desconfortável, e, na segunda, devastada. Pergunto a ela do que ela se lembra de eu ter dito.

Ela sorri. "Nas duas vezes você disse a mesma coisa, e nunca vou me esquecer, porque não estava esperando isso de uma terapeuta."

Balanço a cabeça. Esperando o quê?

"Você disse, espontaneamente, numa voz baixa e triste: 'Ah, Julie...', uma reação perfeita, mas o que significou mais foi o que você *não* disse. Ficou com os olhos marejados, mas imaginei que não quisesse que eu visse, então eu não disse nada."

A lembrança ganha corpo em minha mente. "Fico feliz que você tenha visto as minhas lágrimas, e você poderia ter dito alguma coisa. De agora em diante, espero que diga."

"Bom, agora eu diria. Porque agora que a gente fez meu obituário juntas, acho que sou, sem dúvida, um livro aberto."

Algumas semanas atrás, Julie terminou de escrever seu obituário. À época, estávamos no meio de algumas conversas importantes, sobre como ela queria morrer. Quem ela queria com ela? Onde queria estar? O que quereria como conforto? Do que tinha medo? Que tipo de serviço fúnebre ou funeral ela queria? O que queria que as pessoas soubessem? E quando?

Mesmo conforme ela descobria, a partir do diagnóstico do câncer, características suas não reveladas – como mais espontaneidade, mais flexibilidade –, continuava, no fundo, uma planejadora, e se fosse para enfrentar sua prematura sentença de morte, faria disso o máximo que pudesse, da maneira que quisesse.

Ao refletirmos sobre seu obituário, conversamos sobre o que era mais significativo para ela. Havia seu sucesso profissional e sua paixão por sua pesquisa e seus alunos. Havia seu "lar" nas manhãs de sábado no Trader Joe's, e a sensação de liberdade que encontrava ali. Havia Emma, que, com a ajuda de Julie no processo de inscrição para auxílio financeiro, conseguiu reduzir suas horas no Trader Joe's de modo a poder frequentar a faculdade. Havia os amigos com quem ela havia corrido maratonas e aqueles com quem participava de um clube do livro. No topo da lista estava o marido ("A melhor pessoa do mundo com quem passar pela vida", ela disse, "mas também a melhor com quem passar pela morte"), sua irmã, seu sobrinho e a sobrinha recém-nascida (Julie era madrinha deles). Havia seus pais e os quatro avós, todos eles sem conseguir entender como, numa família com tal longevidade, Julie estava morrendo tão jovem.

"É como se tivéssemos feito terapia com anabolizantes", Julie disse, a respeito de tudo que tinha acontecido desde que nos conhecemos. "Da mesma maneira que Matt e eu dizemos que estamos vivendo um casamento com anabolizantes. Temos que encaixar tudo com a maior rapidez possível."

Julie percebeu, ao falar sobre encaixar tudo, que se estava furiosa por ter uma vida tão curta, era porque tinha sido uma vida muito boa.

Motivo pelo qual, no fim, depois de vários esboços e revisões, ela decidiu deixar um obituário simples: *Por cada dia dos seus 35 anos, Julie Callahan Blue foi amada.*

O amor vence.

44

E-mail do Namorado

Estou na minha mesa, trabalhando no meu livro sobre felicidade, arrastando-me por mais um capítulo. Motivei-me com este pensamento: *Se eu entregar esse livro, da próxima vez escreverei algo que importe (o que quer que isso seja). Quanto antes eu terminar esse, mais cedo posso me voltar para um terreno novo (onde quer que ele esteja)*. Estou encarando a incerteza. E estou, de fato, escrevendo o livro.

Minha amiga Jen telefona, mas não atendo. Recentemente, coloquei-a a par do que ela ainda não sabia sobre minha situação de saúde, e ela tem sido prestativa da mesma maneira que Wendell, não descobrindo um diagnóstico, mas me ajudando a lidar com a falta de um. Tenho aprendido a ficar bem com o fato de não estar totalmente bem, enquanto também consigo consultas com especialistas que poderiam levar meu problema mais a sério. Para mim, basta de médicos sobre úteros vagantes.

Nesse exato momento, no entanto, preciso terminar um capítulo. Reservei duas horas para escrever. Digito palavras e elas surgem na minha tela, enchendo página após página. Trabalho no capítulo com afinco, do jeito que meu filho faz com uma ocasional tarefa na escola – eficiente, como um meio para se chegar ao fim. Prossigo até chegar à última linha do capítulo, então me recompenso: posso checar os e-mails *e* telefonar para Jen! Farei uma pausa de quinze minutos, antes de passar para o próximo capítulo. Vislumbro o final; falta apenas mais uma parte.

Estou conversando com Jen e percorrendo meus e-mails quando, de repente, perco o fôlego. Em negrito, o nome do Namorado aparece na minha caixa de entrada. Estou surpresa; não tenho notícias dele há oito meses, desde que tentei obter respostas e levei páginas de notas daqueles telefonemas ao consultório de Wendell.

"Abra!", Jen diz, quando conto a ela, mas apenas olho fixo para o nome do Namorado. Meu estômago se encolhe, embora de uma maneira diferente de quando eu ficava esperando que ele mudasse de ideia. Meu estômago se encolhe porque, mesmo que ele fosse dizer que tivera alguma espécie de epifania e que, no fim das contas, quer que fiquemos juntos, eu, sem sombra de dúvida, diria "não". Meu estômago está me dizendo duas coisas: que eu não quero mais ficar com ele, mas que, mesmo assim, a lembrança do que aconteceu ainda dói. Seja lá o que ele tenha a dizer, pode me deixar nervosa, e não quero me distrair com isso logo agora. Preciso terminar esse livro que não me interessa minimamente, para poder escrever algo que *realmente* me interesse. Talvez, digo a Jen, leria o e-mail do Namorado depois de produzir outro capítulo.

"Então o mande para mim e *eu* leio", ela diz. "Você não pode me deixar esperando desse jeito!"

Rio. "Tudo bem. Por *você*, eu abro."

O e-mail é chocante e, ao mesmo tempo, previsível:

Você não vai acreditar com quem eu dei de cara hoje. Leigh! Ela acabou de entrar na empresa.

Leio-o para Jen. Leigh é uma pessoa que o Namorado e eu conhecemos independentemente, e, em segredo, achamos irritante; se ainda estivéssemos namorando, é claro que ele compartilharia essa notícia interessante. Mas *agora*? É muito fora de contexto, muito desprovida de reconhecimento do que aconteceu entre nós, e onde nossas conversas pararam. É como se o Namorado ainda tivesse a cabeça na areia, e eu estivesse apontando a minha para fora.

"Só isso?", Jen pergunta. "É só isso que o *Hater* de Criança tem a dizer?"

Ela fica calada, esperando minha reação. Não consigo evitar; estou eufórica. Para mim, o e-mail dele é reconfortantemente poético, um belo resumo de tudo que descobri sobre evitamento no consultório de Wendell.

Mas Jen não está achando graça; está furiosa. Não importa o que eu tenha contado a ela sobre meu papel no rompimento – que, embora o Namorado pudesse ter sido mais honesto consigo mesmo e comigo, no início, eu poderia ter sido mais honesta comigo mesma e com ele sobre o que eu queria, o que estava escondendo, e se realmente éramos uma dupla –; ela ainda acha que ele é um babaca. Lembro-me de tentar convencer Wendell de que o Namorado era um babaca. Hoje em dia, vejo-me tentando convencer todo mundo de que ele *não é*.

"O que isso *quer dizer*?", Jen pergunta em relação ao e-mail. "Que tal 'Como está você?' Ele é mesmo tão atrofiado emocionalmente?"

"Não quer dizer nada", respondo. "Não tem importância."

Não adianta tentar analisá-lo, tentar dar um significado. Jen está indignada, mas fico surpresa ao descobrir que, afinal de contas, não estou irritada com isso. Estou aliviada. Meu estômago relaxa.

"Espero que você não responda", Jen diz, mas quase quero fazer isso; agradecer ao Namorado por romper comigo e não desperdiçar o meu tempo ainda mais. Talvez o e-mail dele tivesse *mesmo* um significado, ou, pelo menos, o fato de eu recebê-lo nesse dia em particular tivesse algum significado para mim.

Digo a Jen que preciso voltar a escrever meu livro, mas, depois que desligamos, não faço isso. Nem escrevo de volta ao Namorado. Assim como não quero um relacionamento sem sentido, não quero escrever um livro sem sentido, mesmo que agora eu já esteja com três quartos dele pronto. Se a morte e a falta de sentido são "preocupações supremas", é compreensível que esse livro, ao qual dou pouca importância, tenha me atormentado; e também que eu tenha recusado o lucrativo livro sobre parentalidade antes dele. Embora, naquela época, eu não constatasse plenamente o enfraquecimento do meu corpo, em algum lugar nas minhas células devo ter tomado consciência de que meu tempo era limitado, portanto, faria diferença a maneira com que fosse usá-lo. Lembro-me da minha conversa com Julie, e outro pensamento me ocorre: *quando eu morrer, não quero deixar para trás meu equivalente ao e-mail do Namorado.*

Por um tempo, pensei que rodear aquelas barras de prisão significasse terminar o livro, de modo a poder manter meu adiantamento e ter a oportunidade de escrever outro. Mas o e-mail do Namorado me faz questionar se ainda estou sacudindo aquelas mesmas barras. Wendell ajudou-me a abrir mão da história de que tudo teria dado certo para mim se eu me tivesse me casado com o Namorado, e não tem por que me agarrar à história paralela de que o livro sobre parentalidade também faria tudo dar certo para mim; ambas são fantasias. Com certeza, certas coisas teriam sido diferentes. No entanto, eu ainda acabaria ansiando por um significado, por algo mais profundo, exatamente como estou agora, com esse livro estúpido sobre felicidade, que minha agente diz que tenho que escrever por vários motivos práticos.

Mas e se essa história também estiver errada? E se, na verdade, eu não tiver que escrever esse livro que minha agente diz que devo, argumentando que, caso contrário, encararei um desastre? Em certo nível, desconfio que conheço a resposta há um tempo, e agora, de repente, conheço-a de uma maneira diferente. Penso em Charlotte e nos estágios de mudança. Decido que estou pronta para a "ação".

Volto meus dedos ao teclado, dessa vez para escrever a meu editor: *Quero cancelar meu contrato.*

Depois de breve hesitação, respiro fundo; em seguida, clico em "Enviar", e lá se vai ela; minha verdade, finalmente, atravessando o espaço cibernético.

45

A barba de Wendell

É um dia ensolarado em Los Angeles, e estou de bom humor ao estacionar o carro em frente ao consultório de Wendell. Quase tenho raiva de estar de tão bom humor em dia de terapia; sobre o que vamos conversar?

Na verdade, não sou boba. Acontece que as sessões a que os pacientes compareçem sem estar numa crise, nem ter uma pauta, tendem a ser as mais reveladoras. Quando damos espaço para que nossas mentes vagueiem, elas nos levam aos lugares mais inesperados e interessantes.

Ao atravessar do estacionamento para o prédio de Wendell, escuto uma música bombando no carro de alguém: "On Top of the World", do Imagine Dragons.

Caminhando pelo corredor até a sala de Wendell, começo a cantarolar, mas assim que abro a porta da sala de espera, me calo, confusa. *Epa, esta não é a sala de espera de Wendell.* Entretida com a música, abri a porta errada! Rio do meu engano.

Saio, fecho a porta, depois olho em volta para me orientar. Checo a placa de identificação na porta, que confirma que estou, de fato, no lugar certo. Mais uma vez, abro a porta, mas o que vejo não se parece em nada com a sala que conheço. Por um instante, entro em pânico, como se estivesse em um sonho. Onde estou?

A sala de espera de Wendell está completamente transformada. A pintura é nova, o assoalho é novo, os móveis e os objetos de arte são novos; há fotos bonitas em preto e branco. Lá se foram os herdados da casa dos pais dele. Lá se foi o vaso com as flores artificiais bregas, e em seu lugar há um jarro de cerâmica com água e copos. A única coisa que permanece é a máquina de ruído branco, que garante que ninguém possa ouvir o que está sendo dito do outro lado da parede. É como se eu tivesse entrado no resultado final de um desses programas sobre reformas de casas, nos quais um espaço passa a ficar irreconhecível em relação a seu infeliz estado original. Quero soltar as mesmas exclamações que os proprietários dos imóveis soltam nesses programas. Está lindo, simples e organizado, além de um pouquinho excêntrico, como Wendell.

Minha cadeira costumeira sumiu, então me sento em uma das novas, com pernas de aço estilosas e encosto de couro. Há duas semanas não vejo Wendell. Deduzi que o fato de estar fora do consultório significasse que estivesse de férias, talvez no chalé de sua infância, com sua numerosa família. Imaginei todos os seus irmãos, sobrinhos e sobrinhas, que eu tinha descoberto on-line, e tentei imaginar Wendell lá com eles, brincando ou relaxando com uma cerveja junto ao lago.

Mas agora percebo que nesse período também acontecia essa reforma. Meu bom humor está se dissipando, e começo a questionar se minha alegria era real ou se eu estava passando por uma "fuga para a saúde" na ausência de Wendell. A fuga para a saúde é um fenômeno no qual os pacientes se convencem de que, subitamente, superaram seus problemas porque, sem que saibam, não conseguem suportar a ansiedade desencadeada ao tentar resolvê-los.

Tipicamente, um paciente poderia ter uma sessão difícil sobre um trauma de infância; então, na semana seguinte, ele chega e avisa que já não precisa de terapia. *Sinto-me ótimo! Aquela sessão foi catártica!* Uma fuga para a saúde é especialmente comum quando o terapeuta, ou o paciente, esteve afastado e, naquele intervalo, as defesas inconscientes da pessoa assumem o controle. *Nas últimas semanas estive muito bem! Não acho que ainda precise de terapia!* Às vezes, essa mudança é genuína; outras, os pacientes vão embora abruptamente... e depois voltam.

Com ou sem fuga para a saúde, sinto-me desorientada. Apesar da grande reforma da sala, eu sinto alguma falta do velho mobiliário de baixa qualidade, de maneira muito semelhante a como me senti quanto às transformações internas pelas quais venho passando. Wendell foi o programa de reforma que chegou e desencadeou minha renovação interior, e embora eu me sinta muito melhor agora – no "durante", porque, diferentemente das mudanças na decoração, até morrermos não existe algo como um "depois" –, às vezes penso no "antes" com um tipo esquisito de nostalgia. Não o quereria de volta, mas fico feliz por me lembrar dele.

Ouço o clique da porta da sala de Wendell e depois seus passos no novo assoalho de carvalho, enquanto ele sai para me receber. Ergo os olhos e repito o gesto. Antes, não reconheci sua sala de espera; agora, quase não reconheço Wendell. É quase como se fosse alguém me pregando uma peça. *Surpresa! Brincadeirinha!*

Em suas duas semanas de folga, ele deixou crescer uma barba. Também abandonou o cardigã por uma elegante camisa de botões, trocou seus mocassins gastos pelo mesmo tipo de sapatos esportivos e elegantes que John usa, e parece uma pessoa completamente diferente.

"Oi", ele diz, como sempre.

"Uau", eu digo, um pouco alto demais, "quantas mudanças!". Indico a sala de espera, mas estou olhando para sua barba. "Agora, você, de fato, parece um terapeuta", acrescento ao me levantar, fazendo uma brincadeira para disfarçar o meu choque. Na verdade, sua barba não se parece em nada com aquelas barbas pesadas da longa tradição de terapeutas famosos. A barba de Wendell é estilosa, desalinhada, despojada, jovial.

Ele parece... atraente?

Lembro-me da minha negativa anterior quanto a qualquer transferência romântica com relação a ele. E, até onde eu sei, estava sendo sincera. Mas por que eu estou tão profundamente desconfortável nesse momento? Será que meu inconsciente está tendo um caso de paixão com Wendell sem que eu saiba?

Dirigi-me para seu consultório, mas parei, subitamente, na entrada. Sua sala de terapia também tinha sido remodelada. A disposição era a mesma: o sofá em forma de L, a mesa, o armário, a estante, a mesa com os lenços de papel, mas a pintura, o assoalho, o tapete, a decoração, as almofadas, tudo mudou. Está incrível! Esplêndido. Lindo. Estou me referindo *à sala*. A sala está linda.

"Você usou um decorador?", pergunto, e ele responde que sim. Imaginei. Se o mobiliário anterior era obra sua, ele claramente precisaria de uma profissional para o efeito de agora. Mesmo assim, combina perfeitamente com Wendell. O ajeitado, mas ainda despretensioso Wendell.

Vou para a posição B, analiso as novas almofadas e arrumo-as atrás das minhas costas no novo sofá. Lembro-me de como me senti inquieta na primeira vez em que me sentei perto assim de Wendell, como pareceu próximo demais, exposto demais. Agora tenho a mesma sensação. *E se eu estiver atraída por Wendell?*

Minha atração não seria incomum. Afinal de contas, se as pessoas se sentem atraídas por seus colegas, cônjuges de amigos e uma variedade de homens e mulheres que elas veem ou encontram no decorrer de um dia, por que não por seus terapeutas? Especialmente seus terapeutas. Desejos sexuais abundam em terapia, e como poderia ser diferente? É fácil confundir a experiência íntima de romance ou sexo com a experiência íntima de ter alguém dando atenção exclusiva para os detalhes da sua vida, aceitando-a completamente, apoiando-a sem intenções conflitantes e conhecendo-a tão profundamente. Alguns pacientes até flertam abertamente, com frequência, alheios a motivos ocultos (desequilibrando o terapeuta; desviando-se de tópicos difíceis; recuperando poder, caso se sintam impotentes; reembolsando o terapeuta da única maneira que conhecem, levando-se em conta sua história). Outros não flertam, mas negam, com veemência, qualquer atração, como fez John ao me dizer que eu não era o tipo de pessoa que ele escolheria como amante ("Sem querer ofender").

Mas, geralmente, John prestava atenção na minha aparência. "Agora você está mais parecida com uma verdadeira amante" (disse quando fiz luzes no cabelo); "É melhor você tomar cuidado, pode ser que dê para ver um pouco demais" (disse quando eu usei uma blusa com decote em V); "Esses sapatos 'me coma' são para depois do trabalho?" (dizia quando eu estava de salto). A cada vez, eu tentava conversar sobre suas "brincadeiras" e os sentimentos subjacentes a elas.

E, agora, cá estou eu, fazendo uma brincadeira estúpida com Wendell, com um sorriso idiota. Ele pergunta se estou reagindo a sua barba.

"Só não estou acostumada com ela", respondo. "Mas fica bem em você. Deveria mantê-la." Ou talvez não, penso. *Talvez seja muito atraen... quero dizer, talvez distraia demais a atenção.*

Ele ergue a sobrancelha direita, e noto que, hoje, seus olhos parecem diferentes. Mais brilhantes? E ele sempre teve essa covinha? O que está *acontecendo*?

"Estou perguntando porque a maneira como você reage a mim tem a ver com a maneira como você reage aos homens..."

"Você não é um *homem*", interrompo, rindo.

"Não?"

"Não!", respondo.

Wendell finge surpresa. "Bom, na última vez que verifiquei..."

"Certo, mas você sabe o que eu quero dizer. Você não é um *homem*-homem. Não é um *sujeito*. É um *terapeuta*." Percebo, com horror, que mais uma vez soo como John.

Alguns meses antes, vi-me com dificuldade para dançar em um casamento, por causa de uma fraqueza muscular no pé esquerdo, resultante do meu misterioso problema de saúde. Na sessão da semana seguinte, contei a Wendell como tinha ficado triste, vendo todo mundo dançar. Ele respondeu que eu ainda poderia dançar com meu pé bom, só precisava de um parceiro.

"Bom", eu disse, "não foi a perda de um parceiro que me fez acabar aqui, para começo de conversa?"

Mas Wendell não estava se referindo a um parceiro romântico. Disse que eu poderia pedir a qualquer um; que poderia recorrer a pessoas se precisasse de apoio, dançando ou de qualquer outra forma.

"Não posso simplesmente pedir a alguém", insisti.

"Por que não?"

Revirei os olhos.

"Pode pedir para mim", ele disse, dando de ombros. "Sou um bom dançarino, sabia?" Acrescentou que havia estudado dança a sério, quando criança.

"É mesmo? Que tipo de dança?" Eu não sabia se ele estava brincando. Tentei imaginar o desajeitado Wendell dançando. Imaginei-o todo atrapalhado e tropeçando.

"Balé", ele respondeu, sem um pingo de constrangimento.

Balé?

"Mas posso dançar qualquer tipo de dança", continuou, sorrindo perante a minha incredulidade. "Também danço swing, música moderna. O que você gostaria de dançar?"

"Nem pensar", eu disse. "Não vou dançar com meu terapeuta."

Eu não estava preocupada que ele estivesse me provocando sexualmente, ou sendo sinistro; sabia que não era essa a sua intenção. Era mais porque eu não queria usar meu horário de terapia desse jeito. *Tinha coisas sobre as quais conversar*, como a maneira com que eu estava lidando com meu problema de saúde. Mas, em parte, eu também sabia que isso era só uma desculpa para mim mesma, que essa intervenção poderia ser útil, que o movimento da dança permite que nossos corpos expressem nossas emoções de uma maneira que, às vezes, as palavras não conseguem. Quando dançamos, expressamos nossos sentimentos ocultos, falando através dos nossos corpos, em vez de nossas mentes, e isso pode nos ajudar a deixar a razão um pouco de lado, em prol de um novo nível de consciência. A terapia da dança é parcialmente isso, uma outra técnica, usada por alguns terapeutas.

Mas, mesmo assim... não.

"Eu sou seu terapeuta *e* sou um homem", Wendell diz, então, acrescentando que nós todos interagimos com as pessoas de diversas maneiras, baseados em um certo número de coisas que notamos nelas. Deixando o politicamente correto de lado, não estamos emocionalmente cegos para características como aparência, vestuário, gênero, raça, etnia ou idade. É assim que funciona a transferência. Se meu terapeuta fosse uma mulher, segundo ele, eu reagiria a ela baseada na maneira como me relaciono com mulheres. Se Wendell fosse baixo, eu reagiria a ele como alguém que é baixo, e não alto. Se...

Enquanto ele fala, paro de olhar para o "novo" ele, tentando fazer o ajuste. Ocorre-me que não é que eu não me sentisse atraída por Wendell antes. Era que eu não me sentia atraída por *ninguém*. Estava de luto, e foi só com a minha emersão gradual que comecei, novamente, a sentir atração pelo mundo.

Às vezes, quando chega um novo paciente, não pergunto apenas "O que te traz aqui?", mas "O que te traz aqui agora?". A chave é o *agora*.

Por que neste ano, neste mês, neste dia, você decidiu vir falar comigo? Parecia que o rompimento era minha resposta para "Por que agora?", mas sob ele estava minha estagnação e meu pesar.

"Eu gostaria de conseguir parar de chorar", havia dito a Wendell, no começo, quando me sentia como um hidrante humano.

Mas Wendell viu isso de outro jeito. Ele havia me dado permissão para sentir, e também um lembrete de que, como inúmeras pessoas, eu estava confundindo sentir *menos* com sentir *melhor*. Mas os sentimentos continuam lá. Eles afloram em comportamentos inconscientes, em uma inabilidade para ficar parada, em uma mente ávida pela próxima distração, em uma falta de apetite ou numa luta para controlar o apetite, em um pavio curto ou – no caso do Namorado – em um pé que estremecia sob as cobertas enquanto ficávamos sentados naquele silêncio pesado, sob o qual se achava o sentimento que ele guardara consigo mesmo durante meses: fosse lá o que quisesse, não era eu.

E, mesmo assim, as pessoas tentam suprimir seus sentimentos. Apenas uma semana antes, uma paciente havia me contado que ela não conseguia passar nem uma noite sem ligar a TV, dormindo em frente a ela e acordando horas depois. "Aonde foi a minha noite?", ela perguntou, do meu sofá. Mas a verdadeira pergunta era: "Aonde foram os seus sentimentos?".

Outro paciente lamentou, recentemente: "Não seria bom ser uma dessas pessoas que não pensam demais em nada, que só seguem o fluxo, que vivem uma vida não analisada?". Lembro-me de dizer que havia uma diferença entre analisar e ruminar, e que se somos apartados dos nossos sentimentos, apenas deslizando pela superfície, não conseguimos paz ou alegria, conseguimos apatia.

Assim sendo, não é que eu esteja apaixonada por Wendell. O fato de eu finalmente estar reparando nele, não apenas como terapeuta, mas como homem, é simplesmente uma prova de que nosso trabalho conjunto me ajudou a reingressar na raça humana. Voltei a sentir atração. Até comecei a aceitar uns encontros, começando a dar os primeiros passos.

Antes de ir embora, pergunto sobre o "Por que agora?" da reforma do consultório de Wendell, da sua barba.

"O que te levou a fazer tudo isso?", pergunto.

Ele diz que a barba foi resultado de estar fora do consultório e não precisar se barbear; quando chegou a hora de voltar, ele decidiu que gostava dela. Quanto à mudança no consultório, diz, simplesmente: "Estava na hora".

"Mas por que *agora*?", pergunto, tentando colocar minha nova pergunta com graça: "Parece-me que você estava com aqueles móveis havia... há... um bom tempo?".

Wendell ri. Não escondi muito bem o subtexto. "Às vezes", ele diz, "as mudanças são assim."

De volta à área de espera, passo pelo novo biombo de aparência moderna, que separa a saída do local das poltronas. Lá fora, ondas de calor sobem da calçada, e enquanto espero o sinal para pedestres, aquela música do Imagine Dragons vem novamente à minha cabeça. *I've been waiting to smile, 'ey been holding it in for a while.*[10] Quando o sinal abre, atravesso e sigo em direção ao estacionamento, mas não vou direto para o meu carro. Continuo pela rua até chegar em frente a uma fachada de vidro – um salão.

Olho-me no reflexo da vitrine e paro para arrumar o meu top, aquele comprado na Anthropologie, escolhido para o encontro da noite; depois, corro para dentro.

Cheguei bem a tempo do meu horário de depilação.

---

[10] "Tenho esperado para sorrir, tenho guardado-o há um tempo." [N.T.]

Parte quatro

Embora viajemos pelo
mundo para encontrar o belo,
precisamos carregá-lo conosco,
ou não o encontraremos.

Ralph Waldo Emerson

46

As abelhas

Um minuto antes do horário de Charlotte, recebo uma mensagem de texto da minha mãe: "Por favor, ligue para mim". Normalmente, ela não manda esse tipo de mensagem, então ligo para seu celular. Ela atende ao primeiro toque.

"Não se assuste", diz – o que sempre significa que aconteceu alguma coisa preocupante –, "mas papai está no hospital."

Aperto o celular em minha mão.

"Ele está bem", ela diz, rapidamente. *Pessoas que estão bem não vão para o hospital,* penso. "O que aconteceu?", pergunto.

"Bom, eles ainda não sabem." Ela explica que meu pai estava almoçando quando disse que não se sentia bem. Então, começou a tremer e a ter dificuldade para respirar, e agora eles estão no hospital. Parece que ele está com uma infecção, mas eles não sabem se está relacionada a seu coração ou a alguma outra coisa. "Ele está bem", ela fica repetindo, "ele vai ficar bem". Acho que ela diz isso tanto para si mesma quanto para mim. Nós duas queremos – precisamos – que meu pai esteja bem.

"De verdade", ela diz, "ele está bem; olhe, veja você mesma." Ouço-a resmungar alguma coisa para meu pai, enquanto lhe passa o celular.

"Estou bem", ele diz, no lugar de alô, mas posso escutar sua respiração difícil. Ele me conta a mesma história de estar almoçando e não se sentir bem, dispensando as partes do tremor e da dificuldade de respirar. Provavelmente sairá amanhã, ele diz, depois que os antibióticos fizerem efeito –, mas, quando minha mãe volta ao telefone, especulamos se seria algo mais sério. (Mais tarde, à noite, quando vou ao hospital, vejo que meu pai parece grávido – seu estômago está cheio de fluido –, e que ele está recebendo vários antibióticos por via intravenosa, porque uma séria infecção bacteriana espalhou-se pelo seu corpo. Que ficará hospitalizado por uma semana, o fluido ao redor dos pulmões será aspirado e os batimentos cardíacos estabilizados.)

Mas neste momento, saindo da conversa com meus pais por telefone, percebo que estou doze minutos atrasada para o horário de Charlotte. Tento mudar o foco ao me dirigir para a sala de espera.

Charlotte dá um pulo da cadeira quando abro a porta. "Ah, ufa!", ela exclama. "Achei que talvez eu tivesse errado a hora, mas este sempre foi o meu horário; depois, pensei que tivesse errado o dia, mas não, é segunda-feira", diz, erguendo o celular para me mostrar a data, "aí, pensei, quem sabe, sei lá, mas aqui está você."

Tudo isso sai como uma longa frase. "Enfim, oi", ela diz, passando por mim e entrando no consultório.

Pode parecer surpreendente, mas quando os terapeutas se atrasam, muitos pacientes ficam abalados. Embora procuremos evitar isso, todo terapeuta que conheço já desapontou um paciente dessa maneira. E quando isso acontece, pode trazer à tona velhas experiências de desconfiança ou abandono, fazendo os pacientes sentirem algo entre desconcerto e raiva.

Na minha sala, explico que estava num telefonema urgente, e peço desculpas pelo atraso.

"Tudo bem", Charlotte diz com displicência, mas parece desorientada. Ou talvez eu esteja, depois do telefonema com meu pai. "Estou bem", ele disse. Exatamente como Charlotte diz que está tudo bem. Será que os dois estão mesmo bem? Charlotte remexe na cadeira, enrolando o cabelo com os dedos, correndo os olhos pela sala. Tento ajudá-la a se situar, olhando-a nos olhos, mas eles vão da janela para uma pintura na parede, e, em seguida, para a almofada que sempre mantém no seu colo. Uma perna está cruzada sobre a outra, e ela balança a primeira no ar, rapidamente.

"Pergunto-me como foi para você não saber onde eu estava", digo, lembrando-me como, alguns meses antes, eu havia estado na mesma situação, sentada na sala de espera de Wendell, imaginando onde *ele* estava. Matando tempo no meu celular, notei que ele estava quatro minutos atrasado, depois oito. Passados dez minutos, passou pela minha cabeça que talvez ele tivesse sofrido um acidente, ou ficado doente e estivesse, naquele momento, no pronto-atendimento.

Pensei em ligar e deixar uma mensagem. Para dizer o quê, não sei ao certo. *Oi, é a Lori. Estou sentada na sua sala de espera. Você está aí, do outro lado da porta, fazendo anotações em prontuário? Tomando um lanche? Esqueceu-se de mim? Ou está morrendo?* E justo quando eu estava pensando em como eu precisaria de um novo terapeuta, em grande parte para processar a morte do meu *antigo* terapeuta, a porta da sala de Wendell abriu-se. De lá saiu um casal de meia-idade, o homem agradecendo a Wendell, e a mulher com um sorriso contraído. *Uma primeira sessão*, especulei. Ou a revelação de um caso amoroso. Essas sessões tendem a se alongar.

Passei tranquilamente por Wendell e tomei meu lugar perpendicular a ele.

"Tranquilo", disse, quando ele pediu desculpas pelo atraso. "De verdade", continuei, "às vezes, minhas sessões também atrasam. Tranquilo."

Wendell olhou para mim com a sobrancelha direita erguida. Levantei as minhas em resposta, tentando manter a dignidade. *Eu, toda perturbada por causa do atraso do meu terapeuta? Tenha dó.* Caí na risada, e então me escaparam algumas lágrimas. Nós dois sabíamos o alívio que eu sentia por vê-lo, e o quanto ele se tornara importante para mim. Aqueles dez minutos de espera e suposições, com certeza, não eram "tranquilos".

E agora, com um sorriso forçado no rosto, a perna saltando como se estivesse tendo uma convulsão, Charlotte reitera como foi tranquilo esperar por mim.

Pergunto-lhe o que ela achava que tinha acontecido quando não apareci.

"Não fiquei preocupada", ela diz, embora eu não tivesse dito nada sobre preocupação. Então, do outro lado da grande vidraça, que vai de uma parede à outra, algo capta a minha atenção.

Voando em círculos frenéticos, vertiginosamente rápidos, alguns centímetros atrás do lado direito da cabeça de Charlotte, há duas abelhas. Nunca antes vi abelhas do lado de fora da minha janela, a tantos andares de altura, e essas duas parecem estar sob o efeito de anfetaminas. *Talvez seja uma dança de acasalamento*, penso. Mas, então, surgem mais algumas, e em questão de segundos vejo um enxame de abelhas zunindo em círculos, separadas de nós apenas pela enorme lâmina de vidro. Algumas começam a aterrissar na janela e a caminhar por ela.

"Então, você vai me matar", Charlotte começa, aparentemente alheia às abelhas, "mas, há, vou dar um tempo na terapia."

Desvio o olhar das abelhas, e volto-o para Charlotte. Não esperava por isso hoje, e levo um instante para registrar o que ela acabou de dizer, principalmente porque há muito movimento na minha visão periférica, e não consigo deixar de segui-lo. Agora, há centenas de abelhas, tantas que minha sala ficou mais escura, as abelhas pressionando contra o vidro e bloqueando a luz como uma nuvem. De onde estão vindo?

A sala fica tão escura, que agora Charlotte repara. Vira a cabeça em direção à janela, e ficamos ali sentadas, sem dizer nada, encarando as abelhas. Pergunto-me se ela ficará nervosa com a visão delas, mas ela parece hipnotizada.

Meu colega Mike costumava atender uma família com uma adolescente, no mesmo horário em que eu atendia um casal. Toda semana, passados cerca de vinte minutos, o casal e eu escutávamos uma explosão vinda da sala de Mike, a adolescente gritando com os pais, saindo em disparada, batendo a porta; o casal gritando para ela voltar; ela gritando *Não!*", e, então, Mike convencendo-a a voltar, acalmando todos. Nas primeiras vezes em que isso aconteceu, pensei que o casal na minha sala ficaria nervoso, mas aconteceu de eles se sentirem melhor. *Pelo menos não é com a gente*, pensaram.

Mas eu detestava aquela confusão; ela sempre me tirava o foco. E, da mesma maneira, estou odiando essas abelhas. Penso no meu pai no hospital, a dez quarteirões de distância. Será que essas abelhas são um sinal, um presságio?

"Uma vez pensei em me tornar apicultora", Charlotte diz, quebrando o silêncio, e isso me parece menos surpreendente que seu súbito desejo de partir. Ela se empolga com situações aterrorizantes: bungee jumping, paraquedismo, nadar com tubarões. Enquanto ela me conta sobre sua fantasia de apicultora, penso que a metáfora é quase precisa demais: um trabalho que exigiria que ela usasse roupas de proteção da cabeça aos pés, para não ser picada, e lhe permitiria dominar as próprias criaturas que poderiam machucá-la, acabando por recolher sua doçura. Posso vislumbrar o encanto de se ter esse tipo de controle do perigo, especialmente se a pessoa cresceu sentindo não ter nenhum.

Também posso imaginar o apelo em dizer que deixará a terapia, se você foi, inexplicavelmente, deixado na sala de espera. Será que Charlotte planejava parar, ou teve uma reação impulsiva ao medo primitivo que sentiu alguns minutos antes? Passa pela minha cabeça se ela teria voltado a beber. Às vezes, as pessoas deixam a terapia por ela fazer com que se sintam responsáveis quando não querem ser. Se recomeçam a beber ou trair, se fizeram ou deixaram de fazer algo que agora as envergonha, podem preferir se esconder do terapeuta (e de si mesmas). O que esquecem é que a sala de terapia é um dos locais mais seguros para trazer a sua vergonha. Mas, em face da mentira por omissão, ou do confronto com sua vergonha, podem se esquivar totalmente. O que, logicamente, não resolve nada.

"Decidi hoje, antes de vir para cá", Charlotte diz. "Acho que estou indo bem. Continuo sóbria, o trabalho vai bem, não estou brigando tanto com a minha mãe e não estou mais saindo com o Cara; até o bloqueei no meu celular." Ela faz uma pausa. "Você está brava?"

Se eu *estou* brava? Com certeza, estou surpresa. Pensei que ela tivesse superado o medo de ficar viciada em mim, e estou frustrada, o que, admito para mim mesma, ser um eufemismo para *brava*. Mas sob a braveza está o fato de eu me preocupar com ela, talvez mais do que deveria. Preocupa-me que, até ela ter ganhado prática em estar num relacionamento saudável, até conseguir encontrar mais paz com seu pai, em vez de ficar oscilando entre fingir que ele não existe e ficar devastada quando ele aparece e, inevitavelmente, volta a sumir, ela se debaterá e perderá muito do que deseja. Quero que ela trabalhe isso em seus 20 anos, e não nos 30; não quero que desperdice seu tempo; não quero que um dia ela entre em pânico: "Metade da minha vida acabou". E, no entanto, também não quero desencorajar sua independência. Assim como os pais criam os filhos para um dia deixá-los, os terapeutas trabalham para deixar seus pacientes irem, não para retê-los.

Mesmo assim, sua decisão tem algo de apressado, e talvez confortavelmente perigoso para ela, como pular de um avião sem paraquedas.

As pessoas imaginam que procuram a terapia para descobrir algo do passado e conversar a respeito, mas grande parte do que os terapeutas fazem é trabalhar *o presente*, trazendo consciência para o que se passa na cabeça e no coração delas no dia a dia. Magoam-se facilmente? Sentem-se culpadas com frequência? Evitam contato visual? Fixam-se em ansiedades aparentemente insignificantes? Pegamos esses *insights* e incentivamos os pacientes a colocá-los em prática, fazendo uso deles no mundo real. Certa vez, Wendell colocou a coisa da seguinte maneira: "O que as pessoas fazem na terapia é como treinar basquete em uma tabela. É necessário, mas o que elas precisam fazer depois é sair e jogar um jogo de verdade".

Na única vez em que Charlotte chegou perto de ter um verdadeiro relacionamento, quando fazia cerca de um ano que estava em terapia, parou abruptamente de ver o rapaz, mas se recusou a me dizer o motivo. Nem quis me contar por que não queria conversar a respeito. Fiquei menos interessada no que tinha acontecido do que no que tornava aquilo – dentre todas as coisas que ela havia me contado sobre si mesma – A Coisa Que Não Pode Ser Discutida. Hoje, me pergunto se ela está indo embora por causa daquela coisa.

Lembro-me do quanto ela queria se agarrar a essa Coisa e dizer não ao meu pedido. "É difícil para mim dizer não", explicou, "então estou treinando aqui." Disse a ela que, independentemente de ela falar ou não sobre o rompimento, eu achava que, para ela, era igualmente difícil dizer "sim". A inabilidade em dizer "não" tem muito a ver com a busca por aprovação; as pessoas imaginam que, se disserem "não", não serão amadas pelos outros. Contudo, a inabilidade em dizer "sim" – à intimidade, a uma oportunidade profissional, a um programa de combate ao álcool – tem mais a ver com a falta de confiança em si mesmas. *Vou fazer besteira? Isso vai acabar mal? Não é mais seguro ficar onde estou?*

Mas há uma reviravolta. Às vezes, o que parece o estabelecimento de um limite – dizer "não" – é, na verdade, um pretexto, uma maneira torta de evitar dizer "sim". O desafio para Charlotte é ultrapassar seu medo e dizer "sim", não apenas à terapia, mas a si mesma.

Dou uma olhada nas abelhas pressionadas contra o vidro, e volto a pensar no meu pai e em como, certa vez, quando eu reclamava sobre o modo como uma parente tentava me fazer sentir culpada, meu pai brincou: "Só porque ela quer te fazer se sentir culpada não significa que você tenha que acusar recebimento". Penso nisso em relação a Charlotte: *Não quero que ela se sinta culpada por parar, que sinta que me decepcionou. Só posso fazer com que ela saiba que, seja como for, estou aqui para ajudá-la, compartilhar minha perspectiva e escutar a dela, e deixá-la livre para fazer o que quiser.*

"Sabe", digo para Charlotte, enquanto observo algumas das abelhas começarem a se dispersar, "concordo que as coisas tenham melhorado na sua vida, e que você deu duro para isso acontecer. Também tenho a sensação de que você continua se esforçando para se aproximar das pessoas, e que as partes da sua vida que poderiam ter relação com isso – como seu pai, a conversa que você não quer ter sobre aquele rapaz – sejam dolorosas demais para se falar a respeito. Ao não falar sobre elas, por um lado, você poderia acreditar que ainda desse para ter esperança de que as coisas possam ser diferentes. E, pensando assim, você não estaria sozinha. Algumas pessoas esperam que a terapia as ajude a encontrar um jeito de ser escutadas por quem quer que, para elas, as tenha tratado injustamente; que esses companheiros ou parentes verão a luz e se tornarão as pessoas que elas tanto desejaram. Mas isso raramente acontece. A certa altura, ser um adulto completo significa assumir responsabilidade pelo rumo de sua própria vida e aceitar o fato de que, agora, você está no comando das suas escolhas. Você precisa passar para o banco da frente, e ser a mãe-cadela dirigindo o carro."

Enquanto eu falo, Charlotte fica olhando para seu colo, mas, durante a última parte, dá uma olhada de esguelha para mim. Agora, a sala está mais clara, e noto que a maioria das abelhas foi embora. Apenas algumas retardatárias permanecem, algumas ainda no vidro, outras circulando entre si, antes de sair voando.

"Se você continuar na terapia", digo calmamente, "pode ter que abandonar a esperança de uma infância melhor, mas isso é só para você poder criar uma vida adulta melhor."

Charlotte passa um longo tempo olhando para baixo, depois diz: "Eu sei".

Ficamos sentadas juntas, em silêncio.

Por fim, ela diz: "Dormi com meu vizinho".

Ela está falando sobre um sujeito do seu prédio que andava flertando com ela, mas que também dizia que não estava procurando nada sério. Charlotte havia decidido que só sairia com homens que estivessem em busca de uma namorada. Queria parar de ter encontros com versões emocionais do seu pai. Queria parar de ser como sua mãe. Queria começar a dizer "não" para essas coisas e "sim" para se tornar a pessoa que ela ainda precisava descobrir.

"Imaginei que, se deixasse a terapia, poderia continuar dormindo com ele", ela diz.

"Você pode fazer o que quiser", digo, "esteja ou não em terapia."

Observo-a escutar o que já sabe. Sim, ela largou a bebida e o Cara, e também começou a desistir de brigar com a mãe, mas os estágios de uma mudança são tantos que você não larga todas as defesas ao mesmo tempo. Você vai soltando-as em etapas, aproximando-se cada vez mais do centro sensível: sua tristeza, sua vergonha.

Ela balança a cabeça. "Simplesmente não quero acordar daqui a cinco anos e nunca ter tido nenhum tipo de relacionamento", ela diz. "Daqui a cinco anos, um monte de pessoas da minha idade terão deixado de ser solteiras, e eu serei a menina que pega um sujeito na sala de espera, ou seu vizinho, e depois conta a história em uma festa como se fosse só mais uma aventura. Como se eu não desse a mínima."

"A menina descolada", digo. "Aquela que não tem necessidades, ou sentimentos, e segue o fluxo. Mas você *tem* sentimentos."

"É", ela diz. "Ser a menina descolada é uma sensação de merda." Ela nunca havia admitido isso. Está tirando sua roupa de apicultora. "'Sensação de merda' é um sentimento real?"

"Com certeza", digo.

E, então, finalmente começa. Dessa vez, Charlotte não desiste. Em vez disso, continua em terapia, até aprender a dirigir seu próprio carro, trafegando pelo mundo de um jeito mais seguro, olhando para os dois lados, virando várias vezes em direções erradas, mas sempre encontrando o caminho de volta para onde realmente deseja ir.

47

Quênia

Estou cortando o cabelo e contando a Cory sobre minha novidade de ter cancelado o contrato com meu editor. Explico que, agora, posso passar anos reembolsando a quantia a ele e que talvez não consiga um contrato para outro livro, depois de ter desistido desse nessa altura do campeonato, mas que me sinto como se tivessem tirado um hipopótamo das minhas costas.

Cory concorda com a cabeça. Vejo-o conferindo no espelho seu bíceps tatuado.

"Sabe o que eu fiz hoje de manhã?", pergunta.

"Hã?", digo.

Ele penteia minhas camadas da frente, verificando se estão iguais.

"Assisti a um documentário sobre quenianos que não têm água limpa", ele diz. "Eles estão morrendo, e muitos deles estão traumatizados pela guerra e pela doença, e sendo expulsos de suas casas e aldeias. Ficam vagando por lá só tentando achar um pouco de água para beber que não seja fatal. Nenhum deles faz terapia, nem deve dinheiro a seus editores." Ele faz uma pausa. "Enfim, foi isso que fiz hoje de manhã."

Faz-se um silêncio esquisito. Cory e eu nos encaramos pelo espelho e depois, lentamente, começamos a rir.

Nós dois estamos rindo de mim, e eu estou rindo também das maneiras como as pessoas classificam sua aflição. Penso em Julie. "Pelo menos não tenho câncer", ela diria, mas essa também é uma frase usada por pessoas saudáveis para minimizar seu próprio sofrimento. Lembro-me como, inicialmente, o horário de John era agendado depois do de Julie, e como eu fazia um esforço, regularmente, para me lembrar de uma das mais importantes lições do meu estágio: "Não existe hierarquia na dor". O sofrimento não deveria ser classificado, porque a dor não é um concurso. Frequentemente, os cônjuges se esquecem disso, aumentando a aposta em seu sofrimento. *Fico com as crianças o dia todo. Meu trabalho exige mais do que o seu. Sou mais solitária.* Que dor sai vencedora – ou perdedora?

Mas sofrimento é sofrimento. Eu mesma já fiz isso, pedindo desculpas a Wendell, constrangida, por estar dando tanta importância a um rompimento que sequer chegava a ser um divórcio; desculpando-me por sofrer de ansiedade em relação às legítimas consequências financeiras e profissionais de um contrato não cumprido de um livro, o que, não obstante, não chegava aos pés de ser um problema tão sério quanto o enfrentado por... bem... o povo do Quênia. Até pedi desculpas por falar sobre minhas preocupações de saúde – como quando um paciente reparou no meu tremor, e eu não soube o que dizer –, porque, afinal de contas, qual era a extensão do meu sofrimento, se eu nem mesmo tinha um diagnóstico, muito menos um diagnóstico de alta classificação na escala de "problemas aceitáveis para a sensação de sofrimento"? Eu tinha um problema não identificado. Não tinha – bato na madeira – Parkinson. Não tinha – bato na madeira – câncer.

Mas Wendell disse-me que, ao diminuir meus problemas, eu estava me julgando e julgando todos os outros cujos problemas eu havia rebaixado na hierarquia da dor. Não se pode superar o sofrimento o diminuindo, ele me lembrou. Supera-se o sofrimento aceitando e descobrindo o que fazer com ele. Não se pode mudar o que é negado ou minimizado. E, logicamente, muitas vezes, preocupações que parecem ser triviais são manifestações de preocupações mais profundas.

"Você continua fazendo terapia no Tinder?", pergunto a Cory.

Ele aplica um produto no meu cabelo. "É óbvio", ele responde.

48

Sistema imunológico psicológico

"Parabéns, você não é mais minha amante", John diz secamente, enquanto entra trazendo uma sacola com nossos almoços.

Fico na dúvida se essa é sua maneira de dizer adeus. Será que decidiu interromper a terapia, justo quando acabamos de começar de fato?

Ele vai até o sofá e desliga seu celular ostensivamente, antes de atirá-lo em uma cadeira. Depois, abre a sacola e me estende minha salada chinesa de frango. Com as mãos de volta à sacola, tira alguns hashis, e levanta-os: *Quer?* Confirmo: *Obrigada*.

Depois que nos acomodamos, ele olha para mim, ansioso, batendo o pé.

"Bom, você não quer saber por que não é mais minha amante?", ele pergunta.

Olho de volta para ele: *Não vou entrar nessa.*

"Tudo bem." Ele suspira. "Vou contar. Você não é mais minha amante porque me abri com Margô. Ela sabe que estou vindo aqui." Ele pega um pouco de salada e mastiga. "E sabe o que ela fez?", ele continua.

Balanço a cabeça.

"Ficou louca da vida! 'Por que você fez segredo disso? Faz quanto tempo que isso anda acontecendo? Qual é o nome dela? Quem mais sabe?' Daria para pensar que você e eu estávamos transando, ou coisa assim, certo?"

John ri para ter certeza de que eu sei o quanto ele considera remota tal possibilidade.

"Para ela, poderia dar essa sensação", digo. "Margô sente que não faz parte da sua vida, e agora ela ficou sabendo que você a compartilha com outra pessoa. Ela anseia por ter essa intimidade com você."

"É", John diz, e, por um tempinho, parece perdido em pensamentos. Come mais um pouco da salada, olha para o chão, depois esfrega a testa como se, o que quer que esteja acontecendo ali, estivesse esgotando-o. Por fim, levanta os olhos.

"Conversamos sobre Gabe", diz, baixinho. E, então, começa a chorar, soltando um gemido gutural, bruto e selvagem, que reconheço de imediato. É o som que escutei no pronto-atendimento, quando estava na escola de medicina, dos pais da criancinha afogada. Uma canção de amor para seu filho amado.

Subitamente me lembro de outro pronto-atendimento, na noite em que meu filho, com um ano, teve que ser levado de ambulância para o hospital, depois que sua febre chegou a 40 °C e ele começou a ter convulsões. Quando os paramédicos chegaram a minha casa, seu corpo estava mole, os olhos fechados, e ele não reagia à minha voz. Sentada com John, sinto novamente em meu corpo o terror de ver meu filho sem vida, eu na maca com ele junto a meu peito, rodeados pelos socorristas, as sirenes como uma trilha sonora surreal. Ouço-o urrando por mim ao prenderem-no ao aparelho de raio X, forçando-o a ficar quieto, seus olhos, agora, abertos, aterrorizados, suplicando-me para segurá-lo, enquanto se retorcia violentamente para me alcançar. Seus gritos, em sua intensidade, soavam muito como o lamento de John, agora. Em algum ponto do corredor do hospital, lembro-me de ver o que parecia ser uma criança inconsciente – ou morta – sendo levada numa maca com rodinhas. *Aquilo poderia ser nós*, pensei, naquele momento. *Aquilo poderia ser nós pela manhã. Nós também poderíamos estar indo embora daquele jeito.*

Mas não éramos nós. Consegui ir para casa com meu lindo menino.

"Sinto muito, sinto muito, sinto muito, muito", John diz, aos prantos, e não sei se ele está se desculpando com Gabe, Margô ou com sua mãe – ou comigo, pelo seu descontrole.

"Tudo junto", ele diz. Mas, acima de tudo, sente por não poder se lembrar. Quis bloquear o insondável – o acidente, o hospital, o momento em que soube que Gabe havia morrido –, mas não conseguiu. Daria tudo para esquecer o abraço no corpo do filho morto, o irmão de Margô puxando os dois para longe, e John o socando e gritando: "Não vou deixar meu filho!". Como gostaria de apagar a lembrança de contar à filha que o irmão havia morrido, da chegada da família ao cemitério, Margô caindo ao chão, sem conseguir entrar. Mas essas lembranças, infelizmente, permanecem vividamente intactas, sendo material dos seus pesadelos acordado.

"O que ficou mais vago", ele diz, "são as lembranças felizes." Gabe em sua cama, com pijama de Batman ("Enrosque em mim, papi"); rolando sobre o papel de embrulho, depois de abrir seus presentes de aniversário; a maneira como entrou com passos firmes na classe da pré-escola, como um menino grande, para depois se virar, ao chegar à porta, e mandar um beijo furtivo; o som da sua voz, "Eu te amo até a lua e na volta"; o cheiro da sua cabeça, quando John inclinava-se para beijá-lo; a música da sua risada; suas vivas expressões faciais; sua comida preferida, sua cor (era azul ou "arco-íris", antes de ele morrer?), ou seu animal preferido. Para John, parece que todas essas lembranças estão se esvaindo ao longe, que ele está perdendo os detalhes de Gabe, por mais que queira se agarrar a eles.

Todos os pais esquecem esses detalhes sobre seus filhos quando eles crescem, e também lamentam essa perda. A diferença é que, à medida que o passado recua com suas lembranças, o presente está bem diante deles. Para John, a perda de suas lembranças o aproxima da perda de Gabe. Assim, à noite, John me conta, enquanto Margô se irrita, deduzindo que ele esteja trabalhando ou assistindo a pornôs, ele está se escondendo com seu notebook, vendo vídeos de Gabe e pensando em como aqueles são os únicos vídeos que terá do filho, exatamente como as lembranças que tem dele são as únicas lembranças que terá. Não serão criadas mais lembranças. E, embora elas possam ficar embaçadas, os vídeos não ficarão. John diz que assistiu a esses vídeos centenas de vezes, e já não consegue dizer a diferença entre eles e suas lembranças verdadeiras. No entanto, assiste-os obsessivamente, "para manter Gabe vivo em minha mente".

"Mantê-lo vivo em sua mente é o seu modo de não abandoná-lo", digo.

John concorda com a cabeça. Diz que o tempo todo imagina Gabe vivo, que aparência teria, sua altura, seus interesses. Ainda vê os meninos da vizinhança, amigos de Gabe quando pequenos, e imagina o filho saindo com eles agora, no fundamental II, apaixonando-se por meninas e, finalmente, se barbeando. Também imagina a possibilidade de que Gabe passasse por uma fase de confrontá-lo, e quando John escuta outros pais reclamando dos seus adolescentes, pensa em que luxo seria ter a chance de brigar com o filho sobre sua lição de casa, ou encontrar fumo em seu quarto, ou pegá-lo fazendo qualquer uma das coisas "pé no saco" que os adolescentes tendem a fazer. Jamais conhecerá Gabe da maneira com que outros pais conhecem seus filhos, em diferentes fases ao longo da vida, quando são as mesmas pessoas que sempre foram, mas, ao mesmo tempo, empolgante e tristemente diferentes.

"Sobre o que você e Margô conversaram?", pergunto.

"Quando Margô estava me questionando sobre a terapia, quis saber por quê. Por que eu estava aqui. Tinha a ver com Gabe? Eu conversava sobre ele? E eu contei a ela que não vinha à terapia para falar de Gabe. Só estava estressado. Mas ela não deixou passar. Não acreditou. 'Então, você *nem* tocou na história do Gabe?' Eu disse a ela que o que eu falava era particular. Ou seja, eu não posso falar do que eu quiser na minha própria terapia? O que ela é, a polícia da terapia?"

"Por que você acha que é importante para ela que você fale sobre Gabe?"

Ele reflete a respeito. "Eu me lembro que, depois que Gabe morreu, Margô queria que eu falasse sobre ele, e eu simplesmente não conseguia. Ela não entendia como é que eu conseguia ir a churrascos e jogos do Lakers, parecendo uma pessoa normal, mas naquele primeiro ano eu estava em choque. Entorpecido. Eu dizia a mim mesmo: *Vá em frente, não pare*. Mas, no ano seguinte, acordava com vontade de morrer. Mantinha a expressão impenetrável, mas sangrava por dentro, sabe como é? Queria ser forte para Margô e para Gracie e tinha que manter um teto sobre nossas cabeças, então não podia deixar ninguém ver o sangramento.

"Aí, Margô quis outro bebê, e eu disse: 'Foda-se, tudo bem'. Puxa, eu não estava em forma para ser pai de novo, mas Margô estava determinada em não querer que Gracie crescesse sozinha. Não era apenas que *nós* tivéssemos perdido um filho; Gracie tinha perdido seu único irmão. E a casa parecia, de fato, diferente do que era quando tínhamos duas crianças correndo pra lá e pra cá. Não parecia mais uma casa com crianças. A quietude era um lembrete do que estava faltando."

John inclina-se para a frente, tampa sua salada, atira-a no lixo do outro lado da sala. *Xuá*. Sempre acerta. "De qualquer modo, a gravidez pareceu fazer bem a Margô. Trouxe-a de volta à vida. Mas a mim, não. Continuei pensando que nada poderia substituir Gabe. Além disso, e se eu matasse esse filho também?"

John contou-me que quando soube que sua mãe tinha morrido, teve certeza de tê-la matado. Antes de ela sair para ensaiar naquela noite, ele havia pedido para ela voltar depressa para casa, a tempo de colocá-lo na cama. *Ela deve ter morrido ao voltar correndo de carro*, pensou. É claro que o pai contou-lhe que ela havia morrido tentando empurrar um dos seus alunos para longe do perigo, mas John tinha certeza de que aquilo era uma invenção para proteger seus sentimentos. Só quando viu a manchete no jornal local foi que ele soube que era verdade: não havia matado a mãe. Mas também sabia que ela morreria por ele num piscar de olhos, assim como ele teria feito por Gabe ou Gracie, e exatamente como faria agora por Ruby. Mas faria por Margô? Não tem certeza. Ela faria por ele? Também não tem certeza.

John faz uma pausa, depois brinca para quebrar a tensão: "Uau, isso está ficando pesado. Acho que vou me deitar". Ele se estica no sofá, tenta afofar uma almofada atrás da cabeça, e emite um som de decepção. ("Isso é estofado com o quê? Papelão?", reclamou uma vez.)

Ele continua: "De um jeito estranho, tenho medo de amar *demais* o novo bebê. Como se estivesse traindo Gabe. Fiquei muito feliz de não ser outro menino. Não acho que poderia lidar com um bebê menino, sem que ele me lembrasse Gabe. E se ele gostasse dos mesmos caminhões de bombeiro de que Gabe gostava? Tudo seria uma lembrança agoniante, o que não seria justo com a criança. Fiquei tão preocupado com isso, que cheguei a pesquisar quando fazer sexo de modo a ter mais chances de ter uma menina – coloquei isso na série".

Balanço a cabeça, reconhecendo. Era uma subtrama com um casal que depois foi descartado, na terceira temporada, acho. Eles estavam sempre transando na hora errada, porque um ou outro não conseguia se controlar e esperar. Lembro-me de como era engraçado. Eu não tinha consciência do sofrimento que inspirou aquilo.

"O fato é que não contei a Margô", John diz. "Simplesmente foquei em fazer sexo apenas no dia em que tínhamos as melhores chances de ter uma menina. Então, fiquei pisando em ovos até o ultrassom. Quando o obstetra disse que parecia ser uma menina, Margô e eu dissemos: 'Tem *certeza?*'. Margô queria um menino porque adorava cuidar de menino e já tínhamos uma menina, então ficou desapontada naquela primeira noite. 'Nunca mais vou voltar a criar um menino', ela lamentou. Mas fiquei alucinado! Sentia que poderia ser um pai melhor para uma menina, considerando as circunstâncias. E, então, quando Ruby nasceu, pensei: *Puta que pariu!* No segundo em que a vi, apaixonei-me loucamente."

John fica com a voz embargada e para.

"O que aconteceu com o seu luto, então?", pergunto.

"Bom, no começo, melhorou, o que, de maneira estranha, fez com que eu me sentisse pior."

"Porque o luto te ligava a Gabe?"

John parece surpreso. "Nada mal, Sherlock. É. Era quase como se a minha dor fosse uma prova do meu amor por Gabe, e se ela abrandasse, significaria que eu o estava esquecendo, que ele não tinha tanta importância para mim."

"Que se você ficasse feliz, não poderia também ficar triste."

"Exatamente." Ele desvia o olhar. "Eu ainda me sinto assim."

"E se forem as duas coisas?", pergunto. "E se a sua tristeza, o seu luto, for o que permitiu que você amasse Ruby com tanta alegria desde a primeira vez que a viu?"

Lembro-me de uma mulher que atendi, cujo marido havia morrido. Por causa da perda do marido, quando ela se apaixonou, um ano depois, com um amor ainda mais doce, ficou preocupada com o provável julgamento dos outros. (*Tão rápido? Você não amava o homem que foi seu marido por trinta anos?*) Mas, na verdade, seus amigos e familiares ficaram animados por ela. Não era o julgamento *deles* que ela estava escutando; era o seu próprio. E se sua felicidade fosse um insulto à memória do marido? Ela levou um tempo para ver que sua felicidade não diminuía o seu amor por ele, mas o homenageava.

John me conta que acha irônico que fosse Margô quem costumava querer falar sobre Gabe, e ele não conseguir; no entanto, mais tarde, se ele fizesse alguma rara referência ao filho, Margô ficava nervosa. Será que sua família sempre seria assombrada por aquela tragédia? E seu casamento? "Talvez nós lembrássemos um ao outro o que aconteceu; como se nossa simples presença fosse uma espécie de recordação doentia", John diz.

"O que precisamos", ele acrescenta, erguendo os olhos para mim, "é de algum tipo de encerramento."

Ah, encerramento. Sei o que John está dizendo, e, no entanto, sempre achei que "encerramento" fosse uma espécie de ilusão. Muitas pessoas não sabem que os conhecidos estágios de luto de Elisabeth Kübler-Ross – negação, raiva, barganha, depressão, aceitação – foram concebidos no contexto de pacientes terminais aprendendo a aceitar sua *própria* morte. Foi somente décadas mais tarde que o modelo passou a ser usado para o processo de luto de maneira mais ampla. Uma coisa é "aceitar" o fim da sua própria vida, como Julie esforça-se para fazer. Mas, para aqueles que continuam vivendo, a ideia de que deveriam chegar à aceitação pode fazê-los se sentir pior ("A essa altura, eu deveria ter superado isso"; "Não sei por que, passados todos esses anos, ainda choro em momentos aleatórios"). Além disso, como é possível haver um ponto final para o amor e a perda? Será que *queremos* mesmo que haja? O preço de amar tão profundamente é sentir muito profundamente, mas também é uma dádiva, a dádiva de estar vivo. Se deixarmos de sentir, devemos lamentar nossa própria morte.

O psicólogo do luto William Worden leva em conta essas questões substituindo os *estágios* do luto por *tarefas* do luto. Em sua quarta tarefa, o objetivo é *integrar* a perda em sua vida, e criar uma conexão contínua com a pessoa que morreu, ao mesmo tempo que se descobre uma maneira de continuar vivendo.

Mas muitas pessoas vêm à terapia em busca de um encerramento. *Ajude-me a não sentir.* O que elas acabam descobrindo é que não se pode calar uma emoção sem também calar as outras. Você quer silenciar a dor? Vai também silenciar a alegria.

"Vocês dois estão muito sozinhos em sua dor", digo, "e em sua alegria."

Em nossas sessões, John fez alusões ocasionais a sua alegria: suas duas filhas, seu cachorro, Rosie; redigir uma série de sucesso; ganhar outro Emmy; uma viagem de rapazes com seus irmãos. John diz que, às vezes, não consegue acreditar que seja capaz de sentir alegria. Depois da morte de Gabe, achou que jamais superaria aquilo. Imaginou que seguiria em frente, mas como um fantasma. E, no entanto, apenas uma semana depois da morte do filho, ele e Gracie estavam brincando juntos, e por um segundo, talvez dois, ele se sentiu bem. Sorriu e riu com ela, e o fato de ter rido o surpreendeu. Apenas uma semana antes seu filho havia morrido. Aquele som estava mesmo saindo dele?

Conto a John o que é conhecido como "sistema imunológico psicológico". Assim como seu sistema imunológico fisiológico ajuda seu corpo a se recuperar de um ataque físico, seu cérebro o ajuda a se recuperar de um ataque psicológico. Uma série de estudos do pesquisador Daniel Gilbert, em Harvard, descobriu que, em resposta a eventos existenciais desafiadores, indo de devastadores (tornar-se deficiente, perder um ente querido) a difíceis (um divórcio, uma doença), as pessoas se saem melhor do que previam. Elas acreditam que jamais voltarão a rir, mas riem; pensam que nunca mais voltarão a amar, mas amam; vão a compras no supermercado, assistem a filmes; fazem sexo e dançam em casamentos; exageram na comida no jantar de Ação de Graças e começam regimes no Ano-Novo. O dia a dia retorna. A reação de John ao brincar com Grace não foi incomum; foi a norma.

Existe outro conceito relacionado, que compartilho com John: impermanência. Às vezes, em sua dor, as pessoas acreditam que a agonia durará para sempre, mas os sentimentos são, na verdade, mais como as estações do ano, vêm e vão. Só porque você se sente triste nesse minuto, nessa hora ou nesse dia, isso não significa que você se sentirá assim daqui a dez minutos, hoje à tarde, ou na semana que vem. Tudo que você sente – ansiedade, exaltação, angústia – vem e vai. Para John, no aniversário de Gabe, em certos feriados, ou simplesmente correndo no jardim, sempre haverá sofrimento. Escutar certa música no carro, ou ter uma lembrança passageira, poderia até mergulhá-lo num desespero momentâneo. Mas outra música, ou outra lembrança, poderia, minutos ou horas depois, trazer intensa alegria.

Questiono onde estaria a alegria que John compartilhava com Margô. Pergunto-lhe o que ele imagina que aconteceria com Margô se não tivesse acontecido o acidente de carro. Como estaria o casamento deles hoje?

"Ah, pelo amor de Deus", ele diz. "Agora você acha que eu posso reescrever a história?" Ele olha pela janela, para seu relógio, para seus tênis, tirados quando ele se deitou no sofá. Por fim, olha para mim.

"Na verdade, tenho pensado muito nisso", ele diz. "Às vezes penso em como éramos uma jovem família, minha carreira estava decolando, Margô cuidava das crianças e tentava tocar um negócio, e como perdemos o contato um com o outro, como acontece com as pessoas nesse estágio da vida. Penso em como as coisas poderiam ter mudado depois que as duas crianças estivessem na escola, e tivéssemos progredido em nossas carreiras. Você sabe, a vida se normalizaria. Mas talvez não. Eu costumava ter muita certeza de que ela era a pessoa certa para mim, e eu era a pessoa certa para ela, mas fazemos muito mal um pro outro, e nem mesmo me lembro de quando isso começou. Aos olhos dela, tudo que eu faço está errado. Talvez, a esta altura, estivéssemos divorciados. As pessoas dizem que os casamentos desmoronam depois da morte de um filho, mas vai ver que a gente ficou junto por causa do que aconteceu com o Gabe." Ele ri. "Vai ver que o Gabe salvou nosso casamento."

"Pode ser", digo. "Ou talvez vocês tenham ficado juntos porque os dois querem redescobrir as partes em vocês que parecem ter morrido junto com Gabe. Talvez vocês dois acreditem que podem voltar a se achar – ou se achar pela primeira vez."

Penso na família da criancinha afogada, no pronto-atendimento. O que estarão fazendo nesse momento? Tiveram outro filho? O bebê deles, aquele cuja fralda estava sendo trocada quando a filha de 3 anos correu para fora e se afogou, agora estaria na faculdade. Talvez aquele casal tenha se divorciado há muito tempo e viva com seus novos cônjuges. Ou, vai ver, continuam juntos, mais fortes do que nunca, talvez fazendo uma caminhada nas trilhas paisagísticas perto da sua casa, em uma península ao sul de São Francisco, relembrando o passando, recordando a filha amada.

"É curioso", John diz. "Acho que, finalmente, nós dois estamos prontos para conversar sobre Gabe ao mesmo tempo. E agora que estamos, sinto-me melhor. Quero dizer, também me sinto um merda, mas tudo bem, se é que você me entende. Não é tão ruim quanto eu pensava que seria."

"Não é tão ruim como era *não* falar sobre Gabe", sugiro.

"Como eu disse, você é boa, Sher..." Trocamos um sorriso. Ele parou de me chamar de Sherlock, de usar a caricatura como um guardião de espaço entre nós. Permitir que Gabe se torne mais real em sua vida é permitir que ele deixe os outros também serem mais reais.

John senta-se e começa a se mexer; nossa sessão está prestes a terminar. Enquanto ele calça os tênis e levanta-se para recuperar seu celular, relembro seu comentário de mais cedo, de contar a Margô que veio à terapia por causa do estresse, e a quantidade de vezes em que ele me disse a mesma coisa.

"John, você acha mesmo que veio aqui por causa do estresse?"

"Qual é a sua? Você é alguma idiota?", ele diz, com um brilho nos olhos. "Vim aqui para conversar sobre Margô e Gabe. Nossa, às vezes você é lenta."

Quando ele sai, não deixa o bolinho de dinheiro na porta para a "puta" dele.

"Pode me mandar a conta", ele diz. "Chega de ficar escondendo. Agora somos legítimos."

49

Aconselhamento *versus* terapia

"Você está pedindo aconselhamento ou terapia?", Wendell diz na sessão de hoje, depois que lhe digo que tenho uma pergunta profissional. Ele sabe que vou entender a diferença porque já me ofereceu orientação profissional duas vezes. Eu quero uma orientação (aconselhamento) ou um autoentendimento (terapia)?

Na primeira vez em que fiz essa pergunta a Wendell, estava falando sobre a minha frustração com pessoas que escolhem a cura rápida em vez do trabalho profundo da psicoterapia. Sendo uma terapeuta relativamente nova, estava curiosa em saber como uma pessoa mais experiente – especificamente Wendell – lidava com isso. Uma coisa era escutar o que colegas mais velhos tinham a dizer, mas de tempos em tempos eu não conseguia deixar de imaginar como Wendell lidava com as frustrações da profissão.

Duvidei que ele fosse ser direto ao responder à minha pergunta; o mais provável era que expressasse empatia pelo meu dilema. Na verdade, eu sabia que o estava colocando na clássica posição Catch22, em que os terapeutas muitas vezes se encontram: *Quero empatia, mas se você demonstrar isso por mim, ficarei zangada e desanimada, porque apenas a empatia não resolverá meu problema extremamente real; então, para que você serve, afinal?* Eu estava pensando que ele até poderia dizer algo sobre esse Catch-22 (porque a melhor maneira de desarmar uma mina terrestre emocional é expô-la).

Em vez disso, ele olhou para mim e perguntou: "Você gostaria de uma sugestão prática?".

Eu não tinha certeza de tê-lo escutado direito. Uma sugestão *prática*? Está de brincadeira comigo? Meu terapeuta iria me dar um conselho concreto? Cheguei mais perto.

"Meu pai era um empresário", Wendell começou, calmamente. Àquela altura, eu ainda não tinha confessado minha investigação no Google, então assenti, fingindo se tratar de uma informação nova. Ele me contou que, quando estava começando, seu pai sugeriu que ele fizesse uma oferta para possíveis pacientes; eles poderiam experimentar uma sessão com Wendell, e se depois disso escolhessem não seguir em frente, a sessão seria grátis. Como muitas pessoas ficavam nervosas com a ideia de começar a fazer terapia, essa sessão sem riscos lhes daria a oportunidade de ver do que se tratava uma terapia e como Wendell poderia ajudá-las.

Tentei visualizá-lo tendo essa conversa com o pai. Imaginei o prazer que o pai deve ter sentido por, finalmente, dar um conselho profissional a seu filho mais afável. Sua sugestão não era inovadora no mundo dos negócios, mas não é comum os terapeutas pensarem no que fazem como sendo um negócio. E, no entanto, nós *realmente* administramos pequenas empresas, e o pai de Wendell deve ter percebido que o filho, apesar de deixar a empresa familiar, acabou, de fato, tornando-se um empresário. Talvez ele tenha sentido uma grande alegria por ter essa ligação com o filho. E talvez isso tenha sido de grande significado para Wendell, motivo pelo qual ele esteja disposto a passar esse conhecimento para outros terapeutas, como eu.

Seja como for, seu pai era esperto. Assim que implementei essa proposta, meu consultório ficou cheio.

Mas seu segundo conselho, que eu não apenas pedi, mas pressionei para obtê-lo, fracassou. Enquanto eu lutava contra o dilema do meu livro sobre felicidade, atormentava Wendell para que me dissesse o que fazer. Pressionei-o tanto, e com tanta assiduidade, que ele, que logicamente não tinha qualquer conhecimento do mundo editorial, acabou cedendo perto do final de uma sessão. "Bom, não sei o que mais há para ser dito sobre isso", replicou perante minha 87ª consulta sobre esse tópico. "Ao que parece, você terá que acabar encontrando uma maneira de escrever esse, para que possa escrever o que quiser na próxima vez." Então, bateu na perna duas vezes e levantou-se, sinalizando o final do nosso horário.

Às vezes, um terapeuta, deliberadamente, "prescreve o problema", ou sintoma, que o paciente quer resolver. Um rapaz que fica adiando procurar um trabalho poderia escutar, na terapia, que ele *não pode* procurar um trabalho; uma mulher que não toma a iniciativa de fazer sexo com seu companheiro pode ser aconselhada a *não* fazê-lo por mais um mês. Essa estratégia, na qual o terapeuta instrui os pacientes a não fazerem o que eles já não estão fazendo, é chamada de "intervenção paradoxal". Levando-se em conta as considerações éticas envolvidas, um terapeuta precisa ter um bom preparo em como e quando utilizar diretivas paradoxais, mas a ideia por trás delas é que, se os pacientes acreditam que um comportamento ou sintoma esteja além do seu controle, torná-lo, voluntariamente, algo que possam ou não fazer faz com que essa crença seja posta em questão. Uma vez que os pacientes percebem que estão escolhendo uma atitude, podem analisar os ganhos secundários, os benefícios inconscientes que ela oferece (evitamento, rebelião, pedido de ajuda).

Mas Wendell não estava fazendo isso; estava, simplesmente, reagindo a minhas queixas infindáveis. Se eu chegava nervosa porque minha agente insistia, mais uma vez, que não havia nada a ser feito e que eu teria que escrever aquele livro ou jamais conseguiria contrato para outro, Wendell questionava por que eu não poderia procurar uma segunda opinião – ou outro agente –, e eu explicava que não poderia abordar outros agentes por não ter nada a oferecer a eles além da confusão em que já estava metida. Wendell e eu tínhamos, com frequência, algumas versões desta conversa, e, por fim, convenci a nós dois de que só haveria uma saída: continuar escrevendo. Então, fui me arrastando, culpando não apenas a mim mesma, mas a ele também, pela minha situação penosa. É claro que não percebi que estava culpando Wendell, mas meu ressentimento aflorou uma semana depois de eu ter enviado um e-mail a meu editor, dizendo que não terminaria o livro. Passei a sessão toda tensa, incapaz de compartilhar essa conquista com ele.

"Você está zangada comigo?", Wendell perguntou, captando meu humor, e, repentinamente, me dei conta: Sim! Eu estava *furiosa* com ele, respondi. E, acrescentei, adivinha só: cancelei o contrato do meu livro, que se danem as finanças e as consequências! Eu estava contornando aquelas barras de prisão! Principalmente por causa da minha misteriosa condição de saúde e o cansaço debilitante causado por ela, eu queria ter certeza de estar usando o "tempo bom" que eu tinha de modo relevante. Uma vez, Julie havia dito que finalmente entendia o significado da frase "viver com os dias contados": nossas vidas nos são, literalmente, emprestadas; apesar do que pensamos quando jovens, nenhum de nós tem tanto tempo. Eu disse a Wendell que, assim como Julie, estava começando a reduzir minha vida ao essencial, em vez de passar por ela feito sonâmbula, portanto, quem era *ele* para me dizer para me concentrar e escrever esse livro? Todos os terapeutas cometem erros, mas quando isso aconteceu com Wendell, senti-me irracionalmente traída.

Quando terminei de falar, ele olhou para mim, pensativo. Não ficou na defensiva, embora pudesse. Simplesmente pediu desculpas. Disse que tinha deixado de perceber algo importante que estava acontecendo entre nós. Ao tentar convencê-lo do quanto eu estava encurralada, deixei-o também encurralado, aprisionado pelo meu aprisionamento. E, em sua frustração, assim como eu na minha, havia pegado a saída mais fácil: *Tudo bem, você está ferrada; escreva o maldito livro.*

"Hoje eu quero um conselho sobre um paciente", digo, então.

Conto a Wendell que tenho um paciente cuja esposa trata-se com *ele*, Wendell, e todas as vezes em que venho aqui, penso se ela seria a mulher que vi deixando sua sala. Digo que sei que ele não pode me dizer nada sobre um paciente, mas mesmo assim me pergunto se ela mencionou o nome da terapeuta do marido – eu – para ele. E como deveríamos lidar com essa coincidência? Como paciente, posso dizer o que quiser sobre qualquer aspecto da minha vida, mas não quero perturbar a terapia da sua paciente com meu específico conhecimento sobre seu marido.

"É esse o conselho que você busca?", Wendell pergunta.

Concordo com a cabeça. Considerando o fracasso anterior, imagino que ele esteja sendo ultracuidadoso na forma de responder.

"O que eu posso te dizer que lhe será útil?", ele pergunta.

Penso nisso. Ele não pode responder à minha dúvida sobre Margô ter um horário antes do meu, nem mesmo dizer se está ciente de estarmos falando sobre Margô. Não pode me dizer se o fato de eu atender o marido da sua paciente é uma informação nova, ou se soube disso o tempo todo. Não pode me contar o que Margô pode ou não ter dito a meu respeito. E eu sei que se alguma vez fosse dizer qualquer coisa sobre John, Wendell agiria com profissionalismo, e falaríamos sobre isso naquele momento. Talvez eu quisesse seu conselho sobre se fiz a coisa certa ao lhe contar sobre a situação.

"Alguma vez você se pergunta se eu sou uma boa terapeuta?", pergunto. "Quero dizer, considerando tudo o que você viu aqui." Lembro-me do meu antigo "Você gosta de mim?", mas dessa vez estou perguntando algo diferente. Naquela vez, eu estava dizendo *Você me ama como uma criança, ama meu* neshama? Agora estou dizendo: *Pode me visualizar como adulta, como uma pessoa competente?* Claro, Wendell nunca me viu fazendo terapia, nunca supervisionou meu trabalho. Como é que ele poderia ter alguma opinião sobre isso? Começo a dizer isso, mas ele me interrompe.

"*Sei* que você é", diz.

No início, não entendo. Ele sabe que sou uma boa terapeuta? Baseado em qu... *Ah!* Então Margô acha que as coisas estão melhorando com John!

Wendell sorri. Eu sorrio. Nós dois sabemos que ele não pode me contar.

"Tenho mais uma pergunta", digo. "Levando-se em conta a situação, como é que a gente diminui esse embaraço?"

"Vai ver que você acabou de fazer isso", ele responde.

E ele tem razão. Na terapia de casais, os terapeutas conversam sobre a diferença entre privacidade (espaços nas psiques das pessoas, necessários a qualquer um para relações saudáveis) e segredo (que deriva de vergonha e tende a ser corrosivo). Carl Jung chamava os segredos de "veneno psíquico", e depois de todos os segredos que escondi de Wendell, é bom ter esse segredo final revelado.

Não peço mais conselhos, porque a verdade é que Wendell vem me aconselhando desde o primeiro dia, no sentido de que a terapia é uma profissão que se aprende fazendo – não apenas na função de terapeuta, mas também na de paciente. Trata-se de um aprendizado duplo, motivo pelo qual se diz que os terapeutas podem levar seus pacientes apenas até onde eles foram em sua própria vida interior. Existem muitas discussões sobre essa ideia. Assim como meus colegas, vi pacientes alcançarem estágios que eu mesma ainda não alcancei, mas, mesmo assim, não é de se surpreender que, conforme me curo interiormente, também me torno mais apta a curar outras pessoas.

Também num nível prático, levei as lições de Wendell direto para meu consultório.

"Lembrei-me de um desenho de um prisioneiro sacudindo as barras...", disse a John num outro dia, numa tentativa desesperada de ajudá-lo a ver que o "idiota" sobre o qual ele falava, naquele dia, acabava não sendo seu carcereiro.

Ao chegar à "moral da história" – de que as barras estão abertas dos dois lados –, John sorriu por um segundo, no que pareceu um reconhecimento, mas depois arremessou de volta para mim: "Ah, me poupe", disse, revirando os olhos. "Os outros pacientes caem mesmo nessa?" Mas ele foi um caso isolado. A intervenção funcionou maravilhosamente bem com todos os outros.

Mesmo assim, a habilidade mais importante que aprendi com Wendell é como permanecer estratégica, ao mesmo tempo que também trago minha personalidade para dentro da sala. Eu chutaria um paciente para me fazer entender? Provavelmente não. Cantaria? Não tenho certeza. Mas eu poderia não ter gritado "*Merda!*" com Julie, se não tivesse visto Wendell ser tão profundamente autêntico comigo. Nos estágios, os terapeutas aprendem a praticar terapia de acordo com o manual, dominando os fundamentos da maneira que você precisa dominar as escalas ao aprender a tocar piano. Em ambos os casos, depois que você domina o básico, pode improvisar com destreza. A regra de Wendell não é tão simples quanto "Não existem regras". *Existem* regras, e somos treinados para aderir a elas por um motivo. Mas ele tem me mostrado que, quando as regras são flexionadas com intenção cuidadosa, a definição do que possa ser um tratamento eficiente se expande.

Wendell e eu não voltamos a conversar sobre John e Margô, mas algumas semanas depois, enquanto me acomodava na minha cadeira na sala de espera, a porta da sala de Wendell abriu-se e escutei uma voz masculina: "Então, nesse horário na próxima quarta?".

"É, a gente se vê", responde Wendell, e sua porta se fecha.

Além do biombo, um rapaz de terno passa para o corredor. Interessante, pensei. Vai ver que a mulher antes de mim terminou sua terapia, ou vai ver que era Margô, e Wendell arquitetou a troca para proteger minha privacidade, no caso de ela vir a descobrir. Porém, não pergunto, porque já não tem importância.

Wendell tinha razão. O estranhamento desapareceu. O segredo foi revelado, o veneno psíquico se diluiu.

Consegui todo o aconselhamento – ou seria a terapia? – de que precisava.

50

Mortezilla

Faltam dez minutos para a sessão de Julie, e estou me entupindo de pretzels na cozinha do nosso conjunto. Não sei quando será nossa última sessão. Se ela se atrasa, penso no pior. Deveria dar uma checada nela entre as sessões, ou deixar que ela me ligue caso precise (sabendo que ela tem dificuldade em pedir ajuda)? Os limites dos terapeutas deveriam ser diferentes, mais elásticos, com pacientes terminais?

Na primeira vez em que vi Julie no Trader Joe's, relutei em entrar na sua fila, mas, depois disso, todas as vezes em que acontecia de eu estar lá no horário dela, Julie me chamava com um aceno, e eu ia bem feliz. Se meu filho estivesse comigo, ganhava uma folha extra de adesivos e um "toca aqui!". E quando Julie não estava mais lá, ele notou.

"Cadê a Julie?", perguntou, procurando-a pelos caixas, enquanto nos aproximávamos para pagar. Não é que eu não falasse com ele sobre morte; uma íntima amiga de infância minha morrera de câncer alguns anos antes, e eu tinha contado a Zach a verdade sobre a doença dela. Mas, por causa da confidencialidade, não podia revelar mais sobre Julie. Uma pergunta levaria a outra, a limites que eu não poderia ultrapassar.

"Vai ver que ela trocou os dias", eu disse, como se só a conhecesse como caixa do Trader Joe's. "Ou vai ver que arrumou outro emprego."

"Ela não ia arrumar outro emprego", Zach disse. "Ela adorava esse emprego!"

Fiquei chocada com a resposta dele; até uma criança pequena percebia.

Sem Julie ali, passamos a ir para a fila de Emma, a mulher que se ofereceu para gestar o bebê de Julie. Ela também dá adesivos extras para ele.

Mas, de volta ao meu consultório, esperando pela chegada de Julie, fiz a mesma pergunta de Zach: "Cadê a Julie?".

Usamos uma palavra para o fim da terapia: *término*. Sempre achei que esse termo soava estranhamente severo para o que, idealmente, é uma experiência calorosa, agridoce e emocionante, muito semelhante a uma formatura. Em geral, quando a terapia está chegando ao fim, o trabalho segue para seu estágio final, que é o da despedida. Nessas sessões, o paciente e eu consolidamos as mudanças feitas, falando sobre "processo e progresso". O que foi útil para a pessoa chegar onde se acha hoje? O que não foi? O que ela aprendeu sobre si mesma: seus poderes, seus desafios, seus padrões e narrativas interiores, e que estratégias de enfrentamento e maneiras mais saudáveis que ela mesma pode levar consigo ao ir embora? Subjacente a tudo isso, é claro, está o modo como nos despedimos.

Em nossa vida diária, muitos de nós não passam pela experiência de despedidas relevantes, e, às vezes, nem mesmo passam por qualquer tipo de despedida. O processo de término permite que alguém que despendeu grande parte do tempo trabalhando em uma importante questão de sua vida faça mais do que simplesmente ir embora com alguma versão de: "Bom, mais uma vez, obrigada... a gente se vê!". Estudos mostram que as pessoas tendem a se lembrar de experiências segundo a maneira como elas findam, e o término é uma fase importante da terapia, porque dá a elas a experiência de uma conclusão positiva no que poderia ter sido uma vida de finais negativos, mal resolvidos ou vazios.

Mas Julie e eu estivemos preparando outro tipo de término. Nós duas sabemos que sua terapia não vai ser interrompida até ela morrer; prometi isso a ela. E, ultimamente, nosso processo consistiu em cada vez mais silêncio, não por estarmos evitando dizer alguma coisa, mas porque é assim que estamos nos confrontando mais honestamente. Nossos silêncios são ricos, nossas emoções rodopiam no ar. Mas os silêncios também têm a ver com a deterioração do seu estado. Ela tem menos energia, e falar pode ter seu custo.

É chocante, mas Julie está com uma aparência saudável, embora magra, motivo pelo qual muita gente tem dificuldade em acreditar que ela esteja morrendo. Às vezes, eu também tenho. E, de certa maneira, nossos silêncios servem a outro propósito. Eles nos dão a ilusão de parar o tempo. Por cinquenta abençoados minutos, nos é garantida uma pausa do mundo externo. Ela me disse que se sente segura aqui, não tendo que se preocupar com a preocupação das pessoas em relação a ela, com os sentimentos delas.

"Mas *eu* também tenho sentimentos em relação a você", eu disse no dia em que Julie tocou nesse assunto.

Ela refletiu por um segundo, e depois disse, simplesmente: "Eu sei".

"Você gostaria de saber quais são?", perguntei.

Julie sorriu. "Eu também sei." E voltamos para o silêncio.

Logicamente, entre os silêncios, Julie e eu também conversamos. Recentemente, ela disse que estava pensando sobre viagem no tempo. Tinha escutado no rádio um programa sobre isso, e se referiu a uma citação que adorava, uma descrição do passado como "uma vasta enciclopédia de calamidades que você ainda pode consertar". Tinha memorizado porque, segundo ela, fazia-a rir. E então, fez com que chorasse. Porque nunca viverá o suficiente para ter essa lista de calamidades que as outras pessoas adquirem ao chegar à velhice: relacionamentos que gostariam de refazer, trajetórias profissionais que gostariam de percorrer, erros que voltariam atrás e "acertariam", dessa vez.

Em vez disso, Julie tem viajado no tempo até o passado para reviver partes da sua vida que lhe deram prazer: festas de aniversário quando criança; férias com os avós; sua primeira paixão; sua primeira publicação; sua primeira conversa com Matt, que durou até o amanhecer e ainda não terminou. Mas ela disse que mesmo que estivesse saudável, jamais iria querer viajar para o futuro. Não gostaria de saber o enredo do filme, escutar os spoilers.

"O futuro é esperança", Julie disse. "Mas onde está a esperança, se você já sabe o que acontecerá? Pelo que você vive, então? Pelo que você se esforça?"

Imediatamente pensei numa diferença entre Julie e Rita, entre o jovem e o velho, mas ao contrário. Julie, que era jovem, não tinha futuro, mas estava feliz pelo seu passado. Rita, que era velha, tinha um futuro, mas estava atormentada pelo seu passado.

Foi naquele dia que, pela primeira vez, Julie adormeceu na sessão. Cochilou por alguns minutos e, ao acordar e perceber o que tinha acontecido, fez uma brincadeira, por causa do constrangimento, sobre como eu devia ter viajado no tempo, enquanto ela dormia, desejando estar em algum outro lugar.

Eu disse a ela que isso não tinha acontecido. Estava me lembrando de ter ouvido o que devia ser o mesmo programa que ela escutara no rádio, e estava pensando em uma observação feita no final daquele bloco: que estamos todos viajando no tempo em direção ao futuro, e exatamente no mesmo ritmo: sessenta minutos por hora.

"Então, acho que aqui viajamos juntas no tempo", Julie disse.

"Viajamos", respondi. "Até quando você está descansando."

Noutra vez, Julie rompeu o silêncio para me contar que Matt achava que ela estava sendo uma "Mortezilla", surtando com o planejamento da festa fúnebre, da mesma maneira que algumas noivas se tornam "Noivazillas" passando dos limites com seus casamentos. Ela até tinha contratado um promotor de eventos, para ajudar a executar sua visão da festa-funeral ("Afinal de contas, é o *meu* dia!"), e, apesar do desconforto inicial, Matt, agora, tinha embarcado totalmente na ideia.

"Planejamos um casamento juntos, e agora estamos planejando um funeral juntos", Julie disse. E tem sido, segundo ela me disse, uma das experiências mais íntimas da vida dos dois, repleta de amor, de dor e de humor macabro. Quando perguntei como ela desejava que fosse aquele dia, no início, ela disse: "Bom, eu preferia não estar morta nesse dia", mas que, tirando *isso*, ela não queria que fosse todo "positivo" e "alegrinho". Gostava da ideia de uma "celebração da vida", que, segundo o promotor de eventos, estava super na moda atualmente, mas ela não gostava da mensagem que vinha implícita.

"É um funeral, pelo amor de Deus", ela disse. "Todo mundo no meu grupo de câncer diz: 'Quero que as pessoas celebrem! Não quero que fiquem tristes no meu funeral'. E eu digo: 'Porra, como não? Você *morreu*!'."

"Você quer ter tocado as pessoas e que elas sejam afetadas pela sua morte", digo. "E que essas pessoas se lembrem de você, pensem em você."

Julie disse-se que queria que as pessoas pensassem nela do jeito que ela pensava em mim, entre uma sessão e outra.

"Às vezes, estou dirigindo e entro em pânico com alguma coisa, mas aí escuto a sua voz", ela explicou. "Lembro-me de alguma coisa que você disse."

Penso em como fiz isso com Wendell, como internalizei seu método de questionamento, sua maneira de reformular as situações, sua voz. Essa é uma experiência tão universal que um teste decisivo para saber se um paciente está pronto para o término é saber se ele leva em sua mente a voz do terapeuta, aplicando-a em situações e, essencialmente, eliminando a necessidade de terapia. "Comecei a ficar deprimido", um paciente pode relatar perto do final do tratamento, "mas aí pensei no que você disse no mês passado". Tive conversas inteiras na minha cabeça com Wendell, e Julie fez o mesmo comigo.

"Isso pode parecer loucura", ela disse, "mas sei que vou escutar sua voz depois que eu morrer, que vou te ouvir onde quer que eu esteja."

Julie me contou que tinha começado a pensar na vida após a morte, um conceito em que insistiu não acreditar totalmente, mas, mesmo assim, contemplava, "por via das dúvidas". Ficaria sozinha? Com medo? Todos aqueles que ela amava ainda estariam vivos: seu marido, seus pais, os avós, a irmã, o sobrinho e a sobrinha. Quem lhe faria companhia lá? E, depois, percebeu duas coisas: primeiro, que seus bebês abortados poderiam estar lá, onde quer que "lá" fosse; e, em segundo, que estava começando a acreditar que escutaria, de algum jeito espiritual desconhecido, as vozes daqueles que amava.

"Eu jamais diria isso se não estivesse morrendo", disse, timidamente, "mas incluo você entre aqueles que amo. Sei que você é minha terapeuta, então, espero que não ache sinistro, mas quando conto pras pessoas que amo minha terapeuta, quero dizer exatamente isso: que *amo* a minha terapeuta."

Embora eu tenha acabado amando muitos pacientes com o passar dos anos, nunca usei essas palavras com nenhum deles. No estágio, aprendemos a tomar cuidado com nossas palavras, para evitar interpretações erradas. Existem muitas maneiras de transmitir aos pacientes a profundidade com que nos preocupamos com eles, sem entrar em território arriscado. Dizer "Eu te amo" não é uma delas. Mas Julie havia dito que me amava, e eu não iria me ater ao formalismo profissional e responder de um jeito aguado.

"Eu também te amo, Julie", disse a ela naquele dia. Ela sorriu, depois fechou os olhos e voltou a cochilar.

Agora, enquanto fico na cozinha esperando por ela, penso naquela conversa e nas maneiras que sei que também escutarei sua voz bem depois de ela ter partido, especialmente em certos momentos, como quando estiver fazendo compras no Trader Joe's, ou dobrando a roupa lavada e vendo na pilha aquele pijama com NAMASTÊ NA CAMA.

Estou guardando aquela peça não para continuar me lembrando do Namorado, mas para me lembrar de Julie.

Ainda estou mastigando os pretzels, quando minha luz verde se acende. Jogo mais um dentro da boca, lavo as mãos e solto um suspiro de alívio.

Julie chegou cedo, hoje. Está viva.

51

Caro Myron

Rita está carregando um portfólio de artista, uma pasta grande e preta, com alças de nylon, com quase um metro de comprimento. Começou a ensinar arte na universidade local, aquela onde deveria ter se formado se não tivesse largado o curso para se casar, e hoje trouxe seu próprio trabalho para mostrar a seus alunos.

Seu portfólio tem esboços para as gravuras que estão à venda em seu site, uma série baseada em sua própria vida. As imagens são, visualmente, cômicas, até caricatas, mas os temas – arrependimento, humilhação, tempo, sexo aos 80 anos – revelam um aspecto sombrio e profundo. Ela já me mostrou esses trabalhos antes, mas, agora, quando busca no portfólio, tira outra coisa: um bloco pautado amarelo.

Não fala com Myron desde o beijo de mais de dois meses atrás; na verdade, tem evitado ele, frequentando uma aula diferente na ACM, ignorando suas batidas na porta (agora, usa o olho mágico para fazer triagens, não para espionar a família-oi), movendo-se furtivamente pelo prédio. Está levando um tempo para rascunhar uma carta, obcecada com cada frase. Conta-me que não faz mais ideia se suas palavras fazem sentido, e que depois de lê-la novamente nessa manhã, não está nem um pouco convencida de que deva mandá-la.

"Posso lê-la para você, antes de fazer papel de boba?", pergunta.

"É claro", respondo, e ela coloca o bloco amarelo no colo.

De onde estou sentada, consigo ver sua escrita, não as letras específicas, mas os formatos. É a caligrafia de um artista, penso. Uma cursiva bonita, as curvas feitas com perfeição, mas com o acréscimo de um estilo.

Ela leva um minuto para começar. Respira fundo, suspira, quase começa, respira fundo, suspira novamente. Por fim, fala.

"*Caro Myron*", lê, e ergue os olhos para mim. "Isso é formal demais... ou vai ver que muito íntimo? Você acha que eu deveria começar com 'Oi', ou só com 'Myron', por ser mais neutro?"

"Acho que se você se preocupar demais com os detalhes, pode perder o aspecto geral", digo, e Rita faz uma careta. Sabe que estou me referindo a algo mais do que sua saudação.

"Tudo bem, então", diz, voltando a olhar para o bloco pautado. Mesmo assim, pega uma caneta, risca a palavra *caro*, depois respira fundo e recomeça:

> *Myron, sinto muito pelo meu comportamento indesculpável no estacionamento. Foi totalmente fora de propósito, e lhe devo um pedido de desculpas. Certamente lhe devo uma explicação, e você merece uma. Por isso, vou fazer isso aqui, e então tenho certeza de que você desistirá de mim.*

Devo ter feito um som, um involuntário "*huuumm*", porque Rita ergue os olhos e pergunta: "O quê? Está exagerado?".

"Eu estava pensando na sentença prisional", digo. "Só estava notando que você deduz que Myron segue o mesmo sistema punitivo que você."

Rita pensa sobre isso, risca algo, e continua lendo.

> *Sinceramente, Myron, no início, não sabia por que bati em você. Pensei que fosse por estar brava que você tivesse namorado aquela mulher que era, com toda franqueza, tão abaixo de você. Mas, o mais importante: não consegui entender por que tínhamos nos comportado como um casal durante meses, por que você permitiu que eu interpretasse a situação de um jeito errado e depois me dispensou. Sei que desde então você apresentou seus motivos. Tinha medo de começar alguma coisa romântica comigo porque, se terminasse mal, você perderia a nossa amizade. Ficou com medo de que, se não desse certo, ficássemos constrangidos de morar no mesmo prédio — como se não fosse tremendamente desconfortável te ver com aquela mulher, cuja gargalhada eu podia ouvir a dois andares acima, com a televisão ligada.*

Rita olha para mim, ergue as sobrancelhas interrogativamente, e eu balanço a cabeça. Ela risca alguma coisa e continua:

Mas agora, Myron, você diz que quer assumir esse risco. Diz que eu valho o risco. E quando você disse isso no estacionamento, tive que correr porque, acredite se quiser, tive pena de você. Tive pena porque você não faz ideia do tipo de risco que estará correndo ao se envolver comigo. Não seria justo deixá-lo correr esse risco, sem te contar quem eu sou, realmente.

Uma lágrima rola pelo rosto de Rita, depois outra, e ela busca um bolso lateral em seu portfólio de artista, onde enfiara um maço de lenços de papel. Como sempre, existe uma caixa de lenços de papel ao alcance da sua mão, e ainda me enlouquece que ela simplesmente não *pegue os lenços*. Ela chora por alguns minutos, enfia os lenços usados no bolso do portfólio, depois volta a olhar para o bloco.

Você pensa que conhece meu passado, meus casamentos, os nomes e idades dos meus filhos, e as cidades onde eles moram, e que eu não os vejo muito. Bom, muito não é exatamente a palavra. Eu deveria ter dito que não os vejo nunca. Por quê? Porque eles me odeiam.

Rita engasga, recompõe-se, e continua:

O que você não sabe, Myron, o que nem meu segundo nem meu terceiro marido sabiam plenamente, é que o pai dos meus filhos, meu primeiro marido, Richard, bebia. E quando ele bebia, machucava nossos filhos, meus filhos, às vezes verbalmente, às vezes com as mãos. Machucava-os de maneiras que não posso escrever aqui. Naquela época, eu gritava para ele parar, implorando, e ele gritava de volta para mim, e, se estivesse muito bêbado, machucava-me também, e eu não queria que as crianças vissem aquilo, então eu parava. Sabe o que eu fazia, então? Ia para outro quarto. Leu isto, Myron? Meu marido machucava meus filhos e eu ia para outro quarto! E pensava, em relação a ele: Você está acabando com eles para sempre, machucando-os de um jeito que não terá conserto, e eu sabia que também estava acabando com eles, chorava e não fazia nada.

Agora, Rita chora com tal intensidade que já não consegue falar. Chora com o rosto afundado nas mãos, e, quando se acalma, abre o zíper do bolso do portfólio, tira os lenços de papel sujos, limpa o rosto, umedece a ponta dos dedos com a boca e vira a página do bloco.

Você pode se perguntar por que eu não fiz queixa à polícia, por que eu não fui embora levando as crianças comigo. Na época, eu dizia a mim mesma que não haveria como sobreviver, cuidar das crianças e arrumar um trabalho decente sem formação universitária. Todos os dias, eu olhava os anúncios de emprego no jornal e pensava: Eu poderia ser garçonete, secretária ou escriturária, mas conseguiria cumprir o horário e fazer o pagamento render? Quem buscaria as crianças na escola? Faria o jantar? *Nunca telefonei para descobrir, porque a verdade é que – e você precisa ler isto, Myron – a verdade é que eu não queria descobrir. É isso mesmo:* Eu não queria descobrir.

Rita olha para mim, como que dizendo: *Viu? Viu o monstro que eu sou?* Essa parte também é novidade para mim. Ela ergue um dedo, sinal para que eu a espere se recompor, depois continua lendo:

Senti-me tão só quando criança – e isto não é uma desculpa, apenas uma explicação –, que a ideia de estar sozinha com quatro crianças, trabalhando oito horas por dia num emprego sem perspectiva, bom, simplesmente não deu para encarar. Eu tinha visto o que acontecia com outras divorciadas, como elas eram deixadas de lado, como leprosas, e pensei: Não, muito obrigada. *Imaginei que não teria adultos com quem conversar, e que, talvez, pior ainda, perderia minha única salvação. Não teria tempo, nem meios para pintar, e tive medo de que, sob essas circunstâncias, em conjunto, ficasse tentada a me matar. Justifiquei minha permanência, argumentando que seria melhor as crianças terem uma mãe deprimida do que uma mãe morta. Mas tem mais uma verdade, Myron: Eu não queria perder Richard.*

Um som sombrio aflora de Rita, e depois lágrimas. Ela enxuga os olhos com os lenços sujos.

Richard – eu o odiava, sim, mas também o amava, ou, sobretudo, a versão dele quando não estava bebendo. Ele era brilhante e espirituoso, e por mais estranho que pareça, eu sabia que sentiria falta da sua companhia.

Além disso, eu me preocupava com as crianças ficando sozinhas com ele, considerando suas bebedeiras e seu temperamento, então, lutava para mantê-las comigo o tempo todo, e estando ele no trabalho diariamente, constantemente indo a jantares até tarde, concordava. A ideia de ele poder se safar com tanta facilidade me deixou terrivelmente ressentida.

Rita umedece os dedos novamente, para virar a página, mas o papel gruda, e é preciso várias tentativas até que ela separe aquela página do resto.

Certa vez, quando estava me sentindo muito corajosa, disse-lhe que ia embora. Eu estava falando sério, Myron, não era uma ameaça falsa. Decidi que para mim bastava. Então disse a ele, e Richard apenas olhou para mim, de início perplexo, acho. Mas então um sorriso se abriu em seu rosto, o sorriso mais diabólico que já vi, e ele disse, lenta e deliberadamente, num tom de voz que só posso descrever como um rosnado: "Se você for embora, ficará sem nada. As crianças ficarão sem nada. Então, fique à vontade, Rita. Vá!". E começou a rir, uma risada venenosa, e na mesma hora eu soube que era uma ideia idiota. Eu sabia que ficaria. Mas para ficar, para conviver com aquela situação, disse a mim mesma todo tipo de mentiras. Disse a mim mesma que aquilo acabaria, que Richard pararia de beber, e algumas vezes ele parava, pelo menos por um tempo. Mas aí eu achava seus esconderijos, garrafas espreitando por detrás dos seus livros de Direito na prateleira do escritório, ou enroladas em cobertores no alto dos armários das crianças, e voltávamos para o inferno.
Imagino o que você deve estar pensando agora: que estou inventando desculpas, que estou me fingindo de vítima. Tudo isso é verdade, mas também pensei bastante em como uma pessoa pode ser uma coisa e outra, ao mesmo tempo. Pensei em como eu amava meus filhos, apesar do que deixava acontecer com eles, e como Richard, acredite se quiser, também os amava. Pensei em como ele poderia machucá-los e me machucar, ao mesmo tempo que nos amava, ria conosco, ajudava as crianças com as lições, treinava beisebol com elas, dava-lhes conselhos sensatos quando elas discutiam com os amigos. Pensei em como Richard dizia que iria mudar, e no quanto ele queria mudar, e como, mesmo

assim, ele não mudava, pelo menos não por muito tempo, e como, apesar disso tudo, nada do que ele dizia jamais era mentira.

Quando, finalmente, fui embora, Richard chorou. Eu nunca o tinha visto chorar. Implorou para que eu ficasse, mas vi meus filhos, agora adolescentes, à beira de partir para drogas ou se machucarem, querendo morrer, como eu. Meu filho quase teve uma overdose; uma chave virou, e eu disse: Basta! *Nada, nem a pobreza, nem ter que desistir da minha arte, nem o medo de ficar sozinha pelo resto da vida, nada poderia me impedir de pegar meus filhos e partir. Na manhã seguinte à noite em que disse a Richard que iria embora, tirei dinheiro da nossa conta no banco, me candidatei a um emprego e aluguei um apartamento de dois quartos, um para mim e minha filha, o outro para os meninos, e fomos embora. Mas era tarde demais. As crianças estavam um caos. Detestavam-me, e, curiosamente, queriam voltar para Richard. Depois que fomos embora, ele ficou o melhor que pôde e os sustentou financeiramente. Aparecia na faculdade da minha filha e a levava para refeições sofisticadas, juntamente com as amigas. Logo, as crianças passaram a ter lembranças diferentes dele, principalmente o mais novo, que sentia falta de jogar bola com o pai. O mais novo implorava para ficar com ele, e eu me sentia culpada por ter ido embora, duvidava de mim mesma. Teria sido a decisão acertada?*

Rita para. "Espere um pouco", ela me diz, "perdi o ponto". Ela vira algumas páginas, depois retoma:

Seja como for, Myron, meus filhos acabaram me cortando completamente da vida deles. À época do meu segundo divórcio, eles disseram que não me respeitavam. Continuaram em contato com Richard, periodicamente, e ele lhes mandava dinheiro, mas quando morreu, sua nova mulher arrumou um jeito de ficar com todo o dinheiro, e as crianças ficaram furiosas, simplesmente enfurecidas! De repente, lembraram-se com mais clareza do que ele havia feito para elas, mas não ficaram só com raiva dele, ainda estavam com raiva de mim, por ter deixado aquilo acontecer. Bloquearam-me, e as únicas vezes em que tive notícias deles foi quando tiveram problemas. Minha filha estava num relacionamento abusivo e precisava de dinheiro para ir embora, mas não me deu qualquer detalhe. Só me mande dinheiro, *disse; então mandei. Mandei dinheiro para ela alugar um apartamento e comprar comida, e, logicamente, ela não foi embora e, até onde sei, continua com aquele homem. Depois, meu filho precisou de dinheiro para reabilitação, mas não me deixou visitá-lo.*

Rita olha para o relógio. "Estou chegando ao final", diz. Concordo com um gesto de cabeça.

Menti para você sobre mais uma coisa, Myron. Disse que não poderia ser sua dupla de bridge porque não era muito boa, mas costumava ser uma excelente jogadora de bridge. Recusei seu convite porque imaginei que isso me poria numa situação em que teria que lhe contar o que estou contando agora, que viajaríamos para um torneio numa cidade onde algum dos meus filhos mora, e você perguntaria por que não os visitaríamos, e eu inventaria alguma coisa, diria que estavam fora da cidade, ou doentes, ou seja lá o que for, mas isso não funcionaria sempre. Você ficaria desconfiado, e, mais cedo ou mais tarde, eu sabia que você juntaria as peças e perceberia que algo tinha dado muito errado. Você diria consigo mesmo: "Aha! Essa mulher que estou namorando não é nem um pouco o que parece!".

A voz de Rita treme, depois falha, enquanto ela tenta dizer o último trecho: *"Então, esta sou eu, Myron"*, lê, tão baixinho que mal consigo escutar. *"Esta é a pessoa que você beijou no estacionamento da ACM."*

Enquanto Rita contempla sua carta, fico pasma com a clareza com que ela explicou as contradições da sua história. Quando ela me procurou pela primeira vez, disse que eu a fazia lembrar sua filha, de quem sentia uma falta terrível. Disse que, a certa altura, a filha havia mencionado a vontade de ser psicóloga e tinha se oferecido para trabalhar num centro de tratamento, mas depois acabou tomando outro rumo, por causa do seu relacionamento volátil.

O que não contei a Rita é que, sob certos aspectos, ela me lembrou minha mãe. Não que a vida da minha mãe, quando adulta, tivesse uma mínima semelhança com a de Rita; meus pais tiveram um casamento longo, estável e amoroso, e meu pai é o marido mais gentil possível. É que tanto Rita quanto minha mãe vieram de infâncias difíceis e solitárias. No caso da minha mãe, seu pai morreu quando ela tinha 9 anos, e embora sua mãe se esforçasse ao máximo para criar a ela e a sua irmã, que era oito anos mais velha, minha mãe sofreu. E seu sofrimento afetou a maneira como ela interagiu com seus próprios filhos.

Então, assim como os filhos de Rita, passei por um período em que a afastei de mim. E, embora isso tenha acontecido há muito tempo, enquanto fico com Rita, escutando sua história, sinto vontade de chorar, não pela *minha* dor, mas pela de minha mãe. Por mais que eu tenha pensado no meu relacionamento com ela ao longo dos anos, nunca considerei sua experiência exatamente da maneira como faço agora. Tenho a fantasia de que todos os adultos deveriam ter a oportunidade de escutar os pais – não seus próprios pais –, exporem-se, tornarem-se completamente vulneráveis e dar suas versões dos fatos, porque, ao ver isso, não se pode deixar de chegar a um novo entendimento da vida de seus próprios pais, seja qual for a situação.

Enquanto Rita lia a carta, eu não estava apenas escutando suas palavras: estava também observando seu corpo, vendo como, de vez em quando, ele se encolhia, como, às vezes, suas mãos tremiam, seus lábios se contraíam, sua perna balançava, sua voz tremia; como ela mudava o peso do corpo, ao fazer uma pausa. Agora, também observo seu corpo, e embora ela pareça triste, ele parece, senão em paz, o mais relaxado que já vi. Ela se recosta no sofá, recuperando-se do esforço da leitura.

E então, acontece algo espantoso.

Ela se estica até a caixa de lenços de papel, na minha mesa lateral, e tira um. Um lenço limpo e novo! Abre-o, assoa o nariz, depois pega outro na caixa e assoa novamente o nariz. Contenho-me para não irromper em aplausos.

"Então", ela pergunta, "você acha que eu deveria mandar isso?"

Visualizo Myron lendo sua carta. Imagino como ele reagirá, como pai e avô, como alguém que foi casado com Myrna, provavelmente um tipo de mãe muito diferente para seus filhos, alegres e agora crescidos. Ele aceitará quem Rita é, por completo? Ou essas informações serão demais para ele, algo que ele não superará?

"Rita", digo, "essa é uma decisão que só você pode tomar. Mas estou curiosa; essa é uma carta pro Myron, ou para seus filhos?"

Rita fica em silêncio por um segundo, olhando para o teto. Depois, volta a olhar para mim, faz um gesto de assentimento, mas não diz nada, porque nós duas sabemos que a resposta é: *Para todos eles.*

52

Mães

"Então", estou contando a Wendell, "voltamos tarde de um jantar com amigos, e peço a Zach para tomar banho, mas ele quer brincar, e eu digo que não podemos porque ele terá aula pela manhã. Então, ele tem uma reação totalmente exagerada e choraminga: 'Você é muito má! É a pior de todas!', o que não é nem um pouco o jeito dele, mas essa raiva também sobe dentro de mim.

"Então, digo alguma coisa mesquinha como: 'É mesmo? Bom, então, talvez da próxima vez eu não deva levar você e seus amigos para jantar fora, já que sou tão má'. Como se eu tivesse 5 anos! E ele diz: 'Tudo bem!' e bate a porta. Ele nunca tinha batido a porta. Ele entra no chuveiro, e vou pro meu computador planejando responder e-mails, mas, em vez disso, me questiono mentalmente se *sou* realmente má. *Como pude reagir desse jeito? Afinal de contas, a adulta sou eu.*

"E então, de repente, lembro-me de uma conversa frustrante que tive com a minha mãe naquela manhã, pelo telefone, e a ficha cai. Não estou brava com Zach. Estou brava com a *minha mãe*. Foi um clássico caso de transferência."

Wendell sorri, como quem diz: *A transferência é um porre, né?* Todos nós usamos mecanismos de defesa para lidar com ansiedade, frustração ou impulsos inaceitáveis, mas o fascinante é que *não temos consciência deles naquele momento*. Um exemplo conhecido é a *negação*; um fumante pode se agarrar à ideia de que sua respiração curta se deve ao tempo quente, e não aos cigarros; outra pessoa poderia usar a "racionalização" (justificando algo vergonhoso), ao dizer, depois de ser rejeitada para um trabalho, que nunca quis realmente aquele emprego. Em "formação reativa", sentimentos ou impulsos inaceitáveis são expressados como seu oposto, como quando uma pessoa, que não gosta da vizinha, faz um esforço excepcional para ajudá-la, ou quando um cristão evangélico, que se sente atraído por homens, profere censuras homofóbicas.

Alguns mecanismos de defesa são considerados *primitivos*, e outros, *maduros*. Neste último grupo está a "sublimação", que é quando uma pessoa transforma um impulso potencialmente danoso em algo menos prejudicial (como um homem com impulsos agressivos aderir ao boxe), ou mesmo construtivo (uma pessoa com impulso de cortar pessoas se transformar num cirurgião e salvar vidas).

A "transferência" (mudar um sentimento em relação a uma pessoa para uma alternativa mais segura) é considerada uma defesa neurótica: nem primitiva, nem madura. Uma pessoa que foi tratada com gritos pelo chefe, mas que poderia ser despedida se gritasse de volta, poderia chegar em casa e gritar com seu cachorro. Ou uma mulher, que está zangada com a mãe depois de uma conversa telefônica, poderia transferir a raiva para seu filho.

Conto a Wendell que, quando fui me desculpar com Zach depois do seu banho, descobri que ele também estava transferindo sua raiva para mim; alguns meninos, no recreio, haviam expulsado Zach e seus amigos da quadra de basquete. Quando a professora de plantão disse que todos poderiam jogar, os meninos não passavam a bola para ele nem para seus amigos, e, aparentemente, foram ditas algumas coisas "feias". Zach ficou furioso com aqueles meninos, mas era mais seguro ficar furioso com sua mãe, que queria que ele fosse para o chuveiro.

"A ironia da história", continuo, "é que nós dois descarregamos nossa raiva no alvo errado."

De tempos em tempos, Wendell e eu discutimos as maneiras como os relacionamentos parentais se desenvolvem na idade madura, conforme as pessoas deixam de culpar os pais e assumem total responsabilidade por suas vidas. É o que Wendell chama de "troca da guarda". Enquanto, nos anos mais jovens, as pessoas, com frequência, procuram a terapia para entender por que seus pais não agem da maneira como elas gostariam, mais tarde, as pessoas começam a descobrir como lidar com o que *há*. Então, minha pergunta em relação à minha mãe passou de "Por que ela não consegue mudar?" para "Por que *eu* não consigo?". Pergunto a Wendell como é que, mesmo aos 40 anos, posso ser tão afetada por um telefonema da minha mãe.

Não estou pedindo uma resposta concreta. Wendell não precisa me dizer que as pessoas regridem; que você poderia ficar perplexo por ter chegado tão longe, para, logo depois, escorregar de volta para seus antigos papéis.

"É como os ovos", digo, e ele assente. Certa vez, contei a Wendell que Mike, meu colega, tinha dito, um tempo atrás, que, quando nos sentimos frágeis, somos como ovos crus: quebramos e nos espalhamos se jogados ao chão. Mas quando ganhamos mais resiliência, somos como ovos cozidos: se caíssemos, poderíamos ficar amassados, mas não vamos nos quebrar completamente e nos espalhar por toda parte. Com o decorrer dos anos, passei de um ovo cru para um ovo cozido com relação a minha mãe, mas, às vezes, o ovo cru retorna.

Conto a Wendell que, mais tarde, naquela noite, minha mãe pediu desculpas e resolvemos a questão. Mas, antes disso, eu tinha sido apanhada em nossa velha rotina: ela querendo que eu fizesse uma coisa à maneira dela, eu querendo fazê-la à minha maneira. E talvez Zach me percebesse do mesmo jeito: tentando controlá-lo ao levá-lo a fazer as coisas do meu jeito também, tudo em nome do amor, de querer o melhor para nossos filhos. Por mais que eu afirme ser completamente diferente da minha mãe, há vezes em que sou assustadoramente parecida.

Agora, falando sobre a minha conversa ao telefone, não me dou ao trabalho de contar a Wendell o que minha mãe disse, ou o que eu disse, porque sei que não é essa a questão. Ele não vai me colocar como vítima, e minha mãe, como agressora. Anos atrás, eu poderia ter desconstruído nosso *pas de deux*, tentando conseguir simpatia para meu problema: *Você não percebe? Ela não é difícil?* Mas, agora, acho confortante sua abordagem mais lúcida.

Hoje, conto a Wendell que comecei a salvar as mensagens telefônicas da minha mãe no meu computador, as calorosas e meigas que vou querer escutar, que meu filho possa querer, de modo a ouvir a voz da avó quando tiver a minha idade, ou, mais tarde, quando nós duas tivermos ido embora. Conto a ele que também estou notando que a encheção que faço como mãe, não é tanto para Zach, mas para mim; uma distração da minha consciência de que, um dia, ele me deixará, da minha tristeza, apesar de querer que ele realize o esforço saudável do que se chama "separação e individualização".

Tento imaginar Zach como adolescente. Lembro-me da minha mãe lidando comigo quando adolescente e me achando tão irreconhecível quanto um dia eu poderei achar Zach. Não me parece que faça tanto tempo que ele estava na pré-escola, meus pais eram saudáveis, eu era saudável, e os meninos do bairro corriam todos para brincar ao ar livre, toda noite depois do jantar, e o único pensamento que eu tinha em relação ao futuro era a sensação de que *as coisas serão mais fáceis, terei mais flexibilidade, mais sono*. Nunca pensei no que seria perdido.

Quem diria que um telefonema com a minha mãe pudesse trazer tudo isso à tona, que sob a velha frustração mãe-filha se achava não um desejo de que ela fosse embora, mas um anseio de que ficasse para sempre?

Penso em algo mais que Wendell disse, uma vez: "A natureza da vida é a mudança, e a natureza das pessoas é resistir à mudança". Era uma paráfrase de algo que ele havia lido que havia ressoado nele, tanto pessoalmente quanto como terapeuta, ele me disse, por se tratar de um aforismo que explicava as batalhas de quase todas as pessoas. Um dia antes de ele dizer isso, meu oftalmologista havia me dito que eu tinha desenvolvido presbiopia, o que acontece com a maioria das pessoas na faixa dos 40. Conforme as pessoas envelhecem, elas se tornam hipermetrópicas, precisam segurar mais longe o que estão lendo ou olhando, para enxergar com clareza. Mas, talvez, uma presbiopia emocional também aconteça por volta dessa idade, em que as pessoas se afastam para ver todo o panorama: quanto sentem medo de perder o que possuem, mesmo que ainda reclamem disso.

"E minha mãe!", Julie exclama na minha sala, mais tarde naquele dia, relembrando sua própria conversa com a mãe pela manhã. "Isso é muito difícil para ela. Ela disse que sua função como mãe era garantir que seus filhos estivessem bem quando ela deixasse o planeta, mas agora ela está garantindo que *eu* deixe o planeta em segurança."

Julie me conta que, quando estava na faculdade, brigou com a mãe por causa de um namorado. A mãe achava que Julie havia perdido sua vivacidade, e que o motivo disso era o comportamento do namorado – cancelando planos na última hora, pressionando Julie para revisar seus trabalhos, exigindo que ela passasse as festas de fim de ano com ele, e não com sua própria família. A mãe de Julie sugeriu que a filha procurasse o centro de orientação do campus para conversar sobre isso em campo neutro, e Julie explodiu.

"Não tem nada de errado no nosso relacionamento!", gritou. "Se eu for procurar um orientador, será para falar sobre *você*, não sobre ele!" Ela não foi, embora agora desejasse ter ido. Alguns meses depois, o namorado deu o fora nela, e sua mãe a amava o bastante para *não* falar *Eu bem que avisei!* Em vez disso, quando Julie telefonou, aos prantos, a mãe pegou o telefone e apenas a escutou.

"Agora, minha mãe terá que ir a um terapeuta, para conversar sobre *mim*", diz Julie.

Recentemente, um dos meus exames de laboratório deu positivo para um indicador da síndrome de Sjögren, doença autoimune mais comum em mulheres acima dos 40, mas, mesmo assim, meus médicos não têm certeza de que eu tenha isso, porque não tenho os principais sintomas. "Poderia ser uma apresentação incomum", um médico explicou, depois disse que eu poderia ter Sjögren *e* alguma coisa mais, ou apenas alguma outra coisa ainda não determinada. Acontece que a síndrome de Sjögren é difícil de ser diagnosticada, e ninguém sabe sua causa; poderia ser genética, ambiental, provocada por um vírus ou uma bactéria, ou uma combinação desses fatores.

"Não temos todas as respostas", esse médico disse, e, embora a perspectiva de continuar sem saber me assustasse, o comentário de outro médico me assustou ainda mais: "O que quer que seja, vai acabar se revelando". Naquela semana, repeti a Wendell que meu maior medo é deixar Zach sem mãe, e ele disse que eu tinha duas escolhas: poderia dar a Zach uma mãe que vivesse preocupada em deixá-lo órfão, ou poderia dar a ele uma mãe cuja saúde incerta aguçasse sua consciência da preciosidade do tempo que têm juntos.

"O que te assusta menos?", perguntou, retoricamente.

Sua pergunta me fez pensar em Julie, e em como, inicialmente, eu tinha hesitado quando ela perguntou se eu poderia atendê-la até sua morte. Percebi, depois, que não foi apenas minha inexperiência que me fez pensar; foi que Julie me forçaria a contemplar minha própria mortalidade, algo que eu não estava pronta para fazer. Mesmo depois de concordar com seu pedido, mantive-me a salvo naquela relação nunca comparando minha mortalidade com a dela. Afinal de contas, ninguém colocou um prazo no meu tempo de vida. Mas Julie tinha aprendido a viver com quem ela era e com o que tinha, o que, em essência, foi o que a ajudei a fazer, e o que todos nós precisamos fazer. Tem uma quantidade enorme de coisas em nossas vidas que permanecem desconhecidas. Eu teria que lidar com o fato de não saber o que meu futuro reservava, controlar minha preocupação e focar em viver *agora*. Isso não poderia ser apenas um conselho dado por mim a Julie. Estava na hora de eu tomar meu próprio remédio.

"Quanto mais você acolhe sua vulnerabilidade", Wendell dissera, "menos medo sente."

Não é assim que tendemos a ver a vida quando somos mais jovens. Quando jovens, acreditamos ter um começo, o meio e algum tipo de resolução. Mas, em algum ponto ao longo do caminho, talvez no meio, percebemos que todos vivem com coisas que podem não dar certo, que o meio tem que ser a resolução, e nossa tarefa passa a ser descobrir como damos um significado a isso. Embora pareça que o tempo esteja escapando, e que não consigo me agarrar a ele, também existe outra verdade: minha doença aguçou meu foco. E é por isso que não posso escrever o livro errado; é por isso que voltei a namorar, que estou absorvendo minha mãe e olhando para ela com uma generosidade que durante muito tempo não consegui acessar. E é por isso que Wendell está me ajudando a examinar a maternagem que legarei a Zach, um dia. Agora, não me esqueço de que nenhum de nós pode amar e ser amado sem a possibilidade da perda, e que existe uma diferença entre conhecimento e temor.

Enquanto Julie imagina sua mãe em terapia, imagino o que Zach poderia dizer sobre mim a um terapeuta, quando crescer.

E, então, penso: *Espero que ele encontre seu Wendell.*

53

O abraço

Estou aninhada no sofá – o sofá da minha sala – com Allison, minha amiga da faculdade, que está na cidade, vinda do centro-oeste. Estamos zapeando os canais de TV, depois do jantar, e paramos na série de John. Ela não faz ideia de que ele seja meu paciente. Sigo em frente, querendo ver algo leve e descontraído.

"Espere", Allison diz, "volte!" O fato é que ela adora a série de John.

Com o controle remoto, volto ao canal. Faz um tempo que não a assisto, então, tento acompanhar. Algumas pessoas mudaram, seus relacionamentos são novos. Estou meio assistindo, meio cochilando, satisfeita por estar relaxando com minha amiga de longa data.

"Ela é ótima, não é?", Allison diz.

"Quem?", pergunto sonolenta.

"A figura da terapeuta."

Abro os olhos. O personagem principal está no que parece ser a sala de uma terapeuta, uma morena delicada, de óculos, mas num estilo típico de Hollywood, deslumbrante de um jeito intelectual. *Vai ver que esse é o tipo de mulher que John tomaria como amante*, penso. O personagem principal está se levantando para ir embora. Parece nervoso. Ela o acompanha até a porta.

"Você parece precisar de um abraço", o personagem principal diz para a terapeuta.

Por um segundo, ela parece surpresa, depois assume uma expressão neutra. "Você está dizendo que gostaria de um abraço?", pergunta.

"Não", ele responde. Depois de uma pausa, subitamente se inclina e a abraça. Não é sexual, mas é intenso. A câmera pega o rosto do personagem; seus olhos estão fechados, mas uma lágrima escapa. Ele recosta a cabeça no ombro dela, e parece tranquilo. Então, a câmera gira ao redor do rosto da terapeuta, e seus olhos estão arregalados, salientes, como se ela quisesse fugir. Parecem aquelas cenas de comédias românticas, depois que duas pessoas, finalmente, dormem juntas e uma delas tem uma expressão de profunda felicidade, enquanto a outra parece completamente surtada.

"Acho que nós dois nos sentimos melhor, agora", o personagem diz, desfazendo o abraço e virando-se para sair. Ele vai embora, e a cena termina na expressão da terapeuta: *Que raios acabou de acontecer?*

É um momento divertido e Allison ri, mas fico tão confusa quanto a terapeuta no programa. Será que John está reconhecendo seu afeto por mim? Está fazendo piada de si mesmo, da maneira como projeta suas necessidades nos outros? As séries de TV são escritas com meses de antecedência. Estaria ele ciente, naquela época, do quanto pode ser desagradável? Estaria também agora?

"Ultimamente, tem tantas séries com terapeutas", Allison diz. Ela começa a falar sobre seus terapeutas de TV preferidos: Jennifer Melfi, de *Os Sopranos*; Tobias Fünke, de *Arrested Development*; Niles Crane, de *Frasier*; até o imbecil Marvin Monroe, de *Os Simpsons*.

"Alguma vez você assistiu *Em terapia?*", pergunto. "O personagem de Gabriel Byrne?"

"Ah, assisti; adorava ele", ela diz. "Mas essa é mais realista."

"Você acha?", digo, pensando se essa personagem é inspirada em mim, ou na terapeuta "simpática, mas idiota" que John frequentava antes de mim. As séries são compostas por cerca de uma dúzia de roteiristas, incumbidos de seus próprios episódios, portanto, também é possível que essa personagem tenha sido criada por um roteirista completamente diferente.

Deixo subirem os créditos, embora saiba exatamente o que mostrarão. O episódio foi escrito por John.

"Vi sua série na semana passada", conto a John em nossa sessão seguinte.

John balança a cabeça, mistura sua salada com os hashis, enche a boca, mastiga.

"Porra de canal", ele diz, engolindo. "Eles me obrigaram a fazer aquilo."

Aceno com a cabeça.

"Disseram que todo mundo gosta de terapeutas."

Dou de ombros. *Ah, bom.*

"São como carneiros", John continua. "Uma série tem um terapeuta, *todas* as séries têm que ter um."

"A série é sua", observo. "Você não poderia dizer 'não'?"

John reflete a respeito. "Poderia", diz. "Mas não quis ser um babaca."

Sorrio. *Ele não quis ser um babaca.*

"E agora", John prossegue, "por causa da audiência, nunca vou me livrar dela".

"Você está preso a ela por causa da audiência", digo.

"Porra de canal", ele repete. John enche a boca novamente, xinga os hashis. "Mas vai dar certo", diz. "Meio que estou começando a gostar dela. Temos algumas ideias boas para a próxima temporada." Ele limpa a boca com seu guardanapo, primeiro o canto esquerdo dos lábios, depois o direito. Observo-o.

"O quê?", ele pergunta.

Ergo as sobrancelhas.

"Ah, não, não, não. Sei o que você está pensando. Está achando que existe alguma 'ligação'", ele diz, fazendo sinal de aspas com os dedos, "entre a terapeuta e você. É uma ficção, ok?"

"Tudo aquilo?", pergunto.

"Claro! É uma história, uma *série*. Nossa, se eu usasse qualquer diálogo saído daqui, a audiência despencaria. Portanto, não; é evidente que não é você."

"Estou pensando mais nas emoções do que nos diálogos", digo. "Talvez exista alguma verdade nelas."

"É uma *série*", ele repete.

Olho para John.

"Estou te dizendo. Aquela personagem tem tanto a ver com você quanto o personagem principal tem a ver comigo. A não ser na boa aparência dele, é claro." Ele ri com sua brincadeira. Pelo menos, acho que é uma brincadeira.

Ficamos em silêncio, enquanto John dá uma olhada na sala ao seu redor, nos quadros na parede, no chão, em suas mãos. Lembro-me de ele contar o tempo, antes de poder tolerar a espera.

Depois de uns dois minutos, ele fala: "Quero te mostrar uma coisa". Depois, acrescenta, sarcasticamente: "Posso conseguir uma autorização para usar meu celular?".

Aceito. Ele pega o celular, desliza a tela, depois o passa para mim. "Essa é a minha família". Na tela, está a foto de uma loira bonita e duas meninas que parecem estar se divertindo, enquanto fazem orelhas de coelho na mãe: Margô, Gracie e Ruby. (Margô não é, afinal, a paciente antes de mim, no consultório de Wendell.) Ao lado de Ruby está Rosie, a cadela feia que John tanto ama, com um laço rosa em sua cabeça de pelagem peculiar. Depois de tanto ouvir sobre elas, aqui estão, um quadro hipnotizante. Não consigo parar de olhar para elas.

"Às vezes, eu esqueço como sou sortudo", ele diz, rapidamente.

"Você tem uma bela família", digo. Comento o quanto estou comovida por ele mostrar a foto para mim. Começo a devolver o celular, mas John me interrompe.

"Espere", diz. "Essas são as minhas meninas. Mas aqui está o meu garoto."

Sinto um aperto no estômago. Ele vai me mostrar Gabe. Sendo mãe de menino, não sei se consigo olhar sem chorar.

John percorre algumas fotos, e lá está ele: Gabe. É tão adorável que sinto que meu coração poderia se dividir ao meio. Tem o cabelo volumoso e ondulado de John, e os olhos azuis luminosos de Margô. Está sentado no colo do pai, em um jogo do Dodgers, e está com uma bola na mão, mostarda no rosto, e uma expressão como se tivesse acabado de ganhar a Copa do Mundo. John me conta que eles tinham acabado de agarrar uma bola nas arquibancadas, e Gabe estava em êxtase.

"Sou a pessoa mais sortuda do mundo todo!", Gabe tinha dito naquele dia. John me conta que ele repetiu isso ao chegar em casa, e mostrou a bola a Margô e Gracie, e depois mais uma vez, quando estava se aconchegando com John, na hora de dormir. "A pessoa mais sortuda do mundo todo, dessa galáxia e de todas as outras!"

"Ele *foi* o mais sortudo naquele dia", digo, e posso sentir meus olhos marejados.

"Ah, pelo amor de Deus, não chore na minha frente", John diz, desviando o olhar. "Justo o que eu preciso, uma terapeuta que chora."

"Por que não chorar como reação a uma tristeza?", digo, enfaticamente. John pega o celular de volta, e digita alguma coisa.

"Já que você está me deixando usar meu celular, tem mais uma coisa que quero te mostrar."

Agora que vi sua esposa, suas filhas, sua cachorra e seu falecido filho, pergunto-me o que mais ele poderia querer compartilhar.

"Olhe", ele diz, estendendo-me o braço. Pego o celular e reconheço o site do *New York Times*. Há uma resenha da nova temporada do programa de John.

"Dê uma olhada no último parágrafo", ele pede.

Desço até o final, onde o crítico se torna poético quanto à direção que a série tomou. O personagem principal, ele escreve, começou a compartilhar lampejos de sua humanidade subjacente sem perder sua mordacidade, e isso o torna ainda mais interessante; seus momentos de compaixão são uma reviravolta deliciosa. "Se os espectadores costumavam ficar fascinados por sua perversa falta de consideração com os outros", o crítico argumenta, "agora não podemos deixar de assistir à sua luta para harmonizar isso com o que está sufocado por debaixo". O crítico conclui com uma pergunta: "O que poderíamos descobrir, se ele continuar se revelando?".

Ergo os olhos do celular e sorrio para John. "Concordo", digo. "Especialmente com a questão colocada no final."

"É uma boa crítica, né?", ele pergunta.

"É... e mais."

"Não, não, não. Não comece de novo a ver isso como se ele estivesse falando de mim. É *o personagem*."

"Tudo bem", digo.

"Ótimo", ele diz. "Então, estamos entendidos nesse sentido."

Olho nos olhos de John. "Por que você quis que eu visse isso?"

Ele me olha como se eu fosse uma idiota. "Porque é uma ótima resenha! É a porra do *New York Times!*"

"Mas por que esse parágrafo específico?"

"Porque significa que vamos ganhar distribuição em outros canais. Se essa temporada está indo tão bem, a rede não vai poder deixar de nos dar mais exposição."

Penso no quanto é difícil para John ser vulnerável. Como isso o faz se sentir envergonhado e carente. Como um vínculo parece assustador para ele.

"Bom, estou ansiosa para ver aonde 'o personagem'" – faço aspas com os dedos no vazio, como John fez – "irá na próxima temporada. Acho que o futuro guarda inúmeras possibilidades".

O corpo de John responde por ele; ele fica vermelho. Flagrado, ruboriza ainda mais. "Obrigado", diz. Sorrio e olho nos seus olhos. Ele consegue olhar nos meus, e segurar meu olhar por uns bons vinte segundos, para depois olhar para seus pés. Com o olhar baixo, sussurra: "Obrigado por... você sabe" – procura a palavra certa – "tudo".

Meus olhos voltam a marejar. "Foi um grande prazer", digo.

"Bom", John diz, limpando a garganta, e dobrando seus pés bem tratados sobre o sofá. "Agora que as preliminares acabaram, sobre que porra vamos conversar hoje?"

54

Não estrague tudo

Existem duas categorias principais de pessoas deprimidas a ponto de contemplar o suicídio. Um tipo pensa: *Eu tinha uma vida boa; se pelo menos conseguir sair dessa crise terrível* – a morte de um ente querido; um longo período de desemprego –, *terei algo a almejar. Mas e se não conseguir?* O outro tipo pensa: *Minha vida é vazia, e não há nada a almejar.*

Rita pertence à segunda categoria.

É claro que a história com a qual um paciente chega à terapia pode não ser a história com a qual ele sai. O que foi incluído, de início, na narrativa, agora pode ser eliminado, e o que foi deixado de fora pode se tornar um ponto central da trama. Alguns personagens importantes podem se tornar insignificantes, e alguns personagens insignificantes podem vir a se tornar a atração principal. O próprio papel do paciente também pode mudar, de figurante para protagonista, de vítima para herói.

Alguns dias depois do seu septuagésimo aniversário, Rita chega para sua sessão regular. Em vez de marcar a ocasião com seu suicídio, ela me trouxe um presente.

"É meu presente de aniversário para você", diz.

O presente de Rita está lindamente embrulhado, e ela me pede para abri-lo na sua frente. É uma caixa pesada, e tento imaginar o que seria. Potes do meu chá preferido, que ela viu e comentou no meu consultório? Um livro grande? Um conjunto das canecas de humor ácido que ela começou a vender em seu site? (Espero que seja isso.)

Vasculho com a mão o papel de seda e sinto algo feito de cerâmica (as canecas!), mas, ao levantar o objeto, olho para Rita e sorrio. É uma capa para caixa de lenços de papel, pintada com os dizeres RITA DIZ: NÃO ESTRAGUE TUDO.[11] O desenho é, ao mesmo tempo, ousado e despretensioso, como a própria Rita. Viro a caixa e noto seu logotipo com o nome da sua empresa: Só Termina Quando Acaba, Ltda.

Começo a lhe agradecer, mas ela me interrompe.

"Foi inspirada nas nossas conversas sobre eu não pegar os lenços de papel", Rita diz, como se eu pudesse não ter percebido a referência. "Eu costumava pensar: *Qual é a desta terapeuta, cismando com os lenços que eu uso?* Nunca entendi isso, até que uma das meninas" – ela se refere a uma das meninas da família-oi – "me viu pegando um lenço de papel na minha bolsa e disse: 'Eca! A mamãe diz que nunca se deve usar lenço sujo!'. E pensei: *Minha terapeuta também. Todo mundo precisa de uma caixa nova de lenços de papel. E por que não acrescentar uma capa elegante?*" Ela diz a palavra "elegante" com uma provocação na voz.

O fato de Rita estar aqui hoje não sinaliza o final da terapia, nem eu avalio o sucesso da terapia pelo fato de ela estar viva. Afinal de contas, e se ela tivesse escolhido não se matar em seu septuagésimo aniversário, mas continuasse severamente deprimida? O que estamos celebrando hoje não é tanto a continuidade de sua presença física, mas seu renascimento emocional em curso, os riscos que ela assumiu para começar a sair de uma situação de enrijecimento para uma de abertura, da autoflagelação para alguma coisa próxima à autoaceitação.

Embora tenhamos muito o que celebrar hoje, a terapia de Rita continuará, porque é difícil se livrar dos hábitos antigos; porque o sofrimento diminui, mas não desaparece; porque relacionamentos rompidos (com ela mesma, com os filhos) exigem reconciliações sensíveis e intencionais, e os novos precisam de apoio e autoconsciência para florescer. Se for para Rita ficar com Myron, terá que se inteirar melhor das suas próprias projeções, dos seus medos, da sua inveja, do seu sofrimento e dos crimes passados, de modo a que seu próximo casamento, o quarto, passe a ser o último, e a sua primeira grande história de amor.

---

[11] A frase no original em inglês, "Rita says: don't blow it", contém um trocadilho: o verbo *blow* pode significar tanto "assoar" (o nariz) quanto "pôr algo a perder". [N.T.]

*** *

Por uma semana, Myron não respondeu à carta de Rita. Ela a escreveu à mão e a enfiou na caixa de correio dele, por uma fresta na lateral do banco comunitário das caixas de correio de metal. No início, ficou agoniada quanto ao que poderia ter acontecido. Sua visão já não era tão boa quanto antes, e sua artrite dificultou empurrar a carta através da abertura ligeiramente enferrujada. Teria, acidentalmente, enfiado-a na caixa vizinha, pertencente à família-oi? Como isso seria mortificante! A semana toda, ficou obcecada por essa possibilidade, atormentando-se em uma espiral que chamo de *catastrofizante*. Até que chegou uma mensagem de texto de Myron.

Rita leu para mim a mensagem, na minha sala: *Rita, agradeço-lhe o fato de ter se aberto comigo. Quero conversar com você, mas preciso absorver muita coisa, e preciso de um pouco mais de tempo. Logo volto a te procurar, M.*

"Absorver muita coisa!", Rita exclamou. "Sei o que ele está *absorvendo*, o monstro que eu sou, e como ele se sente agradecido por ter se poupado! Agora que conhece a verdade, está *absorvendo* como pode retirar tudo que disse quando me *atacou* no estacionamento!"

Reparei no quanto ela se sentia agredida pelo suposto abandono de Myron, com a rapidez com que um beijo romântico havia se transformado em um ataque.

"Essa é uma explicação", eu disse. "Mas outra é a de que você andou se escondendo dele tão deliberadamente, e por tanto tempo, que ele precisa de tempo para entender esse novo lado da equação. Ele te beijou no estacionamento, abriu o coração para você, e desde então você passou a evitá-lo. Agora ele recebe essa carta. Tem muita coisa para absorver."

Rita balançou a cabeça. "Veja", continuou, como se não tivesse escutado uma palavra sequer do que eu disse, "é exatamente por isso que é melhor manter distância".

Eu disse a Rita o que digo a todo mundo que tem medo de se magoar em relacionamentos, ou seja, todo mundo que tem um coração batendo dentro do peito. Expliquei que, mesmo no melhor relacionamento possível, você pode se magoar às vezes, e por mais que você ame alguém, às vezes você magoará essa pessoa, não por querer, mas por ser humano. Você, inevitavelmente, magoará seu companheiro, seus pais, seus filhos, sua melhor amiga, e eles o magoarão, porque, quando a pessoa se propõe à intimidade, magoar-se faz parte do acordo.

Mas, continuei, o que era fantástico em uma intimidade afetiva era que havia espaço para uma recuperação. Os terapeutas chamam esse processo de "ruptura e reparação", e se a pessoa teve pais que reconheceram seus erros e assumiram responsabilidade por eles, e lhe ensinaram, quando criança, a reconhecer seus erros e também a aprender com eles, então as rupturas não parecerão tão catastróficas nos seus relacionamentos adultos. No entanto, se as rupturas da sua infância não vieram com reparos amorosos, será preciso um pouco de treino para que você as tolere, deixe de acreditar que toda ruptura sinaliza o fim, e confie que, mesmo se um relacionamento não der certo, você também sobreviverá a essa ruptura. Você ficará curado e se autorreparará, propondo-se a outro relacionamento, cheio de suas próprias rupturas e reparações. Não é o ideal abrir-se desse jeito, abrir mão das suas defesas, mas, se quiser as recompensas de um relacionamento íntimo, não existe escapatória.

Mesmo assim, Rita me telefonava todos os dias para me contar que Myron não havia respondido. "Silêncio total", ela dizia no meu recado de voz, depois acrescentava, sarcasticamente: "Ele deve estar *absorvendo*".

Incentivei-a a ficar focada em tudo que havia de bom em sua vida, apesar da sua ansiedade em relação a Myron, a não se recolher na desesperança por causa de algo doloroso, a não ser como a pessoa que está fazendo regime, um dia joga tudo pro alto e diz: "Esqueça! Nunca vou emagrecer", e então barbariza pelo resto da semana, fazendo com que se sinta dez vezes pior. Disse a ela para me contar por mensagem de voz, diariamente, o que estava fazendo, e, religiosamente, Rita me dizia que tinha jantado com a família-oi, feito um plano de estudos para sua aula na faculdade, levado as "netas" – suas netas honorárias – ao museu para uma aula de arte, providenciado as encomendas do seu site. Mas, invariavelmente, terminava com uma brincadeira cáustica sobre Myron.

Intimamente, é claro, eu também esperava que Myron fosse se colocar à altura da situação, e que isso aconteceria mais cedo ou mais tarde. Rita havia se arriscado ao se revelar para ele, e eu não queria que a experiência confirmasse sua crença arraigada de que ela não era digna de ser amada. Com o decorrer dos dias, Rita foi ficando mais inquieta para ter notícias de Myron – e eu também.

Em nossa sessão seguinte, fiquei aliviada ao saber que os dois haviam conversado. E, de fato, ele tinha ficado perplexo com tudo que Rita havia exposto, e com o fato de ela ter escondido tanta coisa. Quem era aquela mulher por quem ele se sentia tão atraído? Aquela pessoa bondosa e atenciosa era a mesma que havia fugido de medo enquanto o marido maltratava seus filhos? Aquela mulher tão amorosa com as crianças da família-oi poderia ser a mesma que negligenciara seus próprios filhos? Aquela mulher divertida, artista, extremamente inteligente, seria a mesma que passava os dias num torpor de depressão? E, caso fosse, o que isso significava? Que efeito isso poderia ter, não apenas em Myron, mas em seus filhos e netos? Afinal de contas, ele concluía, quem quer que ele namorasse, seria incorporada à estrutura de sua unida família.

Myron confessou a Rita que, durante aquela semana de "absorção", conversou com Myrna, sua falecida esposa, em cujos conselhos sempre se apoiara. Ainda conversava com ela, e agora ela lhe dizia para não ser tão crítico, para ser cauteloso, mas não intolerante. Afinal de contas, se ela não tivesse tido a sorte de contar com pais amorosos e um marido maravilhoso, quem sabe o que teria feito sob tais circunstâncias? Ele também telefonou para seu irmão, no leste, e ele disse: "Você contou a ela sobre o papai?", querendo dizer: *Você contou a ela sobre a depressão profunda do papai depois que a mamãe morreu? Contou que você tinha medo que acontecesse a mesma coisa com você, depois da morte de Myrna?*

Por fim, ele telefonou para seu melhor amigo de infância, que escutou com atenção sua história e disse: "Meu amigo, você não para de falar nessa mulher. Na sua idade, quem é que *não* vem com bagagem suficiente para derrubar um avião? Você acha que não teve nada? Você teve uma mulher, que está morta, com quem conversa diariamente, e uma tia no hospício, que ninguém menciona. Você é um bom partido, mas tenha dó. Quem você pensa que é, o Príncipe Encantado?".

Mas, o que é mais importante, Myron conversou consigo mesmo. Sua voz interior disse: *Corra o risco. Talvez nossos passados não nos definam, mas nos informem. Talvez tudo que ela passou é exatamente o que a faz ser tão interessante e tão carinhosa, agora.*

"Ninguém nunca me chamou de carinhosa", Rita disse na minha sala, com os olhos marejados, enquanto relatava a conversa com Myron. "Sempre me chamaram de egoísta e exigente."

"Mas você não é assim com Myron", eu disse.

Rita pensou a respeito. "Não", disse lentamente. "Não sou."

Sentada com Rita, lembrei-me de que o coração é tão frágil aos 70 anos, quanto aos 17. A vulnerabilidade, o desejo, a paixão, está tudo lá, com força total. Apaixonar-se é algo que nunca envelhece. Não importa o quanto você esteja cansado, quanto sofrimento o amor tenha lhe causado: um novo amor não pode deixar de fazê-lo se sentir esperançoso e vivo, como naquela primeira vez. Talvez dessa vez seja mais pé no chão: você tem mais experiência, sabedoria, sabe que tem menos tempo, mas seu coração ainda pula quando você escuta a voz da pessoa amada, ou vê o número dela aparecer no seu celular. O amor tardio tem o benefício de ser especialmente indulgente, generoso, sensível – e urgente.

Rita contou-me que, depois da conversa com Myron, eles foram para a cama, e ela desfrutou do que chamou de "um orgasmo de oito horas", exatamente o que sua fome de toque desejava. "Dormimos nos braços um do outro", Rita disse, "e a sensação foi tão boa quanto os vários orgasmos que vieram antes disso." Nos últimos dois meses, Rita e Myron se tornaram companheiros de vida e de bridge; ganharam seu primeiro torneio de viagem. Ela ainda vai à pedicure, não apenas para massagens nos pés, mas porque alguém, além dela, realmente olha para eles, agora.

Isso não significa que ela não se debata; isso acontece, às vezes, intensamente. Embora as mudanças em sua vida tenham acrescido seus dias de um colorido extremamente necessário, ela ainda passa pelo que chama de "apertos": tristeza pelos filhos, enquanto observa Myron com os dele; a ansiedade que vem com a novidade de estar em uma relação confiável, depois de seu histórico instável.

Mais de uma vez, Rita esteve à beira de captar algo negativo em alguma coisa que Myron disse, ou de sabotar seu relacionamento para que pudesse se punir por sua felicidade, ou se retirar para a conhecida segurança da solidão. Mas, a cada vez, ela se esforça muito para refletir antes de agir; espelha nossas conversas e diz para si mesma, como na capa da caixa de lenços de papel: "Não estrague tudo, garota". Contei-lhe sobre os vários relacionamentos que vi desmoronar simplesmente porque uma das pessoas ficou apavorada por ser abandonada e fez tudo o que pôde para afastar a outra. Ela está começando a ver que o que faz da autossabotagem tão ardilosa é que ela tenta resolver um problema (aliviar a ansiedade do abandono) criando outro (fazendo a pessoa querer ir embora).

Vendo Rita nessa fase da vida, lembro-me de algo que escutei uma vez, embora não consiga me lembrar onde foi: "Cada risada e momento agradável que desfruto parece dez vezes melhor do que antes de eu conhecer tamanha tristeza".

Depois de eu abrir seu presente, Rita me conta que, pela primeira vez em quarenta anos, teve uma festa de aniversário. Não que esperasse uma. Deduziu que comemoraria calmamente com Myron, mas, quando eles entraram no restaurante, encontrou um grupo de pessoas esperando por ela. "Surpresa!"

"Não se pode fazer isso com uma septuagenária", ela diz, hoje, saboreando a lembrança. "Quase tive um enfarte."

Em pé, aplaudindo e rindo, estavam: a família-oi – Anna, Kyle, Sophia e Alice (as crianças deram pinturas suas de presente); o filho e a filha de Myron com os filhos (que, gradualmente, estão se tornando um outro grupo de netos honorários); alguns alunos da classe onde ela leciona na faculdade (um deles lhe disse: "Se você quiser ter uma conversa interessante, fale com uma pessoa *idosa*"). Também havia membros do conselho do seu prédio (depois de, finalmente, concordar em fazer parte, Rita encabeçou uma substituição das caixas de correio enferrujadas) e alguns amigos do grupo de bridge, formado recentemente por ela e Myron. Quase vinte pessoas haviam comparecido para festejar uma mulher que, um ano antes, não tinha sequer um amigo no mundo.

Mas a maior surpresa acontecera naquela manhã, quando Rita recebeu um e-mail da filha. Depois de escrever a Myron, ela havia enviado uma carta bem ponderada para cada um dos filhos, como sempre, não recebendo resposta. Mas naquele dia, havia um e-mail de Robin, que Rita leu para mim na sessão:

Mamãe: Você tem razão, não te perdoo e fico feliz que você não esteja me pedindo isso. Sinceramente, quase apaguei seu e-mail sem lê-lo, porque pensei que seria a bobajada costumeira. E então, sei lá por que, talvez por não nos falarmos há tanto tempo, pensei que deveria pelo menos abri-lo e ter certeza de que você não estava escrevendo para dizer que estava morrendo. Mas não estava esperando nada parecido, de jeito nenhum. Fiquei pensando: É mesmo a minha mãe?

Seja como for, levei sua carta para minha terapeuta – sim, agora faço terapia; e não, ainda não larguei o Roger – e disse a ela: "Não quero acabar assim". Não quero ficar presa em um relacionamento abusivo, inventando desculpas para não ir embora, pensando ser tarde demais ou que não posso recomeçar, ou sabe Deus o que eu digo a mim mesma quando Roger tenta me laçar de volta. Disse à minha terapeuta que se você estiver, finalmente, apta a viver um relacionamento saudável, também posso fazer isso, e não quero esperar ter 70 anos. Você reparou no endereço de e-mail de onde estou mandando isto? É meu e-mail secreto de busca por emprego.

Rita chora um pouco, depois continua lendo:

Sabe o que é curioso, mamãe? Depois de ler sua carta, minha terapeuta perguntou se eu tinha alguma lembrança positiva da minha infância, e não consegui me lembrar de nada. Mas, então, comecei a ter sonhos. Tive um sonho sobre uma ida a um balé, e quando acordei percebi que, no sonho, a bailarina era eu, e você era a professora, e me lembrei daquela vez em que eu devia ter 8 ou 9 anos, e você me levou a uma aula de balé a que eu estava morrendo de vontade de ir, e eles me disseram que eu não tinha vivência suficiente, e eu chorei, então você me abraçou e disse: "Vamos lá, eu te ensino", e nós fomos para uma sala vazia e fingimos dançar balé pelo que pareceram horas. Eu me lembro de rir e dançar, desejando que cada momento durasse para sempre. Depois disso, houve mais sonhos, sonhos que trouxeram de volta lembranças positivas da minha infância, lembranças que eu nem sabia que tinha.

O que quero dizer é que não estou pronta para conversar ou tentar qualquer tipo de relacionamento nesse momento, ou talvez jamais, mas queria que você soubesse que me lembrei de você no seu melhor, o que não chegou a ser suficiente, mas já foi alguma coisa. Todos nós conversamos sobre isso, e concordamos que, mesmo que nunca tenhamos uma relação com você, precisamos recompor nossas vidas porque, como eu disse, se você consegue, nós também conseguimos. Minha terapeuta disse que, talvez, eu não quisesse recompor minha vida porque, assim, você venceria. Não entendi o que ela quis dizer, mas agora acho que entendo. Ou estou começando a entender.

De qualquer modo, feliz aniversário.
Robin
P.S.: Site simpático.

Rita ergue os olhos do e-mail. Não sabe ao certo o que concluir a partir dele. Desejava que os filhos também tivessem respondido, porque se preocupa tremendamente com todos eles. Com Robin, que ainda não deixou Roger. Com os rapazes, um ainda lutando contra problemas de vício, outro divorciado pela segunda vez de uma "mulher desagradável, crítica, que o enganou com uma falsa gravidez para se casar", e o caçula, que deixou a faculdade por causa de uma dificuldade de aprendizagem, e desde então pula de um emprego para outro. Rita diz que tentou ajudar, mas eles não falam com ela, e, além disso, o que poderia fazer por eles agora? Ajudou financeiramente, quando pediram, mas esse é todo o contato que eles querem.

"Eu me preocupo com eles", ela diz. "Preocupo-me o tempo todo."

"Talvez, em vez de se preocupar com eles", digo, "você possa amá-los. Só é preciso descobrir um jeito de amá-los; no momento, trata-se do que eles precisam de você, e não do que você precisa deles."

Penso em como deve ter sido para seus filhos receber sua carta. Rita quis contar a eles sobre seu relacionamento com as crianças da família-oi, mostrar que havia mudado, deixar que vissem seu amoroso lado maternal, que também gostaria de oferecer a eles. Mas sugeri que, por enquanto, deixasse isso de fora. Imaginei que eles ficariam ressentidos, como o paciente que me contou sobre o pai que deixou a família, casou-se com uma mulher mais nova e teve filhos com ela. *Seu* pai havia sido irritadiço e emocionalmente ausente, mas as crianças da segunda família ganharam o Pai do Ano; ele treinava seus times de futebol, assistia a seus recitais de piano, era voluntário em suas escolas, levava-os para viajar nas férias, sabia o nome dos seus amigos. Meu paciente parecia um estranho, uma visita indesejável na segunda família, e, assim como muitas pessoas com histórias semelhantes, ficou profundamente magoado por ver o pai se tornar o pai que ele queria, mas para outras crianças.

"É uma abertura", eu disse a respeito da carta.

Por fim, dois dos filhos entraram em contato com Rita e conheceram Myron. Pela primeira vez em suas vidas, eles começaram a construir um relacionamento com uma figura paterna confiável e amorosa. Mas o mais novo continua tolhido pela raiva. Todos os filhos dela são distantes e furiosos, mas tudo bem, pelo menos dessa vez Rita consegue escutá-los sem se colocar na defensiva ou em meio a lágrimas. Robin se mudou para uma quitinete e conseguiu um trabalho administrativo em uma clínica de saúde mental. Rita a incentivou a se mudar para o Oeste, para ficar perto dela e de Myron e se munir de algum espírito comunitário, enquanto reconstrói a vida pós-Roger, mas Robin não quer deixar sua terapeuta (ou Roger, pelo que Rita desconfia), por ora, pelo menos.

Não é uma família ideal, nem mesmo funcional, mas é uma família. Rita se deleita com ela, mas também conta com a dor de tudo que não consegue consertar.

E embora seus dias estejam, finalmente, cheios, ela ainda tem tempo de acrescentar alguns produtos a mais em seu site. Um deles é um aviso de boas-vindas, que pode ser pendurado na entrada da casa das pessoas. Consiste em duas palavras grandes, cercadas por vários bonecos desenhados toscamente, todos parecendo perturbados à sua maneira. Nele, se lê: OI, FAMÍLIA!

O segundo é uma gravura que ela criou para a filha de Myron, professora, que viu essa mensagem em um post-it acima da mesa de Rita, e perguntou se ela faria uma versão artística para sua sala de aula, para ensinar resiliência às crianças. Está escrito: O FRACASSO FAZ PARTE DE SER HUMANO.

"Devo ter lido isso em algum lugar", ela me disse, "mas não consegui descobrir a fonte".

Na verdade, era algo que eu havia lhe dito uma vez, durante uma sessão, mas não me incomodo que ela não se lembre. Irvin Yalom, o famoso psiquiatra, escreveu que "é muito melhor que [um paciente faça progresso, mas] se esqueça do que conversamos, do que a possibilidade oposta (escolha mais popular para os pacientes): lembrar-se precisamente do que foi dito, mas permanecer inalterado".

O terceiro acréscimo é uma pequena gravura representando duas pessoas grisalhas e abstratas, seus corpos entrelaçados e em movimento, cercados por exclamações, como em uma história em quadrinhos: *Ai... minhas costas! Devagar... meu coração!* Numa caligrafia elegante, acima dos corpos, ela escreveu: IDOSOS AINDA TREPAM.

É sua peça de maior sucesso, até agora.

55

A festa é minha e pode chorar se quiser

O e-mail chega, e meus dedos ficam paralisados no teclado. No espaço "assunto", consta: "É uma festa... use preto!". Quem o envia é Matt, marido de Julie, e decido deixar o e-mail ali até acabar de atender os pacientes do dia. Não quero abrir o convite para o funeral de Julie pouco antes de começar a atender.

Penso novamente na hierarquia do sofrimento. Quando comecei a atender Julie, imaginei que seria difícil escutar sobre suas tomografias e tumores, para, em seguida, escutar: "Então, acho que a babá está me roubando" e "Por que sou sempre eu quem tem que tomar a iniciativa do sexo?".

Você acha que tem problemas?, tive medo de dizer para mim mesma.

Mas aconteceu que estar com Julie me tornou mais compassiva. Os problemas de outros pacientes também tinham importância: a traição que sofreram de alguém em quem confiaram para cuidar de seu filho; seus sentimentos de vergonha e vazio, quando rejeitados pelos cônjuges. Sob esses detalhes, estavam as mesmas questões essenciais que Julie havia sido forçada a encarar: como me sentir segura em um mundo de incertezas? Como estabeleço ligações? Atender Julie despertou em mim um sentimento ainda maior de responsabilidade em relação a meus pacientes. Cada hora conta para cada um de nós, e quero estar totalmente presente no horário de terapia que passo com cada um.

Depois que meu último paciente sai, escrevo, lentamente, minhas anotações de prontuário, enrolando, até finalmente abrir o e-mail. O convite inclui uma nota de Julie, explicando que ela quer que as pessoas compareçam a uma "festa de despedida para se acabar de chorar", e que espera que seus amigos solteiros possam tirar vantagem do encontro, *porque, se vocês se conhecerem em um funeral, sempre se lembrarão do quanto o amor e a vida são importantes, e abrirão mão das pequenas bobagens.* Também contém um link para o obituário que ela criou no meu consultório.

Envio minhas condolências a Matt, e um minuto depois recebo outro e-mail, que ele observa ter sido deixado por Julie para mim. *Já que estou morta, vou direto ao assunto. Você disse que iria à minha festa de despedida. Eu saberei se você não estiver lá. Lembre-se de ser o amortecedor entre a minha irmã e a minha tia Aileen, aquela que sempre... Bom, você conhece a história. Você conhece todas as minhas histórias.*

Existe um "P.S." de Matt: *Por favor, esteja lá conosco.*

Claro que quero estar lá, e até tinha considerado as potenciais complicações, antes de prometer isso a Julie. Nem todo terapeuta teria feito a mesma escolha. Alguns se preocupariam de que isso pudesse ultrapassar limites, sendo um excesso de envolvimento, por assim dizer. E, embora em alguns casos isso pudesse ser verdade, parece estranho que, em uma profissão dedicada à condição humana, espere-se que os terapeutas compartimentalizem sua humanidade no que diz respeito à morte de pacientes. Isso não se aplica a outros profissionais da vida de uma pessoa: o advogado de Julie, seu quiroprata, seu oncologista. Ninguém se importa se *eles* comparecem ao funeral. No entanto, espera-se que os terapeutas mantenham distância. Mas e se a presença deles trouxesse conforto para as famílias de seus pacientes? E se confortasse os próprios terapeutas?

Na maioria das vezes, os terapeutas choram a morte de seus pacientes sozinhos. Com quem eu poderia conversar sobre a morte de Julie, além dos meus colegas, no meu grupo de aconselhamento, ou Wendell? E, mesmo assim, nenhum deles a conheceria como eu, ou como sua família e amigos (que lamentariam juntos). Ao terapeuta, cabe chorar sozinho.

Além disso, mesmo num funeral, existem assuntos cuja confidencialidade deve ser considerada. Nosso dever de proteger a confidencialidade dos nossos pacientes não se encerra com a sua morte. Uma esposa, cujo marido cometeu suicídio, por exemplo, pode procurar o terapeuta dele para obter certas respostas, mas os terapeutas não podem violar o código de ética. Aquelas fichas, aquelas interações estão protegidas. De modo semelhante, se eu comparecer ao funeral de um paciente, e alguém perguntar como eu conhecia o falecido, não posso dizer que era a sua terapeuta. Mas esses assuntos surgem mais em mortes inesperadas – como por suicídio, overdose, enfartes, acidentes de carro – do que em situações como a de Julie. Afinal de contas, como terapeutas, discutimos coisas com os pacientes, e Julie e eu havíamos conversado sobre seu desejo de que eu comparecesse a seu funeral.

"Você prometeu que ficaria comigo até o fim", ela tinha dito com um sorriso de canto de boca, cerca de um mês antes de morrer. "Não dá para você me abandonar no meu próprio funeral, dá?"

Em suas últimas semanas, Julie e eu conversamos sobre como ela queria se despedir da família e dos amigos. *O que quer deixar com eles? O que quer que eles deixem com você?*

Eu não estava falando sobre conversas transformadoras no leito de morte; a maioria delas é fantasia. As pessoas podem buscar paz e clareza, compreensão e cura, mas os leitos de morte em si são, geralmente, uma mistura de remédios, medo, confusão e fraqueza. Por isso, é especialmente importante ser quem queremos ser *agora*, tornar-nos mais abertos e expansivos enquanto podemos. Muita coisa ficará pendente se esperarmos demais. Lembro-me de um paciente que, depois de anos de indecisão, finalmente procurou seu pai biológico, que buscava estabelecer com ele uma relação, e acabou devastado ao saber que este jazia inconsciente, em coma, e morreria dali a uma semana.

Além do mais, colocamos uma pressão indevida nesses últimos momentos, permitindo que eles se sobreponham a tudo o que aconteceu antes. Tive um paciente cuja esposa caiu morta no meio de uma conversa, na qual ele estava se defendendo por não cuidar da sua parte na lavagem de roupas. "Ela morreu louca da vida comigo, pensando que eu era um cretino", ele disse. Na verdade, o casamento deles foi sólido e eles se amavam profundamente, mas como essa discussão ficou consagrada como as últimas palavras trocadas entre eles, assumiu uma importância que, caso contrário, não teria tido.

Perto do fim de seus dias, Julie adormecia com mais frequência durante nossas sessões, e se antes, sempre que ela vinha me ver, parecia que o tempo tinha parado, agora parecia um ensaio geral para a sua morte; ela estava "experimentando" como seria a quietude, sem o terror que tinha de ficar só.

"'Quase' é sempre o mais difícil, não é?" disse, certa tarde. "Quase conseguir alguma coisa, quase ter um bebê, quase conseguir uma tomografia sem problemas, quase não ter mais câncer."

Pensei em como muitas pessoas evitam tentar coisas que realmente querem na vida, por ser mais doloroso chegar perto do objetivo, mas não consegui-lo, do que nem chegar a arriscar.

Durante essas sessões exuberantemente tranquilas, Julie dizia que queria morrer em casa, e em nossas últimas sessões foi lá que a vi. Ela havia cercado sua cama com fotos de todos aqueles de quem ela gostava, fez palavras cruzadas, assistiu a reprises de *The Bachelor*, escutou suas músicas preferidas e recebeu visitas.

No entanto, no final, até o desfrute desses prazeres passou a ser difícil. Julie disse à família: "Quero viver, mas não quero viver assim", e eles entenderam que isso significava que ela pararia de comer. De qualquer forma, já não conseguia comer a maioria dos alimentos. Quando Julie decidiu que a vida que lhe restava não era uma vida que valeria a pena manter, seu corpo naturalmente entendeu o recado, e ela se foi em dias.

Não tivemos um profundo "*grand finale*", como Julie vinha chamando nossa última sessão. Suas últimas palavras para mim foram sobre um filé. "Deus, o que eu não daria por um filé!", disse, com a voz fraca, baixinho. "É bom que eles tenham filé onde quer que eu esteja indo." E, então, adormeceu. Foi um final em nada diferente das nossas demais sessões, onde ainda após o "nosso tempo acabou", a conversa perdurava. Nas melhores despedidas, sempre existe a sensação de que existe algo mais a ser dito.

Fico perplexa – embora não devesse – com a quantidade de gente que compareceu à festa fúnebre de Julie. Há centenas de pessoas aqui, de todas as fases da sua vida: amigos de infância; amigos do acampamento de verão; amigos do treino da maratona; amigos do clube do livro; amigos da faculdade; amigos do trabalho; colegas, tanto da universidade entusiasmo que é o sonho de qualquer autor. Bruce Nichols e Ellen Archer foram maravilhosos incentivadores e se envolveram profundamente, tendo apoiado e defendido esse projeto, literalmente, em cada uma de suas etapas. Pilar Garcia-Brown foi uma feiticeira nos bastidores; gostaria de ter a metade de sua capacidade e eficiência para fazer as coisas acontecerem. Quando chegou a hora de trabalhar com o restante da equipe da Houghton Mifflin Harcourt, não pude acreditar na quantidade de talentos que havia sob o mesmo teto. Minha imensa gratidão vai para Lori Glazer, Maire Gorman, Taryn Roeder, Leila Meglio, Liz Anderson, Hannah Harlow, Lisa Glover, Debbie Engel, e Loren Isenberg. Seu brilho e sua criatividade me impactaram. Martha Kennedy (agradeço pelo lindo design da capa) e Arthur Mount (agradeço pelas ilustrações do consultório) embelezaram o livro por dentro e por fora.

Tracy Roe, doutora em medicina, não foi apenas uma revisora que salvou a mim (e a meus leitores) de inúmeros desastres gramaticais. Também descobrimos muitas experiências paralelas, e seus comentários hilariantes nas margens do original tornou esse processo uma delícia (pelo menos para mim; meu uso negligente dos pronomes poderia tê-la levado diretamente de volta a seus pacientes no pronto-atendimento). Dara Kaye me ajudou a trafegar pela confusão dos documentos internacionais para nossas edições estrangeiras, e, aqui em Los Angeles, a atenção profissional de Olivia Blaustein e Michelle Weiner no CAA tem sido uma mão na roda.

Quando Scott Stossel me falou, pela primeira vez, em Alice Truax, usou a palavra "legendária", e tinha razão. Sua clareza, orientação e sabedoria foram realmente legendárias. Ela viu associações entre minha vida e as de meus pacientes que nem eu mesma tinha visto; respondeu e-mails a qualquer hora da noite; e, como boa terapeuta, fez perguntas perspicazes, pressionou-me a ir mais fundo e me encorajou a me revelar com mais intensidade do que jamais pretendi. Alice está, para dizer simplesmente, em todo esse livro.

Quando meu primeiro manuscrito tinha obscenas seiscentas páginas, um pequeno exército de almas muito honestas e muito generosas se ofereceu para me dar um feedback. Cada uma delas ajudou, drasticamente, quanto do Trader Joe's; seus pais; os dois casais de avós; os pais de Matt; os irmãos dos dois. Sei quem são porque pessoas de todos esses grupos levantam-se e falam sobre ela, contando histórias sobre quem ela era e o que ela significava para eles.

Quando chega a vez de Matt, todos se calam e, sentada na fileira do fundo, olho para meu chá gelado e o guardanapo em minha mão. A FESTA É MINHA E PODE CHORAR SE QUISER!, está escrito. Mais cedo, eu havia notado uma grande faixa, com os dizeres: CONTINUO ESCOLHENDO NENHUM DOS DOIS.

Matt leva certo tempo para se acalmar, antes de falar. Quando o faz, compartilha uma história sobre Julie ter escrito um livro para que ele lesse depois que ela se fosse, dando-lhe o nome de *O mais longo romance mais curto: uma história épica de amor e perda*. Nesse momento, ele fraqueja, depois se recompõe lentamente e continua.

Explica que, no livro, surpreendeu-se ao descobrir que, perto do final da história – a história deles –, Julie havia incluído um capítulo sobre como esperava que Matt sempre tivesse amor em sua vida. Nele, incentivava-o a ser sincero e gentil com o que chamava de suas "namoradas do luto" – as namoradas do rebote, as mulheres com quem ele sairia enquanto se recuperava. *Não as engane*, escreveu. *Talvez vocês possam obter algo um do outro*. Em seguida, fez um perfil charmoso e hilariante para sites de relacionamentos, que Matt poderia usar para encontrar suas namoradas do luto; depois, ficou mais séria. Escreveu a carta de amor mais dolorosamente bela na forma de outro perfil de relacionamentos, que Matt poderia usar para encontrar a pessoa com quem ficaria para sempre. Nele, falou sobre suas manias, sua dedicação, a apimentada vida sexual dos dois, a família incrível que ela havia herdado (e que, presumivelmente, essa nova mulher herdaria), e que pai incrível ele seria. Escreveu que sabia disso porque eles haviam sido pais juntos, embora de uma criança no útero e apenas por alguns meses.

Quando Matt termina a leitura, as pessoas estão rindo e chorando, simultaneamente. *Todo mundo deveria ter, no mínimo, uma história de amor épica em suas vidas*, Julie conclui. *Para mim, a nossa foi assim. Se tivermos sorte, poderemos ter duas. Desejo-lhe outra história de amor épica.*

Todos nós achamos que esse é o fim da fala de Matt, mas então ele diz que sente que é mais do que justo que Julie também tenha amor onde quer que esteja. Sendo assim, nesse estado de espírito, ele diz que escreveu para ela um perfil para encontros no céu.

Ouvem-se algumas risadinhas, embora, a princípio, hesitantes. *Será que isso é muito mórbido?* Mas, não, acho que é exatamente o que Julie teria querido. É incomum, desconfortável, divertido e triste, e logo todos estão rindo e soluçando à vontade.

Ela detesta cogumelos, Matt escreveu para seu pretendente do céu, *não lhe ofereça nada com cogumelos. E se houver um Trader Joe's, e ela disser que quer trabalhar nele, dê seu apoio. Você também ganhará ótimos descontos.*

Ele segue contando como Julie protestou contra a morte em muitos sentidos, mas principalmente com o que Matt gostava de chamar de "fazendo bondades" para os outros, deixando o mundo um lugar melhor do que encontrou. Ele não as enumera, mas sei quais são, e de qualquer modo, todos os agraciados com sua bondade falam a respeito.

Fico feliz por ter vindo, feliz por ter cumprido a promessa que fiz a Julie e por ter podido ver um lado seu que jamais posso acessar em nenhum dos meus pacientes: como transcorre a vida deles fora da sala de terapia. Cara a cara, os terapeutas conseguem profundidade, mas não amplitude; têm palavras sem ilustração. Apesar de ter sido a derradeira confidente no que se refere aos pensamentos e sentimentos de Julie, aqui sou uma estranha em meio a todas essas pessoas que não conheço, mas que a conheciam. Recomendam-nos que nós, enquanto terapeutas, se comparecermos ao funeral de um paciente, devemos ficar de lado, evitando interações. Faço isso, mas, quando estou prestes a ir embora, um simpático casal começa a conversar comigo. Eles dizem que Julie é responsável pelo casamento deles; cinco anos atrás, ela armou para eles um encontro às cegas. Sorrio com a história, depois ensaio pedir licença, mas, antes de consegui-lo, a mulher pergunta: "E você, como conheceu Julie?".

"Era uma amiga", digo, automaticamente, preocupada com a confidencialidade, mas, no momento em que digo isso, percebo que também há verdade nisso.

"Você vai pensar em mim?", Julie costumava me perguntar, antes de suas várias cirurgias, e sempre respondi que iria. A confirmação a acalmava, ajudava-a a ficar centrada em meio à ansiedade de "entrar na faca".

Contudo, mais tarde, quando ficou claro que ela iria morrer, essa pergunta assumiu outro significado: *Uma parte minha ficará viva em você?*

Recentemente, Julie contara a Matt que se sentia péssima de morrer sob seus cuidados, e no dia seguinte ele lhe mandou um recado com uma letra do musical *O jardim secreto*. Nela, o fantasma de uma amada esposa pergunta ao marido enlutado se ele poderia perdoá-la, se poderia guardá-la no coração e "descobrir uma nova maneira de me amar/ agora que estamos separados". Matt tinha escrito "*Sim*". Acrescentou que não acreditava que as pessoas desaparecessem, e sim que algo em nós seria eterno e sobreviveria.

Naquele dia, caminhando para o meu carro, escutei novamente a pergunta de Julie: *Você vai pensar em mim?*

Passados todos esses anos, ainda penso. Lembro-me dela, sobretudo, nos silêncios.

56

Felicidade é às vezes

"Sinceramente, não esconda. Você me acha um babaca?", John pergunta, enquanto pousa a sacola com nossos almoços sobre seu colo. Hoje ele trouxe sua cachorra Rosie para a sessão – sua *danny* estava doente, e Margô está fora da cidade. Ela está no colo de John, cheirando as embalagens de comida. Agora, os olhos dele estão em mim, bem como os redondos olhos de Rosie, como se os dois estivessem esperando pela minha resposta.

Sou pega de surpresa com essa pergunta. Se eu disser "sim", posso magoar John, e a última coisa que quero é magoá-lo. Se disser "não", posso estar apoiando algumas das suas atitudes mais imbecis, em vez de conscientizá-lo em relação a elas. A penúltima coisa que quero é ser puxa-saco de John. Poderia devolver a pergunta para ele: *Você se acha um babaca?* Mas estou mais interessada em outra coisa: Por que ele está fazendo essa pergunta, e por que agora?

John atira longe seus tênis sem cadarço, mas, em vez de se acomodar com as pernas cruzadas sobre o sofá, inclina-se para a frente, com os cotovelos nos joelhos. Rosie pula para o chão, onde se acomoda, e olha para ele. Ele lhe estende uma guloseima. "Tome aqui, minha princesinha", sussurra.

"Você não vai acreditar", ele diz, voltando a olhar para mim, "mas fiz um, hã, comentário *infeliz* para Margô algumas noites atrás. Ela disse que o terapeuta dela recomendou um terapeuta de casal para nós, e eu disse que queria que você me desse uma indicação, porque não confio, necessariamente, na sugestão do terapeuta idiota dela. No segundo em que aquilo saiu da minha boca, soube que deveria ter filtrado, mas era tarde demais, e Margô simplesmente investiu contra mim: 'Meu terapeuta idiota?', ela perguntou. '*Meu?*' Ela disse que se a minha terapeuta não consegue ver o babaca que eu sou, então eu é que estou indo a uma terapeuta idiota. Pedi desculpas por chamar o terapeuta dela de idiota, e ela pediu desculpas por me chamar de babaca, e aí nós dois começamos a rir, e eu não me lembro da última vez em que rimos juntos daquele jeito. A gente não conseguia parar, e as meninas escutaram, entraram e olharam para nós como se fôssemos dois loucos. 'O que tem de tão engraçado?', elas ficavam perguntando, mas a gente não conseguia explicar. Acho que nem a gente sabia o que era tão engraçado.

"Aí, as meninas também começaram a rir e ficamos todos rindo do fato de não conseguirmos parar de rir. Ruby se jogou no chão e começou a rolar, e Gracie fez a mesma coisa. Então, eu e Margô olhamos um pro outro, jogamo-nos no chão, e ficamos os quatro rolando pelo quarto e rindo. Aí, a Rosie veio correndo para ver o que era toda aquela bagunça, e quando viu a gente rolando no chão, ficou paralisada, bem na porta. Ficou ali parada, sacudindo a cabeça, como quem dizia: "Você humanos extrapolam". E saiu correndo. Nós rimos dela, e eu estava rolando no chão com a minha esposa e minhas filhas, o cachorro latindo para a gente do outro quarto. Assisti à cena quase que de cima, como se estivesse observando e vivendo ao mesmo tempo, e pensei: *Amo a porra da minha família.*"

Ele se delicia com esse pensamento por um segundo, depois continua:

"Senti-me mais feliz que já havia estado em muito tempo. E sabe de uma coisa? Depois disso, Margô e eu realmente tivemos uma noite deliciosa juntos. Grande parte da tensão que normalmente existe entre nós tinha sumido." John sorri com a lembrança. "Mas aí, não sei o que aconteceu. Estou dormindo muito melhor, mas naquela noite fiquei acordado por horas, pensando sobre Margô ter dito que eu era um babaca. Não conseguia tirar aquilo da cabeça. Porque sei que você não me acha um babaca. Quero dizer, é óbvio que *você* gosta de mim. Então, pensei: *Espere, e se a Margô tiver razão?* E se eu for um babaca, mas você não conseguir perceber? Então, você é mesmo uma terapeuta idiota. Então, o que vai ser: eu sou um babaca ou você é uma idiota?"

Que armadilha, penso. *Ou eu digo que ele é um babaca, ou afirmo que sou idiota.* Penso em Julie e na frase que seus amigos escreveram em seu anuário do ensino médio. *Não escolho nenhum dos dois.*

"Talvez exista uma terceira possibilidade", sugiro.

"Quero a verdade", ele diz, inflexível. Certa vez, um mentor observou que, com frequência, em terapia, a mudança acontece "gradualmente, depois repentinamente", e isso também poderia se aplicar ao que acontecera com John. Imagino que enquanto ele se revirava na cama, incapaz de dormir, o castelo de cartas que havia criado para si mesmo, sobre todos os outros serem idiotas, veio abaixo, e agora ele está com os destroços: *Sou um babaca. Não sou melhor que ninguém, especial. Minha mãe estava errada.*

Mas isso também não é verdade. É simplesmente o colapso da defesa narcísica sob a forma de uma hipercorreção. John começou com a crença de que "Eu sou bom e você é ruim", e agora a coisa está virando de cabeça para baixo: "Você é boa, eu sou ruim". E nenhuma das duas é correta.

"A verdade, a meus olhos", digo, honestamente, "não é que eu seja uma idiota ou você um babaca, mas que, às vezes, para se proteger, você age como se fosse."

Olho para John, esperando sua reação. Ele respira fundo e parece que vai dizer alguma coisa insolente, mas decide não fazê-lo. Fica calado por um minuto, olhando para Rosie, que adormeceu.

"É", ele diz. "Eu me comporto mesmo como um babaca." Depois, sorri e acrescenta. "*Às vezes.*"

Recentemente, John e eu conversamos sobre a beleza da expressão "às vezes"; em como "às vezes" nos iguala, nos mantém no meio confortável, em vez de pender para um lado ou outro do espectro, como se a vida dependesse disso. Essa expressão nos ajuda a escapar da limitação do pensamento "oito ou oitenta". John disse que, quando se debatia com a pressão do seu casamento e da sua carreira, costumava pensar que haveria uma hora em que voltaria a ser feliz, e então, quando Gabe morreu, pensou que jamais pudesse voltar a sentir felicidade. Agora, ele diz que passou a pensar que não é isso ou aquilo, sim ou não, sempre ou nunca.

"Vai ver que a felicidade é às vezes", ele diz, recostando-se no sofá. A ideia lhe traz alívio. "Acho que não seria ruim tentar aquele terapeuta de casais", ele acrescenta, aparentemente referindo-se ao que Wendell sugeriu. Margô e John tinham feito algumas sessões de terapia de casal depois da morte de Gabe, mas os dois estavam tão furiosos e envergonhados, culpando alternadamente um ao outro e a si mesmos, que mesmo quando o terapeuta apresentou o relatório policial, em que o fato de o motorista estar bêbado constava como um elemento que contribuíra para o acidente, John não teve interesse no que chamou de "pós-morte sem sentido". Se Margô quisesse fazer terapia, ele seria totalmente a favor, mas não via motivo para prolongar sua própria tortura durante uma hora, semanalmente.

Mas ele explica que agora concorda com a terapia de casal, porque já perdeu demais – a mãe, o filho, talvez até ele mesmo –, e quer lutar para ficar com Margô, antes que seja tarde.

Com esse espírito, recentemente ele e Margô começaram a conversar sobre Gabe, com hesitação e delicadeza, mas também sobre muitas outras coisas. Estão aprendendo quem são nessa fase da vida, e o que significa seguir em frente. Seja qual for o resultado, John conclui, um terapeuta de casal pode ajudar.

"Mas se o cara for um idiota", John começa, e eu o interrompo.

"Se você começar a sentir isso", digo, "incentivo-o a se segurar até obter mais informações. Se o terapeuta for bom, o processo pode te deixar desconfortável, e poderemos conversar sobre esse desconforto aqui. Vamos entender a coisa juntos, antes que você estipule um julgamento." Penso em quando duvidei de Wendell ao projetar meu desconforto nele. Lembro-me de imaginar o que ele andava fumando, quando falou pela primeira vez no meu luto. Lembro-me de achá-lo banal algumas vezes, e de ter sido cética quanto à sua competência, em outras.

Talvez todos nós precisemos duvidar, protestar contra algo e questionar, antes de realmente conseguirmos mergulhar de cabeça.

John me conta que quando, na noite anterior, estava tendo problemas para dormir, começou a pensar em sua infância. Diz que, desde menino, queria ser médico, mas sua família não tinha dinheiro suficiente para mandá-lo para uma faculdade de medicina.

"Eu não fazia ideia", digo. "Que tipo de médico?"

John olha para mim como se a resposta fosse evidente. "Psiquiatra", diz.

John, psiquiatra! Tento imaginá-lo atendendo pacientes: *Sua sogra disse isso? Que idiota!*

"Por que psiquiatra?"

John revira os olhos. "Porque fui uma criança cuja mãe morreu, é óbvio, e queria salvá-la, ou a mim mesmo, ou algo assim." Ele faz uma pausa. "Por isso, e porque eu era muito preguiçoso para ser cirurgião."

Estou fascinada com sua autoconsciência, mesmo que ele ainda encubra sua vulnerabilidade com uma piada.

Enfim, ele continua, inscreveu-se na faculdade de medicina com a esperança de obter uma substancial ajuda financeira. Sabia que se formaria com uma dívida tremenda, mas imaginava que, com um salário de médico, conseguiria pagá-la. Foi bem no curso preparatório, especializando-se em biologia, mas, como tinha que trabalhar vinte horas por semana para conseguir pagar sua mensalidade, suas notas não eram tão boas como poderiam ter sido. Com certeza não eram tão boas quanto as de seus colegas estudantes pré-médicos, os artilheiros que varavam as noites e competiam entre si pelas melhores notas.

Mesmo assim, conseguiu entrevistas em várias faculdades. Inevitavelmente, porém, o entrevistador acabava fazendo alguma "brincadeira ambígua" sobre como eram incríveis seus ensaios de inscrição e depois tentava manobrar suas expectativas, considerando o fato de a média geral das suas notas ser boa, mas não excepcional. "Você deveria ser escritor", disse mais de um entrevistador, brincando, mas nem tanto. John ficava furioso. Não dava para eles verem, pela sua inscrição, que ele trabalhava enquanto cumpria um currículo pré-medicina? Isso não demonstrava sua dedicação? Sua ética profissional? Sua habilidade em perseverar? Não dava para eles verem que um punhado de notas 7,5 e aquela porra de 5,8 não eram indicativos de sua aptidão, mas do fato de ele nunca ter tempo para estudar, menos ainda para ficar depois da aula se os laboratórios demorassem demais?

Por fim, John conseguiu entrar em uma faculdade de medicina, mas não recebeu ajuda financeira suficiente para se manter. E como sabia que não poderia trabalhar para pagar a faculdade da maneira que tinha trabalhado para pagar o preparatório, desistiu da oportunidade e se plantou em frente à TV, desesperando-se quanto a seu futuro. Seu pai, professor assim como sua falecida mãe, sugeriu que ele se tornasse professor de ciências, mas John ficava pensando no famoso ditado: "Quem não sabe fazer, ensina". John *sabia* fazer, sabia que poderia cursar as aulas de ciências na faculdade de medicina, só precisava do dinheiro. E então, enquanto ficava em frente à TV amaldiçoando sua situação deprimente, teve uma ideia. Pensou: *Ei, eu posso escrever essa droga.*

Em pouco tempo, John comprou um livro sobre a criação de roteiros, produziu um episódio, enviou-o a um agente escolhido em uma lista telefônica e foi contratado como membro de uma equipe de roteiristas em uma série. Ele diz que o programa era "um lixo absoluto", mas que seu plano era escrever durante três anos, ganhar algum dinheiro e se reinscrever na faculdade de medicina. Um ano depois, no entanto, foi contratado para uma série muito melhor, e no ano seguinte, foi contratado para uma série de sucesso. Quando conseguiu economizar dinheiro suficiente para entrar na faculdade de medicina, havia um Emmy sobre a lareira de sua quitinete. Decidiu não se reinscrever. E se não conseguisse entrar em nenhuma faculdade dessa vez? Além disso, queria ganhar dinheiro, a quantia desvairada que poderia ganhar em Hollywood; assim, seus futuros filhos não teriam que encarar esse tipo de escolha. Agora, ele diz que tem tanto dinheiro que suas filhas poderiam cursar várias vezes uma faculdade de medicina.

John estica os braços, reacomoda as pernas. Rosie abre os olhos, suspira, fecha-os novamente. Ele segue dizendo que se lembra de estar parado no palco, na hora do prêmio, com a equipe da série, pensando: *Aha! Tomem isso, seus cretinos! Podem pegar suas cartas de recusa e enfiá-las no cu! Ganhei a porra de um Emmy!*

Todo ano, à medida que seu programa acumulava mais prêmios, John era tomado por uma perversa sensação de satisfação. Lembrava-se de todas aquelas pessoas que não acreditavam que ele fosse bom o bastante, mas agora lá estava ele, com uma sala cheia de Emmys, uma conta bancária cheia de dinheiro e um portfólio cheio de fundos de pensão, pensando: *Eles não podem tirar nada disso de mim.*

Penso em como "eles" haviam tirado sua mãe.

"Quem são 'eles'?", pergunto a John.

"A porra dos entrevistadores da faculdade de medicina", ele diz. Fica claro que seu sucesso foi impulsionado tanto por vingança quanto por paixão. E me pergunto quem seriam "eles" para ele, agora. A maioria de nós tem um "eles" na plateia, ainda que ninguém esteja realmente prestando atenção, pelo menos não como pensamos que estejam. As pessoas que nos observam, as que realmente nos veem, não se preocupam com o falso eu, com o espetáculo que estamos apresentando. Quem são *essas* pessoas para John?

"Ah, tenha dó, todo mundo se importa com o programa que apresentamos!" ele diz.

"Você acha que eu me importo?"

John suspira. "Você é minha *terapeuta*."

Dou de ombros. *E?*

John relaxa no sofá.

"Quando eu estava rolando no chão com a minha família", ele diz, "pensei uma coisa muito estranha. Pensei que desejava que você pudesse ver a gente. Quis que você me visse naquele momento, porque me senti demais como uma pessoa que você, de fato, não conhece. Porque aqui, sabe como é, é tudo tristeza e melancolia. Mas vindo para cá hoje, pensei: *Talvez ela até saiba*. Talvez você tenha mesmo um tipo de sexto sentido de terapeuta sobre as pessoas. Porque, não tenho certeza se são todas as suas perguntas irritantes, ou os silêncios sádicos por que me faz passar, mas sinto que você me entende, sabia? E não quero que você fique muito convencida, nem nada disso, mas, pensando bem, você tem uma visão mais completa da minha total humanidade do que qualquer outra pessoa na minha vida."

Fico tão emocionada que não consigo falar nada. Quero dizer a John o quanto estou sensibilizada, não apenas pelo que ele sente, mas pela sua disposição em me contar. Quero dizer a ele que não acho que vá esquecer esse momento, mas, antes de retomar minha voz, John exclama: "Ah, pelo amor de Deus, não chore na minha frente de novo!".

Eu rio e John também. Então, conto a ele o que eu estava engasgada demais para dizer algo um minuto atrás. Agora é John quem fica com os olhos marejados. Lembro-me de uma sessão mais antiga, em que ele disse que Margô chorava sempre, e eu tinha lançado a ideia de que ela estivesse fazendo um trabalho duplo: chorando por eles dois. Talvez ele devesse deixar Margô chorar, sugeri, e talvez pudesse também se permitir chorar. Mas John não estava pronto para deixar Margô vê-lo chorar. Ainda não. No entanto, considerando que ele me deixa ver isso, fico esperançosa em relação à sua terapia de casal.

John aponta para suas lágrimas. "Viu? A porra da minha humanidade", diz.

"É magnífica", observo.

Não abrimos a sacola de comida. Não precisamos mais da comida como ponte entre nós.

Algumas semanas depois, estou no sofá, em casa, chorando feito bebê. Estou assistindo à série de John, e o personagem sociopata, que está se suavizando aos poucos, conversa com o irmão, pessoa que não sabíamos que existia até dois episódios atrás. Aparentemente, o sociopata e seu irmão estiveram afastados, e a audiência está se inteirando, por meio de um flashback, do motivo do afastamento: o irmão culpa o sociopata pela morte do *seu* filho.

A cena é dolorosa, e penso no sonho de infância de John de se tornar psiquiatra, e em como sua noção de um sofrimento extraordinário é o que faz dele um escritor potente. Seria isso um dom legado pela morte da mãe e, mais tarde, pela de Gabe? Ou teria sido herdado do relacionamento que ele teve com eles enquanto estavam vivos?

Ganhos e perdas. Perdas e ganhos. O que vem antes?

Em nossa próxima sessão, John conta-me que assistiu a esse episódio com Margô, e que eles conversaram sobre ele com seu terapeuta de casal, quem, até agora, "não parece particularmente idiota". Conta-me que quando o episódio começou, ele e Margô se sentaram em sua sala em cantos opostos do sofá, mas que, quando teve início a sequência do flashback, ele não sabe por que, se por instinto, amor, ou ambos, algo o impeliu a se levantar e ir se sentar ao lado dela, de modo a fazer suas pernas se tocarem, e ele enrolou suas pernas nas dela, enquanto os dois soluçavam no decorrer da cena. Ouvindo ele me contar isso, penso em como eu me sentei longe de Wendell naquele primeiro dia, e em quanto tempo levou até eu me sentir suficientemente confortável para chegar mais perto. Nessa sessão, John disse que eu tinha razão, e que, na verdade, não havia problema em chorar com Margô, e que em vez de afundar ambos em um rio de lágrimas, aquilo os levou com segurança até a margem.

Quando ele diz isso, imagino a mim mesma, John, Margô e milhões de espectadores ao redor do mundo, recostados em seus sofás, expostos por suas palavras, e penso em como, para todos nós, John fez com que fosse tranquilo chorar.

57

Wendell

"Andei ligando para você, Wendell", digo a meu terapeuta, cujo verdadeiro nome, preciso confessar, não é de fato Wendell.

Acabei de fazer um comunicado em nossa sessão: voltei a escrever, é uma espécie de livro, no qual meu terapeuta, a quem chamo aqui de "Wendell", desempenha um papel importante.

Não tinha planejado fazer isso, explico. Uma semana atrás, atraída para minha escrivaninha pelo que pareceu uma força gravitacional, liguei meu notebook, abri um documento em branco e escrevi durante horas, como se tivesse aberto uma barragem. Voltei a me sentir eu mesma, mas diferente: mais livre, mais relaxada, mais viva, experienciando o que o psicólogo Mihaly Csikszentmihalyi chama de "fluxo". Só quando comecei a bocejar foi que me afastei, vi que horas eram e fui para a cama. Estava cansada, mas de um jeito energizado, pronta para descansar depois de ter sido despertada.

Na manhã seguinte, levantei-me refeita, e, naquela noite, a força misteriosa tornou a me atrair para o meu notebook. Pensei no plano de John de se tornar psiquiatra. Para muitas pessoas, adentrar as profundezas dos seus pensamentos e sentimentos é como entrar num beco escuro: elas não querem entrar ali sozinhas. Procuram a terapia para ter alguém que as acompanhe nisso, e assistem à série de John por um motivo semelhante: faz com que se sintam menos sozinhas, permite que vejam uma versão de si mesmas confundida com a vida na tela. Talvez, sob esse aspecto, ele seja um psiquiatra para muitas delas, e talvez sua coragem em escrever sobre sua própria perda tenha me inspirado a escrever sobre a minha.

Durante a semana toda, escrevi sobre meu rompimento, meu terapeuta, minha mortalidade, nosso medo de assumir responsabilidade por nossas vidas e a necessidade de fazer isso para obter a cura. Escrevi sobre histórias antigas e falsas narrativas, e sobre como o passado e o futuro podem insinuar-se no presente, às vezes o eclipsando totalmente. Escrevi sobre persistir, abrir mão e a dificuldade de rodear essas barras de prisão, mesmo quando a liberdade não está exatamente à nossa frente, mas literalmente *dentro de nós*, em nossas mentes. Escrevi sobre termos, independentemente das nossas circunstâncias externas, escolhas sobre como viver nossas vidas, e isso, não importa o que tenha acontecido, o que tenhamos perdido ou que idade temos, como Rita coloca, não tem fim até que acaba. Escrevi sobre como, às vezes, temos a chave para uma vida melhor, mas precisamos de alguém que nos mostre onde largamos essa maldita chave. Escrevi sobre como, para mim, essa pessoa tem sido Wendell, e como, para outros, essa pessoa, às vezes, sou eu.

"Wendell...", Wendell diz, experimentando o nome para ver se combina.

"Porque venho aqui às quartas-feiras",[12] digo. "Sabe, o título poderia ser *Quartas-Feiras com Wendell*. A aliteração soa musical, não é? Mas é muito pessoal para publicar. Só serve para mim. A sensação de voltar a escrever é ótima."

"Faz sentido", ele diz, referindo-se a nossas conversas anteriores.

É verdade; não pude escrever o livro sobre felicidade porque não estava, de fato, buscando felicidade. Estava buscando *sentido*, do qual resultam realização e, sim, ocasionalmente, felicidade. E levei todo aquele tempo para cancelar o contrato do livro porque, ao fazer isso, teria que abrir mão da minha muleta, a litania "eu devia ter escrito o livro sobre parentalidade" que me protegia de examinar qualquer outra coisa. Mas, mesmo depois de ter cancelado o contrato, passei semanas agarrada a meu remorso e à fantasia do quanto a minha vida teria sido mais fácil se eu tivesse escrito o livro original. Assim como Rita, relutei em dar

---

[12] A autora faz um jogo de palavras entre "Wendell" e "Wednesday" ("quarta-feira" em inglês). [N.T.]

luz e espaço ao triunfo, levando ainda mais tempo pensando em como eu havia falhado, e não em como havia me libertado.

Mas também consegui uma segunda chance. Certa vez, Wendell observou que, no curso das nossas vidas, falamos mais com *nós mesmos* do que jamais falaremos com qualquer outra pessoa, mas que nossas palavras nem sempre são gentis, sinceras ou úteis, nem mesmo respeitosas. Grande parte do que dizemos para nós mesmos nunca diríamos para pessoas que amamos ou com as quais nos preocupamos, como nossos amigos ou filhos. Na terapia, aprendemos a prestar muita atenção a essas vozes em nossas cabeças, de modo a podermos aprender uma maneira melhor de nos comunicarmos com nós mesmos.

Então, hoje, quando Wendell diz "Faz sentido", sei que está se referindo a nosso tempo juntos. Em geral, as pessoas pensam que procuram a terapia em busca de uma explicação, digamos, sobre o porquê de o Namorado ter ido embora, ou sobre por que elas ficaram deprimidas, mas o motivo de realmente estarem lá é a busca por uma *experiência*, algo incomparável criado entre duas pessoas, com o passar do tempo, em cerca de uma hora por semana. O sentido dessa experiência foi o que me permitiu encontrar sentido em outras possibilidades.

Meses se passarão até que eu brinque com a ideia de tornar essas sessões ao notebook noite adentro em um verdadeiro livro, até que eu decida usar minha própria experiência para ajudar outras pessoas a também encontrar sentido em suas vidas. E uma vez que eu junte a coragem para me expor dessa maneira, é isso que ele se tornará: o livro que você está lendo neste momento.

"Wendell", ele repete, digerindo a ideia. "Gosto dele."

Mas há mais uma história a ser contada.

"Estou pronta para dançar", eu disse a Wendell algumas semanas atrás, surpreendendo não apenas a mim, mas a ele. Andava pensando em seu comentário feito meses antes, depois de eu ter lhe dito que me senti traída pelo meu corpo na pista de dança no casamento, após meu pé ter perdido sua força. Ele havia se oferecido para dançar comigo, para me mostrar que eu tanto poderia buscar ajuda quanto correr um risco, e, ao fazer isso, percebi, mais tarde, que *ele* havia corrido um risco. Os terapeutas correm risco o tempo todo em nome dos seus pacientes, tomando decisões de última hora, partindo do pressuposto de que esses riscos farão muito mais bem do que mal. A terapia não é um trabalho pão-pão queijo-queijo, e às vezes a única maneira de fazer os pacientes saírem de sua estagnação é correr um risco na sala, saindo da sua própria zona de conforto para ensinar por meio do exemplo.

"Quero dizer, se o convite ainda estiver de pé", acrescentei.

Wendell faz uma pausa. Sorri. Pareceu uma inversão de papéis.

"Está", ele disse, depois de uma brevíssima hesitação. "O que você gostaria de dançar?"

"Que tal 'Let It Be'?", sugeri. Recentemente, eu andava tocando as músicas dos Beatles ao piano, e essa veio à minha cabeça antes que eu percebesse que não era exatamente uma música. Pensei em mudá-la para algo do Prince ou da Beyoncé, mas Wendell se levantou e pegou seu iPhone na gaveta da mesa; em um minuto a sala encheu-se daqueles icônicos acordes de abertura. Fiquei em pé, mas imediatamente me acovardei, embromando com palavras, dizendo a Wendell que precisávamos de algo mais dançante, algo como...

Foi então que o refrão da música irrompeu: "*Let it be, let it be, let it be, let it be*", e Wendell começou a se agitar como um adolescente em um show de heavy metal, exagerando, para um efeito cômico. Assisti a isso, estupefata. Lá estava o reservado Wendell, tocando uma guitarra imaginária e tudo mais.

A música seguiu para seu segundo verso mais calmo e pungente sobre as pessoas de coração partido, mas Wendell continuou se agitando feito louco, como que dizendo: *Prince ou Beyoncé que se lixem. A vida não tem que ser perfeita*. Assisti a seu físico alto e esquelético dançando pela sala, o pátio como pano de fundo além da janela atrás dele, enquanto tentava sair da minha cabeça, e simplesmente, bem, deixar rolar. Pensei no meu cabeleireiro Cory. Será que eu poderia "apenas ser"?

O refrão recomeçou, e, subitamente, eu também estava dançando pela sala, rindo, no começo timidamente, girando em círculos, enquanto Wendell enlouquecia ainda mais. Mas sua formação em dança era evidente, ou talvez aquilo tivesse menos a ver com sua formação, e mais com sua consciência de si. Ele não estava fazendo nada sofisticado; apenas parecia totalmente à vontade consigo mesmo. E tinha razão; apesar dos problemas com meu pé, eu precisava me lançar na pista de dança mesmo assim.

Agora, nós dois estávamos dançando e cantando em voz alta sobre a luz que brilha na noite enevoada, berrando os versos a plenos pulmões, como se estivéssemos num bar com karaokê, dançando com exuberância na mesma sala em que eu havia me desmoronado de desespero.

There will be an answer, let it be.[13]

A música terminou mais cedo do que eu esperava, exatamente como, às vezes, acontecia com nossas sessões. Mas, em vez de sentir que eu precisava de mais tempo, senti algo satisfatório no fato de nosso tempo ter terminado.

Não muito antes disso, contei a Wendell que havia começado a pensar em como seria parar de fazer terapia. Tanta coisa tinha mudado no decorrer do ano, e eu estava me sentindo não apenas mais bem equipada para lidar com os desafios e incertezas da vida, como também mais tranquila intimamente. Wendell sorriu. Era o sorriso que eu tinha visto recentemente, e que parecia significar *Estou contente por você*. Depois, perguntou se deveríamos falar sobre término.

Oscilei. Ainda não.

Agora, no entanto, enquanto Wendell devolvia seu iPhone à gaveta e voltava para seu lugar no sofá, a hora pareceu certa. Existe um ditado bíblico que, em tradução livre, seria: *Primeiro você fará, depois compreenderá*. Às vezes, é preciso dar um salto de confiança e vivenciar algo, antes que seu significado fique aparente. Uma coisa é falar sobre deixar para trás uma mentalidade restritiva; outra é parar de *ser* tão restritiva. Transformar as palavras em ação, a liberdade disso, fez com que eu quisesse levar essa ação para fora da sala de terapia e para dentro da minha vida.

Com isso, eu estava pronta para marcar uma data para ir embora.

---

[13] "Haverá uma resposta, deixe estar." [N.E.]

58

Uma pausa na conversa

A coisa mais estranha na terapia é que ela é estruturada visando um fim. Tem início com a consciência de que nosso tempo juntos é finito, e o resultado positivo é que os pacientes alcançam seus objetivos e vão embora. Os objetivos são diferentes para cada pessoa, e os terapeutas conversam com seus pacientes sobre quais seriam os seus. Sentir menos ansiedade? Suavizar os relacionamentos? Ser mais generoso consigo mesmo? O ponto final depende do paciente.

Na melhor das hipóteses, o final parece orgânico. Poderia haver mais a ser feito, mas fizemos muito, o suficiente. O paciente se sente bem, mais resiliente, mais flexível, com maior capacidade para fluir pela vida cotidiana. Ajudamos ele a ouvir as perguntas que nem sabia que estava se fazendo: *Quem sou eu? O que quero? O que me atrapalha?*

Contudo, parece idiotice negar que a terapia também tenha a ver com a formação de vínculos profundos com pessoas, para depois dizermos "adeus".

Às vezes, os terapeutas descobrem o que acontece depois, se os pacientes voltam, em uma fase mais madura de suas vidas. Outras vezes, temos que imaginar. Como eles estão indo? Será que Austin está crescendo, depois de deixar a esposa e se assumir gay com quase 40 anos? Será que o marido de Janet, que sofre do mal de Alzheimer, ainda está vivo? Stephanie teria continuado casada? Existem inúmeras histórias inconclusas, inúmeras pessoas em que penso, mas que nunca mais verei.

"Você vai se lembrar de mim?", Julie havia perguntado, mas a pergunta não era exclusiva de sua situação.

E, hoje, estou me despedindo de Wendell. Há semanas temos falado sobre essa despedida, mas agora que a hora chegou, não sei nem como lhe agradecer. Quando eu era estagiária, ensinaram-me que quando os pacientes nos agradecem, ajuda lembrá-los de que foram eles que deram duro.

Foi tudo esforço seu, tendemos a dizer. *Eu só estava aqui para orientá-lo*. E, em certo sentido, é verdade. O fato de eles terem pegado o telefone e decidido ir à terapia, e, depois, lidar com seus problemas semanalmente, é algo que ninguém mais poderia fazer por eles.

Mas também aprendemos mais uma coisa que não podemos entender realmente até termos feito milhares de horas de sessões: crescemos em associação com os outros. Todo mundo precisa escutar a voz daquela outra pessoa que diz: *Acredito em você. Consigo ver possibilidades que talvez você ainda não veja. Imagino que possa acontecer algo diferente, de um jeito ou de outro*. Em terapia, dizemos: *Vamos editar sua história*.

Tempos atrás, quando eu falava sobre o Namorado, na minha visão um caso evidente de "Eu sou a vítima aqui", Wendell disse: "Você quer que eu concorde com você". Eu disse que não queria que ele concordasse comigo (embora quisesse!); só queria que ele fosse sensível ao choque que eu estava vivendo, e depois fui em frente, dizendo-lhe exatamente *como* eu queria que ele fizesse isso. Àquela altura, ele disse que eu estava tentando "controlar a terapia", e que minhas tentativas de distorcer as situações a meu bel prazer poderiam ter tido certa responsabilidade no fato de eu ter sido pega de surpresa pelo Namorado. Wendell não queria conduzir a terapia da maneira que eu queria que fizesse. O Namorado não queria viver numa domesticidade satisfeita, da maneira como eu queria que vivesse. O Namorado tentou se adaptar a mim, até não conseguir mais. Wendell explicou que não desperdiçaria meu tempo assim; não queria dizer dali a dois anos, como fez o Namorado: *Me desculpe, não vai dar*.

Lembro-me de como amei e odiei Wendell por dizer isso. É como quando alguém, finalmente, tem coragem de lhe dizer que você tem um problema, e você se sente, ao mesmo tempo, na defensiva e aliviado por essa pessoa estar dizendo a coisa como ela é. Esse é o delicado trabalho do terapeuta. Wendell e eu trabalhamos o meu luto, mas também o meu autoaprisionamento. E fizemos isso juntos; não foi tudo mérito meu. A terapia só funciona se há esforços conjuntos.

"Ninguém vai salvar você", Wendell havia dito. Wendell não me salvou, mas me ajudou a salvar a mim mesma.

Assim, quando expresso minha gratidão a ele, Wendell não afasta os cumprimentos com uma atitude banal de humildade. Diz: "Foi um prazer".

Recentemente, John observou que uma boa série de televisão faz com que os espectadores sintam como se o tempo entre os episódios semanais fosse simplesmente uma pausa na história. Diz que, de modo semelhante, ele começou a perceber que cada uma das nossas sessões não era uma conversa discreta, mas uma conversa continuada, e que o tempo entre as sessões era apenas uma pausa, não um ponto final. Compartilho isso com Wendell, conforme os minutos vão se esvaindo em nossa última sessão. "Vamos considerar isso uma pausa na conversa", digo. "Como toda semana, mas mais longa."

Digo-lhe que talvez volte um dia, porque é verdade; as pessoas vão e voltam em épocas diferentes de suas vidas. E quando o fazem, o terapeuta continua ali, sentado na mesma cadeira, de posse de toda a história que compartilharam.

"Ainda podemos considerar uma pausa", Wendell retruca. Depois, acrescenta a parte mais difícil de ser dita: "Mesmo que a gente não volte a se encontrar".

Sorrio, sabendo exatamente o que ele quer dizer. Os relacionamentos na vida não terminam de fato, mesmo que você nunca mais veja a pessoa. Cada um de quem você foi próximo continua vivo em algum lugar dentro de você. Seus antigos amores, seus pais, seus amigos, pessoas vivas e mortas (simbólica ou literalmente), todos eles evocam lembranças, conscientes ou não. Com frequência, eles influem em como você se relaciona consigo mesmo e com os outros. Às vezes, você conversa com eles em sua mente; às vezes, eles falam com você durante seu sono.

Nas semanas que culminaram nessa sessão, andei tendo sonhos sobre minha partida. Em um deles, vejo Wendell em uma conferência.

Ele está parado com alguém que não conheço, e não tenho certeza de que tenha me visto. Sinto uma distância enorme entre nós, e de tudo que uma vez existiu entre nós. E, então, acontece: ele olha para mim, eu aceno com a cabeça, ele acena de volta. Há uma sugestão de sorriso que só eu consigo ver.

Em outro sonho, estou visitando uma amiga em seu consultório de terapia. Não fica claro quem é essa amiga. Quando saio do elevador em seu andar, vejo Wendell deixando o conjunto. Fico na dúvida se ele estaria lá para se reunir com colegas em um grupo de aconselhamento. Ou talvez tenha acabado de deixar sua própria sessão de terapia. Fico fascinada: o terapeuta de Wendell! Um desses terapeutas será o de Wendell? Seria *minha amiga* a terapeuta de Wendell? Seja como for, ele não se sente constrangido por isso. "Ei", diz calorosamente ao sair. "Ei", respondo, ao entrar.

Imagino o que esses sonhos significam. Sempre fico incomodada, enquanto terapeuta, quando não consigo entender meus próprios sonhos. Trago-os para Wendell. Ele também não sabe o que significam. Criamos teorias, dois terapeutas analisando os sonhos de um deles. Conversamos sobre como me senti durante os sonhos. Conversamos sobre como me sinto agora: ansiosa e, ao mesmo tempo, empolgada por seguir em frente. Conversamos sobre como pode ser difícil estar apegada e dizer adeus.

"Tudo bem", digo, agora, na sala de Wendell. "Uma pausa."

Temos ainda um minuto, e tento absorver o momento, memorizá-lo. Wendell com suas pernas cruzadas, absurdamente longas, sua elegante camisa de botões, a calça cáqui e os sapatos com cadarço de hoje, azuis, encobrindo meias com estampa de quadrados. Seu rosto, curioso, compassivo, presente. A barba com os salpicos grisalhos. A mesa com os lenços de papel entre nós. O armário, a estante e a mesa onde sempre está seu notebook, e nada mais.

Wendell dá um tapa em suas pernas e se levanta, mas não diz o costumeiro "Te vejo na semana que vem", à porta.

"Tchau", digo.

"Tchau", ele diz, e estende a mão direita para apertar a minha.

Quando solto sua mão, viro-me e atravesso a sala de espera com as cadeiras pouco convencionais, as fotos em preto e branco e a máquina de ruído branco, depois sigo pelo corredor em direção à saída do prédio. Ao me aproximar da entrada principal, uma mulher entra, vinda da rua. Com uma das mãos, segura o celular junto ao ouvido, com a outra abre a porta.

"Preciso desligar. Posso te ligar daqui a uma hora?", pergunta, ao celular. Fico parada, vendo-a seguir pelo corredor. Como era de se esperar, ela abre a porta da sala de Wendell. Especulo sobre o que conversarão, se um dia dançarão.

Penso em nossa conversa, imaginando como a pausa se sustentará.

Uma vez lá fora, apresso o passo ao me dirigir até meu carro. Tenho pacientes para atender no meu consultório, pessoas iguais a mim, todos nós tentando ao máximo desobstruir nossos próprios caminhos. A luz no semáforo está prestes a mudar, então corro para atravessar a tempo, mas então noto o calor em minha pele, e paro na beirada da calçada, inclinando o rosto em direção ao sol, absorvendo-o, erguendo os olhos para o mundo.

Na verdade, estou com tempo sobrando.

Agradecimentos

Existe um motivo para eu perguntar aos pacientes como suas vidas são povoadas; se disse isso um milhão de vezes, direi um milhão e uma: crescemos em associação com outras pessoas. Acontece que os livros se desenvolvem da mesma maneira. Sou imensamente grata às seguintes pessoas:

Acima de tudo, meus pacientes são o motivo de eu fazer o que faço, e minha admiração por eles é eterna. A cada semana, eles se esforçam mais do que atletas olímpicos, e é um privilégio fazer parte desse processo. Espero ter feito justiça a suas histórias, e homenageado suas vidas nestas páginas. Eles me ensinam demais.

Wendell: agradeço-lhe por ser meu *neshama*, mesmo (e especialmente), quando eu não conseguia. É muito pouco dizer que me sinto especialmente afortunada por ter ido parar em seu consultório, naquele momento.

A terapia é inúmeras coisas, inclusive um ofício que se aprimorou com o passar dos anos. Tive a imensa sorte de aprender com os melhores. Harold Young, Astrid Schwartz, Lorraine Rose, Lori Karny e Richard Dunn me ajudaram desde os primórdios. Lori Grapes tem sido uma sábia mentora e uma incentivadora generosa, sempre disponível para uma rápida consulta entre sessões. Meu grupo de aconselhamento forneceu o lugar mais acolhedor de todos para realizar a difícil tarefa de examinar a mim e a meus pacientes.

Gail Ross tornou tudo isso possível, jogando-me nas mãos competentes de Lauren Wein – uma combinação fortuita e feliz por muitas razões, sendo que uma delas é o fato de ser nora de um terapeuta e, portanto, entender exatamente o que eu estava tentando fazer nestas páginas. Seu comentário "conversando com" foi a inspiração que acarretou um "estalo" em tudo, e, de inúmeras maneiras, ela orientou esse projeto com um a melhorar este livro, e, se eu tivesse a capacidade de distribuir um bom carma pela vida, daria a elas: Kelli Auerbach, Carolyn Carlson, Amanda Fortini, Sarah Hepola, David Hochman, Judith Newman, Brett Paesel, Kate Phillips, David Rensin, Bethany Saltman, Kyle Smith e Miven Trageser.

Anat Baron, Amy Bloom, Taffy Brodesser-Akner, Meghan Daum, Rachel Kauder-Nalebuff, Barry Nalebuff, Peggy Orenstein, Faith Salie, Joel Stein e Heather Turgeon me ofereceram apoio moral e prático e/ ou ideias hilariantes para o título (*Tem poeira debaixo daquele sofá*; *do meu sofá ou do seu?*). Taffy também me lançou suas bombas de verdade quando eu mais precisava delas. O experiente Jim Levine me encorajou em um momento fundamental, e seu apoio foi da maior importância. Emily Perl Kingsley ofereceu sua generosa bênção quando pedi para incluir seu belo ensaio "Bem-vindo à Holanda" nestas páginas. Carolyn Bronstein escutou... escutou... e escutou.

Quando você está escrevendo um livro, passa-se muito tempo até que tenha o privilégio de se comunicar com os leitores, mas, quando você escreve uma coluna semanal, seus leitores estão logo ali, com você. Um imenso obrigada a meus queridos leitores de "Dear Therapist", e ao pessoal da *Atlantic*, Jeffrey Goldberg, Scott Stossel, Kate Julian, Adrienne LaFrance e Becca Rosen, por me darem a oportunidade e confiar em mim para ter conversas francas com os corajosos leitores que buscam essa franqueza. Agradeço a Joe Pinsker, um editor dos sonhos em todos os sentidos, por garantir que o que escrevo faça sentido e soe muito melhor. É sempre uma alegria trabalhar com todos vocês.

Meu maior agradecimento vai para minha família. Wendell só precisava me ver uma vez por semana; vocês têm que me ver o tempo todo. Seu amor, apoio e compreensão são tudo. Um agradecimento especial ao "tudo de bom" Zach, por trazer uma magia diária à vida de todos nós, e por suas ideias úteis sobre o que dizer em minha coluna de conselhos e que título dar a meu livro. Não é fácil ter uma mãe terapeuta, e também não é fácil ter uma mãe escritora. Você recebeu uma dose dupla, ZJ, e tem lidado com tudo isso com uma graça impressionante. Você deu significado à palavra *significado*, e, como sempre, amo você "infinito à infinita potência".

Este livro foi composto com tipografia Adobe Garamond Pro e impresso em papel Off-White 70 g/m² na Formato Artes Gráfica.